合格しようぜ！ 2025年版

宅建士

おもしろいから
続けられる！
続けられるから
合格できる！

基本テキスト

動画＆音声講義付き

宅建ダイナマイト合格スクール 著

インプレス

本書の特典のご案内

● **電子書籍**

本書の全文の電子版（PDF・印刷不可）を無料でダウンロードいただけます。

● **スマホで学べる単語帳**

試験によく登場する重要用語を Web アプリ形式の単語帳で学習できます。

上の特典は、以下の URL からダウンロードいただけます。
インプレス書籍ページ　URL：https://book.impress.co.jp/books/1124101066
※特典の利用には、無料の読者会員システム「CLUB Impress」への登録が必要となります。
※本特典の利用は、書籍をご購入いただいた方に限ります。
※特典の提供期間は、本書発売より 1 年を予定しています。

● **動画 & 音声講義**

本書の内容に関連する動画講義と音声解説講義を無料で配信いたします（5 ページ参照）。

● **オンラインセミナー**

宅建ダイナマイト合格スクールで開催する無料のオンラインセミナー（不定期開催）にご参加いただけます。

● **本書のお問い合わせ**

本書の記述に関する不明点や誤記などの指摘は、上記、インプレス書籍サイトの「お問い合わせ」よりお問い合わせください。

オンラインセミナーについては「宅建ダイナマイト合格スクール」をご確認ください。
宅建ダイナマイト合格スクール　URL：https://t-dyna.com/

インプレスの書籍ホームページ

書籍の新刊や正誤表など最新情報を随時更新しております。

https://book.impress.co.jp/

はじめに

みなさんこんにちは。
宅建ダイナマイト合格スクールのおーさわ校長（大澤茂雄）です。

本書を手にとってくださりありがとうございます。
ところでみなさん、宅建ダイナマイト合格スクールってなに？
……といきなりみなさんに聞くのもなんですが、ここでちょっとスクールの紹介を。

そもそもワタクシ大澤茂雄ですが、宅建講師稼業に携わったのは平成元年（1989年）からです。25歳でした。
きっかけは大原簿記学校（当時）に宅建受験講座の講師として採用されたことなんですが、じつはデビューしてから数年、めっちゃ大変でした。

というのも、入ってみたら宅建受験講座自体の立ち上げから「やれ」と言われ、まさにゼロからの出発。
そのときのメンバーは3人で、みんながみんな、朝から深夜まで、テキストを書きながら問題や解説を作り、そのできたてほやほやの教材でこんどは大急ぎで講義の準備をするという、強烈な自転車操業の日々。
「いったい一日何時間働きゃいいんだよー」と嘆きつつ。

そんな強烈な日々でしたが、おかげさまで鍛えられました。
というか、楽しかったんですよね、そんな日々が。

苦労はあるものの、講義を通しての受講生のみなさんとの交流が楽しかった。
質問や相談を受けたり、いろんな話をきいたり。

そしてみなさんが合格したときの感動。
そりゃもう、かけがえのないものですよ。

そんな日々をもっと続けたい。
もっともっと、自分の理想とする受験講座を展開しよう。

そんな思いを起爆剤として独立したのは2004（平成16）年。
宅建ダイナマイト合格スクールの前身となる「宅建ダイナマイト受験倶楽部」を立ち上げました。

大手予備校で働いてりゃ経済的に安定した日々が過ごせるものの、なんか物足りなくなっちゃったんですね。
以来、かれこれ 35 年以上、こうして今も宅建受験講座に勤しんでおります。

そうそう。肝心なことを。
宅建試験に合格すると、マジで人生が弾みます。
目覚めたら、とても気持ちのいい朝。風が変われば心まで踊り出す。
人生なんか、楽しくなってきたぞ！！

そんな感じでうれしくなります。自信がつきます。
次になんかしたくなります。

宅建とったら人生なんとかなるかもよ。
愉快にいこう！！

それと、我々がお伝えしたいのは「宅建の受験勉強って、ほんとは楽しいんだってばっ」ということ。
どう楽しいのかって？
それは「土地」と「カネ」にまつわる人間ドラマだから。

そんなおもしろさをどうお伝えしていくか。
我々もちょっと考えましてね。

「そしたら本書にちゃんと講義をつけよう」

そういう結論に達しましたので、無料特典として音声講義（大澤担当）と動画講義（鳥海耕二講師）を用意しました。

音声講義は、ワタクシ大澤茂雄が、各章の特に重要ポイントをラジオ番組のような愉快なトークでお届けします。
動画講義は、鳥海講師が、受験勉強の方法や試験の攻略法をコンパクトながらも計 3 時間ちょっとでお届けします。

本書自体も、読みやすく、かつ、試験に直結する内容が頭に入りやすいように会話形式としてみました。

へー、なんかおもしろそうかも。

そしたらとりあえず、もうちょっと先まで、ページをめくってみてください。
音声講義と動画講義で宅建試験に受かっちゃおうかな。

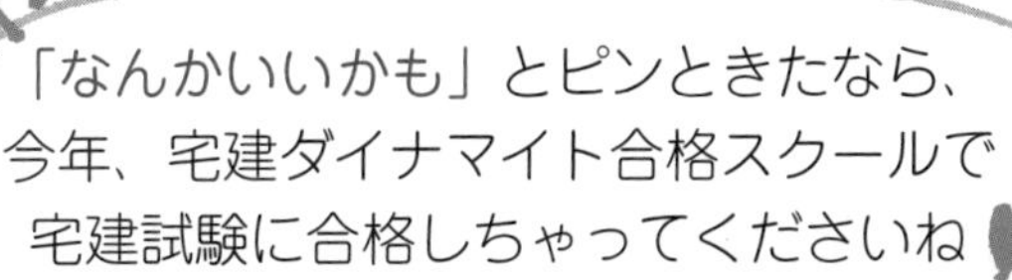

宅建ダイナマイト合格スクール
代表　大澤　茂雄

■ 本書の無料特典 ■

■ 音声講義（大澤茂雄講師） ● https://t-dyna.com/impress 2024 年 10 月 16 日より順次公開	
■ 動画講義（鳥海耕二講師） ● https://www.youtube.com/@toriumi 2024 年 10 月 16 日より順次公開	
■ 全文電子版 &Web アプリ ● https://book.impress.co.jp/books/1124101066	

本書の特長

受験勉強を楽しく進めるために、本書には宅建ダイナマイト合格スクールならではの工夫が詰まっています。8つの特長を紹介します。

❶ 宅建業法から勉強する

宅建試験の出題範囲は、大きく分ければ宅建業法、法令上の制限、権利関係の3つです。試験の出題順では権利関係の民法からですが、本書では宅建業法から解説するのが特長です。それは、不動産のいちばんおもしろくて具体的なところが詰まっているから。また宅建試験50問中20問は宅建業法からの出題で、得点源でもあります。ちゃんと勉強すれば着実に得点できます。

❷ 会話形式で楽しく読める

むずかしい文章だけが並んでいるテキストだと、理解しづらく、学習も継続できませんね。そこで本書は、犬(講師役の「宅犬おじさん」)と猫(アシスタントのリリー)の愉快な会話形式にしてみました。実際の講義を受けているような、ライブ感のある解説が読めるので、記憶にも定着しやすくなります。

たとえば、チンパンジーと売買契約をすることができるか?

できないです。生き物だけど「人」じゃないです(笑)。

もちろんイヌやネコもね。この「人」として扱うという概念を「権利能力」と表現していて、そもそも「権利能力」がないと、意思能力がどうしたこうしたは、まったく意味をなさない。

> ちなみに
> 人は生まれたときから権利能力があるということを、民法では「私権の享有は、出生に始まる」として規定している(3条【権利能力】)。

ニンゲンでよかった(笑)。

❸ 法律の表現も取り入れながら

宅建試験は法律の試験なので、本試験は、条文の言い回し（法律の文章）で出題されます。だから本書は会話形式ですが、条文はしっかり掲載しているのがポイントです。学習の際に実際の条文に触れていれば、本試験での問題もスラスラ解けるようになります。

▶**遺留分の帰属及びその割合**（1042条）

兄弟姉妹以外の相続人は、遺留分として、遺留分を算定するための財産の価額に、次の割合を乗じた額を受ける。

① 直系尊属のみが相続人である場合：３分の１

② ①以外の場合：２分の１

❹ 図表が豊富で「見る」だけでも理解が進む

たとえば契約の流れなど、文章だけではやりとりの全体像が理解しにくいテーマでも、図解を眺めるだけで理解できるようになっています。また、重要な項目が整理された表や箇条書き、シンプルだけど動きのあるイラストなどによって、合格に必要な要素を効率的に吸収できます。

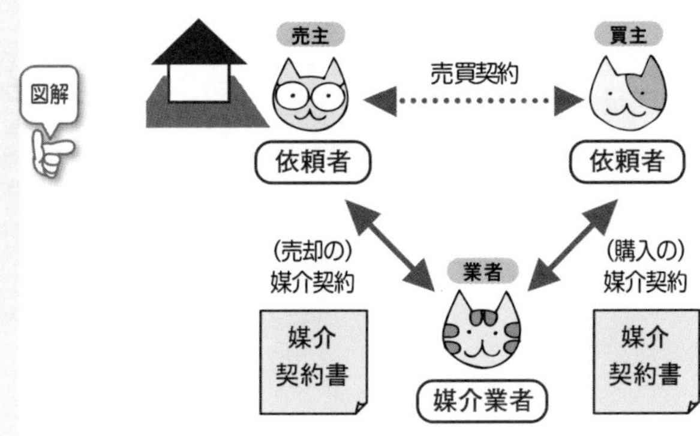

❺ 動画 & 音声講義で要点がわかる

無料特典として、おーさわ校長こと大澤茂雄先生の楽しい音声講義と、鳥海耕二先生のていねいな動画講義がついています。いずれもベテランの人気講師が「合格に直結する重要ポイント」に絞って、効率よく教えてくれる講義です。家事をやっているときや車の運転中、通勤途中の電車内ではおーさわ校長の音声講義、時間がとれるときは鳥海先生の動画講義。そんな使い分けで受験勉強を楽しんでください。

❻ 全文電子版をスマホで持ち歩ける

受験勉強を本気でやろうと思うなら全出題範囲をカバーした分厚いテキストが必要ですので、どうしても重たくなります。でも重いと「持ち歩こうかな〜。どうしようかなあ。」って迷ってしまうときもありますよね。そんなときのために、全文電子版もご用意しました。自分の行動予定と気分に合わせて、「本」と「スマホ」を使い分けてください。

❼ Web アプリの単語帳付き

宅建試験は法律の試験なので、専門用語（条文での表現）を覚える必要があります。「あれ、これどういう意味だっけ？」と悩むときも。そんなときは Web アプリの単語帳をご利用ください。効率よく受験勉強を進めることができます。

❽ サポート体制も万全

宅建ダイナマイト合格スクールでは様々な愉快な仲間たちと、在校生、卒業生のサポートをしています。詳細は QR コードからご覧ください。

■【公式 LINE】	■【宅建ダイナマイト関連商店】	■【オンラインリアル講義】
■【大人女子宅建】	■【RE/MAX Dynamite】	■【宅建ダイナマイト仕事相談】

合格を目指して!!

初学者の方へ

宅地建物取引士資格試験（宅建士試験）の受験者数は例年約 20 万人、合格率は 15％前後です。合格率が物語るとおり、ある程度の学習量が必要となります。3 ヶ月～ 6 ヶ月程度の学習期間を目途として学習スケジュールをたててください。
本書は、受験対策講座として「講義形式」を採用し、集中力が持続しやすい長さに章分けしました。さらに本書の内容に沿った音声講義と、受験のポイントを押さえた動画講義が付いています。この点が、他の一般の受験対策本とは全く異なる特色です。

ある程度学習が進みましたら、『2025 年版 合格しようぜ！　宅建士 攻略問題集 精選 333 問 音声解説付き』（2024 年 10 月発売）、『2025 年版 合格しようぜ！ 宅建士 過去 15 年問題集 音声解説付き』（2024 年 12 月発売予定）でアウトプット学習を進めましょう。

受験経験者の方へ

本書の講義順での学習よりも、再受験に向けて受験対策を講じたい項目から、優先的に学習しましょう。その際、頻出度星印が学習順の参考になります。
宅建業法・法令上の制限での得点を伸ばすことが、とりわけ合格のカギになるので、これらを重点的に学習することをオススメします。

学習のポイント

1　過去問を制する者が宅建試験を制す!!

- 過去に出題された内容が、表現を変えて繰り返し、出題されている
- 過去によく出題されている内容の問題は、ぜったいに落とさないこと
- 姉妹書『合格しようぜ！宅建士 過去15年問題集』の星三つ（☆☆☆）の問題を、ちゃんと得点できるようにしておくこと

2　35点〜37点勝負だ!!

- なにも満点（50点満点）を取る必要はない
- 比較的得点しやすい分野でがっちり得点すること
- 「宅建業法編」と「法令上の制限編」が勝負となる

3　結局は忘却との戦いだ!!

- とどのつまりは量が質を生む
- せっかく覚えても「どんどん忘れていく」ということを前提にせよ
- 定期的に問題を解き直したり、テキストを読み直す必要がある

結　論

合格に王道はなし

- 基本書（テキスト）は3回読み直す
- 問題集は5回解き直す

合格のための心得・格言集

★ラクな道はないのだと心得よ。
★自分との戦いに勝利せよ。逃げるな。
★継続はチカラなり。毎日やれ。
★「仕事」を言い訳にする者から脱落する。
★年齢を言い訳にする者は見苦しい。
★へらへら笑ってごまかすな。
★合格した者だけがチヤホヤされる。
★惜敗するな。落ちたら価値なし。

宅建士試験って、どんな試験？

試験の概要を見てみよう

宅建士試験の概要

受験資格	特になし（誰でも受験できる）
実施機関	（財）不動産適正取引推進機構 詳細は https://www.retio.or.jp にて
試験実施日	例年10月の第3日曜日　13：00～15：00 （コロナの影響により令和2年から試験日が2回の場合あり）
出題形式	50問の出題で四肢択一形式
＊宅建業に従事している方で所定の講習を受講した方は45問（5問免除）13：10～15：00にて実施	
受験申込	例年7月から受験申込書の配布・受験の申込みは7月末まで
受験申込者数	約27万人
受験者数	約21万人
合格者数	約3万人
合格率	15%前後
合格点	おおむね35点（免除者は30点）前後
＊その年の問題の難易度による	
合格発表	例年11月下旬

毎年約21万人が受験して約3万人が合格します。合格点や合格率はその年の難易度により異なります。

30年	R1年	R2年	R3年	R4年	R5年
15.6%	17.0%	15.4%	16.8%	17.0%	17.2%
37点	35点	10月38点 12月36点	10月34点 12月34点	36点	36点

◆宅建士試験の出題内容（例年）

本書中の分野の表現	具体的な法令	本試験中問題番号	出題数（計50問）
Part3 権利関係	民法・借地借家法・不動産登記法・区分所有法	問1～問14	**14問**
Part2 法令上の制限	都市計画法・建築基準法・農地法・国土利用計画法・土地区画整理法・宅地造成及び特定盛土等規制法など	問15～問22	**8問**
Part4 地価公示・不動産鑑定評価・税	所得税・登録免許税・印紙税・不動産取得税・固定資産税など	問23～問24	**2問**
	地価公示法か不動産鑑定評価	問25	**1問**
Part1 宅建業法	宅地建物取引業法 住宅瑕疵担保履行法	問26～問45	**20問**
Part5 免除科目	住宅金融支援機構・景品表示法・住宅着工統計など（免除科目*）	問46～問50	**5問**
	宅地・建物の形質など（免除科目*）		

＊：宅地建物取引業に従事している方で、所定の講習課程（登録講習）を修了し、講習修了者証の交付を受けた方は、「問46～問50」の5問が免除され、全45問での試験実施となります。試験時間は13：10～15：00です。

宅建は「人間ドラマ」のおもしろさ

●土地とカネと欲望のドラマ

正直に申します。

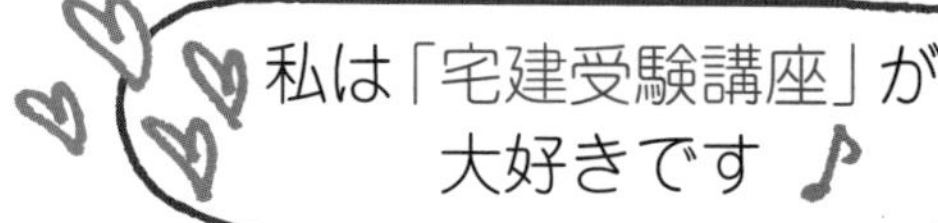

もうちょっと具体的にいいますと、
「宅建受験講座」で取り扱う「法律」が好きです。
民法をはじめ借地借家法、区分所有法、不動産登記法。
そして宅建業法から、都市計画法や建築基準法などなど。

おおげさにいえば
「愛している」
という感じでしょうか。

なんでそんなに好きかというと、ちょっと身もふたもない言い方かもしれませんが、いずれもその内容が、人間の欲望の原点すなわち「土地」と「カネ」を扱っているからかもしれません。

「土地」と「カネ」にまつわるお話（とくにトラブル）なんですから、おもしろくないわけがない。

まさに人間ドラマ。

そうなんですよ。
宅建の受験勉強って、ほんとうはとっても楽しいんです。それをどうにかしてお伝えしたく、日々奮闘しています。

私は自分で感じたおもしろさを、受講しているみなさんに伝え続けています。
暗記ではなくて、背景の理解。
人間模様のドラマを、みなさんにお見せします。

それを私は毎年、受講してくださるみなさんにお約束しています。

●「表参道」があああいう街なワケ

それからもうひとつ。
「街で遊ぶのが好き」という方がいらしたら、ぜひお付き合いください。

ウラ話的なことをちょっと知っているだけで、もっと街が楽しくなるんじゃないでしょうか。

たとえばですね、東京・港区の表参道。
表参道ヒルズができて以来、ますます華やかでたのしい街になっています。
都市計画法の用途地域でいえば、「商業地域」になります。
渋谷の道玄坂あたりとおなじです。

「商業地域」なんですから、もちろん映画館やゲームセンターなどなど、あとはもうちょっとアダルトな店も出すことができます。

さて、表参道。

いらしたことがあれば、ちょっとあのあたりの街並みを思い出してみてください。
たしかにブランド店やオシャレな雑貨屋さんなどはありますけど、映画館やゲームセンターなどありますでしょうか？
風営法が適用される業態のお店はどうでしょう。
ないんです。

なぜ、ないのでしょう。

じつはそこに、都市計画法上の「文教地区（特別用途地区の一種）」が重ねて指定されているからなんです。

文教地区に指定されますと、たとえそこが商業地域であっても「文教地区」としての法的な制限が優先され、映画館やゲームセンター、風俗店は設置できなくなります。

商業地域ならではの建蔽率と容積率（建物のサイズが決まります）。
文教地区ならではの清涼感。
そういったしくみがうまく組み合わさることによって、表参道の魅力が生まれたのではないかと思います。

ちなみに、なぜ「表参道」に文教地区が指定されているのでしょうか。
お気づきの方も多いと思いますが、「表参道」だからです。

そうです、参道です。
明治神宮をお参りする道だからです。
表参道の隠れた主役は、やはり明治神宮なんですね。

そういった視点で、ぜひ街をとらえてみてください。
すると、無味乾燥と思われていた都市計画法や建築基準法などが、生きた姿でみなさんの前に現れてきます。

●背景を理解して楽しく学習

本書の受験講座では、合格するために必要な情報はもちろんのこと、いまのようなお話をいろんなところでみなさんにご紹介していきたいと思っています。

これで宅建の受験勉強がつまらなかったらごめんなさい。
そんなつもりで、宅建ダイナマイト合格スクールを運営しております。

さあみなさん、笑いながら楽しく勉強していこうじゃありませんか。
そして宅建試験に合格しちゃいましょうね。

宅建ダイナマイト合格スクール
「宅犬おじさん」こと
代表　大澤　茂雄

鳥海耕二先生のメンターサービスのご案内

宅建試験の受験勉強を進めていくと、自分の勉強方法はいいのか、進捗状況はどうなのかなどの多くの不安を感じます。
本書で動画講義を担当する鳥海耕二先生が、そんな宅建試験の受験勉強についての不安や悩みを解消するためのサポートをしてくれます。
豊富な経験と実績を持っているのでピンポイントな悩みにも対応可。
有料サービスとなりますが、どうぞご活用ください。

Contents

試験に「出るところ」を重点的に!!

Part 1 宅建業法

Part 2 法令上の制限

Contents

Part 3 権利関係

本書のアイテムの紹介

本書で使われているアイテムやアイコンを紹介します。毎日の学習や復習・直前期学習の道しるべとなるよう用意しました。どうぞご活用ください。

本文

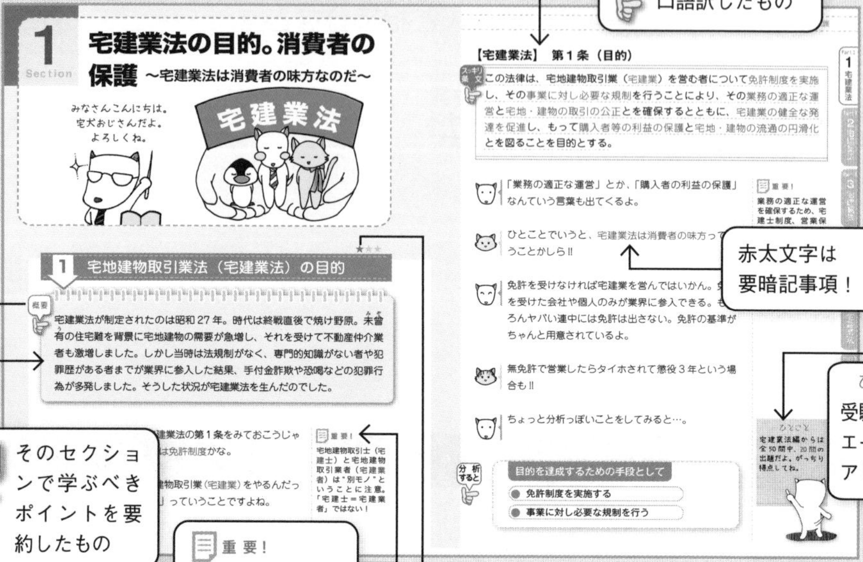

1 Section 宅建業法の目的。消費者の保護 ～宅建業法は消費者の味方なのだ～

みなさんこんにちは。宅犬おじさんだよ。よろしくね。

宅建業法

1 宅地建物取引業法（宅建業法）の目的

概要 宅建業法が制定されたのは昭和27年。時代は終戦直後で焼け野原。未曽有の住宅難を背景に宅地建物の需要が急増し、それを受けて不動産仲介業者も急増しました。しかし当時は法規制がなく、専門的知識がない者や犯罪歴がある者までが業界に参入した結果、手付金詐欺や恐喝などの犯罪行為が多発しました。そうした状況が宅建業法を生んだのでした。

…建業法の第1条をみておこうじゃ…は免許制度かな。

…物取引業（宅建業）をやるんだっ…」っていうことですよね。

重要！ 宅地建物取引士（宅建士）と宅地建物取引業者（宅建業者）は"別モノ"ということに注意。「宅建士＝宅建業者」ではない！

【宅建業法】 第1条（目的）

スッキリ条文 この法律は、宅地建物取引業（宅建業）を営む者について免許制度を実施し、その事業に対し必要な規制を行うことにより、その業務の適正な運営と宅地・建物の取引の公正とを確保するとともに、宅建業の健全な発達を促進し、もって購入者等の利益の保護と宅地・建物の流通の円滑化とを図ることを目的とする。

「業務の適正な運営」とか、「購入者の利益の保護」なんていう言葉も出てくるよ。

ひとことでいうと、宅建業法は消費者の味方っていうことかしら!!

免許を受けなければ宅建業を営んではいかん。免許を受けた会社や個人のみが業界に参入できる。もちろんヤバい連中には免許は出さない。免許の基準がちゃんと用意されているよ。

無免許で営業したらタイホされて懲役3年という場合も!!

ちょっと分析っぽいことをしてみると…。

分析すると 目的を達成するための手段として
- 免許制度を実施する
- 事業に対し必要な規制を行う

重要！ 業務の適正な運営を確保するため、宅建士制度、営業保…

ひとこと 宅建業法編からは全50問中、20問の出題だよ。がっちり得点してね。

スッキリ条文：条文をスッキリと口語訳したもの

赤太文字は要暗記事項！

ひとこと：受験生へのエールやアドバイス

概要：そのセクションで学ぶべきポイントを要約したもの

重要！：間違いやすい項目

★星マーク0～3で過去の頻出度を表す

■ Section 1 宅建業法の目的。消費者の保護 ★★★

2 宅地建物取引業（宅建業）とは

★★★：毎年のように出題されている項目！
★★☆：ここも頻出！　落としちゃだめ！
★☆☆：基本のキ！　前提の確認！

その他のアイコン

分析すると　図解　詳しく　重要　例示　他

アイコンを頼りに側注で知識を補足

ここがポイント!!	勘違いしやすい項目
ちなみに!!	実務や業界の話題・ウラ話
プラスα	余裕があれば…
念のためですが!!	再確認の項目
参照	他の項目との併読個所

登場人物

宅犬おじさん（講　師）

野良犬時代に宅建合格。その後、カリスマ講師となるが、旅を続けている。

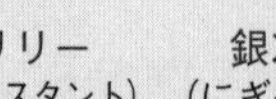

リリー（アシスタント）

クラブ歌手。昨年に宅建合格。せっかくだからと開業準備中。

銀次郎（にぎやかし）

リリーの義弟。宅建合格をめざし奮闘中。アシスタントのアシスタント役。

Part 1

宅建業法 -1

宅建業法を制覇するには、まず免許制度から。とにもかくにも「宅建業を営むためには免許を受けなければならない」という大前提からスタート。どういう仕事が宅建業になるのか。免許を受けたあとの各種届出など、そのあたりがバシバシ出題されます。ガンガン勉強すれば、ガッツリ得点できる項目です。はりきって行ってみよう～！

無免許はダメよん

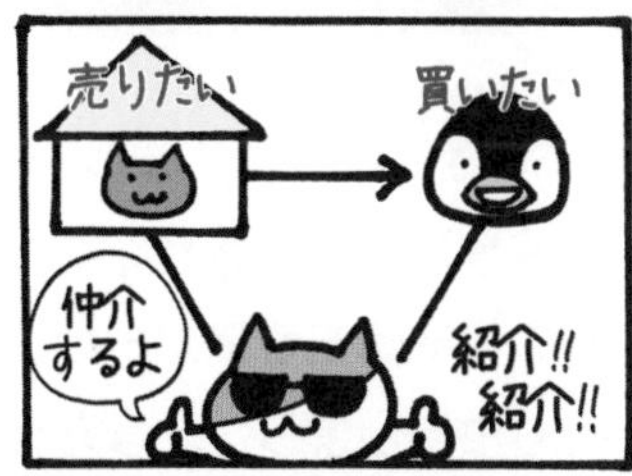

1 Section 宅建業法の目的。消費者の保護 ～宅建業法は消費者の味方なのだ～

★★★

1 宅地建物取引業法（宅建業法）の目的

概要

宅建業法が制定されたのは昭和 27 年。時代は終戦直後で焼け野原。未曾(みぞ)有(う)の住宅難を背景に宅地建物の需要が急増し、それを受けて不動産仲介業者も激増しました。しかし当時は法規制がなく、専門的知識がない者や犯罪歴がある者までが業界に参入した結果、手付金詐欺や恐喝などの犯罪行為が多発しました。そうした状況が宅建業法を生んだのでした。

せっかくだから、宅建業法の**第1条**をみておこうじゃないか。キーワードは免許制度かな。

「会社や個人で宅地建物取引業（宅建業）をやるんだったら免許を受けてね」っていうことですよね。

重要！

宅地建物取引士（**宅建士**）と宅地建物取引業者（**宅建業者**）は“別モノ”ということに注意。「宅建士＝宅建業者」ではない！

【宅建業法】　第１条（目的）

この法律は、宅地建物取引業（宅建業）を営む者について免許制度を実施し、その事業に対し必要な規制を行うことにより、その業務の適正な運営と宅地・建物の取引の公正とを確保するとともに、宅建業の健全な発達を促進し、もって購入者等の利益の保護と宅地・建物の流通の円滑化とを図ることを目的とする。

「業務の適正な運営」とか、「購入者の利益の保護」なんていう言葉も出てくるよ。

ひとことでいうと、宅建業法は消費者の味方っていうことかしら!!

免許を受けなければ宅建業を営んではいかん。免許を受けた会社や個人のみが業界に参入できる。もちろんヤバい連中には免許は出さない。免許の基準がちゃんと用意されているよ。

無免許で営業したらタイホされて懲役３年という場合も!!

ちょっと分析っぽいことをしてみると…。

目的を達成するための手段として

- 免許制度を実施する
- 事業に対し必要な規制を行う

業務の適正な運営を確保するため、宅建士制度、営業保証金制度、報酬限度額の掲示、従業者証明書の携帯、帳簿の備付けなどの規定がある。

ひとこと

宅建業法編からは全50問中、20問の出題だよ。がっちり得点してね。

その結果として

- 業務の適正な運営を確保
- 宅地・建物の取引の公正を確保
- 宅建業の健全な発達を促進

プラスα

取引の公正を害する行為は、監督処分として指示処分などの対象になる。

そして究極的には

- 購入者等の利益の保護
- 宅地・建物の流通の円滑化

究極的には、お客さんの利益の保護ってことなんですねー。

うん、そういうこと。単に宅建業者を取り締まろうっていうことだけじゃなくて、一般消費者が安心して利用できる宅建業者を育成しようっていう側面もあるんだよ。

プラスα

究極的には購入者等の利益の保護を目的としているが、そのためには宅建業者に対しての直接的な業務規制が必要となる。

★★★

2 宅地建物取引業（宅建業）とは

概要

世間では「不動産業」とか「不動産業者」という言い方が一般的ですが、実は宅建業法では「不動産業」「不動産業者」という言葉は登場しません。あくまでも「宅地建物取引業（**宅建業**）」「宅地建物取引業者（**宅建業者**）」です。ここでは一般的な「不動産業」と宅建業法上の「宅建業」のちがいを押さえておきましょう。

〔1〕不動産業と宅建業のちがい

目的にも書いてあったとおり、宅建業を営むには免許が必要なのだ。

どういう仕事が宅建業になるか、ここが最初のポイントでーす。

そうそう。じつは世にいう「不動産業」よりも狭いイメージ。

「自分の建物を貸す」は宅建業にならないんですよね。

そのとおり。宅地や建物の分譲業や、売買や賃貸の仲介業は宅建業になるけど、不動産賃貸業（大家業や貸しビル経営など）は宅建業にならないんだよ。サブリース（転貸借）なんかも、宅建業にはならない。

あと、マンション管理業、建物の建築業（ハウスメーカー・工務店・大工さんなど）や宅地の造成業なども宅建業にはなりませーん。

重要！

社会全体の利益（公共の福祉）という観点から、一般国民は宅建業を営むことは禁止されている。免許を受けた者のみが営めるという意味合い。

重要！

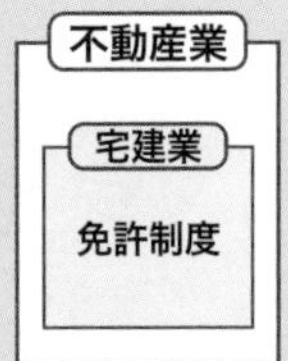

プラスα

マンション管理業や建設業をはじめ、その業界ごとに「○○業法」があることが多い。開業にあたり許認可や業者登録が必要となったりする。

宅建業とは（2条）

①宅地・建物の売買・交換をする行為で業として行うもの **当事者**

②宅地・建物の売買・交換・貸借の代理をする行為で業として行うもの **代　理**

③宅地・建物の売買・交換・貸借の媒介をする行為で業として行うもの **媒　介**

自ら売主（当事者）

> ちなみに !!
> 「自ら売主」は、一般には「分譲業」と呼ばれる。

自ら貸主（当事者）

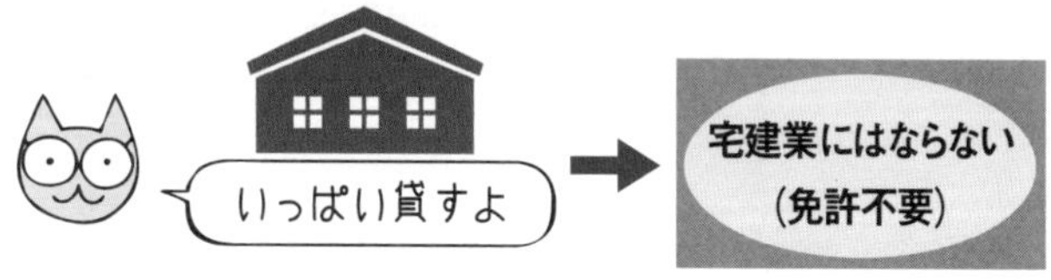

媒　介

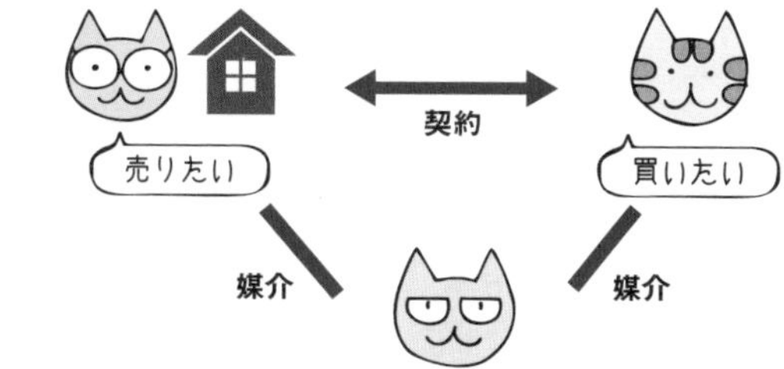

> 念のためですが !!
> 「媒介」とは、一般には**仲介**のこと。でも、宅建業法上、仲介という言葉は出てこない。

代　理

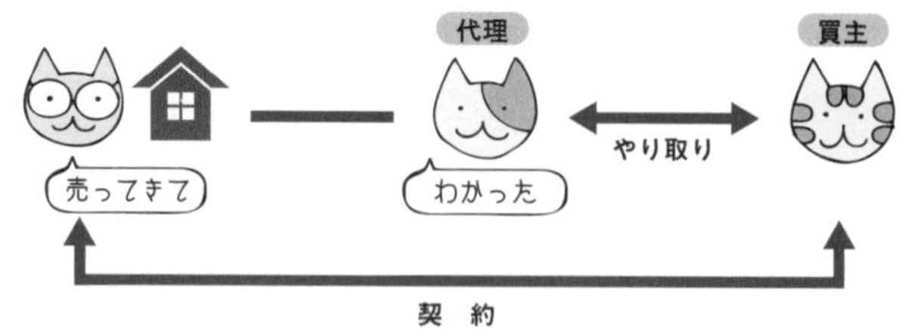

> ちなみに !!
> 販売代理業者は、新築マンションの分譲などでよく見かける。

転貸借（サブリース）

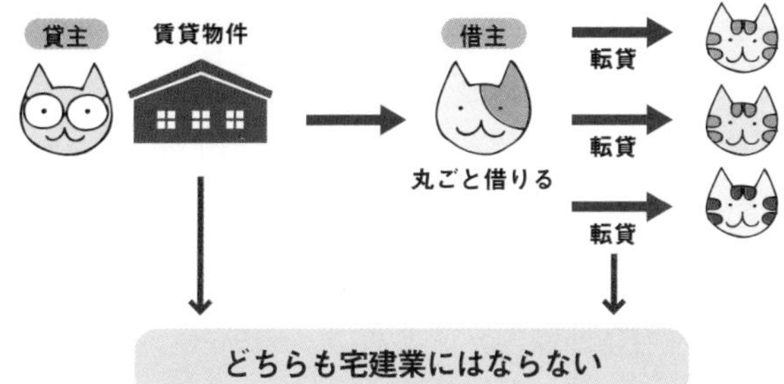

重要！

いくら手広く賃貸業（サブリースも含む）をしていても、宅建業には該当しない。

〔2〕宅地とは（2条）

まずはじめに、宅建業法でいうところの宅地とはどんな土地なのか。

重要！

宅建業法上の宅地にならない土地の売買などは、宅建業とはならない。

どんな土地でも「宅地」になるわけじゃないんですよねー。

① 宅地とは（以下の３パターン）

全国的に	①いま現在、建物の敷地として使われている土地	宅地
	②建物の敷地として使う目的で取引される土地	宅地
用途地域内	③実際に道路、公園、河川、広場、水路として使われている土地以外はすべて宅地	

①はともかく、②のように、いま現在、建物は建っていないんだけど、建物を建てるために取引される土地（宅地予定地・宅地見込地）も、宅地として扱われることに注意ですね。

③の「用途地域内」の土地については、建物の敷地として使われるかどうかという観点ではなく、実際に道路や公園などになっている土地以外は宅地となるよ。だから更地や月極駐車場用地、田畑なども宅地だね。『用途地域』については、のちほど「**法令上の制限編**」で学習します。ちなみに全部で 13 種類あって、第一種低層住居専用地域、第一種住居地域、商業地域、工業地域などがある。用途地域というくらいだから、建物を建築することを前提としているエリアで、つまり、街中のこと。我々が住んでいるエリア（用途地域内）であれば、原則としてほぼ「宅地」となる、と考えておこう。

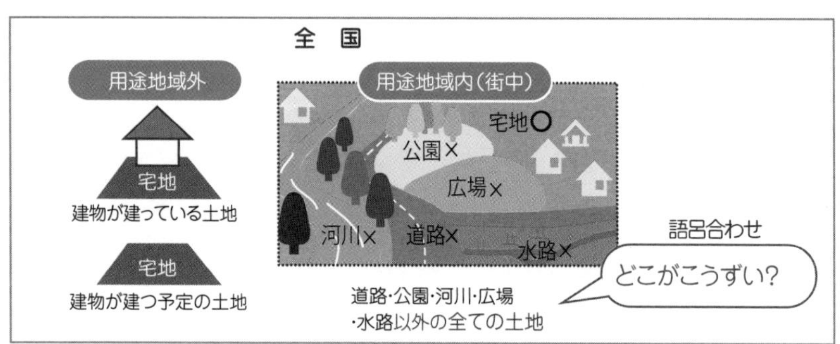

なお、「建物」とは屋根と柱・壁がある工作物で、住宅だけではなくて倉庫、店舗、別荘などのほか、マンションの一室など、建物の一部も含む。

〔3〕どういう行為が宅建業になるのか

さっきの話を、もう一度ここで復習してみるね！

宅建業とは（2条）

①宅地・建物の売買・交換をする行為で業として行うもの　当事者

②宅地・建物の売買・交換・貸借の代理をする行為で業として行うもの　代　理

③宅地・建物の売買・交換・貸借の媒介をする行為で業として行うもの　媒　介

①はいわゆる分譲業でしょ。新築や中古の販売業者はこれですよね。

そう。どっかで仕入れてきて、利益を乗せて売ると。仕入れ先は問わないよ。中古なんかだと、たとえば競売で落札するというのも立派な仕入れ先。

代理とか媒介っていうのは、他人間の売買や貸借の間に入って契約をまとめる仕事ですよね。成功すれば手数料（媒介報酬・代理報酬）をいただくと。

かっこよくいうと、ブローカーだね。

転売目的で宅地を反復継続して購入する行為も宅建業となる。

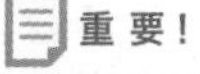

取　引	宅建業？
自ら貸主	×
貸借の代理	○
貸借の媒介	○
自ら売主	○
売買の代理	○
売買の媒介	○

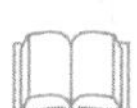
媒介とは

いわゆる**仲介**のことで、売主と買主、貸主と借主の間に入って契約が成立するように力を尽くす仕事をいう。でも契約を締結する権限まではない。契約するかしないかは当人たちの判断となる。

代理とは

他人間の契約が成立するようお膳立てすることは媒介とおなじだけど、代理を依頼した**本人の代わりに契約を締結**することまでできちゃうのが代理。

次のページみたいな場合は、どうなるんだろ。宅建業になるんだったら免許を受けないとね。

これって、毎年のように出題されてますねー。

Question

問題

Aは自己所有地をいくつかの区画割りをして宅地として分譲することにしました。でも自分で売る（買主を探す）のはむずかしいから、実際に買主を探すことは媒介とか代理という形で宅建業者に頼みました。この場合、Aの行為は宅建業になる（免許が必要になる）でしょうか？　➡ なる・ならない

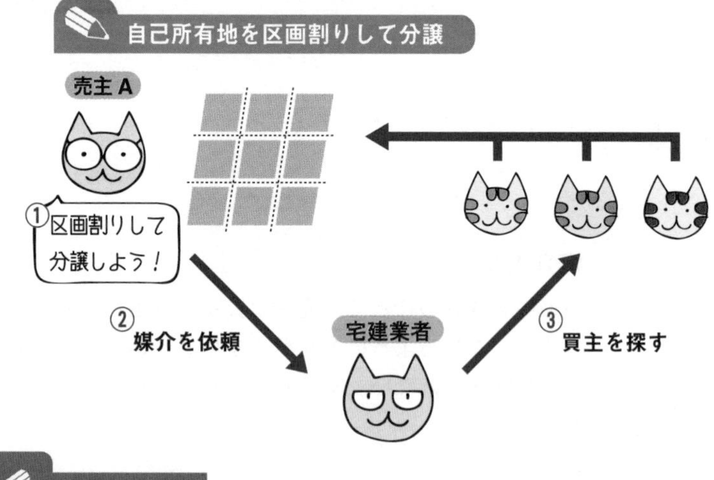

答え

なる。実際に買主を探すことを媒介や代理という形で宅建業者に依頼したとしても、自ら売主となって分譲することに変わりがない。なので、宅建業になっちゃう。免許が必要だよ。

免許なんて受けたくないっていうんだったら、区画割りしたとしても、そのまま丸ごと一括して売っぱらうしかない。

重要！

「一括して売却」という言葉がでてきたら、「業」として行うことにはならないと判断してよい。

単なる財産処分という扱いで、「業」にならないようにすればいいっていうことですよね。

〔4〕「業」として行うとは

この２つの要件を満たすと「業」になるよ。

① 不特定多数を相手に取引をする　**お客は誰でもいい**

② 反復継続して取引を行う　**何回もやるつもり**

「転勤になっちゃったので、むかし買ったマンションを売る」なんていう場合、これって「業」にならないですよね。

そうだね。買主は誰でもいいとしても、売ること自体は何回もやるつもりはないからね。反復継続性なし。単なる財産処分。

「転売目的で中古マンションを仕入れて売る」とかだと、業になっちゃうかしら。

なるんじゃないかな。コムズカシクいうと、「社会通念上事業の遂行とみられる程度」というのが、判断基準みたいだね。

プラスα

「福利厚生事業の一環として、自社の工場跡地を区画割りして、従業員のみに売却」の場合、不特定多数性はなく業には該当しないと判断。

宅地を区画割りして分譲

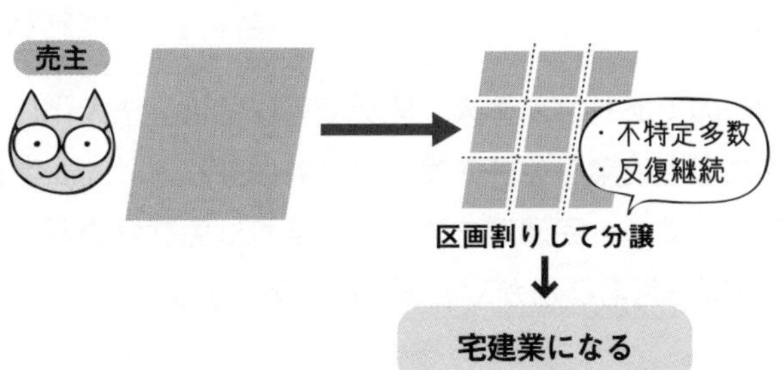

重 要！

「区画割りして分譲」という言葉が出てきたら、宅建業に該当すると判断してよい。

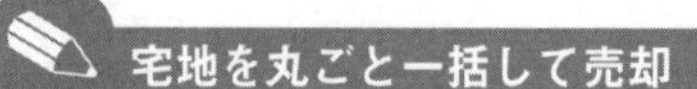

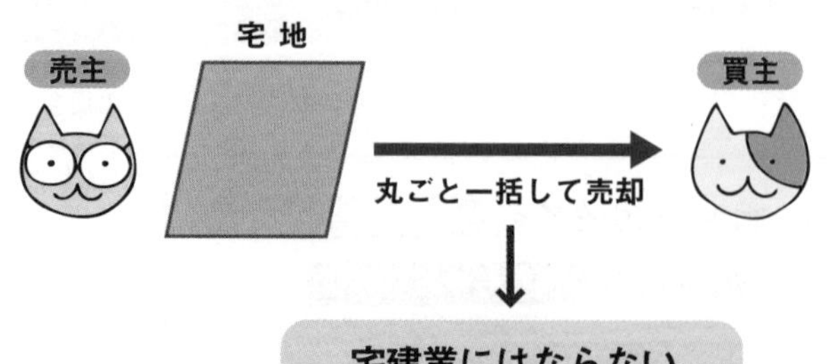

念のためですが!!
買主側が、その後に転売（分譲）ということになると、買主側は免許が必要となる。

買ったマンションを単に売る

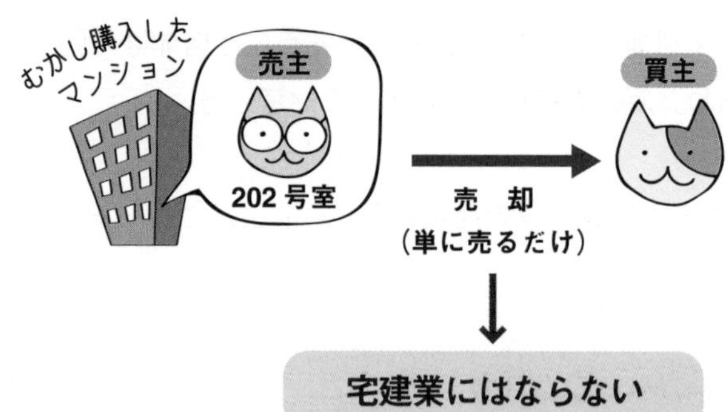

念のためですが!!
単なる自宅の売却は宅建業にはならない（業ではない）。

★★★

3 宅地建物取引業者（宅建業者）

我々が宅建業を営むのであれば、個人で開業するにせよ、法人化して取り組むにせよ、いずれも宅建業の免許を受けなければなりません。学校法人や宗教法人などであっても、宅建業を営むのであれば免許が必要である反面、免許不要で宅建業を営むことができる場合があります。

〔1〕法人業者と個人業者

念のためだけど、宅建業法上、不動産業者という言い方は出てこないよ。宅建業の免許を受けて宅建業を営むものを、宅地建物取引業者（宅建業者）と呼ぶ。

株式会社などの法人が免許を受けたら法人業者、個人だったら個人業者っていうふうにいったりもしてまぁーす。

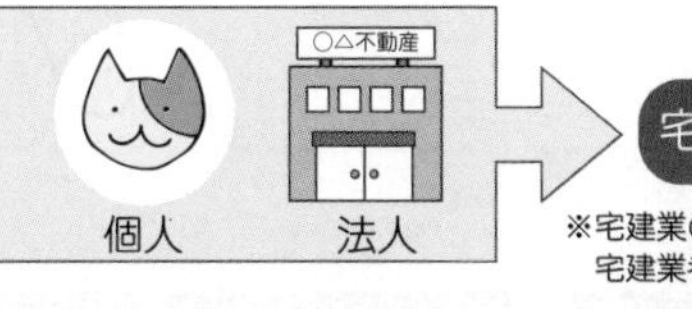

宅建業の免許必要

※宅建業の免許を受けた個人・法人を宅建業者という。

宅建業者の数：12万7,215業者（令和2年度末時点）。

圧倒的に法人業者のほうが多い。

個人　個人業者：1万4,738業者

法人　法人業者：11万2,477業者

〔2〕免許がなくても宅建業オッケーの場合（77条・78条）

国や地方公共団体などには宅建業法自体の適用がないよ。なので、免許不要で宅建業ができます。まぁそりゃそうだろうね。

信託銀行や信託会社も免許を受ける必要がないんですよね。でも、国とかの場合とちがって、免許以外の宅建業法の規定は適用されますよね。

そうそう。で、信託銀行とかは免許はいらないんだけど、あらかじめ国土交通大臣への届出が必要だよ。

宅建業法自体の適用なし	国、地方公共団体、都市再生機構、地方住宅供給公社など
免許の規定のみ適用なし	信託銀行、信託会社 ＊免許は不要だけど、あらかじめ国土交通大臣への届出が必要

2 Section 宅建業の免許制度

宅建業の免許は２種類あるよ。
どっちの免許がいいですか？

★★★

1 「大臣免許」と「知事免許」があるのだ

宅建業の免許には「国土交通大臣免許」と「都道府県知事免許」の２種類があります。２以上の都道府県に事務所を設置するのか、１つの都道府県内だけに事務所を設置するのかにより免許の別が決まってきますが、そのほかは特段の差はありません。免許の有効期間はともに５年。有効期間の更新などの段取りもおなじです。

〔1〕どこに事務所を設置するのか（3条・4条）

さて、次は免許の種類。国土交通大臣免許と都道府県知事免許の２種類があるよ。

事務所の設置範囲によって、どっちの免許を受けるのかが決まってくるんですよね。

重要！

大臣免許・知事免許のどちらでも、有効期間は５年。

免許の別	事務所の設置範囲	申請方法
国土交通大臣免許	２以上の都道府県内に事務所を設置	本店所在地の都道府県知事を経由して申請
都道府県知事免許	１つの都道府県内に事務所を設置	都道府県知事に直接申請

＊免許をする大臣や知事のことを**「免許権者」**という。

都道府県知事免許（甲県知事免許）

※１つの都道府県の区域内にのみ事務所を設置

国土交通大臣免許

※２以上の都道府県の区域内に事務所を設置

事務所の数や従業員数、またはどの地域の宅地建物を扱うか、などは免許の別には関係してこないよー。

東京都知事の免許を受けて沖縄県のマンションの売り買いをする、というのもオッケーなんですよね。

そのとおり。でさ、ちなみに大臣免許と知事免許、どっちが多いかというと、圧倒的に知事免許。大臣免許は全体の２％未満。

プラスα

都道府県知事のほか、業務地の沖縄県知事から業務停止などの監督処分を受ける場合あり。

ひとこと

受験勉強で一番だいじなことは気分転換。深呼吸してはじめてみよう。

〔２〕「事務所」とは

宅建業法上の事務所となるのは次の３つだよ。

（令1条の2）

① 本店（主たる事務所）… 常に事務所となる
② 支店（従たる事務所）… 宅建業を営む場合のみ事務所
③ ①②のほか、「継続的に業務を行うことができる施設を有する場所（例：ビルの一室）」で、かつ、「宅建業に係る契約締結権限を有する使用人（例：店長や支配人など）」を置くもの

本店は宅建業をやってなくても事務所。支店の取り扱いは本店とはちがって、建設業のみやってますというような支店は事務所にはなりませーん。

③はなにかというと、本店や支店じゃなくても（登記がなくても）、そこでバンバン契約しちゃうっていうんだったら事務所として扱おうっていう趣旨です。

〔3〕 免許の有効期間と更新

大臣免許でも知事免許でも、有効期間は5年だよ。

更新申請は、有効期間満了の日の90日前から30日前までの間にしてくださーい。

（3条）

免許の有効期間	5年（大臣免許･知事免許いずれも5年）
有効期間の更新	免許の有効期間満了の日の90日前から30日前までに手続き

なお、免許の更新申請期間内（90日前から30日前）までにちゃんと申請したのにもかかわらず、有効期間満了日前までに新しい免許がこなかった（処分がなされなかった）ときは、その処分があるまでの間は旧免許でオッケー。

念のためですが!!
有効期間ギリギリでの更新申請は認められない。

ちなみに!!
都道府県知事免許の申請手数料は、新規・更新ともに33,000円。国土交通大臣免許になると「新規申請」の場合は登録免許税として90,000円が必要。「更新申請」は33,000円となる。

★★★

2 免許換え

世の中に「大は小を兼ねる」という言葉がありますが、宅建業の免許制度においてはそうとも限りません。たとえば、国土交通大臣免許の宅建業者が、１つの都道府県内のみに事務所を集約するような場合、事務所の設置範囲が変わるため、その都道府県知事免許を受け直さなければなりません。こういった手続きを「免許換え」といいます。

免許を受けたあと、事務所の設置範囲が変わったら、どうしましょう？

免許換えをしなければなりませーん。

免許換えが必要となる場合（7条）

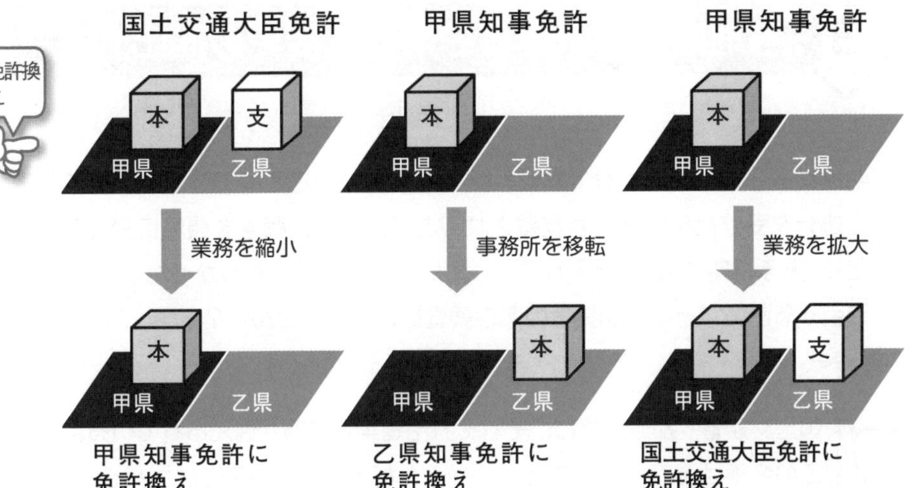

「免許換え」っていっているけど、新規免許とおなじ扱い。なので免許の有効期間は５年間。従前の免許の有効期間を引き継ぐということじゃないよ。

免許番号の前に「(1)」とあれば新規業者、「(2)」とあれば２期目を意味し、１回更新した業者。なお、免許換えをすると新規扱いなので、更新回数は引き継げない。

知事免許　３年目で大臣免許に免許換え

↓

大臣免許　免許換えの時点から起算して５年

ちなみに、免許換えを申請する場合は、「変更の届出」や「廃業等の届出」は不要なんですよね。

そう。そのかわり「新たな免許権者（大臣・知事）は、遅滞なく、従前の免許権者に通知しなければならない」という規定があるよ。

★★★

3 宅地建物取引業者名簿と「変更の届出」

宅建業者名簿は公開されており、誰でも閲覧することができます。業務停止処分を受けた事実なども登載されており、また、商号を頻繁に変えていたり、ある時期、役員が総入れ替えしていたということもわかったりします。取引する前に、その宅建業者の素性調査をしてみませんか？

国土交通省や都道府県に、それぞれ宅建業者名簿が備えられているよー。この名簿は誰でも見ることができるんだ。一般の閲覧に供される、というふうにいったりもする。

キャー、この会社、商号を頻繁に変えているー!!　変更があったら30日以内に「変更の届出」が必要でーす。

宅建業者名簿の登載事項と「変更の届出」（8条、9条）

名簿の登録事項

登　載　事　項	変更の届出	期　　限
①免許証番号・免許の年月日	ー	変更があった場合30日以内に届け出る
②商号・名称	○	
③（法人の場合）役員の氏名・政令で定める使用人の氏名	○	
④（個人の場合）その者の氏名・政令で定める使用人の氏名	○	
⑤事務所の名称・所在地	○	
⑥宅建業以外に行っている事業（兼業）の種類	×	ー
⑦指示処分や業務停止処分があったときは、その年月日や内容	×	ー

「役員」「政令で定める使用人」の住所・本籍は登載されていないことに注意だよ。ちなみに③の役員なんだけど、非常勤役員とか監査役も含まれるそうです。

宅建業者は、宅建業者名簿の登載事項に変更があった場合には、30日以内に、免許権者に届け出なければならない（変更の届出）。

「政令で定める使用人」って、支店長クラスの人のことでしたっけ。

そうそう。役員じゃないけど「宅建業者の使用人で、宅建業に関し事務所の代表者でもあるもの」とされているよ。

あと、⑥の「兼業の種類」に変更があったとしても、変更の届出をする必要がないんですよね。ここも注意しておいたほうがいいかも。

ひとこと
調子がいいときは、あと10%だけ粘ってみよう。気分よく眠れるよ。

★★★

4 廃業等の届出

宅建業者が死亡（個人業者）したり、合併により消滅（法人業者）したりした場合でも、免許権者がタイムリーにその事実を把握できるわけではありません。そのため、「廃業等の届出」という規定が用意され、たとえば、「破産した場合は、破産管財人」などと一定の定められた者が、30日以内に届け出ることとされています。

開業したあと、諸般の事情で宅建業を廃業するなんてこともあるよね。その場合は廃業等の届出。

破産したとか、解散したとか。えー、合併により消滅!?

法人が合併により消滅したときは、消滅したほうの法人代表役員が届け出る。存続するほうの法人代表役員ではない。

（11条）

廃業等の届出

廃業等の届出事由	届出義務者	届出期限	いつ免許が失効？
①死亡（個人業者）	相続人	死亡を知った日から30日以内	死亡の時
②合併により消滅（法人業者）	消滅した法人を代表する役員であった者	その日から30日以内	合併により消滅した時
③破産手続きの開始の決定	破産管財人		届出の時
④法人が解散	清算人		
⑤宅建業を廃止	・宅建業者だった個人 ・宅建業者だった法人を代表する役員		

③の破産（要は倒産）した場合の破産管財人や、④の解散の場合の清算人には、弁護士が就任するケースが多いみたい。

廃業等の届出の事由が生じた場合に、どの時点で免許が失効になるのかに違いがある。死亡と合併消滅の場合は、死亡時と消滅時。免許対象である主体が消滅するので。

⑤の宅建業を廃止した場合、破産や解散などの場合とは異なり、宅建業のみを廃止ということですよね。

そうそう。つまり個人や会社はまだある（生きている）。なので、元宅建業者だった個人・元宅建業者だった会社（法人）を代表する役員が届け出ろ、ということになっているんだね。

5　みなし宅建業者

宅建業者の免許が取引の途中で失効したり取り消されたような場合に、その時点で取引を中止したりすると、かえって取引の相手方に損害を与えることになるかもしれません。そのため「みなし宅建業者」という制度があり、残務処理を遂行させることにしています。

個人業者が死亡したり、法人業者が吸収合併で消滅したりして免許が失効しちゃったんだけど、彼らがやり残している仕事があったらどう処理したらいいでしょうか。

宅建業の免許は、相続人（個人業者の死亡）や、合併後の法人は引き継げない。

引き継いだ人や会社が、残務処理をしてくださーい。宅建業者とみなしまーす。

（76条）

免許が失効	①個人業者が死亡、法人業者が合併により消滅
	②免許の有効期間が満了、廃業等の届出があった、免許の取消処分を受けた

みなし業者	宅建業者であった者または一般承継人（その宅建業者を引き継いだ人や会社）が、宅建業者が締結した契約に基づく取引を結了する目的の範囲内においては、なお宅建業者とみなす。

本来、宅建業の免許は、相続人（個人業者の死亡）や合併後の会社（法人）は引き継げないし、また、免許が失効したとなれば、もはや宅建業者ではないので、宅建業は営めない。

が、しかし、宅建業者とみなすから残務処理をしちゃってくださいというお話ですよね。

そうなんだよね。取引の途中で手を引いちゃうと、かえって取引の相手方にダメージを与えてしまうかもしれないしね。

「取引を結了する目的の範囲内」ということだから、たとえば、締結していた売買契約に基づく代金の支払いとか受領とか。あとは所有権の移転登記や引渡しとかですね。

ここがポイント!!

相続人や、合併後の法人が新たに宅建業を営むのであれば、もちろん宅建業の免許を受けなければならない。

ちなみに!!

「取引を結了する目的の範囲内」で行う限りは宅建業者とみなされる（無免許営業とはならない）が、新たな広告や販売活動などをすることはできない。

★★★

6 無免許営業・名義貸しの禁止・免許の条件など

たとえば免許申請中の者が、その時点で宅建業を営んだり、ホームページなどで宅建業を営む旨の広告をすると、無免許事業となり違反です。また、他人の「なりすまし」に加担することになる「自己の名義を他人に貸すこと」も禁止です。

あたりまえだけど、無免許で宅建業はやっちゃダメです。

無免許営業の場合、3年以下の懲役・300万円以下の罰金に処せられる場合がある。名義貸しの場合もおなじ。

名義を貸したり、借りたりしてもダメでーす。

（12条、13条）

無免許営業の禁止	免許を受けていない者は宅建業を営んではならないし、宅建業を営む旨の表示や広告をしてはならない。
名義貸しの禁止	他人に、自分名義を使わせて宅建業を営ませてはならないし、宅建業を営む旨の表示や広告もさせてはならない。

免許名義を他人に貸すとどうなるか。たとえば、（株）ハッピー不動産が、その名義を宅建業者ではない者に貸したとしよう。

無免許で宅建業を営む旨の表示をした場合は、100万円以下の罰金に処せられる場合がある。名義貸しでの広告の場合もおなじ。

となると、貸した（株）ハッピー不動産は「名義貸しの禁止」の規定に違反となって、借りた方は無免許営業ということになるのかしら。

そのとおり。あと、免許に条件をつけることもできます。

条件に違反したら、免許が取り消されちゃう場合も!!

(3条の2)

免許の条件	大臣または知事は、免許（免許の更新も含む）に条件を付ける（条件を変更する）ことができる。

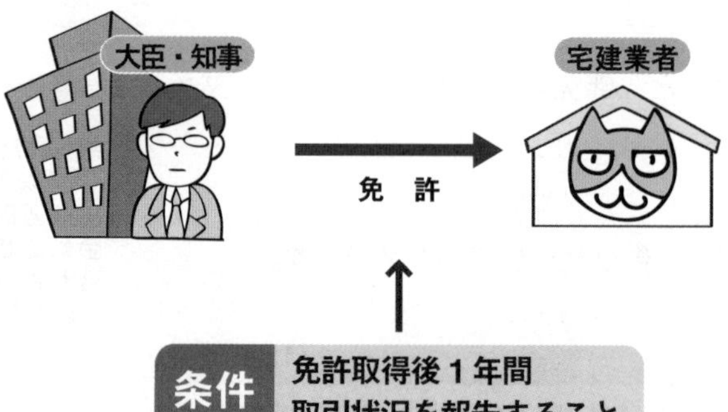

参考　免許証の交付など

(6条、14条)

交付	免許を受けた大臣または知事から交付される
変更	商号・代表者氏名・主たる事務所の所在地に変更が生じたときは、「変更の届出（P.043）」とともに書換え交付の申請
返納	①　免許換えによって従前の免許が失効したとき ②　免許が取り消されたとき ③　亡失した免許証を発見したとき ④　廃業等の届出をしたとき ＊免許証の有効期間が満了したときは、免許証の返納義務はない

重要!

宅建業者が免許に付された条件に違反したときは、免許権者は免許を取り消すことができる。

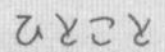

調子がでないときは思い切って寝る。それがいちばん。明日は明日の風が吹く。

コラム

「宅地建物取引士」とは
～宅建業の免許とは違うのだ～

不動産業（正式には「宅地建物取引業」）を営もうとする者（個人でも会社でも）は、まず宅建業の「免許」を受けなければなりません。ちなみに無免許で事業を行うと"懲役３年"という場合もある。

そして宅建業の「免許」を受けるための条件の１つとして「従業者の５人に１人以上となるように宅建士を雇っておかなければならない」というのがあります。社長などの役員を含めて従業者の「５分の１以上」は宅建士とせい！ という規定です。

ここでよくある勘違いをご紹介しておきましょう。いずれも誤りです。

パターン１ ☞『宅建士の資格をとれば不動産屋ができるんでしょ』

パターン２ ☞『不動産業をやるには、宅建士に受かってなきゃダメなんでしょ』

正解は「不動産業（宅建業）を営むなら免許を受けなきゃならない。免許を受けるためには一定数の"宅建士"を雇っておかなければならない」となります。

かんたんに言ってしまえば、「経営者は無資格者でもいいんだけど、宅建士をきちんと雇っておきなさいね」ということなんです、はい。

とても大事な「重要事項の説明等」

次に、宅建士の“いちばん大事な役目”はいったい何でしょうか？

それは「宅地や建物の売買などの契約が成立する前に、お客さんに対し、その不動産の良い面も悪い面も含んだ『重要事項』を、包み隠さず説明する」ということです。

あ、いちおう言っておきますけど、単に“説明すればいい”ということじゃなくて、そもそも“重要事項説明書”というのを交付して、宅地建物取引士証を提示しての説明となります。

つまりその内容につき、宅建士も責任を負うということになる。

ちなみに交付先は買主や借主（「おカネを払うほう」と覚えておこう）。

そして上述のとおり、説明する際には、宅建士証を提示しなければならない。まぁこういった“儀式”を含めた表現だと『重要事項の説明等』と“等”がついたりします。

このお客さんに説明すべき事項は、『登記簿上の所有者は誰か』から始まって、まぁ本当に多岐にわたります。

いずれにせよ、説明にあたっては非常に高度な専門知識が必要となります。したがって、この“重要事項の説明等”は、専門知識豊富な宅建士でなければできない仕事となっているのです。

Part

1

宅建業法 -2

最初に「免許の基準」というのが出てきます。業務をするのにふさわしくない連中には、宅建業の免許を出したくない。そのための基準です。どんな連中が不可なのか、ガッツリ理解すべし。その後に「宅地建物取引士（宅建士)」制度。宅建士になるためには登録が必要で、さらにその後に宅建士証の交付。試験によくでるところなので、はりきって行ってみよう。

免許の基準

1 Section 「免許不可」となる人たち

★★★

1 あなたはどれかに該当していますか？

宅建業の免許制度は、宅建業に関して業務の適正な運営と取引の公正、安全の確保を目的とすることから、免許を受けようとする者に対して一定の基準（ハードル）を設け、不適格者には免許を出さないようにしています。株式会社などの法人の場合、その役員や政令で定める使用人の中に不適格者が1人でもいれば、免許不可です。

宅建業者にふさわしくない人や会社には、免許を出しませーん。これから見ていく免許の基準の1つにでも該当していると免許不可でーす。

すでに免許を受けている人や会社が、その後に免許不可となる基準に該当すると、ザンネンながら免許は取り消されちゃいまーす。

ちなみに!!

ここでの勉強の方法として、まず自分が免許の基準（不適格者）に該当しているかどうか、あてはめてみよう。

〔1〕本人自体に問題がある場合

（5条）

① 心身の故障により宅建業を適正に営むことができない者（国土交通省令で定める）
② 破産手続開始の決定を受けて復権を得ない者

①として国土交通省令では「精神の障害により宅建業を適正に営むに当たって必要な認知、判断及び意思疎通を適切に行うことができない者」と定められているよ。

②の破産の場合なんですけど、破産手続開始の決定を受けて復権を得たら、即、免許オッケーなんですよね。

そうそう。よくヒッカケで出てくくるのが「復権を得てから５年経過しないと免許は出ない」で×。復権すれば直ちに免許を受けられます。５年を待つ必要はないよ。

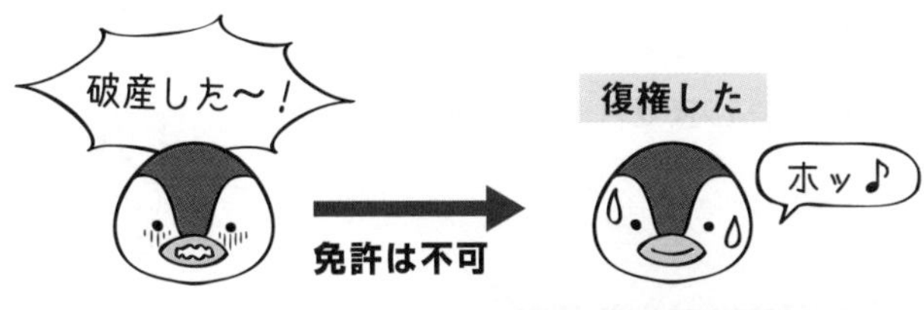

①について。かつては民法上の「成年被後見人」「被保佐人」（Part3 権利関係１を参照）は一律に免許不可とされていたが、個別に審査することになった。

念のためですが!!

「復権」とは、破産手続をしていた個人が「破産」という状態でなくなるということ。免責を得て復権する。

ひとこと

不安なことを考えない！ それがいちばんさ。

〔2〕次の「悪質３種」で免許を取り消されている場合

①不正の手段により免許を受けた	これらの理由で免許を取り消され、その取消しの日から５年を経過しない者（個人・会社）  
②業務停止処分に該当する行為をし、情状が特に重い	
③業務停止処分に違反	

宅建業者への監督処分

指示処分  業務の停止処分  免許の取消処分

かつて悪い宅建業者だった人や会社（法人）が対象。悪質３種で免許を取り消されちゃったら、取消しの日から５年間は免許不可。

悪質３種じゃない理由で、たとえば「免許を受けてから１年以内に事業を開始しなかったので免許取消し」なんていう場合は、免許不可にはならないんですよね。

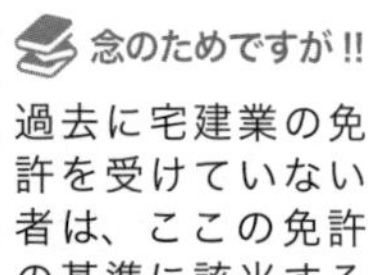

念のためですが!!

過去に宅建業の免許を受けていない者は、ここの免許の基準に該当することはない。

そうそう。あくまでも悪質３種での免許の取消し。あ、そうだ、免許を取り消されたのが法人（例:会社）だったら、その役員だった人たちもアウト。ずる賢く逃げ出した役員も許しません。悪の細胞分裂を防ぐのだ。

重 要!

いつまでその会社の役員として在籍していたかがポイント。

結局、会社の役員が悪いからそうなったんですもんね。法人自体も免許不可だけど、役員も同罪!! 自分だけ逃げ切ろうったって、そうはいきません。

法人自体	5年間は免許不可 5年
役員だった者	聴聞公示の日前60日以内に役員だった者も、5年間は免許不可 5年

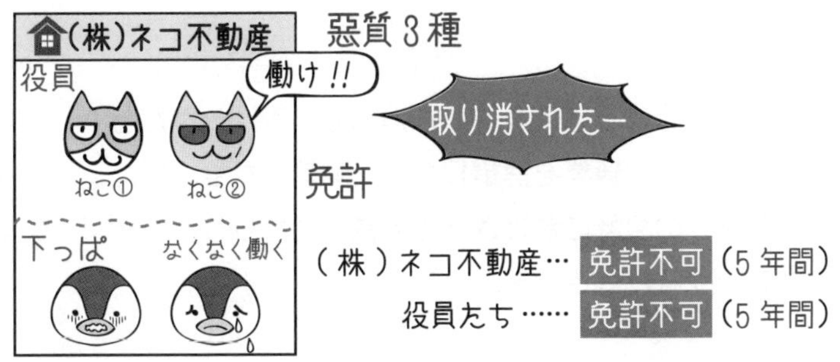

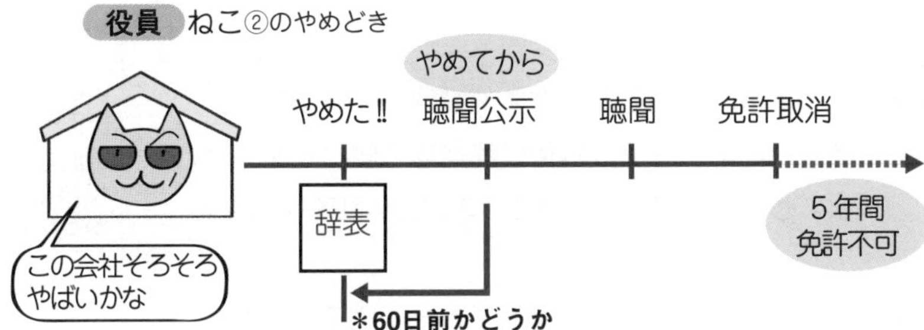

聴聞公示っていう言葉なんだけど、そもそもですね、免許の取消処分などをする場合、事前に聴聞が行われます。

「業者から事情を聞く」という意味合いですよね。

そうそう。で、「いついつに聴聞をしますよ」というお知らせが聴聞公示。その聴聞公示があった日からさかのぼって60日以内に役員だったら、免許不可になっちゃう。

ちょっと細かい話なんだけど、ここでいう「役員」には、取締役・執行役などのほか、相談役や顧問などの名称や立場を問わず、実質的に法人の経営に支配力や影響力を有する人たち全部が該当するとのこと。

大株主なんかも入っちゃうかも。いわゆる黒幕の人たちですね。

あとね、悪質３種で免許の取消処分を受けそうだと察知して、宅建業を廃業したり、解散したり、はたまたほかの会社に合併させて消滅させたりしようとするヤツらも出てくる。

重要！
免許の取消処分を免れようとしても免許不可となる。

自分から廃業とかしちゃえば、免許の取消処分にはならない、というふうに考えるわけですね。

そうそう。でもそんな法人や役員を見逃すことはできないので、聴聞公示後に廃業等の届出があったとしても、その届出の日から５年間は免許不可となる。

重要！
聴聞公示の前60日以内に役員だったかどうか。

合併により消滅させちゃってたら、消滅の日から５年間、その役員だった人たちも免許不可でーす。

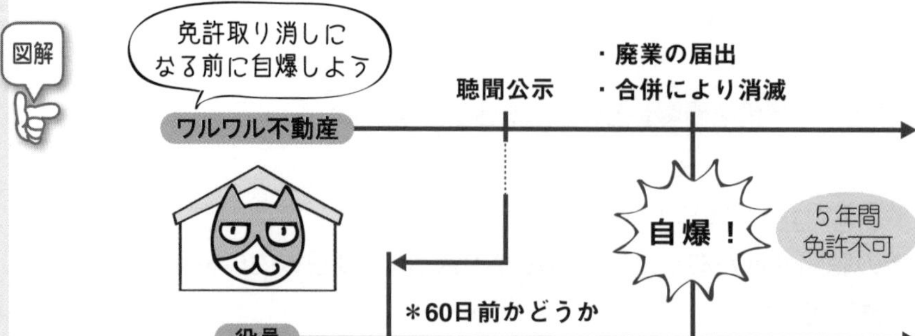

〔3〕懲役刑（禁錮以上の刑）や罰金刑に処せられている場合

刑事事件を起こした人たち。出所したり、罰金を払ってから５年間は免許不可。

犯罪者にも免許は出しませーん。

（5条）

以下の刑の執行を終わり、または執行を受けることがなくなった日から５年を経過しない者

罰金の刑	①宅建業法に違反 ②刑法の傷害罪・現場助勢罪・暴行罪・凶器準備集合及び結集罪・脅迫罪・背任罪を犯す ③暴力行為等処罰に関する法律違反 ④暴力団員による不当な行為の防止等に関する法律違反
禁錮以上の刑	上記①～④以外

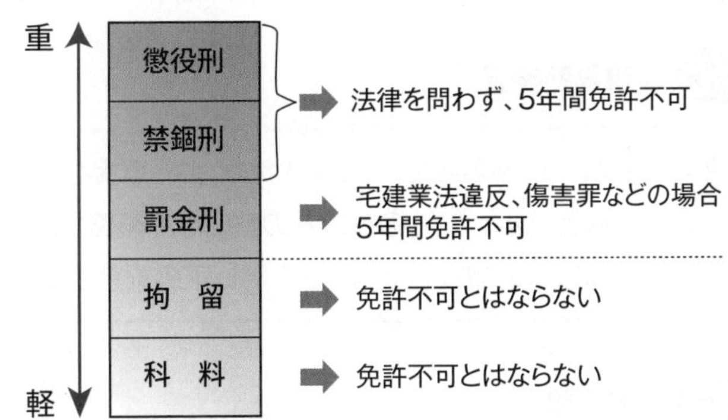

裁判が上訴中（控訴・上告）の場合はどーなるんでしたっけ？

まだ刑が確定してないってことになるので、下級審で懲役刑などの判決を受けたとしても、それだけでは免許不可とはなりませーん。

罰金刑でも免許不可になるケースがポイントかな。宅建業法違反で罰金の刑とか。まぁそりゃそうか。より厳しくしてます。

傷害罪とか、現場助勢罪とか、覚え方ありますか一？

念のためですが!!
宅建業法違反や傷害罪で懲役刑となったという場合は、もちろん免許不可。罰金刑でも免許不可となるというのがミソ。

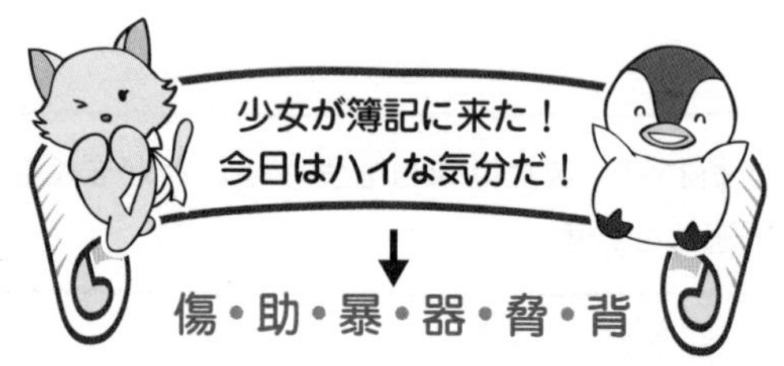

解説①　傷害罪

人の身体を害する傷害行為を犯罪とし、法定刑は、15年以下の懲役または50万円以下の罰金。なお銃や刀剣（とうけん）を用いて傷害を行った場合などには「暴力行為等処罰に関する法律」により処罰が重くなる。

解説②　現場助勢罪

傷害事件が行われている現場で、「やれやれー」と声援を送る（野次馬（やじうま）によるあおり行為）などをし、傷害の行為者の勢いを高める犯罪。自ら人を傷害しなくても、1年以下の懲役または10万円以下の罰金もしくは科料。

解説③　暴行罪

傷害罪のグループに入る。傷害まで至らなかったときに暴行罪。要は程度の問題で軽ければ暴行罪。2年以下の懲役もしくは30万円以下の罰金または拘留もしくは科料。こんな判例も！　ブラスバンド用の太鼓を室内で連打し、被害者を朦朧（もうろう）とさせた事件。音による暴行ということで暴行罪成立！

解説④ 凶器準備集合及び結集罪

映画『山口組外伝・九州進攻作戦』を見るとよくわかる。ドスやハジキ（拳銃）だと銃刀法違反で検挙となるけど、木刀とかチェーンはどうだ？　銃刀法の適用対象外。ならば木刀などを“凶器”というくくりにして取り締まろう、ということで、暴力団抗争が激しかった昭和 30 ～ 40 年代を背景にして新設された規定。集合罪（2 年以下の懲役または 30 万円以下の罰金）は集まったほう（子分）を、結集罪（3 年以下の懲役）は集めたほう（親分）を対象。その後これで暴走族を逮捕していました。

解説⑤ 脅迫罪

「夜道は怖いねぇ…」「東京湾に沈む人って、どんな気分なんだろうねぇ…」「富士の樹海だったら、友だちがいっぱいいるからさびしくないねえ…」など。状況次第だけど、これらでも逮捕されることも。生命、身体、自由、名誉、または財産に対し害を加える旨を告知して人を脅迫した者は、2 年以下の懲役または 30 万円以下の罰金。

解説⑥ 背任罪

会社や他人から信任を受けて事務処理をする者が、自分や、あとはそうだな、愛人のために、または会社に損害を加えようとして、その任務に背く行為をし、財産上の損害を加えた罪。5 年以下の懲役または 50 万円以下の罰金。他人の財産を預かる宅建業者には、たしかにふさわしくないかも。

解説⑦ 上記に該当しない刑法の罪の場合

たとえば、私文書偽造の罪、業務上過失致死傷（過失傷害）の罪、業務妨害の罪など。これらの罪で罰金の刑に処せられたとしても免許不可とはならない。でも、これらの罪で懲役の刑に処せられたなんていう場合はアウト（免許不可）だよ！

たとえばさ、懲役１年執行猶予３年とか、聞いたことあるでしょ。執行猶予がついたときの取り扱いが、これまたよく出題されます。

執行猶予中は免許不可となり免許は受けられませんけど、執行猶予期間が満了すれば、即、免許オッケーとなるんですよね。

そうそう。よくあるヒッカケが、「執行猶予期間が満了してから５年間は免許が受けられない」で×パターンだね。

図解

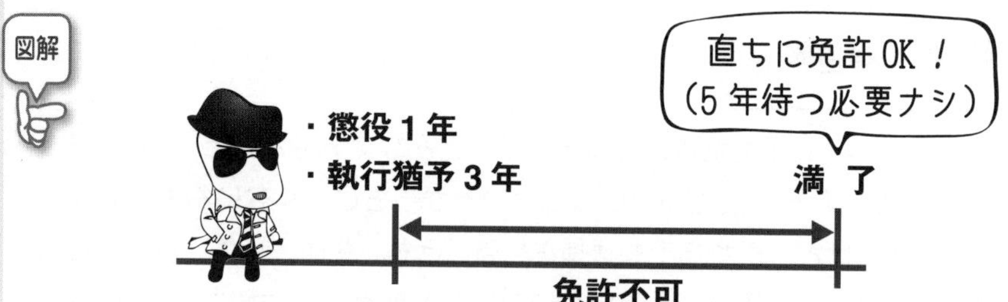

〔4〕現役バリバリ暴力団員＆暴力団離脱者（暴力団員等）

単に暴力団員というだけで免許不可です。

離脱してからも５年間は免許不可です。

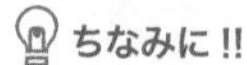

ちなみに!!

正式には「暴力団員による不当な行為の防止等に関する法律に規定する暴力団員等」となる。

（5条）

例示

暴力団員等	暴力団員または暴力団員でなくなった日から５年を経過しない者　5年
支　　配	暴力団員等がその事業活動を支配している者（個人・会社）

〔5〕「過去の過ち。そして将来の不安がある」という場合

免許が不可となる基準の〔1〕～〔4〕にドンピシャで該当していなくても、これに該当していると免許不可。

あえて抽象的。「最後のフィルター・最後の砦」といわれたりしています。

無免許で宅建業を営んだとして書類送検中の者が免許を申請してきた際、〔5〕の基準に該当するとして免許を拒否したという事例あり。

（5条）

過去の過ち	免許申請前５年以内に宅建業に関し不正または著しく不当な行為をした者
将来の不安	宅建業に関し不正または著しく不誠実な行為をするおそれが明らかな者

★★★

2 未成年者でも宅建業の免許は受けられるけど

未成年者だというだけでは免許不可とはなりません。親権者などの法定代理人が免許不可となる基準に該当していない限り、免許を受けることができます。なお、営業許可を受けている未成年者は、成年者として扱われます。

未成年者でも免許は受けられるけど、ちょっと取り扱いがややこしい。

「成年者と同一の行為能力を有する未成年者」というパターンもあります。

ふつうの未成年者	営業に関し成年者と同一の行為能力を有しない未成年者
成年者と扱われる未成年者	営業に関し成年者と同一の行為能力を有する未成年者

〔1〕ふつうの未成年者の取り扱い

（5条）

営業に関し成年者と同一の行為能力を有しない未成年者で、法定代理人（法人の場合は役員）が免許不可となる基準のいずれかに該当するもの

ふつうの未成年者が不動産の取引などをする場合、法定代理人（親権者など。法人の場合もあり）の同意を受けなければならない。単独では取引できないのよ。詳細は「Part3 権利関係 1」にて。

でも未成年者イコール免許不可というわけじゃないんですよね。

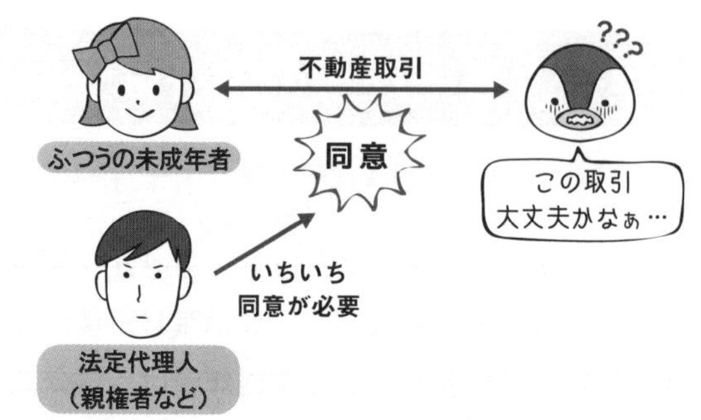

つまり「営業に関し成年者と同一の行為能力を有しない未成年者」の場合、未成年者本人が免許不可となる基準に該当していなくても、法定代理人が該当していると免許は不可。

〔2〕成年者と扱われる未成年者の取り扱い

「営業に関し成年者と同一の行為能力を有する未成年者」とは、法定代理人から営業の許可を受けている場合をいうよ。

法定代理人が営業を許可している場合、その営業（仕事）に関してはオトナ扱いになるんですよね。

そう。だから不動産取引にあたり、もはや誰かの同意なども不要。単独で取引できる。

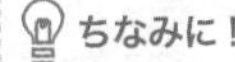

「法定代理人からの営業の許可」とは、具体的には、法定代理人が「営業許可書」というのを書くことで足りる。「私は、上記申請者の法定代理人として、上記申請者が宅建業の営業をすることを許可します」というような文面になる。

・営業許可を得た未成年者　同意はいらない

ひとこと

いまを最高に生きる。瞬間、瞬間、瞬間。それをつないでいけばいい。

★★★

3 法人の場合は「役員」と「政令で定める使用人」が

会社などの法人の免許については、「役員」または「政令で定める使用人」のうちに免許不可となる基準に該当する者が１人でもいれば、免許は出ません。役員のほか政令で定める使用人も免許不可となるか否かが問われる対象となっていることに注意してください。

法人が新規に免許を申請してきたら、「役員」と「政令で定める使用人」の素性がチェックされまーす。

会社の経営陣に不適格者が１人でもいるとアウトです。

（5条）

免許を受けようとする者が法人である場合、「役員」または「政令で定める使用人」のうちに、免許不可となる基準のいずれかに該当する者があるもの

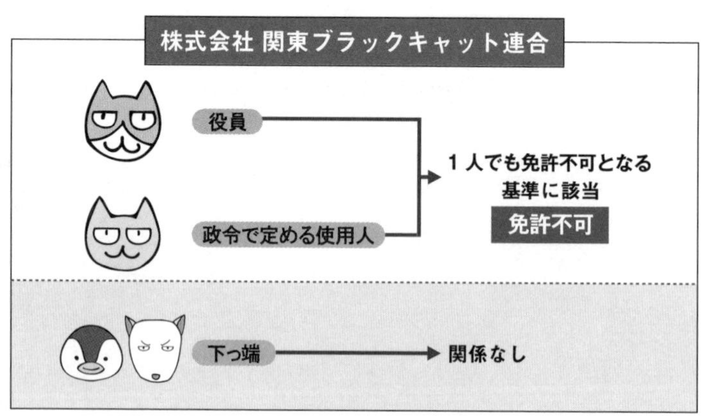

ちなみに免許を受けようとする者が個人の場合でも「政令で定める使用人」が免許不可となる基準に該当していると免許不可です。

★★★

4 そもそも宅建士を雇っていない場合など

宅建業者は、事務所にあっては5人に1人以上となるように、案内所等にあっては1人以上となるように、成年者である専任の宅建士を置かなければなりません。宅建業者になってから専任の宅建士を用意するのではなく、免許を申請する段階で事務所での設置要件を満たしていない場合、免許は受けられません。

以下のような、手続き上の問題があったりしても免許不可です。

（5条）

- 事務所について、業務に従事する者5人に1人以上となるように成年者である専任の宅建士を置いていない者
- 免許申請書や添付書類中に虚偽の記載があったり、重要な事実の記載が欠けている場合

2 Section めざせ！ 宅地建物の取引プロフェッショナル

★★★

1 宅地建物取引士（宅建士）とは

宅地建物取引士（宅建士）とは、宅地建物取引士証（宅建士証）の交付を受けた者をいいます。宅建士証の交付を受けるには、試験に合格し、都道府県知事の登録を受けていなければなりません。なお、登録は、試験合格地の都道府県知事に対して申請します。また、宅建士には、「信用失墜行為の禁止」や「知識や能力の維持向上」などの義務が課せられています。

〔1〕宅建士になるためには

試験に受かっただけじゃ、宅建士にはなれないんだよね。宅建士とは、宅建士証の交付を受けた者をいいます。なお、どこの都道府県知事の登録（宅建士証の交付）であっても、全国どこでも宅建士として働けます。

宅建士になるということと宅建業者になるということは、まったくの別物である。

宅建士になるためのステップは次のとおりです。

合 格	→	登 録	→	宅建士証
宅建士試験合格 一生有効	登録の申請（受験地の知事）	**宅地建物取引士 資格登録** 一生有効	宅地建物取引士証 交付申請（登録地の知事）	**宅地建物取引士** 宅地建物取引士証の 有効期間は５年間

受験（合格）について

- 不正の手段で受験した者に対しては、合格の取消しや受験禁止（情状により３年以内）となる場合がある。

登録について

- 登録にあたり、２年以上の実務経験が必要。実務経験がない場合は国土交通大臣の「登録実務講習」の修了が必要。
- 登録の申請先は受験地の都道府県知事となる。
- 登録に有効期間などはない。
- 登録にも登録不可となる基準あり。

宅建士証について

- 交付申請は、登録先の都道府県知事に行う。
- 有効期間は５年間。更新あり。
- 知事が指定する講習（法定講習）の受講が必要。

〔2〕宅建士はプロとしての矜持を持て

それでは、宅建士の業務処理の原則などをご紹介しましょう。

わー、かっこいい〜!!

（15条〜15条の3）

業務処理の原則	宅建業の業務に従事するときは、宅地建物の取引の専門家として、「購入者等の利益」及び「宅地建物の円滑な流通」に資するよう、公正誠実に事務を行うとともに、宅建業に関連する業務に従事する者との連携に努めなければならない。
信用失墜行為の禁止	宅建士の信用または品位を害するような行為をしてはならない。
知識や能力の維持向上	宅地建物の取引に係る事務に必要な知識及び能力の維持向上に努めなければならない。

〔3〕宅建士でなければできない仕事（法定事務）

宅建士は、かなり大事な役目を負っているのだ。

この3つの仕事は、宅建士でなければできませーん。

（35条、37条）

①重要事項の説明
②重要事項説明書（35条書面）への記名
③契約書面（37条書面）への記名

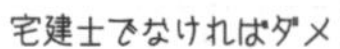

★★★

2 登録の基準

試験に合格した者は、試験合格地の都道府県知事の登録を受けることができます。しかし、宅建士の資格登録についても登録不可となる制度が用意されており、いうまでもなく宅建士として不適格な者は登録を受けることはできません。宅建業の免許の基準とおなじ項目もありますが、宅建士の資格登録ならではのものもあります。

試験に受かっても、登録不可となる基準に該当していると、登録できません。

免許の基準とおなじものが多いです。宅建士の資格登録に特有の基準もあるんですよね。

〔1〕「免許の基準」とおなじもの（18条）

▶（1）本人に問題がある場合

①心身の故障により宅建士の事務を適正に営むことができない者（国土交通省令で定める）
②破産手続開始の決定を受けて復権を得ない者

▶（2）「悪質３種」で免許を取り消されている場合

①不正の手段で免許を受けた	これらの理由で免許を取り消され、その取消しの日から５年を経過しない者 
②業務停止処分に該当する行為をし、情状が特に重い	
③業務停止処分に違反	

＊免許が取り消された法人の役員だった者の取り扱いもいっしょ。

▶（3）懲役刑（禁錮以上の刑）や罰金刑に処せられている場合

以下の刑の執行を終わり、または執行を受けることがなくなった日から５年を経過しない者（5年）

罰金の刑	①宅建業法に違反 ②刑法の傷害罪・現場助勢罪・暴行罪・凶器準備集合及び結集罪・脅迫罪・背任罪を犯す ③暴力行為等処罰に関する法律違反 ④暴力団員による不当な行為の防止等に関する法律違反
禁錮以上の刑	上記①～④以外

＊執行猶予の取り扱いもいっしょ。

▶（4）現役バリバリ暴力団員＆暴力団離脱者（暴力団員等）

暴力団員等	暴力団員または暴力団員でなくなった日から５年を経過しない者 

〔2〕宅建士の登録特有の基準（18条）

次の２つは宅建士の資格登録ならではの基準だよ。

「かつて悪い宅建士だった人」が対象となりまーす。

▶（1）次の「悪質３種」で登録の消除処分を受けている場合

①不正の手段で登録を受けた・宅建士証の交付を受けた	これらの理由で登録の消除処分を受け、その処分の日から５年を経過しない者 
②事務禁止処分に該当する行為をし、情状が特に重い	
③事務禁止処分に違反	

宅建士への監督処分

指示処分 → 事務の禁止処分 → 登録の消除処分

宅建士での悪質３種パターンで登録の消除処分。そりゃ、やっぱり不適格者だろ。

あと、登録が消除される前に、登録の消除処分の聴聞公示の日から処分決定前に自分で登録の消除を申請したとしても、おなじく登録不可となりますよね。

そうそう。処分逃れをはかろうったって、そうはいかない。

結局、消除された日から５年間は登録不可。

宅建士は重要事項の説明等の事務を行い、業務の適正な運営や取引の公正を確保すべき責務があることから、不正行為をはたらくなどの規範意識を欠く者は、宅建士として不適格である。

ついでにもう１つ。登録は受けているけど宅建士証の交付を受けていない者が宅建士としての事務を行い、情状が特に重いと認められる場合も登録の消除処分となっちゃいます。処分の日から５年間は登録不可。

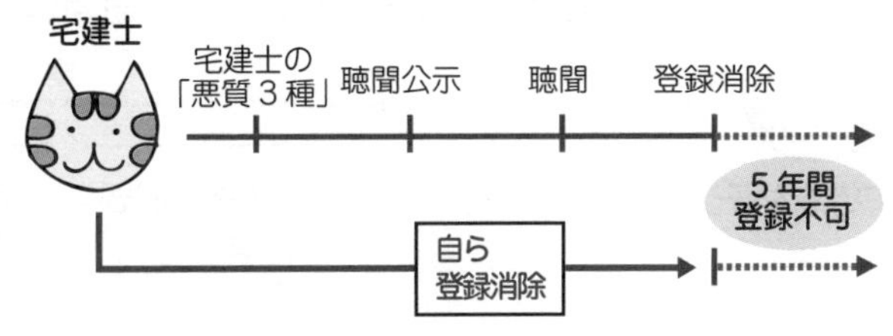

▶ (2) 事務の禁止期間中に、なぜか登録の消除を申請した者の場合

事務の禁止処分を受け、その禁止の期間中に自ら申請して登録の消除を受け、まだ事務の禁止期間が満了していない者

宅建士に対する事務の禁止処分っていうと、具体的にはどんなことだったっけ？

「重要事項の説明はするな」とか「契約書面に記名するな」とかでーす。

登録の消除処分じゃなくて、単に「事務の禁止処分」だから、その期間おとなしく待ってりゃいいのにね。ところがコイツ、事務の禁止処分の期間中に、自ら登録の消除処分を申請したんだとさ。

登録は消除してもらえるけど、でも結局、再登録はすぐにできないわけですよね。

そうなんだよねー。事務の禁止期間中は登録不可。事務の禁止期間満了してからじゃないと、登録できない。

宅建士の事務の禁止処分は、最長で１年となる。１年以内の期間を定めて事務を禁止する。

事務の禁止処分を受けたときは、宅建士証を、交付を受けた知事に提出しなければならない。

登録するのに、またおカネがかかっちゃう。なんかもったいない。

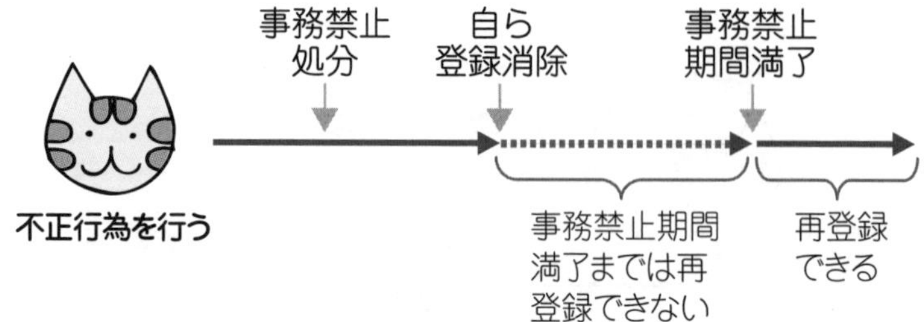

〔3〕未成年者の取り扱い（18条）

	宅建業の免許	宅建士資格登録
成年者と同一の行為能力を有しない未成年者	○ 法定代理人もチェック	登録不可
成年者と同一の行為能力を有する未成年者（営業許可）	○	○

成年者と同一の行為能力を有しない未成年者は登録できません！

やっぱりオトナじゃないと。っていうか、せめて、成年者と扱われる未成年者じゃないと登録できないんですね。

重 要！

試験に合格したとしても、ふつうの未成年者は、法定代理人のいかんにかかわらず、登録を受けることができない。

★★★

概要 3 登録と宅地建物取引士証（宅建士証）

登録とは、都道府県が備え付ける宅建士資格登録簿に都道府県知事が登録を受けようとする者の氏名・住所・本籍・勤務先の宅建業者の商号などを記載することをいい、試験合格地の都道府県知事が登録先になります。なお、登載事項に変更があれば、変更の登録という手続きをとらなければなりません。

〔1〕「宅建士資格登録簿の登載事項」と「変更の登録」（18条、20条）

登録簿の登載事項	変更の登録（遅滞なく）
①氏名	○
②生年月日　＊変更なし	—
③住所	○
④本籍（外国籍）・性別	○
⑤宅建業者の業務に従事する者にあっては、宅建業者の商号・名称、免許証番号	○
⑥試験合格年月日・合格証書番号	—
⑦その他、事務禁止処分を受けたかどうか、宅建士証の有効期間など	—

＊事務の禁止処分期間中でも、変更の登録はしなければならない。

試験に合格したら、さぁ登録だ!!

宅建業者に勤務している人は商号とかは登録されるけど、勤務する事務所（本店・支店）は登録されてないんですね。

それから、その宅建業者で「専任の宅建士」として働いているかどうかも登録されていない。

この登録簿は一般の閲覧には供されていません。住所とかが載ってるし。

そうそう。で、よく出題されているのが「変更の登録」。登録事項に変更があったときは、遅滞なく、変更の登録を申請しなければなりませーん。「遅滞なく」だよー。30日以内とかじゃないよー。

あ、そもそも登録なんだけど、登録にあたり2年以上の実務経験が必要だよ。実務経験がない場合は国土交通大臣の登録を受けた「登録実務講習」の修了が必要。

重 要！

登録は受験地の都道府県知事。試験に合格後、登録の前に住所を他県に移転したとしても、受験地での都道府県知事の登録となる。

プラスα

知事は、以下の場合は登録を消除しなければならない。

①本人から登録の消除の申請があったとき
②死亡等の届出があったとき(P.079)
③死亡の事実が判明したとき
④試験合格の決定が取り消されたとき

そして登録申請書を試験合格地の知事に提出ですよね。登録に有効期間なし。一生有効。

〔2〕登録が完了したら宅建士証を手に入れよう（22条の2、22条の3）

宅建士証の交付を受けて、やっと宅建士となるワケだ。

宅建士証の交付を受けるために、また講習を受けなきゃいけないんですよね。こんどは、大臣じゃなくて、都道府県知事が指定する講習（法定講習）。

この法定講習でなにをやるかというと、昨今の法律改正や税金事情などのレクチャー。知識のバージョンアップとでもいいましょうか。ゆえに、直近の試験を受けて合格してきた人は受講義務なし。

交付申請	登録している知事に対して宅建士証の交付申請
法定講習	登録している知事が指定する講習で、交付申請前６ヶ月以内に行われるものを受講
	試験合格後１年以内に宅建士証の交付を受けようとする者は、法定講習は免除
	登録の移転（P.077）の申請とともに宅建士証の交付を受けようとする者も、法定講習は免除
有効期間	５年
有効期間の更新	登録している知事が指定する講習で、交付申請前６ヶ月以内に行われるものを受講 ＊新しい宅建士証は、従前の宅建士証と引き換えに交付される。

宅地建物取引士証
氏　名　鎌ヶ谷ニャン太郎
（平成５年５月５日）
住　所　東京都港区南海岸 3-3-3
登録番号　（東京）第 1234××号
登録年月日　令和４年６月１日
令和９年６月４日まで有効
東京都知事　夏山聖徳太子
交付年月日　令和４年６月５日
発行番号　第９８７６５４３２１号

宅建士証には勤務先の業者の商号（会社名）とか、専任という立場で仕事をしているかどうかなどは記載されてないことに注意ですね!!

氏名や住所を変更した場合、変更の登録の申請とあわせて、宅建士証の書換え交付の申請をしなければならないよ。

ただし、住所のみの変更の場合ということであれば、宅建士証の裏面に記載する（裏書き）となるそうです。

あと、宅建士証を亡失したとか、滅失、汚損したなどという場合、再交付の申請もできるよ。で、その後に亡失したはずの宅建士証を発見したときは、速やかに、発見した宅建士証のほうを交付を受けた知事に返納しなければならない。

念のためですが!!
なくしたはずの宅建士証（古いほう）を返納する。以後、新しいほうの宅建士証にて。

その他、宅建士証に関するあれこれは、以下のとおりです。返納と提出は、いずれも交付を受けた知事にしてくださーい。

（22条の2）

返　納	①登録が消除された ②宅建士証が効力を失った（例：有効期間の満了） ③再交付後、亡失したはずの宅建士証を発見した
提　出	宅建士としてすべき事務の禁止処分を受けた

提出した宅建士証は、黙っていると返ってこない。「事務の禁止期間満了後、提出者から返還の請求があったときは、知事は直ちに宅建士証を返還しなければならない」という規定です。

あと、宅建士証は見せびらかすためにありまーす（笑）。

（22条の4）

提　示	宅建士は、取引の関係者から請求があったときは、宅建士証を提示しなければならない。

ここの話とは別なんだけど、宅建士として「重要事項の説明」をする際、あらかじめ宅建士証を相手方に提示しなければならない。この場合は、相手方の請求の有無にかかわらず「提示」です。

宅建士証の提示はいいんだけど、住所が載っているから見せたくないなー、という人もいるでしょう。

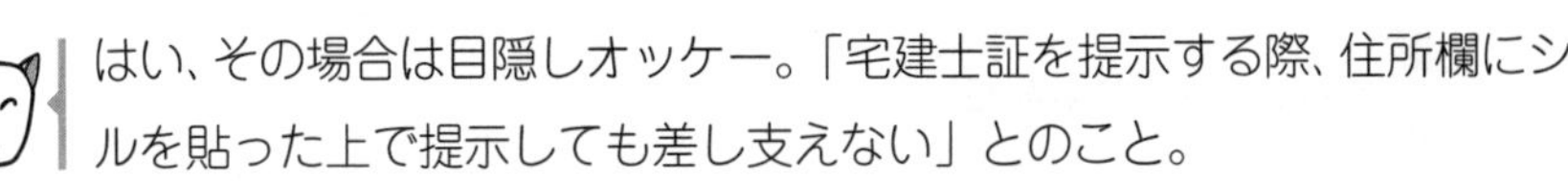

はい、その場合は目隠しオッケー。「宅建士証を提示する際、住所欄にシールを貼った上で提示しても差し支えない」とのこと。

★★★

4 登録の移転ってなあに？

登録の移転とは、試験合格地の都道府県知事の「登録」を、他の都道府県知事に移すことをいいます。ただし、登録の移転ができるのは、登録を受けている者が、登録を受けている都道府県知事が管轄する都道府県以外の都道府県に所在する宅建業者の事務所の業務に従事し、または従事しようとするときに限られます。

「変更の登録」と似てるんだけど、こちらは「登録」自体をよその都道府県知事に移しちゃうことをいいます。

東京都で登録していた人が、「登録」を沖縄県に移しちゃうとか。「登録」自体の引っ越しですね。

どんな場合に登録の移転ができるのかというと、勤務先が他の都道府県の事務所に変わったような場合だね。勤務地が沖縄県の事務所、登録が東京都だと、変更の登録の申請や、5年に1回の法定講習の受講とか、いちいち東京に戻ってこないとならないし。

重要！

試験で、選択肢の文末が「登録の移転をしなければならない」だったら速攻で「×」だ。登録の移転は任意。「することができる」が正解。

あくまでも、業務に従事する宅建業者の事務所（勤務地）が問題。単に住所を他県に移したというだけじゃ登録の移転はできないんですよね。

あと、登録の移転は任意だよ。してもしなくても、どっちでもいいよ。

登録の移転（19条の2）

状　況	登録をしている都道府県以外の都道府県に所在する事務所の業務に従事し、または従事しようとするとき。
どこに	事務所の所在地を管轄する知事に対し登録の移転を申請することができる。
任　意	登録の移転をするかどうかは任意。義務ではない。
段取り	現在登録している知事を経由して申請。

＊事務の禁止処分期間中は、登録の移転はできない。

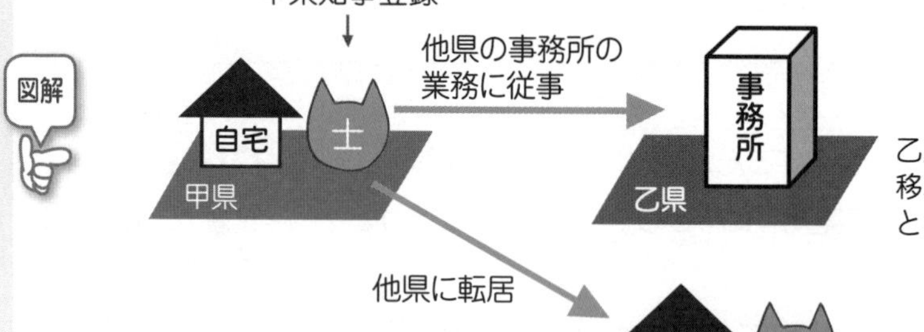

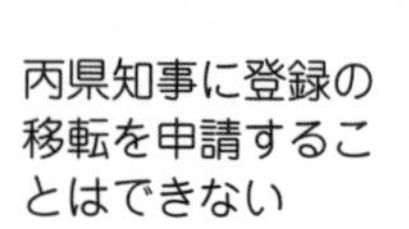

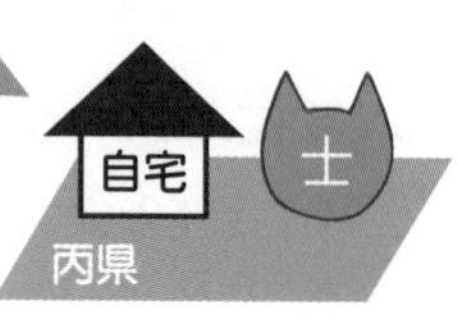

登録の移転をしちゃうと、いままでの宅建士証はどうなるんでしたっけ？

いままでの宅建士証は失効。移転後の知事に申請（法定講習は免除）して、新しい宅建士証を交付してもらおう。その場合のポイントは有効期間だよ。

（22条の2）

有効期間	いままでの宅建士証の有効期間を引き継ぐ。残存期間。
交付方法	いままでの宅建士証と引き換えに交付される。

図解

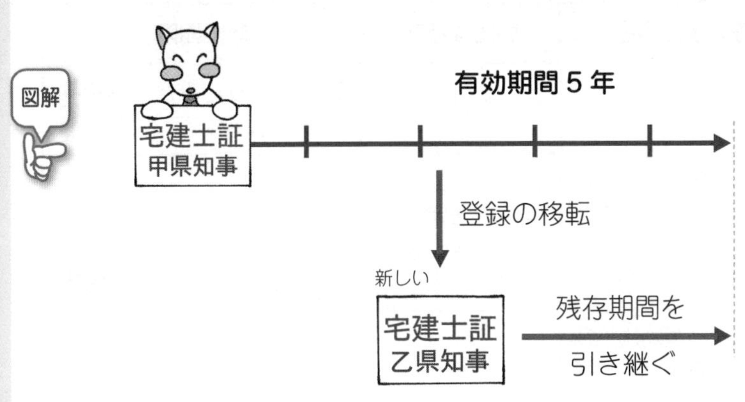

念のためですが!!

登録の移転にともない交付を受けた宅建士証の有効期間は「5 年」とはならない。

★★★

5 死亡等の届出

概要

登録を受けている者が死亡したり破産したりした場合、その日（死亡の場合は死亡の事実を知った日）から 30 日以内に、一定の者が、その旨を登録をしている都道府県知事に届け出なければなりません。どういった場合に誰が届け出るのかが出題されます。特に破産の場合、破産管財人ではなくて本人が届け出ることになっていますので注意してください。

宅建士が宅建士じゃなくなった場合は、死亡等の届出が必要となる。そいつの登録簿が残っていてもしょうがないしね。

どんな場合に誰が届出をするか。あと「30 日以内」にするというところがポイントでーす。

（21条）

死亡等の届出事由	届出義務者	届出期限
①死亡	相続人	死亡を知った日から30日以内
②心身の故障により宅建士の事務を適正に営むことができない者となった	本人・法定代理人・同居の親族	その日から30日以内
③破産した、禁錮以上の刑に処せられたなど（登録不可となる基準に該当）	本　人	

登録している人が「破産」となった場合、本人に届出義務あり。破産管財人とかじゃないよー。

プラスα

死亡等の届出があると、その者の資格登録は消除される。

ここが宅建業の免許のところの「廃業等の届出（P.044）」とのちがいですね。

宅建士関連の講習（まとめ）

種　類	講習の内容 どんなときに受講？	実施者
登　録 実務講習 ※	宅建試験に合格し、実務経験が２年以上ない場合、「登録実務講習」を受講・修了すれば登録できる	国土交通大臣の登録を受けた者
法定講習	宅建士証の交付（新規・更新）を受ける場合に、あらかじめ受講する	都道府県知事が指定

ひとこと

「どうでもいいよ、そんなこと」と思ったアドバイスほど、真理だったりする。

コラム

宅地建物取引士の歴史
～試験制度の変遷～

いまは「宅地建物取引士」。この名称になる前は、つまり2014年までは「宅地建物取引主任者」で、さらにさらに昔にさかのぼると「宅地建物取引員」という名称でありました。

宅建士のおじいちゃん（3世代前）である「宅地建物取引員（試験制度）」が生まれたのは昭和32年。1957年でございます。まだ戦争の傷跡も生々しい時代。「有楽町で逢いましょう」「東京だよおっ母さん」が当時の流行歌。はい知りません、そんな歌（笑）。

試験は昭和33年度から。「試験に合格した宅地建物取引員を事務所ごとに1名は設置せよ」ということに。8月1日から。はい、急にです。

そんなこと言ったってよ～、宅地建物取引員なんていないじゃんかよー。そりゃいないですよこの世に。いま作ったんですからね。

なので、試験はメッチャ簡単にした。

【昭和33年度】3万6,446人受験・合格者3万4,065人（合格率93.0%）
【昭和34年度】1万2,876人受験・合格者1万2,649人（合格率98.2%）
【昭和35年度】1万5,051人受験・合格者1万2,502人（合格率83.1%）

これって、試験といえるんですかぁー（笑）。ちなみに当時、試験会場に法令集等（←テキスト類ですね）持ち込みオッケー。出題は30問。オマケに試験時間は2時間30分。こうなってくると【昭和34年度】に不合格となった1.8%の人（227名）に「なにしてたの？」と聞いてみたい。

「宅地建物取引主任者」に名称変更したのが昭和40年。申込者数が10万人台に乗ったのが昭和46年度。バブル時代の昭和62年度には、20万人突破。そして、ついに平成2年度には、ド派手に40万人台を飾る。

コラム

宅建試験は、弱肉強食デスマッチ 取れるところから、きっちり取る

宅建士試験の合格点は、年によって変動があるけど36点前後。全50問の出題だから、逆に考えると14点前後は間違ってもいいんだけど、とりあえず「36点取る」っていうふうな「決意」をね、ぜひしておいてもらいたいです。

でね、この36点。ただ漫然と「50問中36問」ということじゃなくて、ある種の作戦がある。つまり、得点できるところでがっちり得点する。これはね、プロ野球でもおなじみたい。

毎年の優勝チームを見てみると、もちろん年によって変動はありますが、優勝チームからみれば「お、このチームはお得意さんだぜ」とばかり、シーズンを通して「自分たちが勝てるチーム」を作っていることが多いみたい。そのチームからバカスカ勝ち星をあげてて、たとえば対戦成績が16勝8敗とかだったりします。圧勝なんだよね。で、お得意さん以外のチームには意外と苦戦してて、優勝チームのクセに勝ち負けが五分五分だったりするからおもしろい。つまりだ、全チームに圧勝しての優勝というのは、かなりむずかしいというわけなんだよね。

これを宅建士試験に置き換えると、手強いのは「権利関係（民法編）」かな。50問中14問の出題です。ここはね、ちょっとひねった出題もあるから8勝6敗くらいで、勝ち越せればよし。

一方、がっちり得点できるところは宅建業法編（20問の出題）、そして法令上の制限編（8問の出題）。とにかくこの2チームから稼げるだけ稼いでください。とくに宅建業法編は全勝（20勝0敗）するつもりで!!

仮に宅建業法編で18勝、法令制限編で6勝、権利関係編で8勝できてれば、これでトータル32勝。残り8試合で4勝できれば優勝だっ!!

追ってまた講義でも触れていきますけど、とりあえずそんな感じで、ひとつみなさん、心構え、ヨロシクお願い申し上げます。

Part
1

宅建業法 -3

宅建士募集中です!!

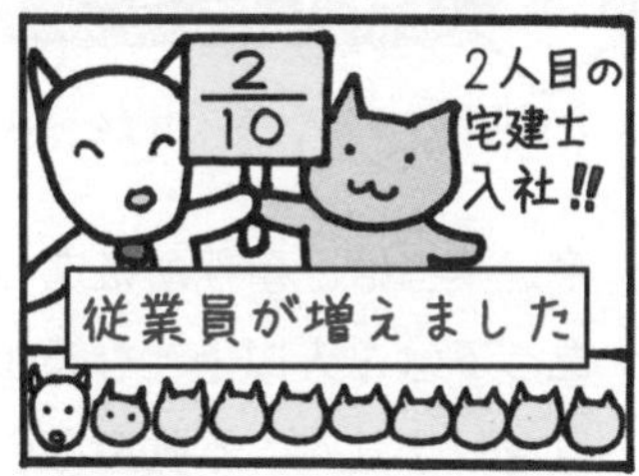

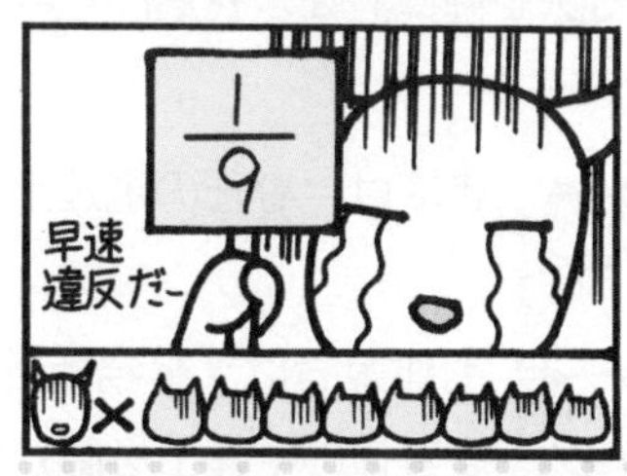

宅建業者は、事務所ごとに成年者である専任の宅建士を５人に１人以上設置すべし。まずはここをガッツリ理解。続いて適正な業務運営のための各種規制を。「誇大広告の禁止」「客を威迫するな」「媒介契約したときは媒介契約書を交付せよ」「従業者には従業者証明書を携帯させよ」「案内所等を出すには10日前までに届出せよ」などなど。

1
Section

宅建業法での業務規制

★★★

1 成年者である専任の宅建士の設置

概要

宅建業者は、事務所にあっては5人に1人以上となるように、案内所等にあっては1人以上となるように、成年者である専任の宅建士を置かなければなりません。不動産取引の専門家である宅建士が事務所等に常勤していれば、顧客からの重要事項説明に関する問合せなどがあってもスムーズに対応できます。

宅建業法は「業務の適正な運営」と「取引の公正を確保」するために、今日もガンバっているのだ。

まずは、専任の宅建士の設置 !!

宅建業者は、事務所等ごとに、法定数の成年者である専任の宅建士を置かなければならない。

重 要！

「成年者」という要件と「専任」という要件を満たしていなければならない。

「専任の宅建士」の専任性について

「専任」とは、原則として、宅建業を営む事務所に常勤（宅建業者の通常の勤務時間を勤務することをいう。ITの活用等により適切な業務ができる体制を確保した上で、宅建業者の事務所以外において通常の勤務時間を勤務する場合を含む。）して、専ら宅建業に従事する状態をいう。

〔1〕専任の宅建士を設置しなければならない事務所等

（31条の3）

宅建業者が業務を行う場所		専任の宅建士
事務所等	①事務所	業務に従事する者の5人に1人以上
	②契約締結や申込みを受け付ける案内所等	1人以上
事務所等以外	③契約締結などを予定していない案内所等	設置義務なし

専任の宅建士を設置しなければならないのは、①の事務所と②の案内所等。これらをひっくるめて事務所等といったりするよ。

①の「事務所」のところに書いてある「業務に従事する者」には、営業のほか、経理や総務部の人たちや役員（非常勤役員は除く）なども入りまーす。

案内所等には、たとえば分譲マンション販売のための「現地案内所」や「モデルルーム」のほか、「住み替えフェア・相談会」などの展示会場なども入るよ。

事務所とちがって、分譲やイベントが終われば撤収する簡易なもの。そんなイメージですね。

重要！

案内所等については、その案内所等で従事する者の人数にかかわらず、「1人」の専任の宅建士を設置しておけばよい。

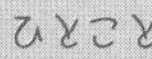

ひとこと

手段を目的としない。宅建士の資格はシアワセになるための手段だからね。

契約締結や申込みを受け付ける案内所等には、専任の宅建士を１人以上設置せねばならぬ。従業員数は問わないよ。

「契約締結や申込みを受け付ける案内所等」について

契約締結や申込み	①宅地・建物の売買・交換の契約を締結 ②宅地・建物の売買・交換・貸借の代理・媒介の契約を締結 ③これらの契約の申込みを受ける ※契約には予約が含まれる
案内所等（こんな場所や案内所）	①継続的に業務を行うことができる施設を有する場所で事務所以外のもの ②宅建業者が一団の宅地建物の分譲（10区画以上の一団の宅地または10戸以上の一団の建物の分譲）を案内所を設置して行う場合にあっては、その案内所 ③他の宅建業者が行う一団の宅地建物の分譲の代理または媒介を案内所を設置して行う場合にあっては、その案内所 ④宅建業者が業務に関し展示会その他これに類する催しを実施する場合にあっては、これらの催しを実施する場所

契約締結などを予定していない案内所等には、専任の宅建士を置く必要はないよ。

「分譲の案内や広告宣伝のみを行う案内所」という位置づけなんですね。

さて、専任の宅建士が足りなくなったらどうするか？

ちなみに !!

専任の宅建士を急いで雇うか、分母を減らすか、宅建業を廃業するか、どれかの選択となる。

（31条の3）

① 宅建業者は、宅建士の設置要件に関する規定に抵触する事務所等を開設してはならない。
② 既存の事務所等が設置要件の規定に抵触するに至ったときは、2週間以内に、法定数に適合させるため必要な措置を執らなければならない。

〔2〕「成年者」である「専任」の宅建士とは

成年者であること	満18歳以上であること。
専任であること	常勤。「専ら取引業務に従事している」というニュアンス。

専任とするならば、短時間勤務となる非常勤やパートタイムの方だと、ちょっとむずかしいかな。

当たり前ですけど、他の事務所とか、他の宅建業者との掛け持ち勤務なども、もちろんダメでーす。

念のためですが!!
専任ではない宅建士でも、重要事項の説明等の事務を行うことができる。

〔3〕宅建業者（法人であれば役員）が宅建士でもある場合

（31条の3）

宅建業者（法人だったら役員）が宅建士であるときは、その者が自ら主として業務に従事する事務所等については、その者は、その事務所等に置かれる成年者である専任の宅建士とみなす。

役員（業務を執行する社員、取締役、執行役、これらに準ずる者）が宅建士で、たとえば本店で業務に従事するっていうんだったら、彼は本店の専任の宅建士とみなされます。

役員だけど、専任の宅建士として計算してよいでーす。ちなみにここの「役員」には監査役は入りません。だから、監査役が宅建士であっても、専任とはみなされません。

（参考）未成年者の取り扱い

どんな未成年者か		宅建士の登録	専任の宅建士
営業許可あり	同一の行為能力がある	○	× 役員だったら○
ふつう	行為能力なし	×	×

注：未成年者（宅建士）が宅建業者（法人の役員）だったら「成年者である専任の宅建士」となることができる（みなされる）。

★★★

2 事務所と案内所等の怪しい関係!?

宅建業者が業務を行う場所として、事務所や案内所等があります。事務所はいわば宅建業者の本拠地であり、事務所ごとに用意しておかなければならない帳簿類などがけっこうあります。一方、案内所等は、分譲などのプロジェクトが終わってしまえば撤退するものではあるものの、「第50条第2項に規定する届出（案内所等の届出）」や「標識の掲示」などの義務があります。

宅建業法は「事務所」と「案内所等」を区別して扱っているよね。そのあたりに関連する規定をみていこう。よく出題されてるし。

契約締結などを予定している案内所やモデルルームなどを出すには、あらかじめ届出が必要となる。

まず「第50条第2項に規定する届出（案内所等の届出）」からですね。契約締結や申込みを受け付ける案内所等（宅建士の設置義務がある案内所等）を出す場合には、届出が必要でーす。

〔1〕第 50 条第２項に規定する届出（案内所等の届出）

届出先（双方）	届出期限
・免許権者（大臣・知事） ・案内所等の所在地（現地）の知事	業務を開始する日の 10 日前まで

注：国土交通大臣に届け出る場合は、案内所等の所在地の知事を経由する。

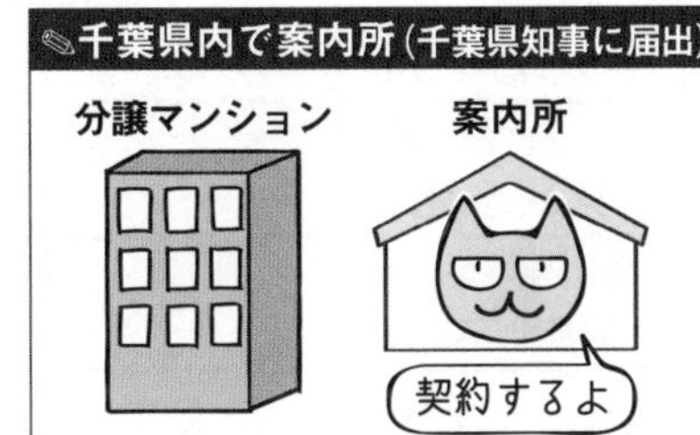

案内所等の業務内容とか業務を行う期間、専任の宅建士の氏名などを届け出ることになっている。

契約締結などを予定していない（案内や広告宣伝のみ行う）案内所等を出す場合は、この届出は不要です。

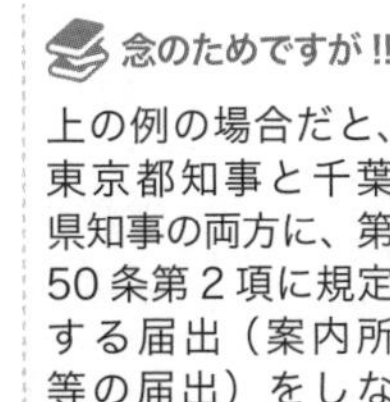

念のためですが !!

上の例の場合だと、東京都知事と千葉県知事の両方に、第 50 条第 2 項に規定する届出（案内所等の届出）をしなければならない。

どんな案内所等？	専任の宅建士	第 50 条第 2 項に規定する届出（案内所等の届出）
契約締結や申込みを受け付ける案内所等	1 人以上	必　要
契約締結などを予定していない案内所等	設置義務なし	不　要

〔2〕事務所や案内所等に備え付けておくもの

事務所や案内所等には、以下のものを備えておかなければならない。

事務所や案内所等のほか「物件の所在地（一団の宅地建物の分譲をする場合における当該宅地建物の所在する場所）」っていうのが登場しまーす。

	報酬額の掲示	従業者名簿	帳　簿	標識の掲示
事　務　所	○	○	○	○
案内所等（契約予定）	×	×	×	○
案内所等（契約しない）	×	×	×	○
物件の所在地	×	×	×	○

▶（1）報酬額の掲示（46条）

事務所ごとに報酬額（一定の方法により計算。上限あり）を掲示しなければならない。案内所等や物件所在地には不要。

▶（2）従業者名簿（48条）

設置義務	事務所ごとに備えなければならない。データファイルでもよい。
記載事項	従業者の氏名、主たる職務内容、宅建士であるか否かの別、従業者証明書の番号、従業者になった年月日、従業者でなくなったときの年月日。
閲覧義務	・取引の関係者から請求があったときは、閲覧させなければならない。 ・パソコンで作成している場合は、ディスプレイでの表示でオッケー。
保存期間	最終の記載をしたときから10年間保存しなければならない。

宅建業者と、そこで働く従業者との関係を明確にしておこうという趣旨。従業者には契約社員や一時的に雇用された従業員、派遣社員も含まれるよ。

たとえば、強引な営業マンがきて迷惑だったら、宅建業者（使用者側）に文句もいいやすくなりまぁーす。

▶（3）帳簿（49条）

設置義務		事務所ごとに備えなければならない。データファイルでもよい。
記載事項		取引のあったつど、その年月日、宅地建物の所在や面積、取引態様の別、取引の相手方の氏名・住所、取引に関与した他の宅建業者、報酬の額など。
		新築住宅の売買の場合【追加】 引渡し年月日、床面積、瑕疵担保負担割合（マンション分譲などで分譲業者が２以上いる場合）、保険法人の名称（保険に加入している場合） ＊これらは、住宅瑕疵担保履行法（P.208）でのちほど学習する。
閲覧義務		なし
保存期間	原　則	事業年度末日で閉鎖し、閉鎖後５年間
	例　外	新築住宅の売買についての帳簿は、閉鎖後 10 年間

取引台帳（業務帳簿）を用意させ、取引業務を管理させようという趣旨。

従業者名簿と異なり、これは閲覧できませーん。閲覧義務なしです。

念のためだけど、従業者名簿も帳簿も事務所ごとに設置だよ。本店にまとめて設置などではダメ。

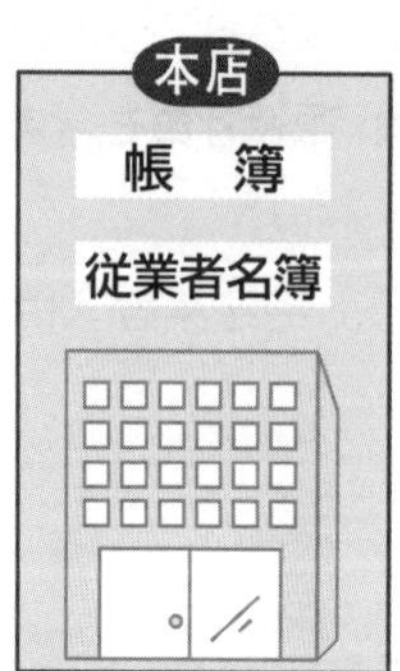

帳簿や従業者名簿は、事務所ごとに備えなければならない。

▶（4）標識の掲示（法 50 条第 1 項の規定に基づく標識）

法定された標識を掲示することによって、ちゃんと免許を受けた業者であることを消費者（お客さん）などに明示しようという趣旨。

プラスα

「国土交通省令で定める標識」と表現される場合もある。

事務所や案内所等のほか、「一団の宅地建物の分譲をする場合における当該宅地建物の所在する場所」にも標識の掲示義務がありまーす。（P.090 参照）

重 要！

契約締結などを予定していない案内所にも標識は掲示。

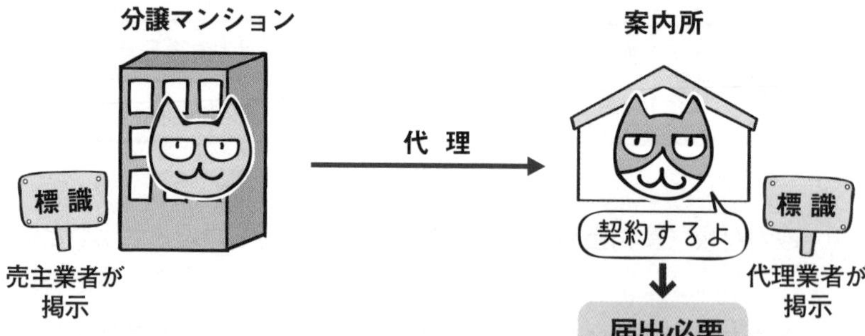

一団の宅地建物の分譲：10 区画以上の一団の宅地または 10 戸以上の一団の建物の分譲をいう。

例 1：事務所等（事務所と案内所等）

事 務 所 ➡ 本店（主たる事務所）、支店（従たる事務所）など

宅地建物取引業者票	
免許証番号	東京都知事（1）第×××××号
免許有効期間	令和３年４月４日から 令和８年４月３日まで
商号又は名称	株式会社レオナちゃん不動産
代表者氏名	代表取締役　吹雪　玲於奈
この事務所の代表者氏名	吹雪　玲於奈
この事務所に置かれている専任の宅地建物取引士の数	１人 （宅地建物取引業に従事する者の数　3人）
主たる事務所の所在地	東京都渋谷区南渋谷３丁目８番１号 電話番号○○○（×××）○○○

30㎝以上

35㎝以上

案内所等 ➡ 宅地建物取引士を設置している案内所等
（現地案内所、モデルルーム、展示場など）

宅地建物取引業者票 この標識は、宅地建物取引業者としての免許の主要な内容とこの場所における業務の内容を表示しています。			
免許証番号	東京都知事（1）第×××××号		
免許有効期間	令和３年４月４日から 令和８年４月３日まで		
代表者氏名	代表取締役　吹雪　玲於奈		
商号又は名称	株式会社レオナちゃん不動産		
主たる事務所の所在地	東京都渋谷区南渋谷３丁目８番１号 電話番号○○（××××）○○○○		
この場所における業務の内容	業務の態様	契約の締結・契約の申込みの受理等	
	取り扱う宅地建物の内容	名　所	バブルクリスタルマンション
		所在地	東京都港区南湾岸 8-8-8

40㎝以上

35㎝以上

案内所等 ➡ 代理・媒介をする案内所等
（売主の商号・名称、免許証番号が記載されている）

宅地建物取引業者票（代理・媒介）

この標識は、宅地建物取引業者としての免許の主要な内容とこの場所における業務の内容を表示しています。

免許証番号	東京都知事（1）第×××××号			
免許有効期間	令和３年４月４日から 令和８年４月３日まで			
商号又は名称	株式会社レオナちゃん不動産			
代表者氏名	代表取締役　吹雪　玲於奈			
主たる事務所の所在地	東京都渋谷区南渋谷３丁目８番１号 電話番号○○（××××）○○○○			
この場所における業務の内容	業務の態様	契約の締結・契約の申込みの受理等		
	取り扱う宅地建物の内容	名所	ドドンパときめきマンション	
		所在地	東京都南区さざなみ6-9	
売主	商号又は名称	株式会社ドドンパ不動産	免許証番号	東京都知事免許（1）第○○号

45㎝以上

35㎝以上

例２：事務所等以外で業務を行う場所（宅地建物取引士の設置義務がない案内所）

➡ 広告宣伝・案内のみ行う現地案内所

<table>
<tr><td colspan="5">宅地建物取引業者票
この標識は、宅地建物取引業者としての免許の主要な内容とこの場所における業務の内容を表示しています。</td></tr>
<tr><td colspan="2">免許証番号</td><td colspan="3">東京都知事（1）第×××××号</td></tr>
<tr><td colspan="2">免許有効期間</td><td colspan="3">令和３年４月４日から
令和８年４月３日まで</td></tr>
<tr><td colspan="2">商号又は名称</td><td colspan="3">株式会社レオナちゃん不動産</td></tr>
<tr><td colspan="2">代表者氏名</td><td colspan="3">代表取締役　吹雪　玲於奈</td></tr>
<tr><td colspan="2">主たる事務所の所在地</td><td colspan="3">東京都渋谷区南渋谷３丁目８番１号
電話番号○○（××××）○○○○</td></tr>
<tr><td rowspan="3">この場所における業務の内容</td><td>業務の態様</td><td colspan="3">案内等</td></tr>
<tr><td rowspan="2">取り扱う宅地建物の内容</td><td>名所</td><td colspan="2">アックスボンバーマンション</td></tr>
<tr><td>所在地</td><td colspan="2">東京都品川区南湾岸 5-5-5</td></tr>
<tr><td colspan="5">この場所においてした契約等については、宅地建物取引業法第 37 条の２の規定によるクーリング・オフ制度の適用があります。</td></tr>
</table>

48㎝以上

35㎝以上

＊クーリング・オフ制度については P.129 ～ 134 にて。

〔3〕従業者証明書 (48条)

宅建業者は従業者に従業者証明書を携帯させなければならない。さらに、取引の関係者から請求があったときは、従業者証明書を提示しなければならない。

従業者証明書は、正社員のほか、契約社員やパートの人、役員や代表者（社長）も携帯しなければなりません。

従業者証明書

従業者証明書番号　160609

従業者氏名　赤羅 覚太
（1975年 6月 9日生）

業務に従事する事業所の名称及び所在地　株式会社 もうかる不動産 本社
東京都港区南青山9−9−9

この者は、宅地建物取引業者の従業者であることを証明します。

（2016年 6月撮影）

証明書有効期限
2021年 6月 9日から 2026年 6月 8日まで

商号又は名称　株式会社 もうかる不動産
免許証番号　~~国土交通大臣~~ 東京都知事 (1)第99×××号

主たる事務所の所在地　東京都港区南青山9−9−9

代表者氏名　江空 五登太郎 ㊞

〈備考〉

宅地建物取引業法抜すい

第48条 宅地建物取引業者は、国土交通省令の定めるところにより、従業者に、その従業者であることを証する証明書を携帯させなければ、その者をその業務に従事させてはならない。
従業者は、取引の関係者の請求があったときは、前項の証明書を提示しなければならない。　社団法人 東京都宅地建物取引業協会 作成

従業者証明書の携帯とは

不動産取引にはさまざまな怪しい連中がからんでくることもある。取引の関係者にしてみれば、コイツはいったいどこの宅建業者の誰なのかと不安になることもあろう。そこで、従業者証明書の携帯。「取引の関係者から請求があったときは、従業者証明書を提示しなければならない」ということになったのだ。

★★★

3 広告や契約の制限

宅建業法では、未完成物件の広告を全面的に禁止はしていないものの、建物だったら建築確認（建築基準法）、宅地だったら開発許可（都市計画法）を受けてからでなければしてはならないとするなど、一定の規制をしています。また、取引態様の明示も義務づけています。

宅建業法は、広告や契約についていろいろ規制しているよ。

悪質業務は広告からはじまる、でしたっけ？

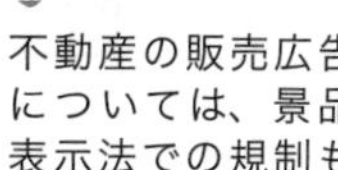

不動産の販売広告については、景品表示法での規制もある。

とっかかり……… 悪質な不動産業者が、まず広告をする

ひっかかり……… それを見た客を不当に誘い込む

ぼったくり……… 不動産取引に不慣れな顧客につけこみ、事実を告げなかったり不実を告げたり、または不利な契約内容を押し付ける

〔1〕未完成物件の広告や契約

▶ (1) 広告開始時期の制限（33条）

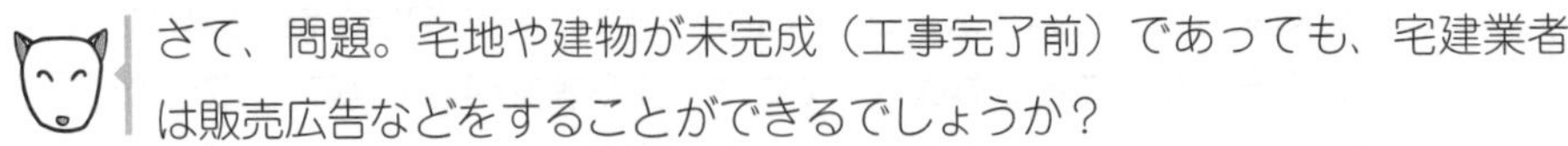

さて、問題。宅地や建物が未完成（工事完了前）であっても、宅建業者は販売広告などをすることができるでしょうか？

できまーす。でも、宅地の造成工事に必要な「開発許可」とか、建物の建築に必要な「建築確認」とかをちゃんと受けてからじゃなければダメなんですよね。申請中の場合もダメ。

まだ完成品がこの世にないとしても、その工事に必要な「開発許可」や「建築確認」、その他必要とされる許可を受けているんだったら、設計上の物件もちゃんとできあがるだろうということ。

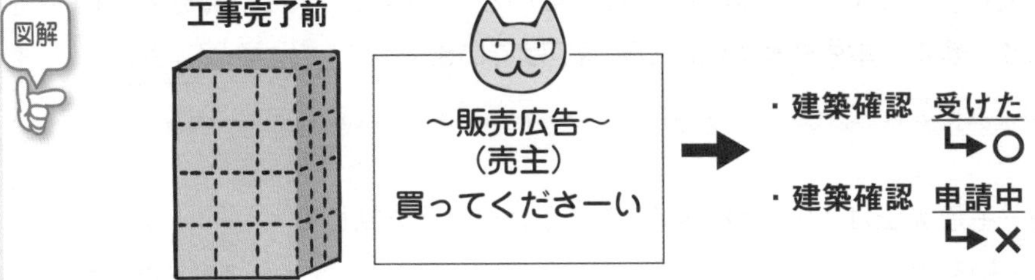

▶ (2) 契約締結時期の制限（36条）

未完成物件を契約しちゃうのはどうだろう。これもやっぱり、開発許可や建築確認、その他必要とされる許可を受けてからじゃないとダメなんだよね。

貸借の代理・媒介については開発許可前・建築確認前でもオッケー。ここが**「(1) 広告開始時期の制限」**とのちがいです。でもなんでかしら？

	自ら売買 （自ら交換）	売買・交換の 代理・媒介	貸借の 代理・媒介
広告の開始時期の制限	制限あり	制限あり	制限あり
契約締結等の時期の制限	制限あり	制限あり	制限なし

参考　**「その他必要とされる許可」について**

開発許可や建築確認のほか、農地がらみだったら「農地法の許可」とか、宅地造成及び特定盛土等規制法の「宅地造成等に関する工事の許可」などもある。これらの「許可」については、「法令上の制限編」で学習します。

〔2〕誇大広告等の禁止・取引態様の明示義務

▶（1）誇大広告等の禁止（32条）

実際の所在地を記載せずに、あたかも駅前にあるかのように広告したり、単なる山林なのにちゃんとした宅地のように装ったり、販売価格を実際の価格よりも安く表示するなど。宅建業者はそんな誇大広告をしてはならない。
監督処分（業務停止など）や罰則（懲役も!!）もあるよ。

プラスα

誇大広告の禁止に違反した場合、6ヶ月以下の懲役・100万円以下の罰金に処せられる場合がある。けっこう重い罰則あり。

ウソの広告はもちろんダメだし、存在しない物件で客を呼び寄せる「おとり広告」もダメ。実際に被害がなくても、そういった広告をしただけで宅建業法違反となりまーす。

ひとこと

38歳までに、どんな状態になっても食いっぱぐれのない自分になっておこう。

▶（2）取引態様（とりひきたいよう）の明示義務（34条の2）

宅建業者が広告をするときや注文を受けたときは、その宅建業者が「売主」なのか「代理」や「媒介」

なのか（取引態様の別）を明示しなければならない。どういう立場で関与しているのか、それを明確にしておく必要がある。媒介や代理だと宅建業者に払う報酬が発生するしね。

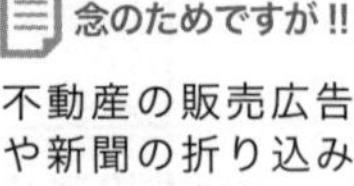

不動産の販売広告や新聞の折り込みチラシを実際に見てみよう!!

取引態様の別を明示	①自己が契約の当事者となって売買・交換を成立させる **売　主** ②代理人として売買・交換・貸借を成立させる **代　理** ③媒介して売買・交換・貸借を成立させる **媒　介**

不動産の広告をみると、「売主」「代理」「媒介」という文言が載ってまーす。

広告をするとき	数回にわけて広告をする場合、最初の広告だけじゃなくて、ぜんぶの広告に取引態様の別を明示しなければならない。
注文を受けたとき	宅建業者は宅地・建物の売買・交換・貸借に関する注文を受けたときは、遅滞なく、その注文をした者に対し、取引態様の別を明らかにしなければならない。

注文者が取引態様の別が明示してある広告を見ていたとしても、あらためて取引態様の別を明らかにしなければならないよ。

口頭でもよいそうです。でも、注文者が宅建業者であっても、省略はできません。

★★★

4 業務処理の原則や守秘義務など

宅建業法の制定当時、悪質な不動産業者がはびこることにより、手付金詐欺や預かり金の横領などのほか、登記・引渡しなどの不当な履行遅延、過大な報酬の要求、恐喝などが多発しました。これらを防ぎ、取引の公正や安全を確保するため、宅建業法ではいくつかの規定を用意しています。

不動産の取引に不慣れな顧客を守るため、今日も宅建業法はガンバっている。

事実を告げなかったり、不実を告げたり、手付を貸し付けたり。みんなダメ。

「業務処理の原則」は、昭和 27 年の制定当初の宅建業法にもある規定。最古の規定ともいえよう。

〔1〕業務処理の原則・従業者の教育（31条、31条の2）

業務処理の原則	宅建業者は、取引の関係者に対し、信義を旨とし、誠実にその業務を行わなければならない。
従業者の教育	宅建業者は、従業者に対し、業務を適正に実施させるため、必要な教育を行うよう努めなければならない。

〔2〕守秘義務（45条、75条の3）

宅建業者や従業者は、正当な理由がある場合でなければ、その業務上取り扱ったことについて知り得た秘密を他にもらしてはならない。

正当な理由がある場合とは、たとえば「本人の承諾や同意がある」とか「裁判で証言を求められた」などのケース。

宅建業を営まなくなった後や、宅建業者の従業者でなくなった後も、守秘義務がありまーす。

〔3〕不当な履行遅延の禁止（44条）

宅建業者は、その業務に関してなすべき宅地・建物の①登記、②引渡し、③対価の支払いを不当に遅延する行為をしてはならない。

契約したらさっさとやってくださいね。当たり前なんだけど…。

当たり前のことを、わざわざ規定してまーす。そういう業界でーす。

ちなみに!!

この規定も宅建業法制定当初から。当時、不当な引渡し遅延や対価の不払いが横行していた。

手付金に関し、金融機関との間で金銭の貸借（融資）のあっせんを行うことは「手付の貸付」には該当しない。

〔4〕業務に関する禁止事項（47条）

宅建業者は、以下の行為をしてはならない。

でもせんせー、これ、当然でしょ!!

事実の不告知	「契約を締結させるため」や「解除などを妨げるため」、故意に事実を告げず、または不実を告げる行為
高額報酬	不当に高額の報酬を要求する行為（要求しただけで違反となる）
手付の貸付	手付について貸付けその他信用の供与をすること（分割払いや後日払いを認めるなど）により契約の締結を誘引する行為

「手付」とは

売買契約が成立したときに、買主が売主に払うお金。買主は売主に払った手付を放棄して、売主は手付の倍額を現実に提供して契約を解除することができる。

そして、手付放棄とは、いわゆる「手付損」。返ってこない。安易に契約した買主は、解約（手付放棄）で泣きを見る。

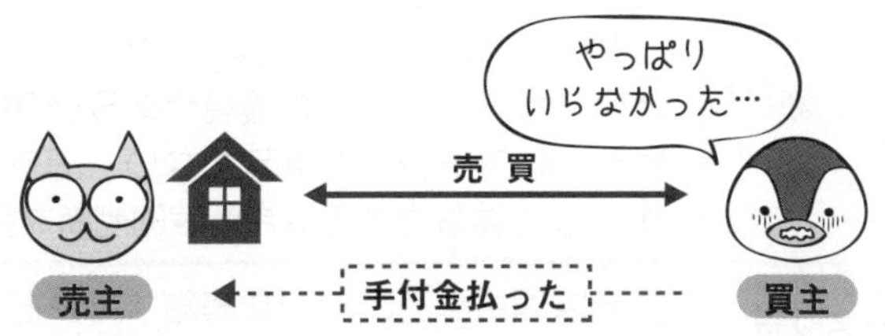

手付を放棄すれば解除できるけど、手付は損しちゃうよぉ！

手付の貸付って、どういう状況ですか？

物件の下見に来た客が「手持ちのお金がないから」と契約することを断ったのに、「手付を貸しますよ」とか「立て替えておきますよ」とかいって契約を締結させようとすること。宅建業法違反だよ。

「手付を貸してくれるんだったら、じゃ、思い切って買っちゃおうかしら」みたいな心理状態にして誘い込むと。

そうそう。安易な気分で契約締結しちゃうと、あとで多額な支払いに泣くよね。だから誘引は禁止。実際に契約が締結されたかどうかじゃなくて、契約が締結されていなかったとしても、手付金を貸すとかなんとかいって「誘い込む」こと自体が違反だよ。

〔5〕強引な契約締結の勧誘（悪質な営業）の禁止（47条の2）

宅建業者は、契約の締結を勧誘するに際し、以下のことをしてはならない。

こういう宅建業者、こわいです。

ちなみに!!

悪質な投資マンション購入の勧誘が急増し、社会問題化したために、規制が強化された。

断定的判断の提供	「利益が生じることが確実だ（例：値上がりすることは確実だ）」や「将来の環境や交通その他の利便（例：南側にはマンションは建たない、国道が開通するはずだ）」と誤解させるべき断定的判断を提供すること。
時間を与えず	正当な理由なく、契約を締結するかどうかを判断するために必要な時間を与えることを拒むこと。
名乗らず	契約締結の勧誘に先立って、宅建業者の商号（名称）、勧誘を行う者の氏名、契約の締結について勧誘する目的である旨を告げずに、勧誘を行うこと。
しつこい勧誘	宅建業者の相手方等が契約を締結しない旨の意思（勧誘を引き続き受けることを希望しない旨の意思を含む）を表示したのにもかかわらず、勧誘を継続すること。
電話訪問攻撃	迷惑を覚えさせる時間に電話し、または訪問すること。
深夜・長時間	深夜または長時間の勧誘その他の私生活または業務の平穏を害するような方法により困惑させること。

〔6〕返金拒否や解除拒否の禁止（47条の2）

宅建業者は、次のことを、相手方に対し、してはならない。

まだあるんですかー!!

返金拒否	相手方が契約の申込みの撤回を行うに際し、既に受領した預かり金の返還を拒むこと。
解除拒否	相手方が手付を放棄して契約の解除を行うに際し、正当な理由なく、契約の解除を拒み、または妨げること。

〔7〕威迫の禁止（47条の2）

「契約を締結させるため」や「解除などを妨げるため」、相手方を威迫してはならない。

きゃー、せんせー、威迫だってっ!!

威迫とは、たとえば「なんで来ないんだよ」とか「契約しないと帰さないぞ」と声を荒げ、面会を強要したり、拘束するなどして相手方を動揺させること、だそうです。

そんな淡々といわないでくださいよぉ～。

かのバブル時代。そして光と影。かつての、荒っぽいオニーサンたちの地上げ行為でのふるまいが、これに該当するそうでーす。

Section 2 媒介契約は選べる3タイプ

★★★

1 媒介契約の種類。どれにする？

概要

媒介契約は3種類あります。依頼者と宅建業者の関係で、拘束が強い順に並べると、専属専任媒介契約、専任媒介契約、一般媒介契約になります。それぞれの媒介契約の特徴を、ぜひ把握しておいてください。試験でもよく出題されています。もし自分が媒介を依頼するとしたら、どの媒介契約がいいですか？　なお、これから学習する「媒介契約」に関する規定は、宅建業者に宅地・建物の売買・交換の代理を依頼する「代理契約」にも準用されます。

さて次は媒介契約。宅建業者に媒介を依頼する場合、どれがいいかなー。３タイプあるよ。

専任系だと、他の宅建業者に重ねての媒介依頼は出来ないんですね。

重要！

宅建業法上の媒介契約の規定が適用されるのは、売買・交換の媒介のみ。貸借の媒介には適用されない。

〔1〕3タイプの特徴

	一般媒介	専任媒介系	
		専任	専属専任
他業者への依頼	○　可能 ・明示型 ・非明示型	×　禁止	×　禁止
自己発見取引	○　可能	○　可能	×　禁止

拘束が強い順

① **専属専任媒介契約**

専任：他の業者に重ねて媒介や代理を依頼できない（浮気は許さない）
専属：自己発見取引も禁止（自分で探してきた相手としちゃダメ）

② **専任媒介契約**

他の業者への依頼はダメ（浮気は許さない）なんだけど、自分で相手を発見して取引するのはオッケー。ちなみに「専属専任媒介契約」も専任媒介契約の一種。専任媒介契約に特約で「自己発見取引の禁止」をつければ専属専任媒介契約となる。

③ **一般媒介契約**

他業者への浮気オッケー。自分で発見するのもオッケー。で、この一般媒介契約のおもしろいところは、「浮気してもいいけど、でも、浮気の相手を教えて（明示型）」というのと「いわなくてもいいわよ（非明示型）」の2パターンがある。

〔2〕媒介契約についての規制（34条の2）

専任系だと、依頼した宅建業者がちゃんと仕事をしてくれないと困るよね。なので宅建業者はいくつかの義務を負いまーす。

一般媒介は規制ありませーん。

	一般媒介	専任媒介系	
		専任	専属専任
有効期間	規制なし	3ヶ月以内 3ヶ月より長い期間を定めても3ヶ月とされる	
更　新	規制なし	依頼者の依頼により更新（3ヶ月以内）	
業務報告	規制なし	2週間に1回以上	1週間に1回以上
指定流通機構への登録	規制なし	7日以内（休業日を除く）に登録	5日以内（休業日を除く）に登録

※これらの規定に反する特約は無効となる。

専任媒介系の場合、有効期間は3ヶ月以内。これ以上、この宅建業者とつきあってもダメだなと思えば、満了後に切り替えよう。

有効期間の更新もできるけど、依頼者からの申出があった場合のみ。自動更新なんていう特約は無効でーす。

業務の処理状況の報告も義務づけられていて、専任だったら2週間に1回以上、専属専任だったら1週間に1回以上、どんな広告をしたとか、問い合わせが何件あったとかを報告しなけらばならない。

この報告は口頭やメールでもオッケーだそうです。

専任媒介契約を締結したときは、契約の相手方を探索するため、休業日を除き、専任だったら７日以内、専属専任だったら５日以内に指定流通機構に物件情報を登録しなければならないよ。

指定流通機構とは

不動産流通機構が運営している物件情報を交換できるコンピュータ・ネットワーク・システムの名称。業界では**レインズ**（REINS）と呼んでいる。宅建業者がレインズにアクセスすれば、登録情報を見ることができる。なお、このネットワークにアクセスできるのは宅建業者だけ。

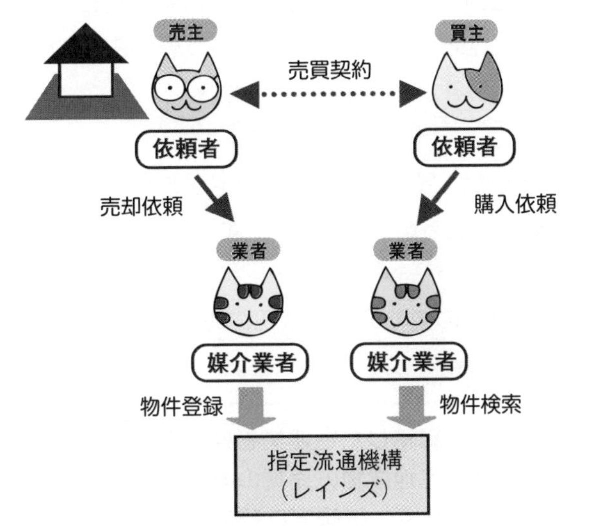

指定流通機構（レインズ）に物件情報を登録すれば、取引の相手先が早く見つかるだろうというワケですね。

そういうこと。指定流通機構への登録事項などについては次のとおり。

登録事項	物件の所在、規模、形質、価額、都市計画法などによる法令上の制限、専属専任媒介であるときはその旨。
登録書面	物件を登録すると指定流通機構から「登録を証する書面」が交付される。
	宅建業者は、「登録を証する書面」を遅滞なく依頼者に引き渡さなければならない。 書面の引渡しに代えて、依頼者の承諾を得て、電磁的方法により提供することができる。
通　　知	宅建業者は、登録した物件の売買・交換契約が成立したときは、遅滞なく、「登録番号、売買契約の年月日、取引価格」を、指定流通機構に通知しなければならない。

※これらの規定に反する特約は無効となる。

登録事項に所有者の氏名や住所、登記の内容などは入ってないよ。

氏名や住所が載っていると「その物件、ナイショでウチにもやらせてください」という専任破りみたいな業者がいるかもしれませんしね。

ちなみに!!

業者が、レインズに登録することを嫌い、あえて一般媒介とすることもある。媒介報酬の"両手取り"狙い。

あ、そうだ、最近追加された規定があるんだ。申込みがあったときの報告義務でーす。

専任媒介系の業務の処理状況の報告義務とは別に、こんな報告義務もありまぁーす。

> 媒介契約を締結した宅建業者は、媒介契約の目的物である宅地建物の売買の申込みがあったときは、遅滞なく、依頼者に報告しなければならない。

重要!

媒介契約書の交付義務、専属専任・専任媒介契約の有効期間や業務報告義務、指定流通機構への登録、申込み報告義務などの規定に反する特約は無効となる。

専属専任や専任媒介のほか、一般媒介でも報告義務はあるよ。そのあたりをちょっと注意しておいてね。

「遅滞なく」がポイントかしら。

★★★

2　媒介契約書を作って交付せよ

概要

かつて、不動産業界では媒介をするにあたり書面（どういう条件で媒介するか）を取り交わさなかったのでトラブルが続発したそうです。詳細はこの章の最後に収録してある「媒介契約。今昔物語」にて。なお、媒介契約書を「宅建業法第34条の2の書面」と表現することもあります。交付する媒介契約書には、宅建士ではなく、宅建業者の記名押印が必要です。

宅建業者は、宅地・建物の売買・交換の媒介契約を締結したときは、遅滞なく、**媒介契約書**（宅建業法第34条の2の規定に基づく書面）を作成して記名押印し、依頼者に交付しなければならない。

記名押印は宅建業者が行いまーす。宅建士の記名押印じゃありませーん。

図解

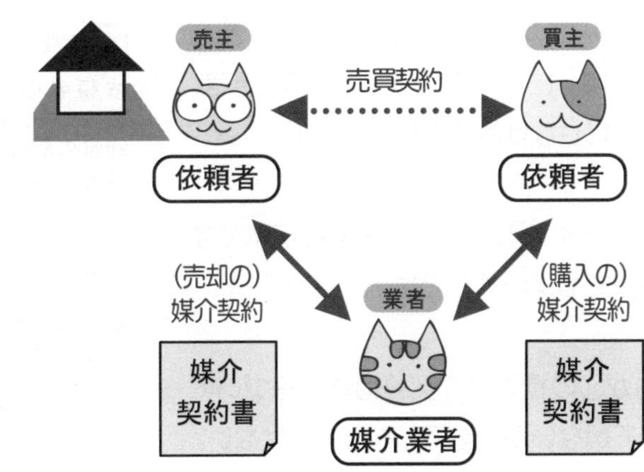

重要！

依頼者の承諾があっても、媒介契約書の交付は省略できない。

重要！

書面の交付に代えて、依頼者の承諾を得て、電磁的方法により提供することができる（記名押印した書面を交付したものとみなされる）。

ひとこと

「誰でもできる仕事」を職業として求めていると、結局、その他大勢で奪い合いになって疲れる。

念のためだけど、この媒介契約の規定が適用されるのは、売買・交換の媒介（代理の場合も準用）の場合だけ。

貸借の代理・媒介にはこの規定は適用されないんですよねー。

あと、依頼者が宅建業者であっても、媒介契約書の作成・交付義務は省略できませーん。

〔1〕媒介契約書の記載事項（34条の2）

① 所在など、宅地・建物を特定するために必要な表示
② 売買すべき価額（評価額）
③ 媒介契約の種類（専任・専属専任か一般か）
④ 既存の建物の場合、依頼者に対する「建物状況調査を実施する者のあっせん」に関する事項
⑤ 有効期間・解除に関する事項
⑥ 指定流通機構への登録に関する事項
⑦ 報酬に関する事項
⑧ 専属専任・専任・一般（明示型）で違反があった場合の措置
⑨ 国土交通大臣が定めた標準媒介契約約款に基づくものか否か

②の価額（評価額）についてなんだけど、媒介業者がこの価額（評価額）について意見を述べるときは、その根拠を明らかにしなければならないのよ。

重要！
依頼者の承諾があっても、媒介契約書の記載項目の省略はできない。

高くする場合でも低くする場合でも根拠を明示ですね。ちなみに口頭でもよいそうです。

プラスα
標準媒介契約約款とは、国土交通大臣が定めた媒介契約書のひな形のこと。このひな形に基づいていない媒介契約でもよい。

あと、媒介契約が⑨の標準媒介契約約款に基づいているか、基づいていないかを記載しないといけない。

標準媒介契約約款に基づいている媒介契約のほうが安心かも。

あと、④の話になるんだけど、既存の建物の場合、媒介契約書に「建物状況調査を実施する者」をあっせんするかどうか（有無）も記載することになったよ。

建築士で国土交通大臣が定める講習を修了した者が「建物の構造耐力上主要な部分等（P.209）」の状況を調査するということでしたっけ。これがあると中古住宅を買うときも、ちょっと安心ですよね。

この専門家による建物状況調査のことを「インスペクション」といったりするよ。建物の基礎、外壁等に生じているひび割れ、雨漏り等の劣化事象・不具合事象の状況を目視、計測等により調査するんだ。あらかじめ物件所有者の同意が必要だけどね。

この「建物状況調査を実施する者のあっせん」は、媒介業務の一環ということになるので、報酬とは別に「あっせんに係る料金」を受領することはできないそうです。

「媒介契約。今昔物語」

この媒介なんだけど、むかしは書面（どういう条件で媒介するか）を取り交わさなかったのでトラブルが続発した。宅建業者の取り分（媒介手数料・報酬）は代金× 3%＋６万円なので、極端な話、売主が「1 億円で売ってほしい」という物件をメンドーなので 8,000 万円でまとめたりする。1 億円× 3%＋6 万円＝306 万円。8,000 万円だったとしても 8,000 万円× 3%＋６万円＝ 246 万円。宅建業者の取り分としてはたいしたちがいはない。はやく転がしたほうがいいということで、しらばっくれて 8,000 万円で話をまとめてきたりした。
もっとスゲーのは、買主のふりをしていて、取引がまとまったとたん「実は媒介でして」と報酬を請求したヤツらもいたそうだ。

ひとこと
20 代は大したことができなくても許される。若さの特権を失った 30 代からサバイバルがはじまる。

3
Section

宅建業者に払う報酬はいくら？

★★★

1 売買・交換の媒介報酬・代理報酬の限度額

概要

宅建業者は、売買や貸借の媒介・代理をした場合に受けることができる報酬の額には上限があります。これを超えて受領してはなりません。まず、ここでは売買の媒介・売買の代理をした場合の報酬額の計算をみていきましょう。代金が400万円超の場合、代金（消費税抜きの本体価格）×３％＋６万円で計算します。

媒介や代理で売買・交換契約をまとめた宅建業者が受け取る報酬額には上限があるよ。

「事務所ごとに報酬の限度額を掲示しなければならない」とか「宅建業者は不当に高額の報酬を要求してはならない」っていう規定もありましたよね。

ちなみに!!

宅建業法制定以前は、媒介や代理について過大な報酬を強請されるなどの被害が多発。

で、実際に支払う報酬額は、依頼者（売主・買主）と宅建業者の話し合いで決めることになります。必ずしも限度額を受領せよということじゃないよ。

〔1〕売買・交換の媒介報酬の限度（46条）

一般には仲介（仲介手数料）といっているけど、法律上は媒介（媒介報酬）。売買・交換の媒介を行った宅建業者は、依頼者から報酬を受領することができる。

報酬限度額（上限）の計算方法は、以下のとおりでーす。

売買価格	報酬額の計算
400 万円超	消費税抜きの価格×３％＋６万円
200 万円超～ 400 万円以下	消費税抜きの価格×４％＋２万円
200 万円以下	消費税抜きの価格×５％

注：交換の場合、価額に差があるときは、いずれか多い価額を使って計算してよい。

▶消費税抜きの価格について

取引金額を基に計算するんだけど、売主が宅建業者だったりすると建物代金に消費税が入っている場合がある。そのときは税抜き価格にする。

土地の代金については、そもそも**消費税が課税されない**ので、そのまま使う。

例　建物代金 2,200 万円（消費税込み）、土地代金 2,000 万円の場合

買主が売主に実際に支払う価格は 4,200 万円だけど、媒介報酬の計算は以下の手順で行う。

①建物代金 2,200 万円（消費税込み）	2,000 万円（税抜き本体価格）にする
②合計額で報酬限度額を計算	土地 2,000 万円・建物 2,000 万円 合計：4,000 万円×３％＋６万円＝ 126 万円

それでだね、媒介業者が消費税の課税業者だったら、依頼者から受領する報酬に消費税分 10%を上乗せできる。ちょっとややこしいんだけど、免税業者だったら 4%の上乗せということになっている。上記の例（126 万円）を使って計算してみて。

電卓を使いたいでーす（涙）。

媒介業者が課税業者	126 万円× 1.1 ＝ 138 万 6,000 円
媒介業者が免税業者	126 万円× 1.04 ＝ 131 万 400 円

▶報酬の「片手」と「両手」について

媒介なんだけど、通常は売主か買主の一方からの依頼による。売主から依頼を受けたＡ社と買主から依頼を受けたＢ社が互いに協力して売買契約を成立させたとしよう。

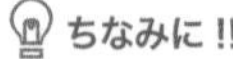

ちなみに !!

媒介業者を消費税の免税業者とする出題は、あまりない。課税業者での出題が通例。

となると、Ａ社は売主から、Ｂ社は買主から媒介報酬を受領するわけですね。

そうそう。これを片手と言ったりしているよ。じゃあ両手っていうとどんなパターンでしょうか。

自分の顧客の売主（売却の依頼主）と買主（購入の依頼主）でピッタンコとなる場合です。売主と買主双方から報酬を受領できちゃうパターン。

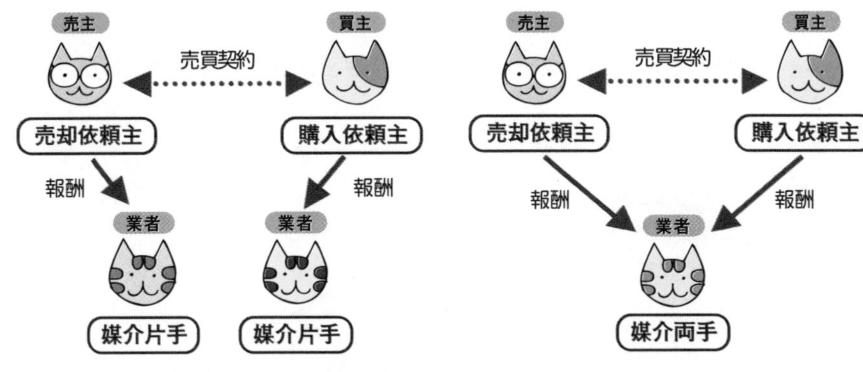

[参考]：低廉な空家等の売買・交換の媒介・代理の特例
税抜き価額 800 万円以下となる宅地建物（低廉な空家等）の売買・交換の媒介・代理については、通常の報酬額のほか「現地調査等に要する費用」を売主側から受領することができるようになった。ただし、上限は 30 万円（プラス消費税）となる。 **例：価格 500 万円の空家等の売買の媒介** 500 万円× 3％＋ 6 万円＝ 21 万円。このほか「現地調査等に要する費用」として 9 万円まで受領できる。 ➡ 21 万円（通常の報酬）＋ 9 万円＝ 30 万円（上限）

[参考]：長期の空家等の貸借の媒介・代理の特例
長期の空家等については、当該媒介に要する費用を勘案して、貸主である依頼者から、原則による上限を超えて報酬を受領できる。（2 ヶ月分プラス消費税） **例：月額借賃 3 万円の長期の空家等の媒介** 借主から 1.5 万円、貸主から 1.5 万円 +3 万円を受領できる。 （合計して 2 ヶ月分まで）

〔2〕売買・交換の代理報酬の限度（46条）

こんどは代理。代理報酬の限度額は、媒介の２倍だよ。

代理をよく見るパターンは、新築分譲マンションのときかしら。

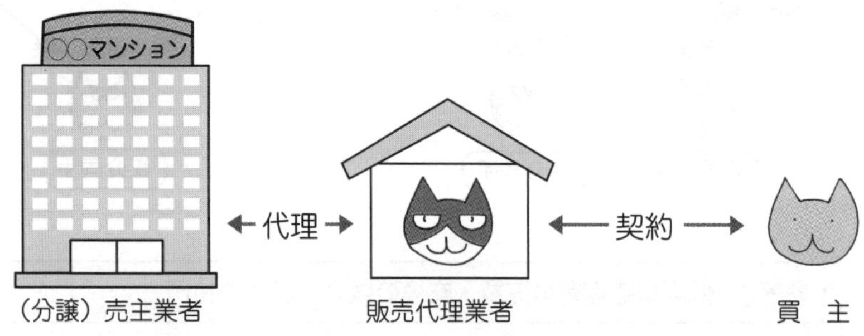

＊販売代理業者を通して買った場合、買主は報酬を支払わない。代理業者への報酬は、売主業者が丸ごと（媒介の２倍）を支払うことになる。

代理業者と媒介業者が１つの取引に関与している場合は、さてどうなるんでしょうか。

売主・買主が支払う報酬の上限額は変わりませーん。「あわせて媒介×３」は受領できません。結局は「媒介の２倍」の範囲内で受領しなさいというルールですよね。

例	宅建業者Ａ社は売主から代理の依頼を受け、宅建業者Ｂ社は買主から媒介の依頼を受けて、宅地の売買契約を成立させた。

ちなみに!!

代理業者と媒介業者がからむ形での出題がけっこう多い。

念のためですが!!

代理が「媒介の２倍」で受領したら媒介はゼロ。代理がゼロでも媒介は１が限界。片一方が代理だったとしても、結局は媒介１ずつで分け合う形が多い。

売主　　2,000万円の宅地売買契約　　買主

2,000万円×3％＋6万円
＝66万円（税別）

媒介依頼

A社 代理業者　　B社 媒介業者

＊報酬（税別）の受領額について	
A社132万円 B社ゼロ円	OK
A社100万円 B社32万円	OK
A社 66 万円 B社66万円	OK
A社132万円 B社66万円	ダメ

売主から**媒介×2**を上限として受領できる　　買主から**媒介×1**を上限として受領できる

売主・買主から合計（一取引合計）で**媒介×2**を上限として受領できる

※どちらのルールにも違反しないように、受領しなければならない。

★★★

2　貸借の媒介報酬・代理報酬の限度額

概要

貸借の媒介・代理をした場合については、借賃の１ヶ月分が報酬額となります。なお、「居住用建物の貸借の媒介の場合」と「居住用建物以外で、権利金の授受がある場合の貸借の媒介の場合」につき、例外的な取り扱いがありますので、あわせて確認しておきましょう。

〔1〕媒介でも代理でも賃料の１ヶ月分（46条）

貸借の場合、媒介でも代理でも、依頼者（貸主・借主）の双方から受領できる報酬の合計額は**賃料の１ヶ月分（＋消費税）**だよー。

どういう取り方（割合）とするかがちがうだけで、媒介も代理もいっしょでーす。

〔2〕居住用建物の貸借の媒介の場合（46条）

居住用建物の貸借の媒介の場合だけ報酬の取り方（割合）が決まっていて、貸主・借主の双方から0.5ヶ月分ずつ。

「トータルで1ヶ月分」はおなじですよね。

そう。ただし、どちらか片方が、たとえば借主が「1ヶ月分を払いますよ」と承諾しているんだったら、借主から1ヶ月分受領できるよ。そしたら貸主からは受領できなくなりまーす。

居住用マンション（家賃10万円）の賃貸の媒介

◇居住用建物　依頼者の承諾がないパターン

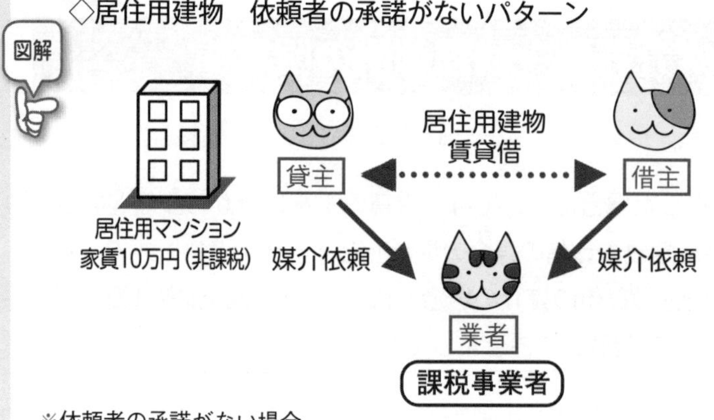

念のためですが!!

居住用建物の賃貸の媒介の場合、借主が報酬として1ヶ月分を払うと了承しているケースが多いと思われる。

※依頼者の承諾がない場合

ルール1	貸主から5.5万円 （0.5ヶ月分+税）を 上限として受領できる。	借主から5.5万円 （0.5ヶ月分+税）を 上限として受領できる。
ルール2	貸主･借主から合計（一取引合計）で 11万円（1ヶ月分+税）を上限として受領できる。	

※どちらのルールにも違反しないように、受領しなければならない。

〔3〕権利金の授受がある場合（46条）

お店や事務所など（居住用建物以外）の賃貸借契約の場合でね、高額の権利金が動く場合があるでしょ。この場合、権利金を売買代金とみなして（つまり売買の媒介・代理をしたとして）報酬を計算してもいいです。

この場合、報酬1ヶ月分と、権利金で計算した額と比べて高いほうが限度額となりまーす。

居住用建物にはこの計算式は使えないよ。っていうか、居住用建物の賃貸のときの権利金（礼金ともいう）なんて、せいぜい借賃の2ヶ月分くらいで、たかが知れてるしね。

権利金
賃貸借契約時に借主側が支払う金銭（権利設定の対価）で、賃貸借契約が終了しても返還されないもの。権利金以外の名称の場合あり。

例　宅建業者Ａ社（消費税の課税業者）が、貸主Ｂ及び借主Ｃからそれぞれ媒介の依頼を受けて、権利金2,200万円（うち消費税分200万円）、月額借賃110万円（うち消費税分10万円）の店舗の賃貸借契約を成立させた。

①権利金を売買代金とみて報酬額を計算
2,000万円（税抜き）×３％＋６万円＝66万円
66万円×1.1＝72万6,000円
貸主と借主それぞれから72万6,000円を受領するとなると、合計で145万2,000円が上限となる。

②月額借賃で報酬額を計算
月額借賃100万円（税抜き）×1.1＝110万円
貸主と借主から合計で110万円が上限となる。

★★★

3 広告料金とか、別途受領できる？

概要

宅建業者は、その名目は問わず、案内料、情報提供料、企画料などの報酬以外の金銭を依頼者に対し請求したり、依頼者から受け取ることはできません。しかし、「依頼者からの依頼によって行う広告」などについてはこの限りではありません。

宅建業者は法定された額を超えて報酬を受領することはできないんだけど、「**依頼者の依頼によって行う広告の料金**」については別途受領できるよ。

「依頼者の依頼」があったらのお話ですよね。勝手にやっておいて上乗せはダメなんですよね。

そうそう、そのとおり。あと依頼者から特別の依頼により行う「遠隔地における現地調査の費用」などもだいじょうぶ。

事前に依頼者の承諾があればオッケーということですね。

成約したか否かにかかわらず請求できるよ。

念のためですが!!

宅建業者が通常行う程度の広告宣伝費は、営業経費として報酬に含まれるという解釈。

ちなみに!!

依頼者の依頼によって行う広告とは、通常行う程度の広告ではなく、大手新聞への広告掲載など。費用が多額になる。

ひとこと

「忙しい」「疲れた」「たいへん」が口ぐせ。それって誰に対してのアピール？なんのため？

Part
1

宅建業法 -4

宅建業者が売主で、買主が宅建業者以外となる売買契約のときに適用される規定群がある。取引に不慣れな買主がカモにされないよう、悪質な売主業者から一般消費者などを守るための法規制で、「クーリング・オフ制度」「手付金の額の制限」「損害賠償の予定額の制限」など全８種類ある。

1 Section 宅建業者が売主となる場合の制限

概要

民法上、契約の締結及び内容の自由の原則として認められる特約でも宅建業法上、無効となったりします。一般消費者を守るための規定です。

これから勉強するのは、宅建業者が売主で買主が一般消費者（宅建業者以外）という、いちばんヤバい売買の場合にだけ適用されるスペシャルルールだよ。

一般消費者を守るためのスペシャルルールですよね。ぜんぶで８種類でしたっけ。

そう。取引に不慣れな一般消費者に不利な契約内容を押し付けたりしないよう、ここでも宅建業法はガンバっているのだ。宅建業者が売主となり、宅建業者以外が買主となる場合、売主業者には次の８つの制限（8 種制限）が課せられる。

宅建業者以外が買主となる場合の８種制限

概要

①自己所有に属しない宅地建物の売買契約締結の制限
②クーリング・オフ（事務所等以外の場所においてした契約締結の撤回等）
③損害賠償額の予定等の制限
④手付の額の制限等
⑤担保責任についての特約の制限
⑥手付金等の保全措置
⑦割賦販売契約の解除等の制限
⑧所有権留保等の禁止

＊宅建業者相互間の取引（買主が宅建業者）の場合は、これらの制限は適用されない**（78条）**。

「宅建業者が売主となる場合の制限」の適用関係

売　主	買　主	８つの制限
宅建業者	宅建業者以外（一般消費者）	適　用
宅建業者	宅建業者	適用なし
宅建業者以外	宅建業者	適用なし
宅建業者以外	宅建業者以外	適用なし

★★★

1 自己所有に属しない宅地建物の売買契約締結の制限

概要

売買の目的物が「他人の所有する宅地建物」である場合、その所有者が宅地建物を譲渡する意思がなかったら、たちまち頓挫してしまいます。所有者が譲渡する意思がなかったとしても、民法上は有効となるものの、現実的にはいかがなものでしょうか。そこで宅建業法は、売主業者に対し、自己所有に属しない宅地建物を売ってはならないと規定してます。

かんたんにいうと、宅建業者は、自分の所有物じゃない物件（他人の権利）を一般消費者に売っちゃダメだよということ。

なんかそれって当たり前だと思うんですけど、でも、民法だと売っちゃっていいんですよね。

民法ではよしとしているけど、でもこの売主、なんか詐欺っぽくないか？　たとえば、契約したときに買主が払った手付金をちゃんと返してくれるだろうか。損害賠償に素直に応じてくれるだろうか。

重要！
民法上の「他人の権利の売買における売主の義務」については P.504 にて。

んー、ちょっとあやしいですね。トラブったりしそう。

なので宅建業法ではダメということになったのでありました。

（33条の2）

宅建業者は、自己の所有に属しない宅地建物について、宅建業者ではない者を相手に自ら売主となる売買契約（予約も含む。）を締結してはならない。

「自己の所有に属しない」の意味には、「①他人の所有物」という場合のほか「②未完成物件（新築マンションの分譲などで、まだこの世に物件が存在していないもの）の場合」もあるんですよね。

そのとおり。で、原則として「自己の所有に属しない」物件の売買契約は制限されているけど、以下の場合は例外として売買オッケーとなってるよー。

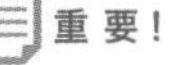

売主業者が他人所有物を取得する契約を締結しているのであれば、代金の支払いや引渡し、登記がなくても宅建業法違反とはならない。

① 他人所有物の場合

売主業者がその物件を取得する契約（予約でもオッケー）を締結しているとき。ただし停止条件付き（例：息子の海外転勤が決まったら）の契約ではダメ。

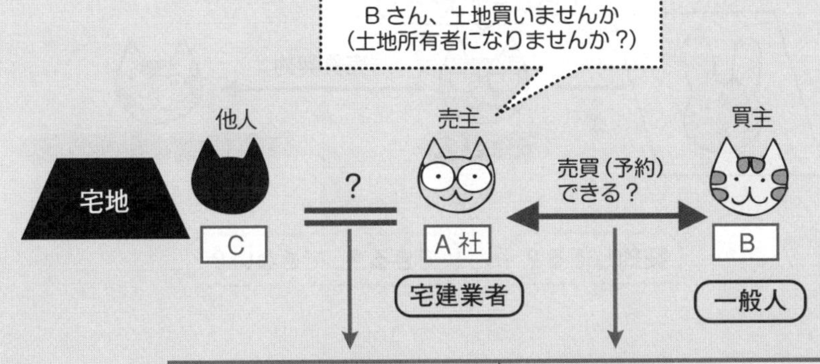

ＡＣ間の契約	ＡＢ間で売買（予約）できる？
何もない	できない
取得契約（予約含む）あり	できる
停止条件付取得契約あり	できない

注：**売買の予約**：将来、売買契約を締結することに合意している状態。予約完結権を行使すれば本契約となる。

Part1 1 宅建業法
Part1 2 宅建業法
Part1 3 宅建業法
Part1 4 宅建業法
Part1 5 宅建業法
Part1 6 宅建業法

② 未完成物件の場合

売主業者が手付金等の保全措置を講じているとき。

手付金等の保全措置（業者が倒産しても返金できるシステム）

物件を引き渡す前に受領したカネ（手付金等という）につき、「いざとなったら○○銀行が返金します（保証）」とか「○○保険会社が支払います（保険）」と返金を保証するシステム。未完成物件を売買すること自体は禁止されてないけど、なんせ未完成なので完成しない（引き渡せない）とか、売主業者が倒産して引き渡せないというようなリスクもあることから、未完成物件を売買するんだったら「手付金等の保全措置」を講じなさい、としている。

自己所有に属しない宅地建物の売買契約締結の制限（まとめ）

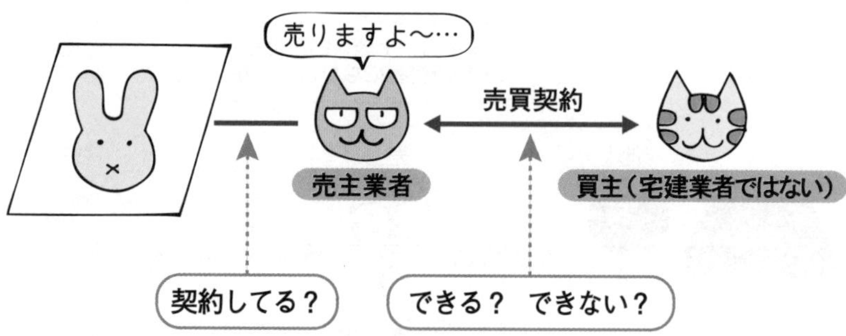

★★★

2 クーリング・オフ（事務所等以外の場所においてした契約締結の撤回等）

宅建業者が自ら売主となる売買契約につき、一定期間内に限り無条件で、買受け申込者または買主が、買受けの申込みの撤回または売買契約の解除（クーリング・オフ）を行うことができます。どのような場合にクーリング・オフができるのか、できないのはどのような場合かが出題されます。

〔1〕クーリング・オフってなによ？

売主業者と売買契約したんだけど、一定の条件に当てはまる場合、宅建業者ではない買主は売買契約を一方的に解除できる制度。手付放棄での解除じゃなくてクーリング・オフによる解除だから手付金は返ってくるし、損害賠償も請求されない。

まさに、無条件白紙撤回ですねー。無傷の生還!!

ちなみに民法上はどうなっているかというと、いったん成立した売買契約は一方的に解除できない。ムリに解除しようとすると「ふざけるな、債務不履行だ」ということで損害賠償を請求されたりする。

念のためですが!!

クーリング・オフはCooling Off（頭を冷やす）。契約した後に頭を冷やして（Cooling Off）考え直した消費者が、一定期間内であれば無条件で契約を解除することができるとするしくみ。

ひとこと

会社で「おバカキャラ」を演じ続けていると疲れるから、そろそろオトナになろう。

クーリング・オフの概要（37条の2）

解除・撤回	「クーリング・オフ制度の適用がない事務所等」以外の場所で、買受けの申込みをした申込者・売買契約を締結した宅建業者ではない買主は、無条件で、書面により、申込みの撤回・売買契約の解除をすることができる。
書面発信	契約の解除（申込みの撤回）は、書面を発信したときに効力が生じる。
損害賠償不可	売主業者は損害賠償や違約金の支払いを請求できない。
手付返還	受領していた手付金なども返金しなければならない。
特約制限	宅建業者ではない買主に不利な特約は無効となる。

クーリング・オフ制度

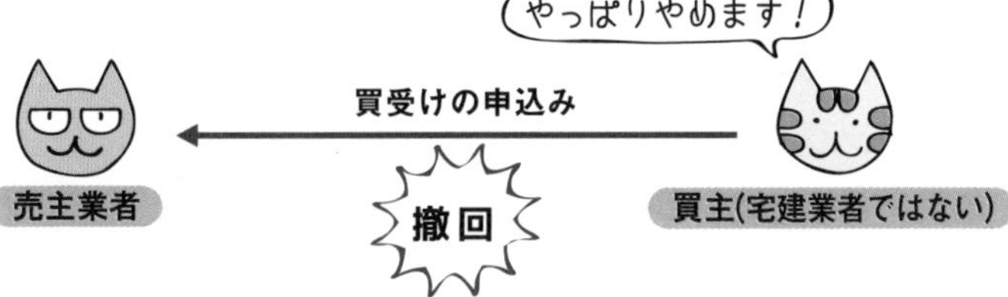

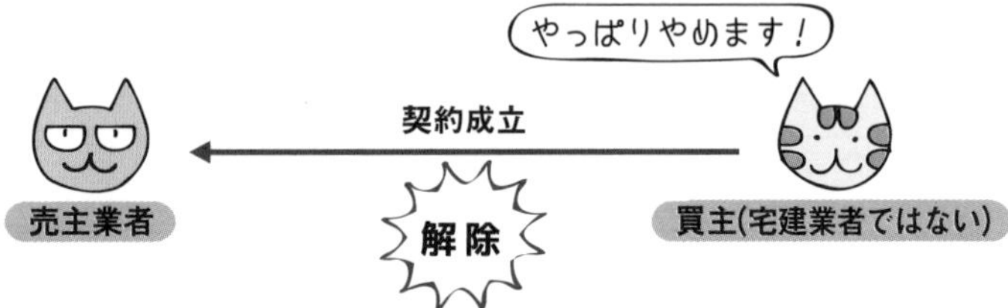

クーリング・オフ OK

売 買

〔2〕クーリング・オフ制度の適用がない事務所等

そもそもクーリング・オフ制度の誕生は、ワルい宅建業者が無知な消費者を温泉旅行などに無料招待し、旅館やバスのなかで強引に別荘地を売りつけたり、値上がりするからといって二束三文の原野の購入申込書を書かせたりするなどの「無料温泉商法」や「原野商法」が社会問題になったことがきっかけ。

昭和 50 年代ころのお話だそうです。

なので、まず、どこで契約（買受けの申込み）をしたかが問題。買主が落ち着いて判断できる場所だったかどうかで、クーリング・オフができるかどうかが決まるのだ。

ということで、次の場所で行った売買契約（買受けの申込み）には、クーリング・オフ制度の適用はありません。つまり、クーリング・オフができないということですねー。

クーリング・オフ制度の適用のない事務所等

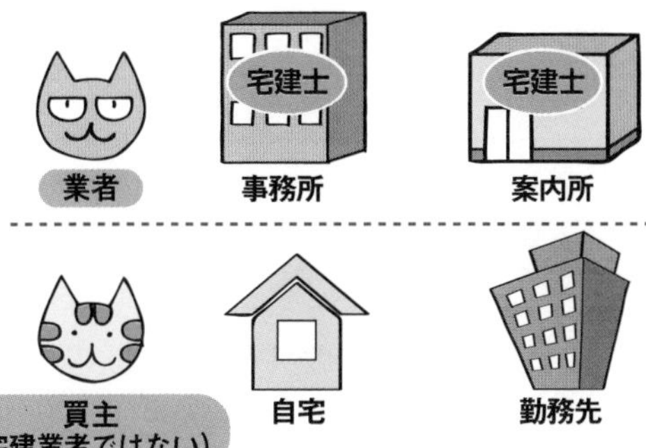

契約（買受けの申込み）をしたら、クーリング・オフできない！

「クーリング・オフ制度の適用がない事務所等」の例（主なもの）

宅建士の設置義務がある場所	売主業者の事務所
	専任の宅建士の設置義務がある案内所（テント張りなどの場合を除く）
	他業者に代理・媒介を依頼している場合、その代理・媒介業者の事務所や案内所
自宅か勤務先	宅建業者ではない買主（申込者）が申し出た場合の「自宅」か「勤務する場所」

たとえば以下のような場所での契約（買受けの申込み）だったらクーリング・オフできるよー。

上記の「事務所等」にならない場所ですよね。

例示

- テント張りの現地案内所
（専任の宅建士の設置義務がある場所だとしても）
- 営業マンが押しかけた宅建業者ではない買主の自宅や勤務先
- 勤務先近くのホテルのロビー
- 案内や広告宣伝のみ行う案内所（専任の宅建士の設置義務なし）
- 宅建業者ではない買主が指定したレストラン、現地付近の喫茶店など

〔3〕クーリング・オフができなくなる場合

クーリング・オフができる場所での取引であっても、次の場合、もはやクーリング・オフができなくなるよー。

書面で告げられたときは「8日間」。日数がだいじになってくるんですよね。

重 要！
売主業者が「クーリング・オフの方法（書面）」を交付していないのであれば、8日間の起算はスタートしない。

そうなんだよねー。月曜に告げられたとすると「月火水木金土日月」まで。翌週の火曜になるとクーリング・オフはできなくなるよ。

あと、引渡しと代金の支払いが終わっちゃってたら、どっちみちクーリング・オフできないと。

そう。試合終了。

8日経過	宅建業者から「クーリング・オフを行うことができること及びその方法」を書面で告げられてから8日間を経過したとき
取引完了	宅建業者ではない買主が宅地建物の引渡しを受け、かつ、代金全額を支払ったとき

〔4〕「買受けの申込みをした場所」と「契約した場所」がちがう場合

ちょっとややこしいんだけどね。クーリング・オフ制度の適用がない事務所等（例：売主業者の事務所）で「申込み」をし、事務所等以外の場所（現地付近の喫茶店）で「契約」したとしよう。この場合、クーリング・オフはできませーん。

喫茶店やテント張りの案内所で「申込み」をし、事務所で「契約」した場合はクーリング・オフできる。

わー、ややこしいー（笑）。買受けの申込みをどこでしたのかを優先して考えればいいんですねー。

そういうこと。結婚で考えると、プロポーズされたのはどこか。それってけっこうだいじだったりするかな？　ま、そんなノリで考えてみてね!!

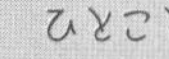

いちばんいい「利回り」は自分への投資。時間を投入して勉強しよう。プロになろう。

「買受けの申込みの場所」と「売買契約締結の場所」が違う場合

買受けの申込みの場所	売買契約締結の場所	クーリング・オフできる？
事務所等	事務所等	できない
事務所等	事務所等以外の場所	できない
事務所等以外の場所	事務所等	できる
事務所等以外の場所	事務所等以外の場所	できる

★★★

3 損害賠償額の予定等の制限

宅建業者を売主とする売買契約において、買主の債務不履行を理由とする契約解除の場合に、売買代金の３割や４割相当額を損害賠償額の予定とするなど、過大な損害賠償の支払いを買主に強いる契約条項を押し付ける業者がいたことから、損害賠償額の予定は代金の２割までというルールになりました。

売買契約をしたあと、たとえば買主に債務不履行（契約違反）があったとしよう。

「やっぱり買えません（涙）」とか？

そうそう。そうなると売主は契約を解除して、損害賠償を請求することができる。

損害賠償の請求

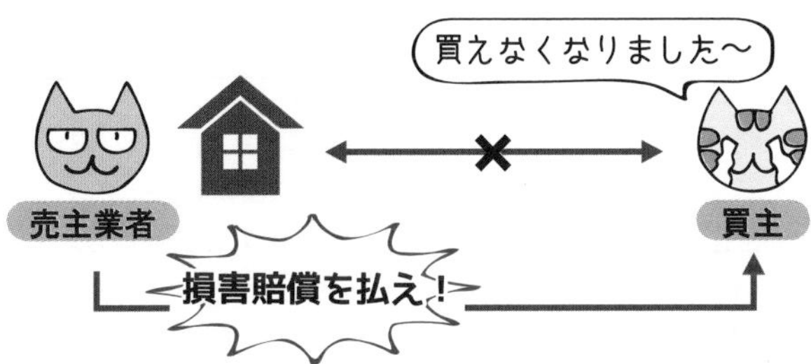

かわいそうな買主。泣きっ面にハチですね。

損害賠償額の予定をしていない場合は、実損額での請求となる。この場合、代金の2割を超えることもありうる。

いくら請求するかというと、実損額っていうことなんだけど、いざそうなってからだと算定がメンドー。だから民法上、損害賠償額を、事前に決めておくことができるようになっている。これを「**損害賠償額の予定**」というのよ。

実損額にかかわらず予定額で処理しちゃいましょう、ということですよね。実損額が 100 万円でも予定額が 300 万円だったら、損害賠償額は 300 万円。

そうだね。身近な例でいうと、たとえばレンタル DVD の延滞金とか。「1日遅れるとお店にいくらの実損額があったか」なんていちいち考えないもんねー。さてここで問題です。予定額なんですけど、上限ってあるんでしょうか？

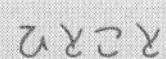

世の中は単純。「収入」は勉強量で増加する。プロのギャラは高い。

民法上、ありませーん。なので宅建業法上、売主業者に制限を加えてまーす。

損害賠償額を予定するにあたり、とくに上限は定められていない（例：損害賠償額は代金の７割と予定する、もオッケー）。

（38条）

売主業者は、債務不履行を理由とする契約の解除に伴う損害賠償の額を予定し、または違約金を定めるときは、これらを合算して代金の額の２割を超えて定めてはならない。

代金 3,000 万円だったら、損害賠償の予定額＋違約金で 600 万円まで。

代金の額の２割を超えて定めた場合（例：３割。900 万円）、２割を超えて定めた部分は無効となるよ。つまり予定額は２割（600 万円）として処理。

損害賠償額の予定

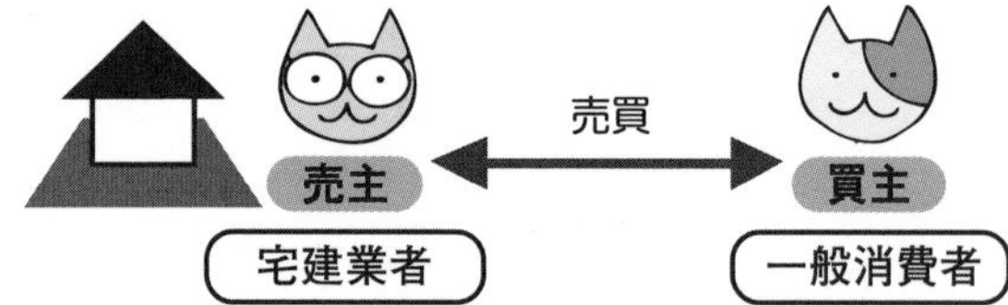

当事者の債務不履行を理由とする契約の解除の伴う
①損害賠償額の予定
②違約金の定め
をする場合

①②合算した額は、売買代金の 20%まで

★★★

4 手付の額の制限等

宅建業者を売主とする売買契約において、不動産の取引知識や経験の乏しい消費者から多額の手付を交付させて手付放棄による解除を封じ込めたり、買主からの手付放棄による解除をさせないため解約手付性を奪うといった不当な特約をする業者がいたことから、「手付は代金の２割まで」「どのような手付でも解約手付とする」というルールになりました。

手付の話はP.103（手付の貸付の禁止）でもでてきたけど、ここでは上限のお話。買主は手付を放棄すれば契約を解除することができるけど、手付金の額がけっこう高額だったりすると放棄しにくい。事実上、解除できなかったりする。

念のためですが!!
手付金は、その後代金に充当される。

手付放棄による解除

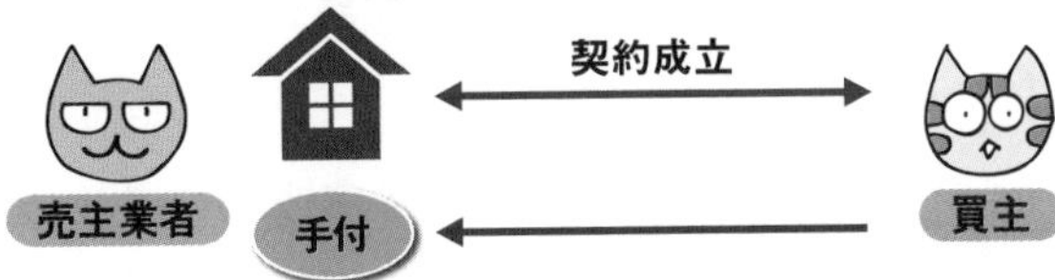

買主は手付放棄で解除できるけど…

民法では、手付金の上限って定められていないんですよね。

そうなんだよね。なので宅建業法で、売主業者に次の制限を加えているわけだ。

（39条）

手付額の制限	売主業者は、代金の額の２割を超える額の手付を受領することができない。
解約手付	手付がいかなる性質のものであっても、宅建業者ではない買主は手付を放棄して、売主業者はその倍額を現実に提供して、契約を解除することができる。ただし、相手方が契約の履行に着手した後は、この限りではない。
不利特約	宅建業者ではない買主に不利な特約（例：売主業者も受領した手付を返還するだけで解除できる）は無効とする。

民法上、手付にはいくつかの種類（例：証約手付。解約手付ではないとの特約も民法上オッケー）があるけど、宅建業法上、手付という名目で受領したのであればすべて「解約手付」として扱うことにしてるよー。

ちなみに売主業者から手付倍返しで解除する場合、その手付の倍額を宅建業者ではない買主に現実に提供する必要があります。単に「倍返ししますね」という意思表示だけではダメです。

プラスα

買主が手付金を交付した後、引渡しを受ける前に中間金などを支払う場合もあるが、中間金は手付金とはならないので、ここの規定の適用はない。

手付の額の制限

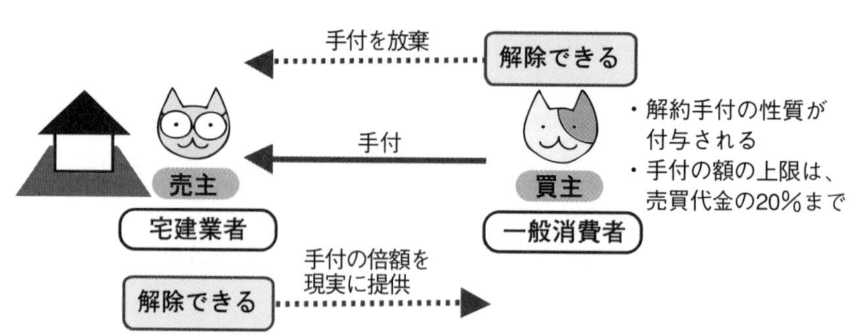

★★★

5 担保責任についての特約の制限

売買の目的物の品質などに不適合があった場合、売主は買主からの①履行の追完の請求・②代金の減額の請求・③損害賠償の請求・④契約の解除に応じなければなりません。これら売主が負うべき責任のことを「担保責任」といいます。ところが民法上、当事者間の特約で「売主は責任をいっさい負わない」などとすることもでき、これを悪用する売主業者もいることから、宅建業法ではこういった特約を規制しています。

売主の担保責任

・履行の追完の請求・代金の減額の請求
・損害賠償の請求・契約の解除

住んでみたら雨漏りがひどいとか。そんな建物を買っちゃったらどうする?

そりゃもちろん、売主に対し、担保責任（P.505 ～ P.508）を追及します。ちなみに民法では、売主が負うべき担保責任の対象は、「買主が不適合を知った時から1年以内に通知したもの」となっています。

ところが民法では、こういった売主の責任を回避するような特約もオッケーなんだよね。

取引に不慣れな買主だと、まんまとやられちゃうかも〜!!

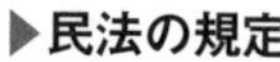

▶民法の規定

原　則	売主が種類または品質に関して契約の内容に適合しない目的物を買主に引き渡した場合において、買主がその不適合を知った時から１年以内にその旨を売主に通知しないときは、買主は、その不適合を理由として、履行の追完の請求、代金の減額の請求、損害賠償の請求及び契約の解除をすることができない。
特　約	売主は、これらの担保責任を負わないとする特約をすることができる。

▶宅建業法での規定

（40条）

売主である宅建業者は、その目的物が種類または品質に関して契約の内容に適合しない場合におけるその不適合を担保すべき責任に関し、その期間について、その目的物の引渡しの日から２年以上となる特約をする場合を除き、民法に規定するものより宅建業者ではない買主に不利となる特約をしてはならない。

民法のままだと、契約から何年か経っていたとしても「買主がその不適合を知った時から１年以内」に売主に通知したものだと責任追及されちゃう。ちょっと酷かなと。

重要!
担保責任の特約制限は、建物の売買の場合、新築の場合のほか中古でも適用される。

なので、買主の通知期間について「その目的物の引渡しの日から２年以上」とする特約だったらいいよ、となっているんですね。

買主側にとってみれば、民法の「買主がその不適合を知った時から１年以内に通知」よりは不利となるけど、これが現実的ではなかろうかと。

引き渡してから２年。つまり住み始めてから２年。春夏秋冬の２めぐり。不適合があればこの時期に出てくるんじゃないかなということでしょうか。

そうだね。買主の通知期間について「その目的物の引渡しの日から２年以上」よりも宅建業者ではない買主に不利となる特約は無効となる。無効となったら、売主業者の担保責任はどうなるでしょうか。

特約がないんだから、民法の原則で処理ですね。「買主がその不適合を知った時から１年以内に通知」したものということになります。

不適合の具体例（裁判例）として、建物の構造性能や防火性能の不適合、建物全体の雨漏り、軟弱地盤による地盤沈下、都市計画での道路敷地となっていた、自殺・殺人物件、暴力団の事務所の存在など。

担保責任の特約

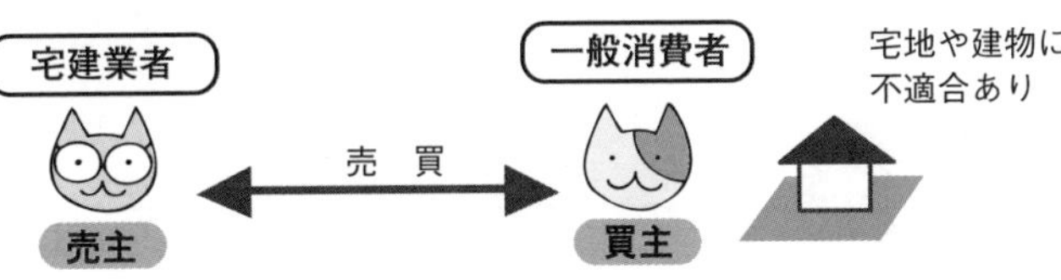

担保責任　民法の規定
（不適合を知った時から１年以内に通知）

・買主は履行の追完を請求できる
・買主は代金の減額を請求できる
・買主は損害賠償を請求できる
・買主は契約を解除できる

注：特約で調整できるが、
宅建業法上､制限がある。

★★★

6 手付金等の保全

手付金等とは、手付金を含み、物件の引渡し前に売主業者に支払うこととなる金銭をいいます。引渡し前に支払ってしまうため、売主業者が倒産などした場合、物件の引渡しは受けられず、支払った金銭も取り戻せないという事態になりかねません。そこで宅建業法では、売主業者に対し、手付金等の保全措置を講じることを義務づけています。

〔1〕手付金等とは

図解

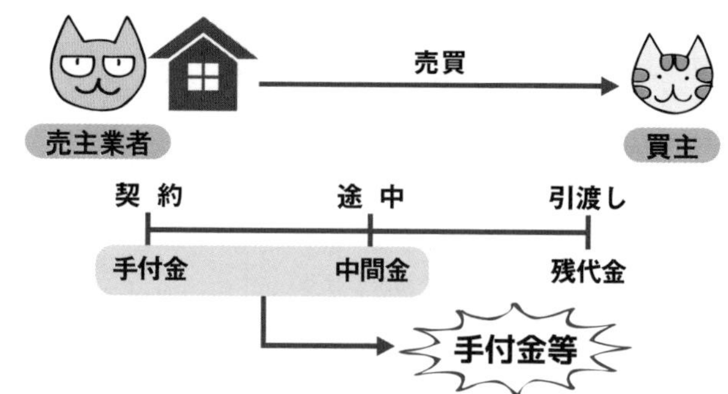

手付金を含み、物件の引渡し前にやりとりされる中間金など、買主にしてみれば前払金となるお金の総称。

引渡し前に払っちゃうわけだから、売主業者が倒産しちゃったりした場合はどうなるんでしょー!!

なので、手付金等の保全措置という規定がありまーす。

参照

手付金等の保全措置は、自己所有に属しない未完成物件の売買のところでも登場（P.128）。

（41条、41条の2）

売主業者は、手付金等の保全措置を講じた後でなければ、宅建業者ではない買主から手付金等を受領してはならない。

保全措置はぜんぶで3つ

① ○○銀行が返金します（連帯保証）
② ○○保険会社が支払います（保証保険）
③ 指定保管機関が手付金等を預かります（保管）

目的物が「未完成物件」か「完成物件」かで変わる取り扱い

未完成物件の場合（2種）	①銀行等の連帯保証　②保険会社の保証保険
完成物件の場合（3種）	①銀行等の連帯保証　②保険会社の保証保険 ③指定保管機関の保管

〔2〕手付金等の保全措置が不要の場合

すでに買主名義で所有権の登記をしていたり、手付金等が少額だったら、保全措置は不要だよー。

保全措置が不要となる場合

登　　記		買主への所有権移転登記がされたとき（買主が所有権の登記をしたとき）
手付金等の額	未完成	代金の額の５％以下で、かつ、1,000 万円以下であるとき
	完　成	代金の額の 10％以下で、かつ、1,000 万円以下であるとき

手付金等の保全措置を講じる必要があるかどうかは、受領する手付金等の合計額で判断してくださいねー。当たり前だけど、保全措置は受領する手付金等の合計額をぜんぶカバーするものとしておかなければなりません。

売主業者が手付金等の保全措置を講じないときは、宅建業者ではない買主は手付金等を支払わないことができる。

そうそう。手付金と中間金が手付金等になるんだったら、トータル額で判断してね。

【事例】売買代金 3,000 万円の場合

例示

◇工事完了前物件の売買契約の場合	保全措置が不要となる額 → 150 万円（代金の 5%）以下
◇工事完了後物件の売買契約の場合	保全措置が不要となる額 → 300 万円（代金の 10%）以下

《何回かに分けて受領する場合は…》

第 1 回　手付金　100 万円（この段階では、まだ保全措置は不要）
第 2 回　中間金　300 万円
　　手付金と中間金が手付金等となり限度を超えるため、400 万円全額について保全措置を講じなければならない。

～引渡し～

最　終　残代金 2,600 万円（引渡し後の残代金は手付金等にはならない）

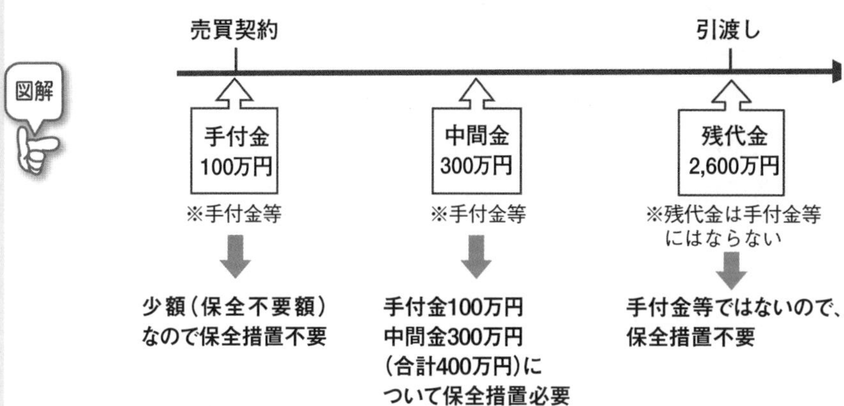

〔3〕手付金と手付金等の関係

手付金等という名称を使っているので、前に勉強した「手付20%ルールと混同しやすくてイヤ」という受験生多し。なにはともあれ、「手付という名称で受領するんだったら、代金の20%までが限度」と覚えておこう。だから「保全措置を講じれば手付金という名目で30%受領してよい」という妙なヒッカケには断固として「×」をつけてもらいたい！

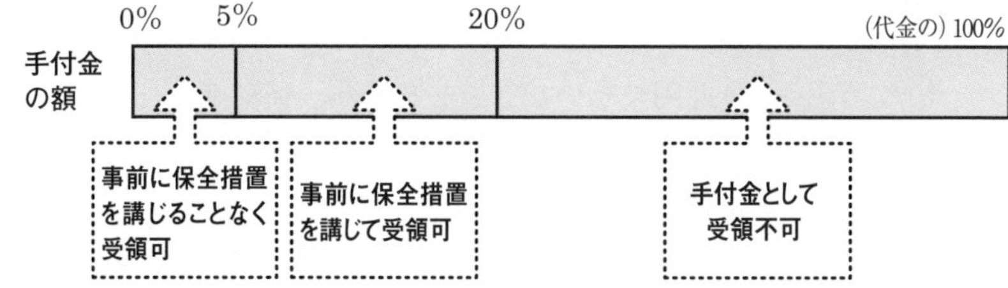

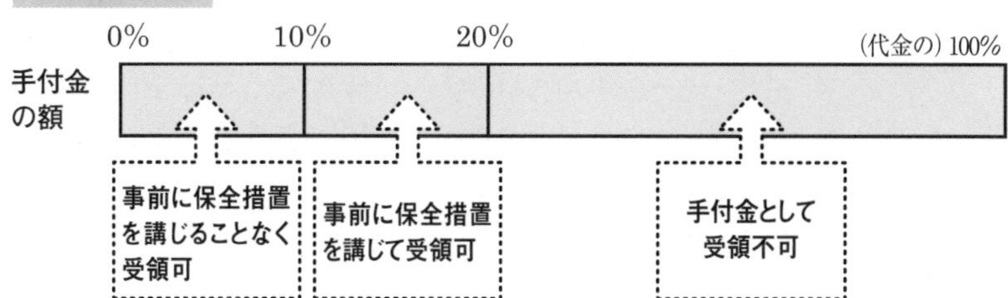

ちなみに、『手付の額は20％までルール』よりも『手付金等の保全ルール』のほうが新しくできた制度。この制度のおかげで、現実的には手付金の額自体も5％（未完成）か10％（中古）以内に収まっている。手付金等の保全措置を講じるのは、業者にしてみれば、実際にはかなり面倒なのだ。

プラスα

買主には「手付金等の保全措置」についての知識がないのが通例であろうことから、保全措置の内容につき、重要事項として説明すべき事項となっている（P.162）。

〔4〕申込み証拠金について

つぎに『申込み証拠金』の取り扱いについて。「買おうかな」というような色気を見せると、すかさず営業マンが「それでは申込金を入れてください」と言ってきたりする。正確には「申込み証拠金」というもので、売買契約締結以前に授受される金銭となる。手付だのなんだのは売買契約を締結してからの話で、ここらへんがちょっと異なる。で、この申込み証拠金は、その名のとおり買主の順位保全や購入の意思の確認を目的としているもので、通常は契約が成立したときは手付金の一部に充当し、不成立のときはその時点で返済される（はず！）。金額的にはだいたい5万円〜10万円くらいかな。もちろん、契約成立後、手付金に組み入れる段階で手付金等という扱いになる。まぁそりゃそうだろうね。

ひとこと

「つまらない」と思ったときは「運気停滞」を知らせるサイン。詰まらせている原因はなに？

注意点

「申込み証拠金」の領収書を必ず受け取る。また、本人希望で、いつでもいかなる場合でも返金されることを確認する。宅建業者によっては「次のお客さんが見つかるまでは解約できない」とか「全額は返せない」などと言って、強引に契約をさせようとするケースもある。カモられないようご注意あれ！

★★★

7　割賦販売契約の解除等の制限

割賦販売とは、たとえば売買代金を月末ごとに一定額を分割して支払うという特約がついた売買です。宅地建物は通常高額であることから、割賦での支払い期間は相当長期間になります。通常の住宅ローンとは異なり、金融機関が買主に融資するという形での介在はありません。売主業者には、果たして代金が全額無事に回収できるかという不安がつきまといます。

〔1〕割賦販売契約の解除等の制限

ローンとはちがうんだよね。ローンというのは金融機関が買主に代わって代金を一括して売主業者に支払ってくれる（立替払い）というもの。

毎月の返済は売主業者にしているんじゃなくて、金融機関にしているわけですよね。

ちなみに!!

住宅ローンが全盛である現代、ごく一般的な取引で割賦販売契約が行われることは、ほぼないと思われるのだが。

そうそう。で、この割賦販売なんだけど、金融機関がからまない。売主業者と買主との分割払いによる掛売りのこと。つまり直接対決の関係とでもいいましょうか。

ローンの場合

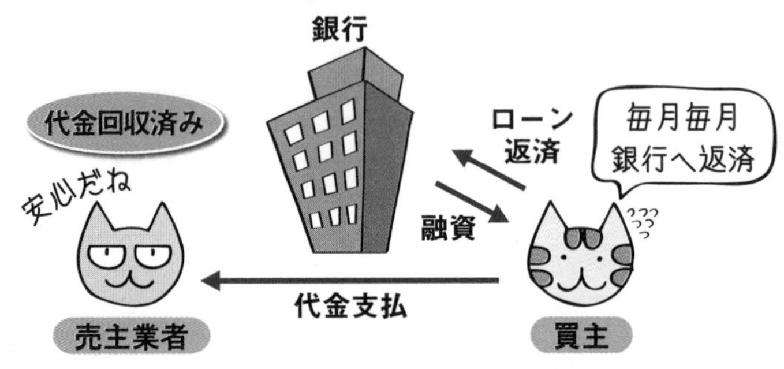

割賦販売の場合

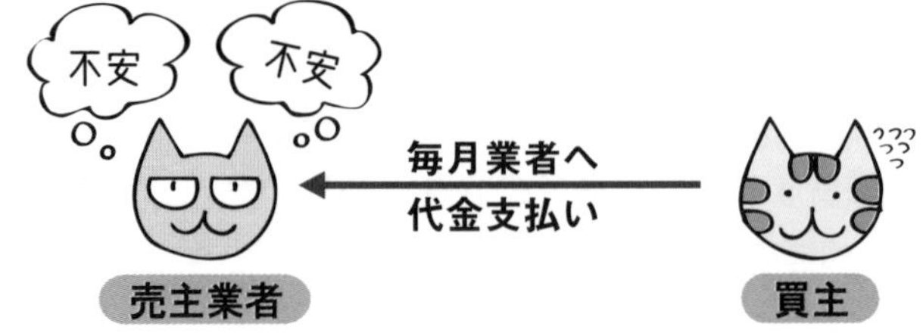

不動産売買の割賦販売の場合、支払期間が10年以上になったりしますもんね。売主業者にしてみれば、支払いが滞ったりしたら気が気じゃないですよね。

そうなんだよね。ちょっとでも滞ったら「全額払え」だの「契約は解除だ。物件を返せ」と言い出しかねない。たしかに債務不履行（履行遅滞）なんだろうけど、直ちに解除だ、は買主に酷。なので宅建業法上こんな制約があるよ。これに違反する特約は無効だよ。

ちなみに!!

宅地建物の割賦販売にあっては、賦払金の支払い期間は相当長期になることから、売主と買主との間で強い信頼関係がなければ成立し難いといえる。

売主業者は、賦払金の支払いがされない場合、30 日以上の相当の期間を定めて書面で支払いを催告し、その期間内に支払いがないときでなければ、契約の解除をしたり、残代金の一括支払いを請求することはできない。

★★★

8 所有権留保等の禁止

宅地建物の割賦販売においては、目的物は買主に引き渡すものの、代金が完済されるまでは所有権を売主が留保する（買主名義にはしない）ということが考えられます。宅建業法では、売主業者が一定額以上の支払いを受けたら所有権は留保できないという規定を用意することにより、不測の事態から買主を守ろうとしています。

これも割賦販売契約のときの話なんだけど、売主業者は代金全額の支払いを受けるまで、所有権を買主に移したくないというのが本音でしょ。

これを「所有権留保」っていうんですよね。

そうそう。登記も売主業者のまま。でもこれって危険だったりするんだよね。たとえば売主業者が倒産した場合とか。買主は自己の所有権を主張できないし。そんなこともあって、所有権留保は禁止。以下、宅建業法ではこんな制約を課してます。

ここがポイント!!

割賦販売での売主業者は、代金の３割を超える支払いを受けた時点で、所有権留保の状態にあってはならないとされている。

売主業者は、物件を引き渡すまでに、登記その他引渡し以外の売主の義務を履行しなければならない。

例外	以下の場合、所有権を留保してもよい
	①売主業者が受領した額が代金の３割以下であるとき。 ②代金の３割を超える額を受領することになっても、残代金につき買主が抵当権の設定や保証人を立てる見込みがないとき。

ひとこと

成長こそ最大の防御だ。得意分野を磨きに磨いて武器にする。そんな工夫もしていこう。

Part 1

宅建業法 -5

今回は、宅建士の法定職務である「重要事項の説明等」と「契約書面の交付」を取り上げます。とにもかくにも、重要事項説明をする段取り、重要事項説明書への記載事項などが試験に出題されまくる。「契約書面」のほうもおんなじ。重要事項説明書と契約書面の記載事項のちがいをきっちり理解しておくこと。趣旨から理解。

Section 1

重要事項の説明等

★★★

1 契約が成立するまでの間に…

宅建業者は、契約が成立する前に、顧客に対し重要事項の説明をしなければならず、また、この重要事項の説明は、宅建士でなければすることができません。ここでは、宅建士はどのように重要事項の説明をしなければならないのか学習していきます。

〔1〕重要事項説明書（35 条書面）の交付（35条）

① 宅建業者は、相手方（買主や借主になろうとする者）に対して、その取引物件に関し、契約が成立するまでの間に、宅建士をして、重要事項を記載した書面（重要事項説明書）を交付して説明をさせなければならない。

② 宅建士は、重要事項の説明をするときは、説明の相手方に対し、宅建士証を提示しなければならない。

③ 重要事項説明書の交付に当たっては、宅建士は、この書面に記名しなければならない。

＊相手方が宅建業者の場合、重要事項説明書は交付しなければならないが、重要事項の説明をする必要はない。

お客さんにしてみれば、買おうとする物件、借りようとする物件のちゃんとしたところを聞いておきたいでしょうしね。安いとは思っていたんだけど、やっぱりこんなデメリット（欠点）があった、なんて。

そうだよね。だから重要事項の説明は契約が成立する前に行わなければならないワケだ。ただ単に説明するだけじゃなくて、重要事項説明書の交付も必要だよ。

どんな物件なのかを理解したうえで契約に進めば、こんなはずじゃなかったというようなトラブルもなくなるでしょうしね。

で、この重要事項の説明なんだけど、売主や貸主（所有者側）にはする必要はないよ。

だって自分の物件なんだから、よく知ってるワケですもんね（笑）。

あと、相手方が宅建業者の場合、重要事項説明書は交付しなければならないんだけど、説明自体はしなくてもいいです。

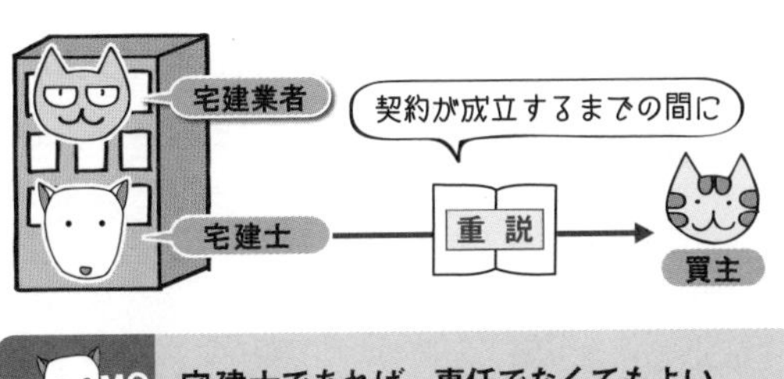

MEMO 宅建士であれば、専任でなくてもよい

ちなみに!!

重要事項説明書は35条書面と言ったりもする（宅建業法第35条に規定する書面）。

重要！

宅建業者は、書面の交付に代えて、相手方の承諾を得て、宅建士に、書面に記載すべき事項を電磁的方法により提供させることができる（宅建士に書面を交付させたものとみなされる）。

重要！

重要事項の説明・説明書へ記名する宅建士は、宅建士であればよく、専任である必要はない。

試験によく出る重要事項の説明のポイント

要チェック

説明義務	宅建業者に義務あり
説明時期	契約が成立するまでの間（契約前）
説明の相手方	買主や借主になろうとする者
説明の方法	宅建業者は、宅建士をして、重要事項書面を交付して説明させなければならない
宅建士証	相手方の請求がなくても提示義務あり
説明書への記名	宅建士
説明する場所	どこでもよい（制限なし）

重要事項の説明

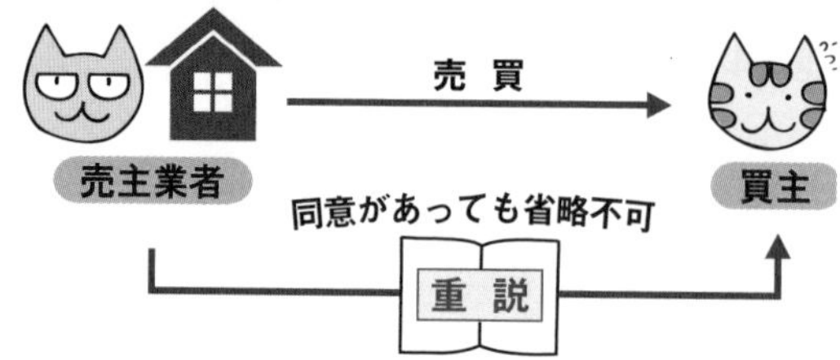

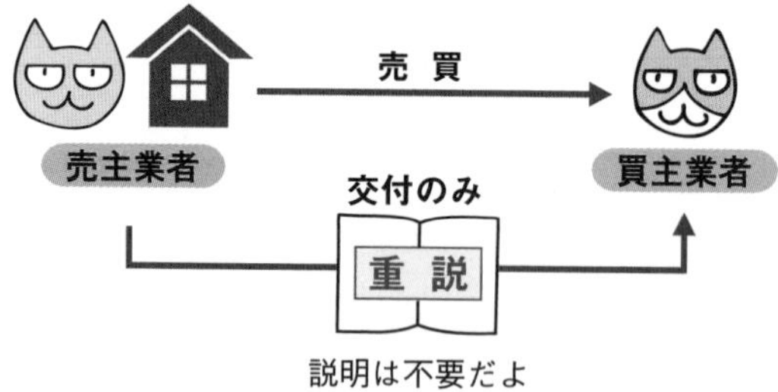

重 要！

交換の場合、両当事者にそれぞれ物件につき説明する。

重 要！

相手方が宅建業者である場合、重要事項説明書は交付しなければならないが、説明はしなくてもよい。

〔2〕宅建業者が複数関与している場合

売主が宅建業者で、その媒介・代理で他の宅建業者が関与している場合はどうするかというと、双方の宅建業者に説明義務があるという解釈になります。

重 要！

説明に不備があった場合、双方の責任となる。

実際には、どちらかの宅建士が代表して重要事項の説明をすることになるんですよね。

そうそう。でもね、重要事項説明書には宅建業者双方の宅建士の記名が必要だよ。

重要事項の説明

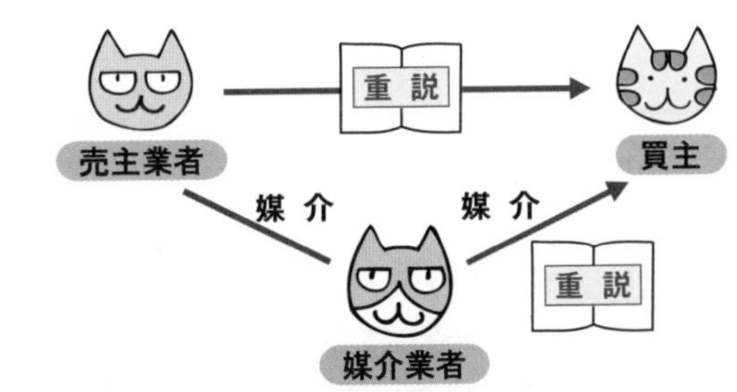

売主業者と媒介業者の両方に、重説義務あり!!

〔参考〕：ＩＴによる重要事項説明
テレビ会議システムやテレビ電話（IT）を用いての重要事項の説明でもよい。ＩＴによる重要事項説明を実施する場合、重要事項説明書をあらかじめ送付しておき、画面上に宅建士証を提示することになる。

ひとこと

合格して「もうひとりの自分」を作る。そして稼ぐ。時間もお金も充実させちゃおう。

★★★

2 重要事項としての説明事項

試験では「○○は重要事項として説明しなければならない」という記述で出題され、その正誤を判断しなければなりません。たしかにボリュームがある項目ではあるものの、〔1〕客観的状況、〔2〕いまのところの取引条件、〔3〕区分所有建物（マンション）の場合の特有事項、〔4〕貸借の場合の特有事項に小分けして理解するのがコツです。なお、宅建業法では「少なくともこれらを重要事項として説明しなければならない」と規定しています。「最低限これだけは説明しなさい」というニュアンスです。

〔1〕客観的状況

① 登記された権利の種類、内容
② 法令上の制限
③ 私道に関する負担に関する事項
④ 飲用水・電気・ガス・排水施設の整備状況
⑤ 未完成物件の場合は完成時の形状・構造等
⑥ 既存の建物の場合、「建物状況調査」の実施の有無
⑦ その他国土交通省令・内閣府令で定める事項

「登記」や「法令上の制限」などの詳細はのちほど学習します。いまのところ、ざっと目を通しておけばオッケーです。

「物件の引渡し時期」や「所有権移転登記の申請時期」は重要事項としての説明事項ではないことに注意。

取引の対象となる宅地建物に直接関与する事項だね。

登記簿上の所有者は誰か、抵当権などの登記があるか、どんな建物が建てられるのか、いますぐ住めるのかというような内容ですね。

解説① 登記された権利の種類、内容

現時点での所有権の登記名義人（登記簿上の所有者、表題部に記載されている所有者）は誰か、借地権（地上権や賃借権）や借家権、抵当権などが設定されているかを説明する。抵当権については、抹消予定のものであったとしても説明しなければならない。

解説② 法令上の制限

計画的な都市づくりの観点から、土地利用につき都市計画法や建築基準法などの法令で制限を加えていることが多い。たとえば第一種低層住居専用地域（都市計画法・用途地域）内にある物件が取引対象だった場合、そこに建てられる建物の用途・建蔽率・容積率が厳しく制限されているため、結果として低層の住宅しか建てられない。ここではそのような内容を説明する。

なお、すでに建っている建物の貸借の場合、建物の用途制限·建蔽率·容積率についてを説明する必要はない。

また、この項目での説明対象となる法令には、都市計画法や建築基準法のほか、農地法や宅地造成及び特定盛土等規制法などさまざまなものがある。

解説③ 私道に関する負担に関する事項

たとえば「面積150㎡の土地です」ということで取引（売買・貸借）してみたら、30㎡は私道として取られ、実際には120㎡しか利用できなかったというようなトラブルを防ぐため、私道負担について（面積や負担金など）を説明事項としている。取引物件に私道負担がない場合でも「私道負担はない」と記載・説明しなければならない。

なお、単なる建物の貸借の場合、敷地と私道に関する話は関係ないので、これらの内容は説明する必要はない。

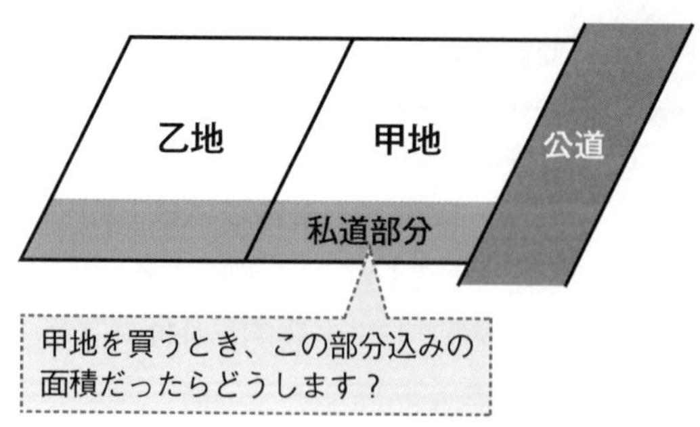

解説④ 飲用水・電気・ガス・排水施設の整備状況

いますぐ飲用水・電気・ガス・排水施設（下水道）が使えるのか、使えるとして、たとえばガスは都市ガスかプロパンガスか、などを説明する。また、これらの施設が未整備の場合、その整備の見通しと整備についての特別の負担（金銭的負担など）を説明しなければならない。

解説⑤ 未完成物件の場合は完成時の形状・構造等

未完成物件の場合は完成時の形状・構造等、取引物件が未完成の場合、完成後の物件の状態を説明しなければならない。図面を必要とするときは図面も添付。

宅地の場合 形状や構造のほか、工事完了時の前面道路の幅員や構造

建物の場合 形状や構造のほか、工事完了時の内装、外装、仕上げ、設備の設置及び構造

宅地の場合、敷地が接する道路（前面道路）の幅員により、容積率が制限される場合がある。

解説⑥　既存の建物の場合、「建物状況調査」の実施の有無

中古の建物の場合だったら、以下の内容を説明しなければならない。
①「建物状況調査（実施後１年。鉄筋コンクリート造又は鉄骨鉄筋コンクリート造の共同住宅等にあっては２年）」を実施しているかどうか、実施している場合におけるその結果の概要
②設計図書、点検記録その他の建物の建築及び維持保全の状況に関する一定の書類の保存の状況（売買・交換の場合のみ）

媒介契約のところでも「建物状況調査」の件は出てきてたよね。

重要事項として、インスペクション結果を説明するんですね。

解説⑦　その他国土交通省令・内閣府令で定める事項

ここでは何を説明するかというと「防災上安全であるかどうか」や、取引物件が建物の場合は「石綿（アスベスト）使用の有無･耐震診断の内容･住宅性能評価」についてだよ。

▶防災上安全であるかどうか（4種）

危険４種

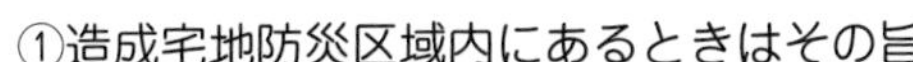
①造成宅地防災区域内にあるときはその旨

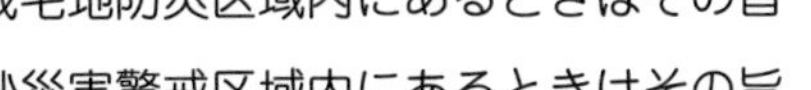
②土砂災害警戒区域内にあるときはその旨

③津波災害警戒区域内にあるときはその旨

④水害ハザードマップ（水防法による図面）に当該宅地建物の位置が表示されているときは、その図面における当該宅地建物の所在地

いずれも、台風や地震などに伴う災害に巻き込まれやすい区域。取引物件がこれらの区域にあるときは、売買・交換の場合のみならず、単なる建物の貸借の場合であっても説明しなければならない。

プラスα

造成宅地防災区域については、法令上の制限編の宅地造成及び特定盛土等規制法で学習します。

▶「石綿（アスベスト）調査結果の内容・耐震診断の内容・住宅性能評価」

	売買・交換		貸　借	
	宅　地	建　物	宅　地	建　物
①石綿調査結果	—	○	—	○
②耐 震 診 断	—	○	—	○
③住宅性能評価	—	○（新築）	—	—

解説① **石綿調査結果**

建物に石綿（アスベスト）が使用されているか、その有無の調査結果が記録されているときはその内容を説明する。あくまでも「調査結果の記録がある」ときはその内容を説明すればよく、宅建業者が調査することまでは要求されない。調査結果の記録がないときは「調査結果なし」と説明すれば足りる。

解説② **耐震診断**

建物が耐震診断を受けているときはその内容を説明する。ただし、昭和 56 年 5 月 31 日以前に着工した建物が対象。昭和 56 年 6 月 1 日以降は、いわゆる新耐震基準（建築基準法）が適用されているため、昭和 56 年 6 月 1 日以降に着工した建物は除かれる。

解説③　住宅性能評価

住宅性能評価を受けた新築住宅であるときはその旨を説明する。ただし、売買･交換の場合のみが対象。新築住宅であっても貸借の場合、説明は不要。

〔2〕いまのところの取引条件

① 「代金・交換差金、借賃」以外の金銭の額と授受の目的
② 契約の解除に関する事項
③ 損害賠償額の予定・違約金に関する事項
④ 手付金等の保全措置の概要
⑤ 支払金・預かり金の保全措置の概要
⑥ あっせんする住宅ローンの内容と、不成立の場合の措置
⑦ 種類・品質に関しての不適合を担保すべき責任の履行措置の概要
⑧ 割賦販売に関する事項

重要事項の説明の段階だから、つまり、まだ契約をしたわけではないものの、いちおう、こんな契約内容となりますよ的な意味合いです。

意外なことに、たとえば借賃の額自体や支払時期は説明すべき重要事項にはなっていないんですねー。

あと、「物件の引渡し時期」や、売買の場合の「所有権移転登記の申請時期」なんかも含まれていないよー。

あ、これらはいずれも、契約書面（37条書面）の記載事項なんですよね。

そのとおり。ひととおり勉強したあと、重要事項説明書と契約書面の記載事項の違いを確認しておいてね。

Part1 1 宅建業法
Part1 2 宅建業法
Part1 3 宅建業法
Part1 4 宅建業法
Part1 5 宅建業法
Part1 6 宅建業法

解説① 「代金・交換差金、借賃」以外の金銭の額と授受の目的

「代金・交換差金や借賃」以外の名目での金銭の支払いを要求され、趣旨不明ながら支払ってしまったというトラブルを防ぐための措置。申込証拠金や手付金、貸借の場合の敷金（保証金）や礼金（権利金）、更新料などが対象となる。

解説② 契約の解除に関する事項

どのような場合に解除できるのか、解除の方法についてを説明する。特に定めがない場合は「ない」と説明。

解説③ 損害賠償額の予定・違約金に関する事項

損害賠償額の予定の有無を説明する。予定がない場合は「ない」と説明。

解説④ 手付金等の保全措置の概要

宅建業者が売主で、宅建業者以外の者が買主となる売買で、売主業者が手付金等を保全措置を講じて手付金等を受領する場合、その保全措置の概要（保全措置を行う機関の種類や名称）を説明する。

念のためですが!!

手付金等の保全措置については、P.142を参照。

解説⑤　支払金・預かり金の保全措置を講ずるかどうか、講ずる場合の措置概要

支払金や預かり金という名目で金銭を受領しようとする場合において、保全措置（P.185の保証協会の一般保証業務によるものなど）を講ずるかどうか、講ずる場合はその措置の概要を説明する。

プラスα

50万円未満の場合や、手付金等の保全措置を講じているもの、報酬などは支払金・預かり金に含まれない。

解説⑥　あっせんする住宅ローンの内容と、不成立の場合の措置

買主が宅建業者から金融機関のあっせんを受けて融資を受ける場合、重要事項として、その融資条件や融資が不成立となった場合の措置（例：買主は売買契約を解除できる）を説明する。

解説⑦　宅地建物が種類・品質に関して契約内容に適合しない場合におけるその不適合を担保すべき責任の履行措置の概要（貸借の場合は不要）

「不適合を担保すべき責任の履行措置」を講じるか講じないか、講じる場合は「その措置の概要」を説明する。新築住宅の売買にあっては「住宅瑕疵担保履行法」での「資力確保措置」についてのいずれかを説明。なお、中古や宅地の場合にも「瑕疵担保責任の履行措置（例：宅地の場合→地盤保証保険）」がある。

プラスα

新築住宅の売買での瑕疵担保責任の履行措置の詳細は、**後出「住宅瑕疵担保履行法」**にて学習。

念のためですが!!

割賦販売については、P.147を参照。

ひとこと

自分の人生は自分で引き受ける覚悟。そうするといいことが起こり始めるから不思議。

解説⑧　割賦販売に関する事項

割賦販売の場合、現金販売価格、割賦販売価格（総額でいくらになるか）、支払い時期などの条件を説明する。

〔3〕区分所有建物（マンション）の場合の特有事項

	マンションの場合の追加説明事項	売買	貸借
①	建物の敷地に関する権利の種類・内容	○	
②	共用部分に関する規約の定め（案を含む）があるときは、その内容	○	
③	専有部分の用途･利用制限に関する規約の定め（案を含む）があるときは、その内容	○	○
④	建物または敷地の一部を特定の者にのみ使用を許す旨の規約（案を含む）があるときは、その内容	○	
⑤	建物の計画的な維持修繕のための費用の積み立てを行う旨の規約（案を含む）があるときは、その内容と既に積み立てられている額	○	
⑥	建物の所有者が負担しなければならない通常の管理費用の額	○	
⑦	修繕積立金などを特定の者に減免に関する旨の規約の定め（案を含む）があるときは、その内容	○	
⑧	建物の維持修繕の実施状況が記録されているときは、その内容	○	
⑨	建物や敷地の管理が委託されているときは、受託者の商号（氏名）、主たる事務所所在地（住所）	○	○

区分所有建物（マンション）は、その物理的側面として「じぶんの所有スペース（専有部分）」と、住民との共有スペース（共用部分）があって、かつ、共同生活というのがマンションライフの本質だもんね。

戸建て住宅とはちょっとちがうところがあるから、それに特有な事項を説明するということですね。

プラスα

区分所有建物の詳細については、建物の区分所有等に関する法律（区分所有法）で学習します。

ちなみに貸借の場合だったら、③と⑨だけを説明しておけばよい。よく出題されるから注意してねー。

解説① **建物の敷地に関する権利の種類・内容**

一棟の建物（マンション本体）の敷地が所有権なのか借地権なのか、借地権の場合には存続期間や地代などを説明する。

解説② **共用部分に関する規約の定め（案を含む）があるときは、その内容**

本来は専有部分となるべき部分（例：101 号室）を規約で共用部分（例：集会場）としているような場合、その内容を説明する。

◆**「案を含む」について**

まだ規約として成立していなくても、マンション分譲の際に業者が用意した「規約案」がある場合にはその内容を説明する。実務上、その規約案がそのまま規約として成立するのがほとんど。

◆**「定めがあるときは」について**

定めがあるときは説明せよ、という意味合い。定めも案もない場合、説明する必要はない（省略可）。

解説③ **専有部分の用途・利用制限に関する規約の定め（案を含む）があるときは、その内容**

たとえば規約で、専有部分の用途・利用制限として「住居に限る」とか「ペットの飼育禁止」などがある場合、その内容を説明する。これは借主であっても知っておくべき内容なので、貸借の場合であっても説明しなければならない。

解説④ 建物または敷地の一部を、特定の者にのみ使用を許す旨の規約（案を含む）があるときは、その内容

たとえばマンションの敷地（本来であれば全員で使用）に駐車場を設置して、抽選で当たった人がその区画を利用できるという規約がある場合、その内容を説明する。

プラスα

専用使用権とも呼ばれる。なお、専用使用する者の氏名などは説明する必要はない。

解説⑤ 建物の計画的な維持修繕のための費用の積み立てを行う旨の規約（案を含む）があるときは、その内容と既に積み立てられている額

大規模修繕に充てられる金銭で修繕積立金と呼ばれる。通常は区分所有者（専有部分の所有者）が月々で費用負担する形となっており、その内容のほか、現在までの積立額も説明する。なお、滞納額があるときはその額も告げることとなっている。

プラスα

マンションの大規模修繕には多額の費用がかかる。修繕積立金の額が少なかったり、多額の滞納があると、大規模修繕自体できなくなるおそれもある。

解説⑥ 建物の所有者が負担しなければならない通常の管理費用の額

いわゆる「管理費」。日常の清掃や点検、設備の交換、管理会社への報酬などに充てられる。これも区分所有者が月々負担する。また、⑤の修繕積立金とおなじく滞納額があるときはその額も告げることとなっている。

プラスα

前の所有者に修繕積立金や管理費の滞納がある場合、新しい所有者が滞納額を負担することになる。

解説⑦ **修繕積立金などを特定の者に減免に関する旨の規約の定め（案を含む）があるときは、その内容**

修繕積立金や管理費用など、本来は所有者が負担しなければならない費用を、特定の者にのみ減額や免除する旨の規約が存在する場合もある。減免される者には有利となるものの、一般の区分所有者には不都合となる規約内容である。その内容を説明する。

プラスα

たとえば売れ残ったマンション在庫を抱える分譲業者（所有者となる）の救済措置として、などのケースが考えられる。

解説⑧ **建物の維持修繕の実施状況が記録されているときは、その内容**

「維持修繕の実施状況」の記録があるときは、その内容を説明する。マンションによっては記録がない場合もある。

解説⑨ **建物や敷地の管理が委託されているときは、受託者の商号（氏名）、主たる事務所所在地（住所）**

マンション管理業者に管理が委託されているような場合、その商号や主たる事務所所在地（マンション管理適正化法による登録を受けているときはその登録番号）を説明する。③とおなじく、貸借の場合でも説明しなければならない。

〔4〕貸借の場合の特有事項

賃貸物件だと、勝手にリフォームとかできないしね。なのでキッチンやバスルームはどうなっているのか、知っておきたいところ。

あと、賃貸借契約の更新のこととか、敷金のこととか。借りるとき、やっぱりそのへんも気になりますよね。

	特有事項	宅地	建物
①	台所、浴室、便所その他の設備の整備の状況	—	○
②	契約期間、契約の更新に関する事項	○	○
③	定期借地権を設定しようとするとき、定期建物賃貸借（定期借家）契約・終身建物賃貸借契約をしようとするときは、その旨	○	○
④	宅地や建物の用途その他の利用の制限に関する事項	○	○
⑤	敷金など（名義は問わず）、契約終了時において精算することとされている金銭の精算に関する事項	○	○
⑥	宅地や建物の管理が委託されているときは、受託者の商号（氏名）、主たる事務所所在地（住所）	○	○
⑦	契約終了時における宅地上の建物の取り壊しに関する事項を定めようとするときは、その内容	○	—

解説① 台所、浴室、便所その他の設備の整備の状況

建物の貸借のときのみ説明。居住用建物の場合だけでなく、事業用建物の場合でも説明する。

解説② 契約期間、契約の更新に関する事項

たとえば「２年ごとに更新を行う」とか「更新時の賃料改定の方法はこうします」などを説明。定めがないときは「定めなし」と説明する。

解説③ 定期借地権を設定しようとするとき、定期建物賃貸借（定期借家）契約・終身建物賃貸借契約をしようとするときは、その旨

ふつうの賃貸借と異なり、いずれも更新がない賃貸借契約で、そのことを説明する。なお終身建物賃貸借とは「借主が死亡したときに賃貸借は終了する」というもの（高齢者居住法）。

プラスα

定期借地権・定期建物賃貸借（定期借家）の詳細については、**Part3 権利関係 -8** の「**借地借家法**」で学習します。

解説④ **宅地や建物の用途その他の利用の制限に関する事項**

貸主の要望として「この家ではペットは飼わないでほしい」というようなこともあろう。そのような契約である（特約がある）場合にはそれを説明する。

解説⑤ **敷金など（名義は問わず）、契約終了時において精算することとされている金銭の精算に関する事項**

たとえば賃料の滞納があった場合は敷金から充当するなどの取り決めがある場合、それを説明する。

重 要！
敷金の保管方法は説明する必要はない。

解説⑥ **宅地や建物の管理が委託されているときは、受託者の商号（氏名）、主たる事務所所在地（住所）**

賃貸物件の管理を賃貸管理会社に委託しているような場合、その会社の商号・主たる事務所の所在地（マンション管理適正化法・賃貸住宅管理業者登録規程による登録を受けているときはその登録番号）を説明する。

解説⑦ **契約終了時における宅地上の建物の取り壊しに関する事項を定めようとするときは、その内容**

宅地の貸借のときのみ説明。たとえば一般定期借地権で「期間 50 年で更新なし・更地返還（建物は取り壊す）」という内容（条件）だった場合、その内容を説明する。

2 Section 契約書面（37条書面）

君は、契約書の内容をきちんと理解しているのか？

★★★

1 契約が成立したときは…

宅建業者は、契約成立したら、遅滞なく、契約内容を記載した書面（契約書面）を取引関係者に交付しなければなりません。この契約書面には宅建士の記名が必要となるものの、重要事項説明書のときとは異なり、その内容を説明させる義務まではありません。重要事項説明書との共通点と相違点をしっかり把握しておきましょう。試験でもよく出題されています。

〔1〕契約書面の交付（37条）

① 宅建業者は、自ら売買・交換の当事者として契約を締結したときはその相手方に、売買・交換、貸借の代理・媒介で契約を成立させたときは、その両当事者に、遅滞なく、契約内容を記載した書面を交付しなければならない。

② 宅建業者は契約書面を作成したときは、宅建士をして、契約書面に記名させなければならない。

重要事項説明書に続いて、こんどは契約書面の交付義務。宅建業者は契約書面を交付しなければならないんだけど、「宅建士をして、書面を交付して説明させなければならない」とはされていないんだよね。

契約書面を交付する相手もちがいますよね。買主や借主側だけじゃなくて、売主や貸主側にも。契約内容なんだからお互い知ってなきゃいけませんもんね。

そうだね。なので重要事項説明書との共通点は、宅建士の記名が必要ということと、交付先が宅建業者であっても、また、相手方の合意があっても省略できないというところかな。

〔2〕契約書面の交付（まとめ）

交付義務	宅建業者
交付時期	契約が成立した後、遅滞なく
契約書面への記名	宅建士
交付の相手方	契約の両当事者（売主・買主、貸主・借主）
相手方に交付	宅建士でなくても可、郵送でもオッケー
説明義務	なし

宅建業者は、書面の交付に代えて、交付の相手方の承諾を得て、書面に記載すべき事項を電磁的方法により提供することができる（書面を交付したものとみなされる）。

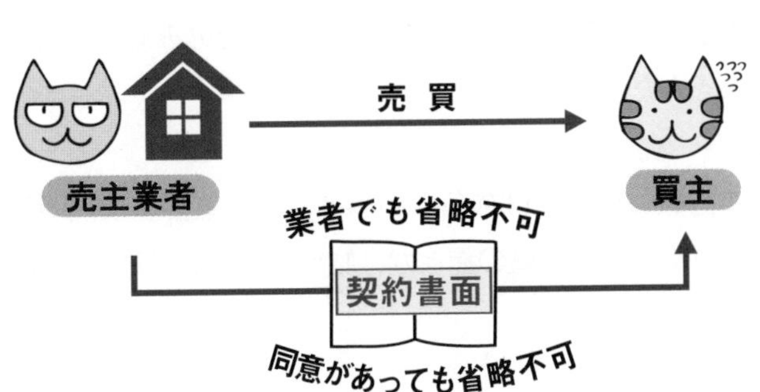

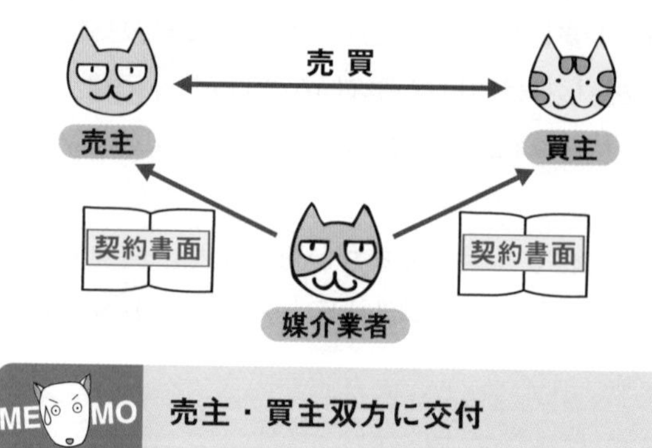

MEMO　売主・買主双方に交付

★★★

2 契約書面の記載事項

概要

重要事項説明書の記載事項ではなかった「代金や借賃の額･支払い時期」「物件の引渡し時期」「所有権移転登記の申請時期」などは、契約書面での記載事項となります。また、重要事項説明書と重複する記載事項もあります。また、契約書面には、「必ず記載しなければならない事項」と「特に定めがあるときのみ記載する事項」があります。よく出題されます。

〔1〕契約書面に必ず記載しなければならない事項

続いて、契約書面への記載事項なんだけど、「必ず記載しなければならない事項（省略不可）」と「定めがあるときのみ記載する事項（省略あり）」があるんだよね。

必ず記載しなければならない事項には、重要事項説明書の記載事項ではなかった代金や借賃の額とか、物件の引渡し時期などがありまーす。

契約書面に必ず記載しなければならない事項

要チェック

必ず記載しなければならない事項（省略不可）	売買交換	貸借	重説との重複
①当事者の氏名（名称）・住所【誰と誰】	○	○	−
②物件を特定するために必要な表示【何を】	○	○	−
③既存の建物であるときは、建物の構造耐力上主要な部分等（P.209）の状況について当事者の双方が確認した事項【中古の場合】	○		あり＊
④代金（交換差金）や借賃の額・支払い時期・支払い方法【いくらで】	○	○	−
⑤宅地建物の引渡しの時期【いつ】	○	○	−
⑥移転登記の申請の時期【名義はいつ】	○		−

＊ 重要事項として説明すべきことは【「建物状況調査」の実施の有無】に留まる。

〔2〕定めがあるときのみ記載する事項（省略あり）

こんどは「定めがあるときのみ記載する事項」を見て行こう。定めがない（特約がない）ときは、記載しなくてもいいんだよね。

でも、たいていの場合、定め（特約）があるみたいですねー。

契約書面に定めがあるときのみ記載する事項

要チェック

定めがあるときのみ記載する事項（省略あり）	売買交換	貸借	重説との重複
⑦「代金（交換差金）、借賃」以外の金銭の授受の定めがあるときは、その額・授受の時期・授受の目的	○	○	あり＊1

定めがあるときのみ記載する事項（省略あり）	売買 交換	貸借	重説との重複
⑧契約の解除に関する定めがあるときは、その内容	○	○	あり
⑨損害賠償額の予定・違約金に関する定めがあるときは、その内容	○	○	あり
⑩代金（交換差金）についての金銭の貸借のあっせん（ローン）に関する定めがある場合においては、ローンが成立しない場合の措置	○		あり
⑪宅地建物が種類・品質に関して契約の内容に適合しない場合におけるその「不適合を担保すべき責任」または「当該責任の履行に関して講ずべき保証保険契約の締結その他の措置」について定めがあるときは、その内容	○		あり ＊2
⑫天災その他不可抗力による損害の負担に関する定めがあるときは、その内容	○	○	−
⑬租税その他の公課の負担に関する定めがあるときは、その内容＊3	○		−

＊1「代金（交換差金）、借賃」以外の金銭の「授受の時期」については、重要事項としての説明義務はない。

＊2 不適合を担保すべき「当該責任の履行に関して講ずべき保証保険契約の締結その他の措置」については重要事項との重複となるが、「不適合を担保すべき責任」についての定めは重要事項としての説明義務はない。「不適合を担保すべき責任」についての詳細は後出「**権利関係**」にて学習します。

＊3 租税その他の公課の負担に関する定めの例として、「固定資産税の負担を日割り計算する」などがある。固定資産税などの詳細は、後出「**不動産に関する税**」にて学習します。

Part 1

宅建業法 -6

宅建業の免許を受けた後の開業要件として、営業保証金を供託するか、保証協会に加入するか、そのいずれかの選択となる。営業保証金制度と保証協会制度のちがいを理解すること。後半で学習することになる監督処分とは、宅建業者に対する業務停止処分や免許の取消処分、宅建士に対する事務の禁止処分や登録消除処分のこと。毎年出題。

1 Section 営業保証金制度

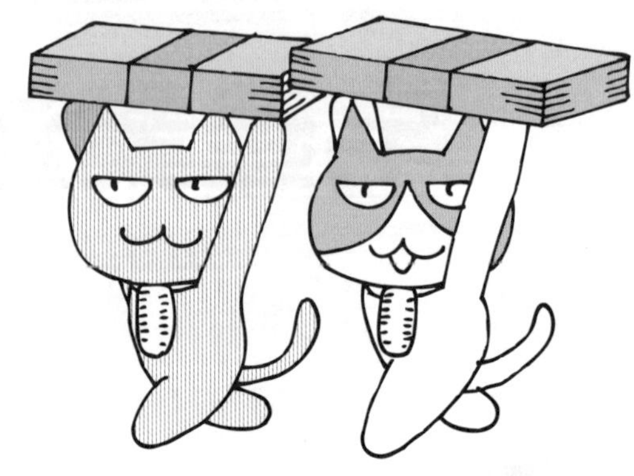

★★★

1 営業保証金とは

概要

宅建業者に、一定額の現金や国債証券などの有価証券を営業保証金として国家機関である供託所に提出させておいて、いざ顧客と金銭的なトラブルが起きた場合に備えようというもの。不動産取引は非常に高額であるがゆえ、宅建業者が無資力だと相手方は救済されません。このような事態を防ぐため、営業保証金制度・保証協会制度が用意されています。

〔1〕免許を受けただけでは開業できない (25条)

スッキリ条文

① 宅建業者は、営業保証金を主たる事務所のもよりの供託所に供託し、供託書の写しを添付して、その旨を免許権者に届け出た後でなければ事業を開始してはならない。

② 供託する営業保証金は、主たる事務所（本店）1,000 万円、従たる事務所（支店）ごとに 500 万円の合計額となる。

宅建業の免許を受けたとしても、それだけでは開業できないんだよね。営業保証金を供託するか、保証協会に加入するか、そのどっちかが必要。で、「免許」を受けてから営業保証金を「供託」して、知事か大臣に「届出」をする。それでやっと「開業」。

重 要！

事業開始後に新たに事務所を設置したときも、その事務所の営業保証金の供託（主たる事務所のもよりの供託所）が必要。

営業保証金の額なんですけど、主たる事務所と従たる事務所１つだとすると、合計で 1,500 万円ですよね。これを主たる事務所のもよりの供託所に供託すると。

そうそう。それぞれの事務所のもよりの供託所じゃなくて、主たる事務所のもよりの供託所に支店の分もまとめてドンと供託。それから営業保証金は、金銭だけじゃなくて一定の有価証券でもいいよ。
有価証券の評価額は以下のとおり。

- ▶国債証券：**額面金額（100％で評価）**
- ▶地方債証券・政府保証債：**額面金額の 90％**
- ▶国土交通省令で定める有価証券：**額面金額の 80％**

＊株式や手形、小切手では供託できない。

ちなみにね、現金で供託していた営業保証金を有価証券にするとか、逆に有価証券を現金に変換することもできるよ。で、変換のために供託したときは、その旨を免許権者に届け出なければなりません。

重 要！

金銭とあわせての供託もオッケー（例：現金 500 万円＋国債証券 500 万円＝ 1,000 万円）。

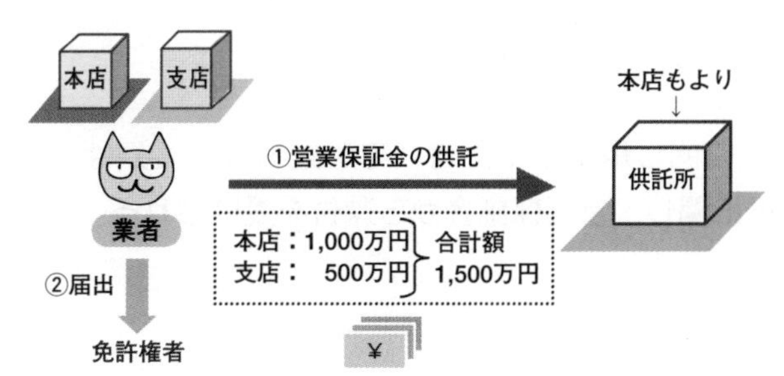

〔2〕営業保証金を供託した旨の届出がない場合（25条）

① 免許権者は、免許をした日から３ヶ月以内に宅建業者が供託した旨の届出をしないときは、届出をすべき旨の催告をしなければならない。
② 催告後１ヶ月以内に宅建業者が届出をしないときは、その免許を取り消すことができる。

免許を受けてからの「供託」→「届出」だから、なかにはいつまでも届出をしない宅建業者もいるかもしれない。そんなときは、免許権者から催告がくるよ。

重要！

必ず免許が取り消されるわけではない。取り消すことができると規定されている。

開業する気がないのかしら。免許の取消しになる場合もありまーす。

★★★

2 営業保証金の還付

宅建業者が供託している営業保証金から顧客に損害を弁済することを「還付」といいます。どういった取引での損害が還付の対象となるのか、還付があった場合の不足額の供託はどうするのかを学習していきます。試験でもよく出題される内容です。

〔1〕還付を受けられる取引（27条）

宅建業者と宅建業に関し取引をした者（宅建業者を除く）は、その取引により生じた債権に関し、営業保証金から還付を受けられる。

さてそんな営業保証金。ふだんは使わないよう供託しているワケなんだけど、トラブルとなって「代金を返せ」とか「損害賠償を払え」などという事態が勃発した場合、相手方はこの営業保証金から還付を受けられるわけだ。

そのための営業保証金ですもんね。でも、営業保証金の還付を受けられるのは、宅建業に関する取引で生じた債権の場合だけなんですよね。

そうそう。なので、宅建業者との取引でも、以下のような宅建業以外の取引での債権は還付を受けられないんだよね。

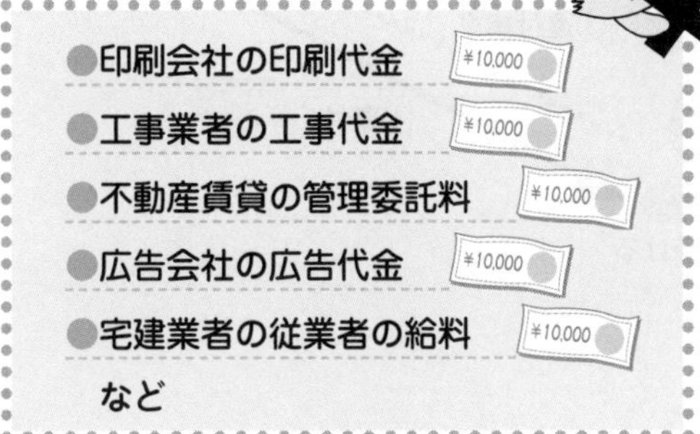

- 印刷会社の印刷代金
- 工事業者の工事代金
- 不動産賃貸の管理委託料
- 広告会社の広告代金
- 宅建業者の従業者の給料

など

プラスα

債権とは「カネを払え」「カネを返せ」と請求できる権利。

ちなみに!!

還付が受けられるとしても、上限は供託している営業保証金の額まで。必ずしも債権全額が弁済されるとは限らない。

念のためですが!!

営業保証金から還付を受けられないというだけで、宅建業者に支払いは請求できる。債権自体がなくなるというわけではない。

〔2〕営業保証金の不足額の供託（28条）

① 宅建業者は、営業保証金の還付により供託額が不足することになったときは、免許権者からの通知を受け取った日から２週間以内に、不足額を供託しなければならない。

② 宅建業者は、営業保証金の不足額を供託したときは、供託した日から２週間以内に、供託書の写しを添付して、免許権者に届け出なければならない。

たとえば営業保証金から200万円の還付があれば、免許権者から「200万円を供託せよ」という通知がくるので、通知を受け取った日から2週間以内に供託するという段取り。

まず2週間以内に供託して、で、供託したら2週間以内に届出もしなければならないと。けっこう忙しいですねー。

営業保証金の還付があった場合の流れ

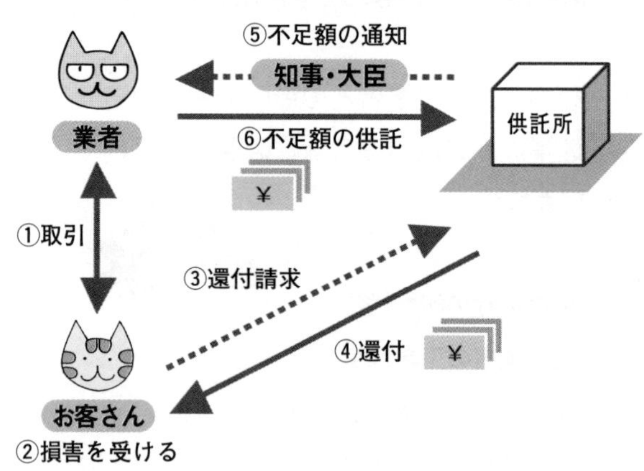

★★★

3 営業保証金の保管替えと取戻し

主たる事務所を移転してもよりの供託所が変わってしまう場合、新たな供託所に供託し直さなければなりません。これを営業保証金の保管替えといいます。金銭のみで供託している場合と有価証券を含めて供託している場合とで手続きが異なります。また、宅建業を廃業するなどした場合、供託していた営業保証金を取り戻すことができます。

〔1〕営業保証金の保管替え等（29条）

金銭のみで供託している場合	主たる事務所の移転後、遅滞なく、費用を予納して、営業保証金を供託している供託所に対し、移転後のもよりの供託所への保管替えの請求をしなければならない。
有価証券のみ・金銭と有価証券で供託している場合	主たる事務所の移転後、遅滞なく、営業保証金を移転後のもよりの供託所に新たに供託しなければならない（二重供託状態になる）。

金銭のみで供託しているときは、「保管替えの請求」という手続きで済むんだけどね。

有価証券を含めての供託の場合、一時的に二重供託という形になるんですね。

そうなんだよ。二重供託した後に、移転前の供託所から営業保証金を取り戻す。そんな段取りだね。

保管替えをした場合、遅滞なく、供託書の写しを添付して免許権者に届け出る。

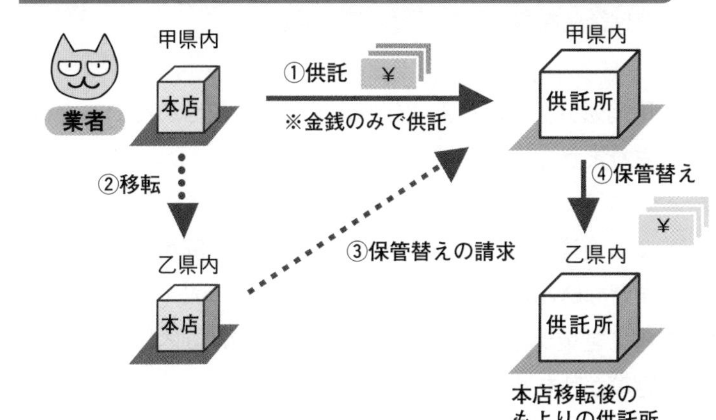

本店移転②：営業保証金に有価証券が含まれている場合

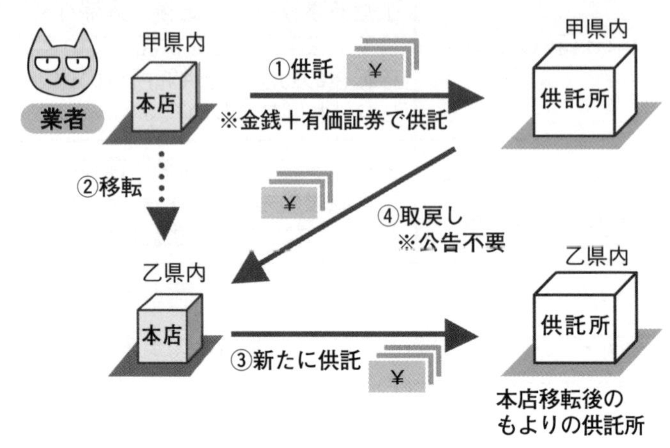

〔2〕営業保証金の取戻し（30条）

営業保証金の取戻しは、営業保証金から還付を受ける権利を有する者に対し、6ヶ月を下回らない一定期間内に申し出る旨を公告し、その期間内に申出がなかったときにすることができる。

宅建業者が廃業したり、従たる事務所を閉鎖したような場合、供託していた営業保証金を取り戻すことができるよ。

免許の取消処分を受けたような場合でも取り戻せるんですよねー。没収とかはされません。

ただちょっと注意しておいてほしいんだけど、廃業などしても、直ちには取り戻せないんだよね。損害を受けている人がいるかもしれないので、宅建業者に営業保証金を返しちゃうのでこの期間内に申し出てくださいという呼びかけをする。

ややこしいんだけど、例外的に公告不要で取り戻せる場合もありまーす。

●公告が必要となる場合

▶免許の有効期間が満了（更新を受けずに失効）
▶破産や廃業、解散や合併（法人業者）、死亡（個人業者）
▶免許の取消処分
▶一部の事務所を廃止して超過額が発生

●公告が不要となる場合

▶主たる事務所移転に伴い、新たに供託したとき（二重供託の解消）
▶宅地建物取引業保証協会の社員となったとき（加入したとき）
▶営業保証金の取戻し事由が生じてから10年を経過したとき

〔営業保証金・まとめ〕

<table>
<tr><td>営業保証金の額</td><td colspan="3">主たる事務所 1,000万円
従たる事務所 500万円</td></tr>
<tr><td>有価証券</td><td colspan="3">国債証券 100%、地方債証券・政府保証債 90%、その他 80%</td></tr>
<tr><td>どこに供託</td><td colspan="3">主たる事務所のもよりの供託所</td></tr>
<tr><td>供託した旨の届出</td><td colspan="3">供託した旨の届出をした後でなければ開業できない</td></tr>
<tr><td>営業保証金の還付</td><td colspan="3">宅建業に関し取引をした者（宅建業者を除く）</td></tr>
<tr><td>不足額の供託</td><td colspan="3">不足額を供託する旨の通知を受け取った日から2週間以内</td></tr>
<tr><td rowspan="2">保管替え等</td><td rowspan="2">主たる事務所移転</td><td>金銭のみ</td><td>保管替えの請求</td></tr>
<tr><td>有価証券</td><td>新たに供託＋取り戻し</td></tr>
</table>

公告は官報で行う。ちなみに官報とは、国の報告や資料を公表する「国の広報紙」「国民の公告紙」としての使命を担っているもので、法律の公布なども官報で行われる。

ひとこと

「時間でなんとかする（時給で稼ぐ）働き方」が不安のはじまり。はやくに脱却を。

2 Section 宅地建物取引業保証協会

★★★

1 宅地建物取引業保証協会に入ってみよう

概要

宅建業者は、営業保証金を供託する代わりに保証協会（宅地建物取引業保証協会）の社員となる（加入する）ことで開業することができます。保証協会に加入すれば営業保証金を供託する必要はありません。宅建業に関する取引でトラブルが生じた際の顧客への弁済業務は、保証協会が供託した弁済業務保証金から行います。営業保証金制度と比較しながら勉強していくのがコツです。

◆**保証協会について**

- 保証協会は、宅建業者のみを社員（構成員）とする公益社団法人であり、保証協会に加入する宅建業者を「社員」と表現する。
- 現在、「全国宅地建物取引業保証協会（ハトのマーク）」と、「不動産保証協会（ウサギのマーク）」の２つの保証協会がある。
- １つの保証協会の社員は、他の保証協会の社員となることはできない。
- 保証協会は、新たに社員が加入したとき（または辞めたとき）は、直ちに、その旨を免許権者に報告しなければならない。

〔1〕保証協会の業務（64条の3～64条の6）

▶必須業務（必ず行う）

苦情の解決	苦情の申出及び解決の結果について、社員に周知する。
研修業務	宅建士や宅建業に従事する者（宅建士等）への研修。
弁済業務	社員と宅建業に関し取引をした者（宅建業者が社員になる前に取引をした者を含み、宅建業者を除く）の有するその取引により生じた債権に関し弁済する業務。

メインとなるのは、やっぱり弁済業務。加入している宅建業者が顧客に損害を与えた場合、保証協会が供託している弁済業務保証金から還付することになる。

保証協会に加入する前の取引であっても、還付の対象となるんですよね。

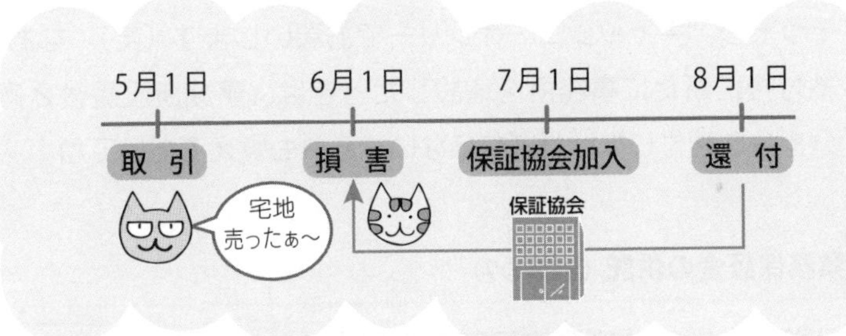

注：社員となる前の取引の債権も還付の対象とするため、保証協会は、社員の加入の際に担保の提供を求めることができる。

▶任意業務

一般保証業務	社員が受領した支払金や預かり金の返還債務についての連帯保証業務。
手付金等保管事業	完成物件の場合の、手付金等の保全措置。
研修費用の助成	宅建業者を社員とする一般社団法人による宅建士等に対する研修の実施費用の助成。

＊その他、国土交通大臣の承認を受けて、宅建業の健全な発達を図るため必要な業務を行うことができる。

〔2〕弁済業務保証金と分担金

▶加入手続き・弁済業務保証金分担金の納付（64条の9）

① 保証協会に加入しようとする宅建業者は、加入しようとする日までに、弁済業務保証金分担金を保証協会に納付しなければならない。
② 納付する弁済業務保証金分担金の額は、主たる事務所（本店）60万円・従たる事務所（支店）ごとに30万円の合計額となる。

営業保証金と比べると、分担金はずいぶん安いね。主たる事務所だけだとすると60万円でいいし。で、保証協会は、集めた分担金を、弁済業務保証金として供託するワケです。

あ、ここでの注意点は、分担金は金銭のみで納付しなければならないということですよね。有価証券での納付はできないと。

そうそう。キャッシュ・オンリーでお願いします（笑）。なお、分担金を納付後に新たに事務所を増設したときは、事務所設置後2週間以内に、分担金を納付しなければならない。これも覚えておいてね。

▶弁済業務保証金の供託（64条の7）

① 保証協会は、弁済業務保証金分担金の納付を受けたときは、その日から1週間以内に、納付を受けた額に相当する額を弁済業務保証金として、法務大臣及び国土交通大臣が指定する供託所に供託しなければならない。
② 保証協会は、弁済業務保証金を供託したときは、社員である宅建業者の免許権者に、供託した旨を届け出なければならない。

こんどは1週間です（笑）。で、どこの供託所に供託するかというと、法務大臣及び国土交通大臣が指定する供託所。東京法務局（東京・千代田区）が指定されています。

重要！

宅建業者が供託所で供託したり、免許権者に届け出たりはしない。保証協会が行う。

営業保証金のときの「主たる事務所のもよりの供託所」と間違えないでくださぁーい。

あと、分担金は「キャッシュ・オンリー」だったけど、保証協会が弁済業務保証金を供託する際は、有価証券で充ててもいいです。換算率は営業保証金といっしょ。

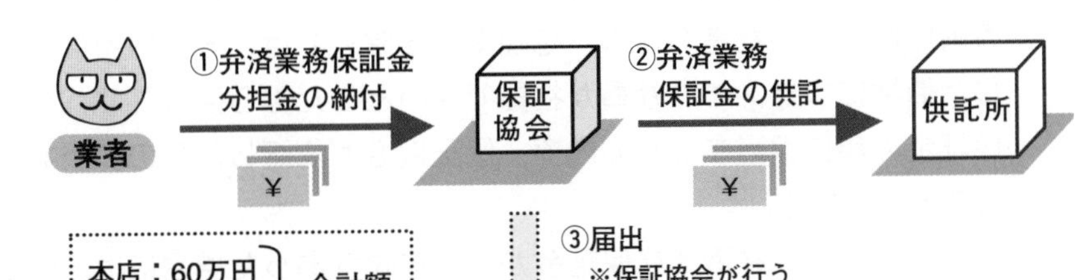

ひとこと

会社にぶら下がってやり過ごす「受け身」の人生。楽だけど会社に振り回される人生。

★★★

2 弁済業務保証金の還付って？

社員である宅建業者と宅建業に関する取引により生じた債権は、弁済業務保証金からの還付対象となります。営業保証金の場合とは異なり、還付を受けるにあたり保証協会の認証を受けるなどの規定があったりします。還付充当金の納付方法など、営業保証金制度にはない手続きを確認しておきましょう。

〔1〕弁済業務保証金の還付（64条の8）

① 保証協会の社員と宅建業に関し取引をした者（宅建業者が社員となる前に取引をした者も含み、宅建業者を除く）は、その取引により生じた債権につき、その社員が社員でないとしたならば供託すべき営業保証金の額に相当する範囲内で、保証協会が認証した額の弁済を受けることができる。

② 保証協会は、弁済業務保証金からの還付があった場合には、国土交通大臣からその旨の通知があった日から２週間以内に、還付額に相当する額の弁済業務保証金を供託しなければならない。

宅建業者が60万円の分担金を納付していたとすると、営業保証金に換算すれば限度額は1,000万円だね。90万円（60万円＋30万円）だと1,500万円（1,000万円＋500万円）か。

プラスα

営業保証金に換算した額が限度だが、保証協会がすでに認証した額があるときはその額が控除される。

あと、弁済を受ける額について保証協会から認証を受けなければなりませんよね。このへんが営業保証金とのちがいですね。

そしてですね、弁済業務保証金から還付があった場合、供託所じゃなくて国土交通大臣から通知がくるんだよね。そしたらその還付相当額を保証協会が補填供託しなければならない。とりあえずの肩代わりみたいなもんだよね。

だからその社員に、還付充当金を保証協会に納付せよっていう通知を出すんですよね。

〔2〕還付充当金の納付（64条の10）

① 保証協会は、弁済業務保証金の還付があったときは、還付に係る社員（または社員であった者）に対し、還付相当額に相当する額の還付充当金を保証協会に納付すべきことを通知しなければならない。

② この通知を受けた社員（または社員であった者）は、この通知を受けた日から 2 週間以内に、通知された額の還付充当金を保証協会に納付しなければならない。

③ 社員は、2周間以内に還付充当金を納付しないときは、社員の地位を失う。

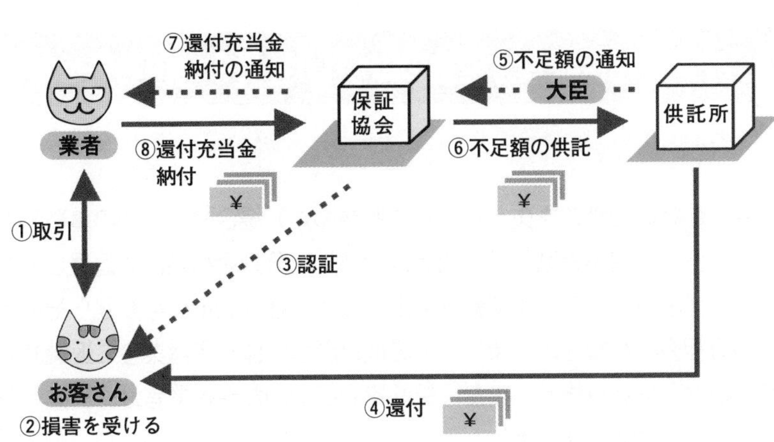

〔3〕弁済業務保証金準備金と特別弁済業務保証金分担金（64条の12）

宅建業者が倒産などしちゃっていて還付充当金の納付がないという場合も考えられる。そんなもしもの場合のために用意しておくことになっているのが、弁済業務保証金準備金。保証協会は、この準備金を別途、積み立てておかなければならない。

その準備金を使っても穴埋めできないような巨額損失だったらどうなるかというと…。

はい、そうなったら他の社員みんなで分担することになります。これを特別弁済業務保証金分担金といって、社員に対し、「保証協会に納付せよ」と通知しなければならず、そして、この通知を受けた社員は、その通知を受けた日から１ヶ月以内に納付しなければならないのだ。

じぶんの起こした事件じゃないんだけど、通知された額を特別弁済業務保証金分担金として納付しなければならないんですよね。そして、納付できなければ社員の地位を失うと…（涙）。

★★☆

3 弁済業務保証金分担金の取戻し・社員の地位を失った場合

保証協会の社員の地位を失った（社員をやめた）場合や、一部の事務所を廃止した場合、宅建業者は、保証協会に納付した分担金相当額を返還してもらえます。段取りとして、まず保証協会が弁済業務保証金のなかからその宅建業者の分担金相当額を取り戻し、その取り戻した額を宅建業者に返還するというプロセスをとります。また、保証協会をやめた宅建業者は、営業保証金を供託しなければなりません。

〔1〕どうやって取り戻すのか（64条の11）

社員の地位を失った場合	保証協会が、弁済業務保証金から還付を受ける権利を有する者に対し、6ヶ月を下らない一定期間内に認証を受けるため申し出るべき旨の公告をし、その期間内に申出がなかったときに取り戻すことができる。取戻し後に返還。
一部事務所の廃止の場合	公告は不要。その事務所に相当する分を保証協会が取り戻して返還。

営業保証金の取戻しの場合と異なり、保証協会が公告をするんだよね。宅建業者自身は公告しない。保証協会が間に入る。そんなイメージで!!

従たる事務所を廃止したときは、公告はいらないんですね。このへんも営業保証金の場合とは異なっていますので、ぜひ、見直しを。

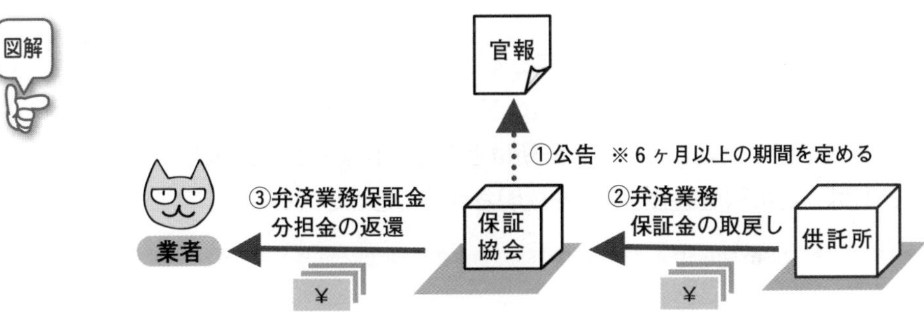

〔2〕保証協会の社員の地位を失った場合（64条の15）

宅建業者は、保証協会の社員の地位を失ったときは、地位を失った日から1週間以内に、営業保証金を供託しなければならない。

保証協会にも加入していない、営業保証金も供託していないという中途半端な状態をすぐに解消させたいので、厳しめに「1週間」以内となっています。

3 Section 供託所等に関する説明

★★★

1 供託所等に関する説明とは

営業保証金制度や保証協会制度によって、宅建業の取引の安全性は確保されてはいるものの、一般的にはなじみの薄い制度です。そこで宅建業者に、営業保証金を供託している供託所はどこか、保証協会に加入しているのであれば、どの保証協会なのかを説明させることとしています。

〔1〕契約が成立するまでの間に（35条の2）

宅建業者は、取引の相手方等（宅建業者を除く）に対して、売買･交換、貸借の契約が成立するまでの間に、供託所等に関する一定事項を説明するようにしなければならない。

保証協会の社員ではないとき	営業保証金を供託している供託所及びその所在地※
保証協会の社員であるとき	①社員である旨、②保証協会の名称･事務所の所在地、③弁済業務保証金を供託している供託所と所在地

※ 供託している営業保証金の額については説明事項とはされていない。

この供託所等の説明は、重要事項の説明とおなじく、契約が成立するまでの間に行うこととされてるよね。

でも、重要事項として説明すべき項目とはされていないんですよね。

そうなんだよね。宅建士に説明させなくてもいいし、書面で説明しなくてもいい。口頭での説明でもオッケー。

プラスα

国土交通省は「法律上は要求されていないが、重要事項説明書に記載して説明するのが望ましい」というコメントを出している。

説明すべき相手方はどうなっているんでしたっけ？

これも重要事項の説明と異なり、買主や借主になろうとする者だけじゃなくて、売主・貸主側にも説明しなくちゃならない。

でも相手方が宅建業者だったら省略できまぁーす。

ひとこと

不合格になったら損をする。損を回避しよう。そんな「プロスペクト理論」を活用だ。

Section 4

監督処分と罰則

宅建業法の精神に背くヤツには
天罰がくだるっ!!

★★★

1 宅建業者に対する監督処分

概要

宅建業者は、宅建業を営むにあたっては、宅建業法やその他の関係法令を遵守し、業務の適正な運営と取引の公正を確保しなければなりません。宅建業者が法令を守らない場合、監督処分を受けることになります。宅建業者に対する監督処分としては、①指示処分、②業務の停止処分、③免許の取消処分の３つがあります。

〔1〕公開による聴聞・監督処分の公告（69条、70条）

スッキリ条文

① 国土交通大臣または都道府県知事は、監督処分をしようとするときは、聴聞（公開による聴聞）を行わなければならない。

② 聴聞を行うにあたり、その期日の１週間前までに、処分対象者に書面による通知をし、かつ、聴聞の期日と場所を公示（聴聞公示）しなければならない。

③ 国土交通大臣または都道府県知事は、宅建業者に業務停止処分をしたときまたは免許の取消処分をしたときは、その旨を公告しなければならない。

国土交通大臣や知事が監督処分をするには、あらかじめ公開による聴聞を行わなければならない。業者に釈明の機会を与えるわけだね。

公告は、大臣の処分に係るものにあっては官報により、知事の処分に係るものにあっては当該都道府県の公報またはウェブサイトへの掲載その他の適切な方法により行うものとする。

3つある監督処分のうち、公告の対象となるのは「業務の停止処分」と「免許の取消処分」について。「指示処分」を受けた場合は公告されません。ご注意を!!

〔2〕監督処分をする者

① 免許権者のほか、他の都道府県知事（免許権者以外）も、その都道府県内で業務を行っている宅建業者（大臣または他の知事が免許権者）に指示処分と業務の停止処分をすることができる。

② 免許の取消処分は、免許権者のみが行う。免許権者以外は行えない。

都知事免許を受けている宅建業者が千葉県内で業務を行っている場合、都知事（免許権者）のほか千葉県知事（業務地の知事）も指示処分・業務の停止処分を行うことができるよ。

「指示処分」や「業務の停止処分」があった場合、宅建業者名簿（P.043）に処分日・内容が記載される。

産みの親（免許権者）以外の、よその親（他の都道府県知事）でも指示処分（小言をいう）や業務の停止処分（張り手をくらわす）はできるっていうニュアンスですよね。

免許権者以外の知事が指示処分や業務の停止処分をした場合、処分の年月日と内容を免許権者に報告（大臣）もしくは通知（知事）しなければならない。

そうそう。でもね、「免許の取消処分」は産みの親しかできないよ。

監督処分	処分できるか？		処分があった場合	
	産みの親	よその親	業者名簿	公告
指示処分	○	○	○	×
業務停止処分	○	○	○	○
免許取消処分	○	×	名簿閉鎖	○

★★★

2 宅建業者への監督処分の種類

監督処分となる事由をすべて覚える必要はないものの、「指示処分」と「業務停止処分」は裁量規定、「免許取消処分」は裁量規定ではなく、該当した場合は必ず取り消さなければならないとなっていることは理解しておきましょう。

〔1〕指示処分（65条）

免許権者・免許権者以外の知事（業務地の知事）は、宅建業者が以下のいずれかに該当する場合、必要な指示（指示処分）をすることができる。

① 取引の関係者に損害を与えたとき（与えるおそれが大であるとき）
② 取引の公正を害する行為をしたとき（害するおそれが大であるとき）
③ 業務に関し、他の法令に違反し、宅建業者として不適当であると認められるとき
④ 宅建士が監督処分を受けた場合で、宅建業者にも責任があるとき
⑤ 宅建業法・住宅瑕疵担保履行法の一部（住宅販売瑕疵担保保証金の供託等の義務など）に違反したとき

〔2〕業務の停止処分（65条）

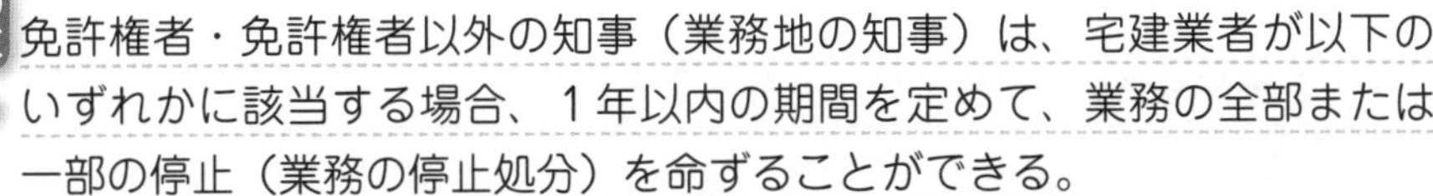

免許権者・免許権者以外の知事（業務地の知事）は、宅建業者が以下のいずれかに該当する場合、1年以内の期間を定めて、業務の全部または一部の停止（業務の停止処分）を命ずることができる。

① 業務に関し、他の法令に違反し、宅建業者として不適当であると認められるとき
② 宅建士が監督処分を受けた場合で、宅建業者にも責任があるとき
③ 指示処分に従わないとき
④ 宅建業に関し不正または著しく不当な行為をしたとき
⑤ 以下の宅建業法の規定に違反したとき

- 名義貸しの禁止
- 専任の宅建士の設置義務（事務所に係る部分は免許権者のみ）
- 従業者名簿の設置、従業者証明書の携帯
- 誇大広告の禁止、取引態様の明示義務、契約締結等の時期の制限
- 守秘義務、不当な履行遅延の禁止、媒介契約書の作成・交付義務
- 限度額を超える報酬の受領、不当に高額な報酬の要求の禁止
- 事実不告知等の禁止、手付の貸付け、契約締結に関する不当行為
- 自己所有に属しない宅地建物の売買契約締結の制限
- 手付金等の保全措置、所有権留保等の禁止
- 重要事項説明、契約書面の交付

まぁ主だった宅建業法の規定に違反した場合は、業務停止になっちゃうと。そんなイメージでよいです。

ぜんぶ覚えるのはたいへんだし（笑）。

あと、免許権者のみが業務の停止処分を命じることができるという事由があります。以下、抜粋ですけどご案内しておきます。他の知事は業務の停止処分を命じることはできないよ。

「他の法令」とは都市計画法や建築基準法、景品表示法など。建築基準法違反で罰金刑になった場合、指示処分を受ける場合あり。

ざっくりとお金がらみというイメージでどうでしょ!!

▶免許権者のみ業務の停止処分ができるもの

- 専任の宅建士の設置義務（事務所に係る部分）
- 営業保証金制度（供託した旨の届出、不足額の供託）
- 保証協会制度（新設事務所の分担金・還付充当金・特別弁済業務保証金分担金の納付､社員の地位を失った場合の営業保証金の供託）
- 住宅瑕疵担保履行法（住宅販売瑕疵担保保証金の供託等の義務）

〔3〕免許の取消処分 (66条)

▶必要的免許取消し

免許権者は、以下の事項に該当したときは、（必ず）免許を取り消さなければならない。

① 免許不可となる基準に該当したとき
② 免許換えをすべき場合なのにしていないことが判明したとき
③ 免許を受けてから１年以内に事業を開始せず、または引き続いて１年以上事業を休止したとき
④ 廃業等の届出がなく、廃業等の事実が判明したとき
⑤ 不正の手段により免許を受けたとき
⑥ 業務停止処分事由のいずれかに該当し、情状が特に重いとき
⑦ 業務の停止処分に違反したとき

免許の取消しは産みの親（免許権者）だけです。

必ず取り消さなければならないパターンですね。

そうそう。で、ちょっとめんどくさいんだけど、以下、裁量による免許の取消しパターンもあります。

▶裁量的免許取消し

次の場合、免許権者は、免許を取り消すことができる。

① 免許の際に付された条件に違反したとき
② 宅建業者（法人であれば役員）の所在または事務所の所在地を確知できないため、その事実を公告した日から30日を経過しても宅建業者から申出がないとき
③ 営業保証金を供託した旨の届出がないとき

3 宅建士に対する監督処分

宅建士も法令を守らなければ監督処分を受けます。監督処分として①指示処分、②事務の禁止処分、③登録の消除処分の３つがあります。宅建業者への場合と同様に、監督処分をするには公開による聴聞を行わなければなりません。しかし、処分があった旨の公告は行われません。

〔1〕監督処分をする者

① 登録知事のほか、他の都道府県知事（登録知事以外）も、その都道府県内で不正行為を行っている宅建士に「指示処分」と「事務の禁止処分」をすることができる。
② 「登録の消除処分」は、登録知事のみが行う。登録知事以外は行えない。

東京都知事の登録を受けている宅建士が千葉県内で悪さを行っている場合、東京都知事のほか千葉県知事も指示処分・事務禁止処分を行うことができるよ。宅建業者への監督処分と同じようなノリです。

登録の消除処分は産みの親であるは登録知事だけ。このへんのニュアンスもいっしょですね。

〔2〕宅建士証の提出・返納（22条の2）

提　出	事務の禁止処分を受けたときは、速やかに、宅建士証をその交付を受けた知事に提出しなければならない。
返　納	登録の消除処分を受けたときは、速やかに、宅建士証をその交付を受けた知事に返納しなければならない。

宅建士証の提出・返納は交付を受けた知事、すなわち産みの親にね。

宅建士証の提出・返納義務に違反すると、10万円以下の過料に処せられる場合がありまーす。

★★★

4　宅建士への監督処分の種類

宅建士への指示処分と事務の禁止処分については、処分対象となる事由がおなじです。指示処分となるか、事務の禁止処分となるかは違反の程度によります。また、指示処分と事務の禁止処分は裁量規定、登録の消除処分は裁量規定ではないため必ず取り消すことになります。

〔1〕指示処分と事務の禁止処分（68条）

登録をしている知事・その他の知事は、宅建士が以下のいずれかに該当する場合、必要な指示（指示処分）または1年以内の期間を定めて、宅建士としてすべき事務を行うことを禁止（事務の禁止処分）することができる。

① 宅建業者に、自己が専任の宅建士として従事している事務所以外の事務所の専任の宅建士である旨の表示をすることを許し、宅建業者がその旨の表示をしたとき
② 他人に自己の名義の使用を許し、その他人が名義を使用して宅建士である旨の表示をしたとき
③ 宅建士として行う事務に関し、不正・著しく不当な行為をしたとき

不正・不当な行為をした場合だけじゃなくて、実際に専任じゃないのに、あるいは雇われていないのに「専任の宅建士」として免許申請に手を貸すような行為のほか、宅建士の名義貸しのような行為も指示処分・事務の禁止処分の対象となるよ。

指示処分に従わないときは、事務の禁止処分の対象となる。

念のためですけど、宅建士としての事務というのは「①重要事項の説明、②重要事項説明書への記名、③契約書面への記名」の3点セット。事務の禁止期間中はできませーん。宅建士証も提出という名の「取り上げ」状態。

あと、その他の知事が指示処分や事務の禁止処分をしたときは、遅滞なく、登録知事に通知しなければならないっていう規定もあります。

ひとこと
自分に起きた問題の解決策は、思いがけない方角からやってくる。心配なし。

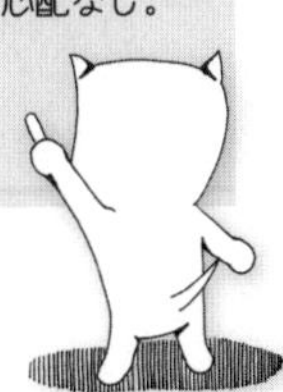

〔2〕登録の消除処分（68条の2）

登録している知事は、宅建士が以下のいずれかに該当する場合、（必ず）登録を消除しなければならない。

① 登録不可となる基準に該当することになったとき
② 不正の手段により登録を受けたとき
③ 不正の手段により宅建士証の交付を受けたとき
④ 事務の禁止処分に違反したとき
⑤ 事務の禁止処分に該当する行為をし、情状が特に重いとき

登録の消除処分は、宅建士資格者（登録は受けているけど、宅建士証の交付を受けていない者）も対象となるよ。

宅建士資格者の場合だと、登録の消除処分の対象として「宅建士としてすべき事務を行い、情状が特に重いとき」が追加されます。宅建士じゃないですからね。

5 行政指導や報告及び検査など

宅建業の適正な運営を確保し、または宅建業の健全な発達を図るため、宅建業者や宅建士への監督処分のほか、これに関連したいくつかの規定があります。国土交通大臣や知事のほか、内閣総理大臣が登場します。

〔1〕指導等（指導・助言・勧告）（71条）

国土交通大臣はすべての宅建業者に対して、都道府県知事はその都道府県の区域内で宅建業を営む宅建業者に対して、宅建業の適正な運営を確保し、または宅建業の健全な発達を図るために必要な指導・助言・勧告をすることができる。

いわゆる「行政指導」というやつ。違反の程度が軽微で、指示処分をするほどじゃないんだけど、でも、ちょっとね、みたいなときに行政指導。監督処分とは異なり、法的拘束力はないけどね。公告もないです。

知事が行政指導できるのは、管内で業務を行っている業者に対してです。免許した業者じゃなくても指導できまーす。

〔2〕内閣総理大臣と協議（71条の2）

国土交通大臣は、免許をした宅建業者が「誇大広告の禁止」や「媒介契約の作成・交付義務」「重要事項の説明等」「契約書面の交付」などの消費者保護の規定に違反したとして監督処分を行うにあたっては、あらかじめ内閣総理大臣に協議しなければならない。

ちなみに!!

知事免許の宅建業者は協議の対象外となっている。

〔3〕報告及び検査（72条）

①　国土交通大臣は宅建業を営むすべての者に対して、知事は管轄管内の都道府県で宅建業を営む者に対して、業務についての報告を求めたり、事務所などへの立ち入り検査を職員にさせることができる。

プラスα

立ち入り検査をする職員は、身分証明書の携帯・提示が必要。

② 国土交通大臣は、すべての宅建士に対して、知事はその登録を受けている宅建士及び管轄管内の都道府県で事務を行う宅建士に対して、事務についての報告を求めることができる。

内閣総理大臣は、国土交通大臣免許の宅建業者（知事免許の宅建業者を除く）に報告を求めたり、職員の立ち入り検査をさせたりすることができるが、あらかじめ、国土交通大臣との協議が必要。

6 罰 則

主だった宅建業法の規定については、その違反があった場合、罰則が用意されています。免許取消しなどの監督処分を受けるほか、懲役や罰金を受ける場合もあります。すべてを覚えておく必要はありませんが、宅建業者が懲役刑になる場合や両罰規定、あとは宅建士への罰則あたりは理解しておきたいところです。

〔1〕宅建業者への罰則（79条～83条）

3年以下の懲役・300万円以下の罰金（これらの併科）

① 不正の手段により免許を受けた者
② 無免許事業の禁止に違反した者
③ 名義貸しにより他人に宅建業を営ませた者
④ 業務停止処分の命令に違反して業務を営んだ者

2年以下の懲役・300万円以下の罰金（これらの併科）

⑤　契約の締結について勧誘するに際し、または契約の申込みの撤回・解除・宅建業に関する取引により生じた債権の行使を妨げるため、重要な事項（第35条に掲げる重要事項・供託所等に関する事項等）について、故意に事実を告げず、または不実のことを告げた者

1年以下の懲役・100万円以下の罰金（これらの併科）

⑥　不当に高額の報酬を要求した者

6ヶ月以下の懲役・100万円以下の罰金（これらの併科）

⑦　営業保証金を供託した旨の届出をせずに業務を開始した者
※営業保証金がらみはこれだけ

⑧　誇大広告等の禁止に違反した者

⑨　不当な履行遅延の禁止に違反した者

⑩　手付について信用の供与により契約締結を誘引した者

100万円以下の罰金

⑪　免許申請書等に虚偽の記載をして提出した者

⑫　無免許で宅建業の広告（表示）をした者

⑬　名義貸しにより他人に宅建業の広告（表示）をさせた者

⑭　専任の宅建士の設置義務に違反した者

⑮　報酬の限度額を超えて報酬を受領した者

50 万円以下の罰金

⑯　変更の届出をせず、または虚偽の届出をした者
⑰　案内所等の届出をせず、または虚偽の届出をした者
⑱　第 37 条書面（契約書面）の交付義務に違反した者
⑲　事務所に報酬の額を掲示しなかった者
⑳　従業者に従業者証明書を携帯させなかった者
㉑　標識を掲示しなかった者
㉒　事務所に従業者名簿、帳簿を備え付けず、または記載せず、もしくは虚偽記載した者
㉓　守秘義務（これは親告罪＝告訴がなければ公訴を提起することができない）に違反した者
㉔　大臣や知事への業務についての報告を怠った者、立入検査を拒み、妨げ、忌避した者
㉕　信託会社等が宅建業を営む旨の届出をせず、または虚偽の届出をした者

両罰規定（84条）

法人や個人の従業者（営業担当や宅建士など）が違反行為を行った場合、その行為者を罰するほか、その法人などに対しても罰金刑が課される。

①～⑤の違反行為である場合 ➡ 1 億円以下の罰金刑
⑥～㉒の違反行為である場合 ➡ 各罰則の罰金刑
㉓の守秘義務違反の場合には、両罰規定は適用されない。

〔2〕宅建士への罰則（83条、86条）

50 万円以下の罰金

大臣や知事から事務についての報告を求められた宅建士が、報告をしなかったり、虚偽の報告をした場合

10万円以下の過料

① 宅建士証の返納義務に違反した者
② 宅建士証の提出義務に違反した者
③ 重要事項の説明時に、宅建士証を提示しなかった者

宅建士への罰則は、報告義務違反の50万円の罰金と、宅建士証がらみの10万円以下の過料しかないよ。これ以外の金額もなく、懲役や禁錮もない。

宅建士証の提示義務違反で罰則があるのは重要事項説明でのときだけですね。「相手方からの請求があったら宅建士証を提示せよ」っていう規定もありましたけど、こちらについては罰則なしと。

そうそう、そんなアンバイです。

「過料」とは

過料は刑罰ではないので、刑法、刑事訴訟法は適用されない。これに対して「罰金」「科料」は刑罰（刑法、刑事訴訟法）である。「科料」と「過料」はまちがいやすいので「科料（とがりょう）」、「過料（あやまちりょう）」と呼んだりする。

5
Section

住宅瑕疵担保履行法
(特定住宅瑕疵担保責任の履行の確保等に関する法律)

★★★

1 住宅瑕疵担保履行法ってなに?

住宅瑕疵担保履行法は、品確法（住宅の品質確保の促進等に関する法律）で義務付けている「10 年間」の売主の担保責任を確実に履行させるための法律です。新築住宅の売主となる宅建業者に対して、その住宅に瑕疵があった場合の補修や、損害賠償の支払い・解除に伴う代金の返還などが確実に行えるよう、保険加入や住宅販売瑕疵担保保証金の供託を義務付けるものです。

〔1〕品確法と住宅瑕疵担保履行法の関係

はじめに「品確法」がありき。以下、どんな内容か、ざっくりと説明してみます。

ちなみに品確法の正式名称は「住宅の品質確保の促進等に関する法律」です。

【品確法】

新築住宅の売買契約においては、売主は、買主に引き渡した時から10年間、住宅の構造耐力上主要な部分等の瑕疵について、以下の責任を負う。買主に不利な特約は無効。

- ・履行の追完（目的物の修補、代替物の引渡し、不足分の引渡し）
- ・代金の減額
- ・損害賠償
- ・解除

＊「瑕疵」とは、種類または品質についての契約の内容に適合しない状態をいう。

▶「構造耐力上主要な部分等」とは

①「構造耐力上主要な部分」

➡ 住宅の基礎、壁、柱、土台、筋かい、はり、屋根版など、住宅の自重や地震などの衝撃を支えるもの。

②「雨水の浸入を防止する部分」

➡ 屋根・外壁またはこれらの開口部に設ける戸など。また、雨水を排除するため住宅に設ける排水管のうち、屋根や外壁の内部か屋内にある部分。

住宅品確法による瑕疵担保責任

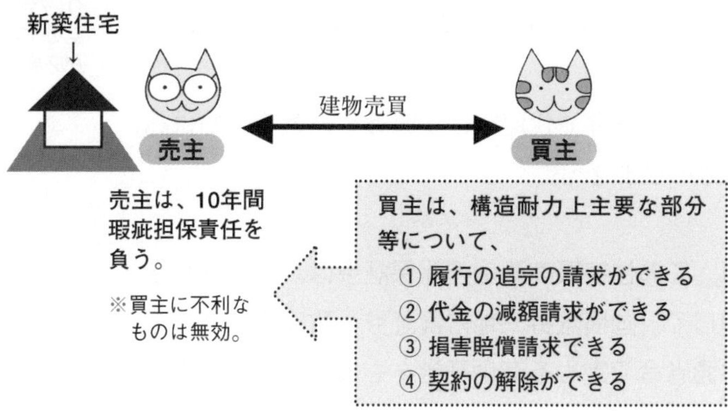

〔2〕住宅販売瑕疵担保保証金の供託等（11条）

スッキリ条文

宅建業者は、毎年、基準日（3月31日）から3週間を経過する日までの間において、当該基準日前10年間に自ら売主となる売買契約に基づき買主に引き渡した新築住宅について、当該買主に対する品確法の規定による住宅販売瑕疵担保責任の履行を確保するため、住宅販売瑕疵担保保証金の供託をしていなければならない。

品確法で売主が負う担保責任の期間を「10年間」としても、倒産とかしちゃったら意味ないしね。

プラスα

特約で20年とすることもできる。

そこで登場したのが住宅瑕疵担保履行法なんですね。売主業者に、いわゆる「資力確保措置」を義務付けています。

ここ大事なとこなんだけど、買主が宅建業者だったら、この供託義務はないよ。

プラスα

新築住宅を販売後10年を経過すれば、この責任を負う必要がなくなるので、超過額として取り戻すことができる。なお取戻しにあたり、営業保証金制度と異なり、免許権者（大臣か知事）の承認が必要となる。

「宅建業者が自ら売主として新築住宅を販売する場合で、買主が一般消費者」というときだけですね。

そもそも販売するのが中古住宅だったり、新築だとしても店舗とか事務所とかのときも関係ないよね。

あと、単に媒介や代理をしている宅建業者にも供託義務はありません。

でね、この住宅販売瑕疵担保保証金は、営業保証金と同じで、国債証券、地方債証券・政府保証債、国土交通省令で定める有価証券をもって、これに充て

ることができるよ。

住宅販売瑕疵担保保証金を供託する供託所も、営業保証金と同じで、宅建業者の主たる事務所の最寄りの供託所ですね。

供託すべき住宅販売瑕疵担保保証金の額は、基準日前10年間に一般消費者（宅建業者以外）に引き渡した合計戸数によるよ。

ちなみに、新築住宅のうち床面積が55㎡以下のものは、2戸をもって1戸として計算できます。

「ゴーゴー・にこいち」チャッチャッチャチャチャ（手拍子）で覚えておこう。

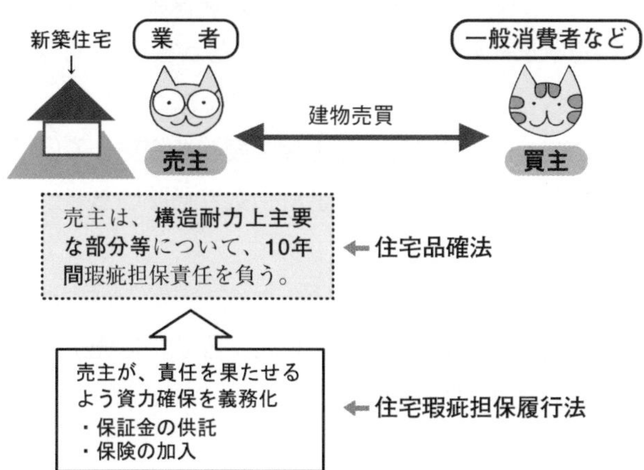

〔3〕住宅販売瑕疵担保保証金の供託等の届出等（12条）

スッキリ条文

新築住宅を引き渡した宅建業者は、基準日ごとに、当該基準日に係る住宅販売瑕疵担保保証金の供託及び住宅販売瑕疵担保責任保険契約の締結の状況について、その免許を受けた国土交通大臣又は都道府県知事に届け出なければならない。なお、この届出は、基準日から３週間以内に行うものとする。

＊罰則：届出をしない・虚偽の届出をした→ 50 万円以下の罰金

「住宅販売瑕疵担保責任保険契約の締結の状況」というのが入ってるでしょ。

じつは「住宅販売瑕疵担保責任保険契約」というのがあるんですよね。なにかトラブったら保険で解決。

ということで、宅建業者は住宅販売瑕疵担保保証金を供託するか、住宅販売瑕疵担保責任保険契約を締結するか、どっちでもいいよ。

併用もＯＫですよね。なので、この保険契約を締結している新築住宅については、供託額を算定する際の合計戸数から除いちゃってだいじょうぶです。

あと、この保険契約の保険料なんだけど、支払いは売主である宅建業者だぜ。買主ではないのでご注意を。

〔4〕自ら売主となる新築住宅の売買契約の新たな締結の制限（13条）

スッキリ条文

新築住宅を引き渡した宅建業者は、住宅販売瑕疵担保保証金を供託をし、かつ、届出をしなければ、当該基準日の翌日（4月1日）から起算して50日を経過した日以後においては、新たに自ら売主となる新築住宅の売買契約を締結してはならない。

＊罰則：1年以下の懲役・100万円以下の罰金（これらの併科）

「基準日の翌日から起算して50日を経過した日以後」というところがポイント。

つまんないヒッカケが多いです（笑）

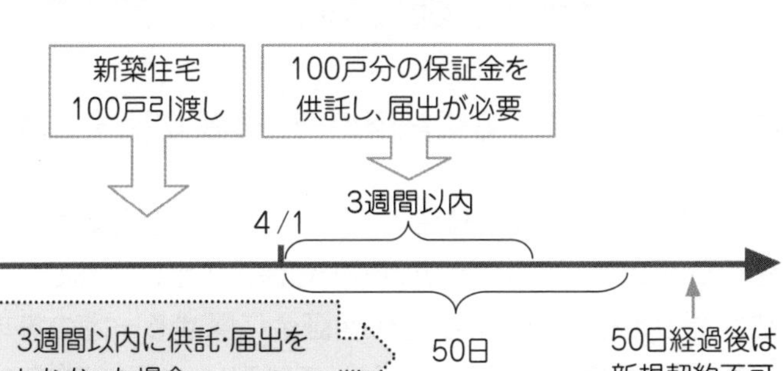

〔5〕住宅販売瑕疵担保保証金の還付等（14条）

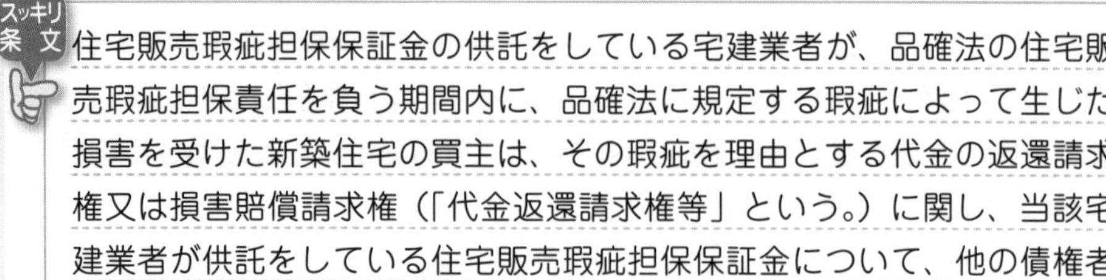

スッキリ条文

住宅販売瑕疵担保保証金の供託をしている宅建業者が、品確法の住宅販売瑕疵担保責任を負う期間内に、品確法に規定する瑕疵によって生じた損害を受けた新築住宅の買主は、その瑕疵を理由とする代金の返還請求権又は損害賠償請求権（「代金返還請求権等」という。）に関し、当該宅建業者が供託をしている住宅販売瑕疵担保保証金について、他の債権者に先立って弁済を受ける権利を有する。

宅建業者が住宅販売瑕疵担保責任保険契約を締結しているときは、保険で処理だね。

売主業者が瑕疵担保責任を履行したときは、その履行によって生じた売主業者の損害が、保険契約によって補填されます。

相当の期間を経過しても売主業者が瑕疵担保責任を履行をしないときも、買主の損害は、保険契約により直接補填されるよ。

〔6〕宅地建物取引業者による供託所の所在地等に関する説明（15条）

スッキリ条文

宅建業者は、自ら売主となる新築住宅の買主に対し、当該新築住宅の売買契約を締結するまでに、その住宅販売瑕疵担保保証金の供託をしている供託所の所在地その他住宅販売瑕疵担保保証金に関する一定の事項について、これらの事項を記載した書面を交付して説明しなければならない。

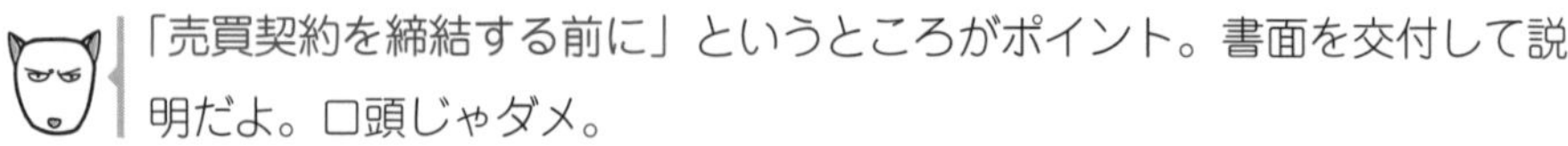

「売買契約を締結する前に」というところがポイント。書面を交付して説明だよ。口頭じゃダメ。

ここもつまんないヒッカケが多いです。

Part
2

法令上の制限 -1

それでは、都市計画法から学習します。はじめに都市計画区域ありき。その「都市計画区域」に「都市」を建設していく。まずこの流れを理解しよう。次に都市計画区域を「市街化区域」と「市街化調整区域」に区分する。市街化区域には用途地域を定め、積極的に市街化を図る反面、市街化調整区域では原則として建築物の建築・宅地の造成はできないのだ。

1 Section >> 都市計画法 都市計画区域の指定

★★★

1 都市計画区域と都市計画

都市計画法は、読んで字のとおり、都市を計画的に建設していこうという法律です。まず都市計画区域（都市を建設していく区域）を指定して、その区域のなかに都市計画（都市づくりのプラン）を定めていきます。

〔1〕はじめに都市計画区域ありき（5条）

▶**都市計画区域**

指定する者	①都市計画区域は、都道府県が指定する。
	②２以上の都府県にまたがる場合は国土交通大臣が指定する。

タイプ	①自然発生型	市町村の中心市街地を含み、自然的・社会的条件、人口や交通量などを勘案し、一体の都市として総合的に整備・開発・保全する必要がある区域。市町村の区域外にわたり（市町村の行政区域にとらわれずに）指定することができる
	②ニュータウン型	新たに住居都市・工業都市その他の都市として整備・開発・保全する必要がある区域

都市計画は、まず日本の国土を2つに分けることからはじまる。つまり、都市計画区域の指定。都市計画区域に指定されているところと、指定されていないところ。都市計画区域には、都市計画法が全面的に適用される。

都市計画区域に指定されていない区域を「都市計画区域外」といったりするんでしたよね。

そうそう。で、この都市計画区域なんだけど、都市計画を定めて計画的に都市を建設していこうというわけだから、トーゼン、計画に沿った土地利用が要求される。なので、所有者といえども好き勝手な土地利用ができなくなる。つまり不自由。

ちなみに都市計画区域は、国土の25%くらいしか指定されていないみたいですね。

そうなんだよね。国土面積は約37万7,900km² で、そのうち山林が70%以上を占めててね。つまり山間部。で、都市を建設するにふさわしい平野部は25%程度。この平野部は、ほぼ都市計画区域と重なるわけです。

プラスα

都市計画区域を指定するにあたり、人口や商工業の都市的業態に従事している者の人数などの一定の基準がある。

ちなみに!!

「準都市計画区域」というのもある(P.218)。

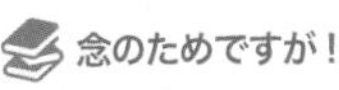

都市計画区域に指定されていない区域（都市計画区域外）だったら、土地の利用は基本的に自由である。

都市計画区域に日本の人口の90%程度が住んでいる。

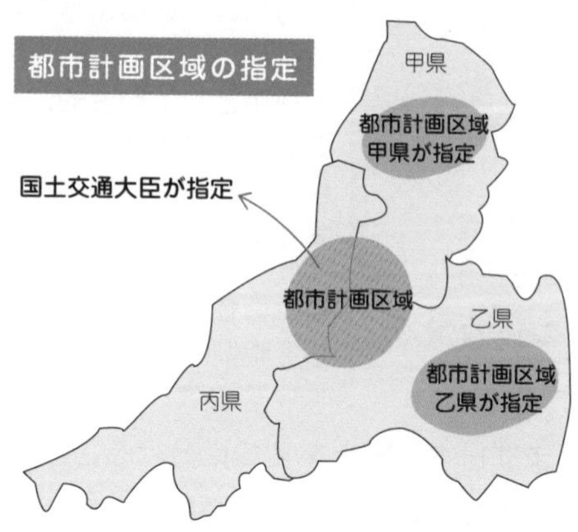

〔2〕準都市計画区域では土地利用の規制のみ（5条の2）

サクッと

指定する者	都道府県
指定の対象	都市計画区域外の区域のうち、相当数の建築物の建築、工作物の建設や敷地の造成が現に行われ、または行われると見込まれる一定の区域で、そのまま放置すれば、将来、都市としての整備・開発・保全に支障が生じるおそれがあると認められる区域

都市計画区域を指定するための要件は満たしていないんだけど、将来、乱開発が行われそうなエリアを対象に、その土地利用をあらかじめ規制しておこうという趣旨です。そんなエリアには準都市計画区域を。

高速道路のインターチェンジ周辺や、幹線道路の沿道などが対象になりそうですね。放っておくと……(笑)。

都市計画区域は、土地利用の規制だけじゃなくて、ニュータウン造成などの都市計画事業を実施して積極的に都市を建設していくわけなんだけど、準都市計画区域に対してはもっぱら規制するのみ。そこがちがいだね。

ここがポイント!!

準都市計画区域は将来的には、都市計画区域に移行することも考えられる。

▶準都市計画区域でも定められる都市計画（地域地区）（8条）

用途地域・特別用途地区・特定用途制限地域・高度地区（最高限度）・景観地区・風致地区・緑地保全地域・伝統的建造物群保存地区

ここがポイント!!

都市計画（地域地区）についてはP.224～にて。

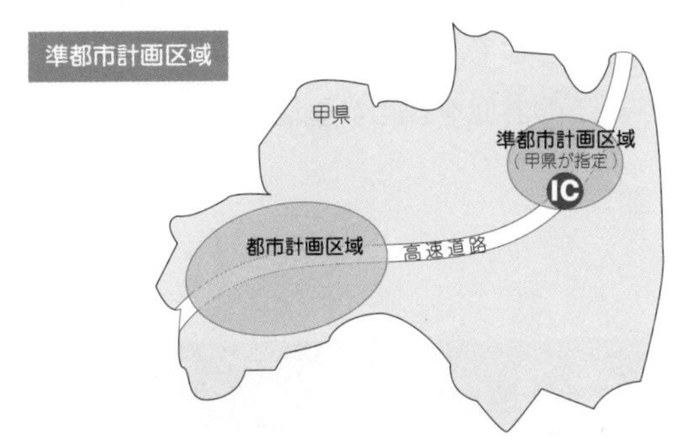

ここがポイント!!

都市計画の決定手続きについてはP.257～にて。

〔3〕都市計画の内容

概要

種類・内容		定める者
①都市計画区域の整備、開発及び保全の方針	都市計画の目標や都市計画の決定方針など（マスタープラン）	都道府県
②区域区分	都市計画区域を市街化区域・市街化調整区域に分ける	都道府県
③用途地域（地域地区）	全13種類ある。住居系、商業系、工業系に分ける	市町村
④その他の地域地区	用途地域に加え、よりきめ細やかな街づくりを誘導していく	市町村（一定規模の風致地区は都道府県）
⑤地区計画	地区の特性を活かした街づくり。その地区独自の小規模な都市計画	市町村
⑥都市施設	道路、公園、下水道、学校など、都市の骨格となる施設の建設	市町村・都道府県
⑦市街地開発事業	新たに市街地を造成するなどの大規模な事業	市町村・都道府県

※2以上の都府県にまたがる都市計画区域については、都道府県ではなく国土交通大臣が決定する。

さて、都市計画の受け皿となるべき都市計画区域・準都市計画区域が指定されますと、いよいよ都市計画の決定。さて、どんな都市にしていくのやら。

都市を建設していくプロセスを、お料理にたとえてみました。そもそもの食事用のテーブルを国土として、そのテーブルのうえに料理を盛りつけるお皿を用意します。このお皿を都市計画区域、料理を都市計画。そんなイメージです。

コラム

合格しようぜ宅建士 お料理教室

① さて、それでは『テーブル』（国土）の上に『お皿』（都市計画区域）を用意しましょう。ではお皿に今日の料理のカレー（都市計画）を盛り付けていきます。あたりまえですけどテーブルのうえに直接カレーを盛りつけないでくださいね。

② では『ルー』（例 市街化区域）はここで、『ライス』（例 市街化調整区域）はとりあえずこのへんにしましょう。このように区域区分しておくと便利です。うっかりするとゴチャゴチャ（例 都市が無秩序に広がっていくスプロール現象）になるので気をつけましょう。

③ 『具』は何にしましょうか。はい、ではここは『野菜カレー』（例 住居系）で、こっちは『ポークカレー』（例 商業系）にしてみましょう。

④ 『チキンカレー』（例 工業系）はどうしましょう。そうですね、あまり野菜カレーのほうには近づけないほうがいいかもしれませんね。

⑤ あ、そうそう、『ポークカレー』のここに“トッピング”で『チーズ』（例 特別用途地区）をかけておきましょう。あとは『ナイフ』（例 都市計画事業）で『筋』（例 道路）を作ってできあがり！

2 Section

>> 都市計画法

市街化区域と市街化調整区域、用途地域など

5

★★★

1 市街化区域と市街化調整区域

概要

都市計画区域を区分して、市街化区域と市街化調整区域に分けることを「区域区分」といいます。市街化区域と市街化調整区域の定義をはじめ、区域区分をしなければならない都市計画区域とはどんなところなのか、などの理解を深めておきましょう。

〔１〕市街化区域と市街化調整区域の定義（7条）

要チェック

市街化区域	①すでに市街地を形成している区域
	②おおむね 10 年以内に優先的かつ計画的に市街化を図るべき区域
市街化調整区域	市街化を抑制すべき区域

わかりやすくいうと、市街化区域はじゃんじゃん市街化していきましょうという区域。一方、市街化調整区域は「市街化を抑制」ということだから、原則として建築物の建築や宅地の造成はできない。そんなふうなイメージでね。

ここがポイント!!

宅地開発や建築工事の抑制については、P.265～にて。安いからといって市街化調整区域の土地を購入するととんでもない目にあう。

まず、都市計画区域を市街化区域と市街化調整区域に分けましょう、という趣旨ですね。

この市街化区域・市街化調整区域制度ができたのは昭和43年。当時は高度経済成長期で、人口がどんどん大都市圏に流入し、たちまち市街地はいっぱいに。

となると、あっという間に、道路や下水道が未整備な町はずれにあっという間に家が建ち並び、気がついたら劣悪な市街地が形成されていく…。

ひとこと

「めんどくさい」は、踏ん張り時らしい。

ちなみに、こういうふうに市街地が膨張していく現象をスプロール化といって、これを防ぎたい。そこで市街化調整区域制度が生み出されたそうです。「そこにはまだ家を建てるな」と。

〔2〕区域区分に関する都市計画（7条）

① 都市計画区域について無秩序な市街化を防止し、計画的な市街化を図るため必要があるときは、都市計画に、市街化区域と市街化調整区域の区分（「区域区分」という）を定めることができる。

② 一定の大都市に係る都市計画区域については、区域区分を定めるものとする。

さて、そんな市街化区域・市街化調整区域なんだけど、すべての都市計画区域で必ず区域区分しろというワケじゃなくて、定めるか定めないかは選択制なんだよね。「定めることができる」という表現に注意してね。

さほど人口流入が見られない都市計画区域だったら、無理に区域区分する必要はないんですね。こういう都市計画区域を区域区分の定めのない都市計画区域といったりしてます。

一方、首都圏・近畿圏・中部圏（3大都市圏）の既成市街地や政令都市などの大都市で指定されている都市計画区域には、市街化区域・市街化調整区域を必ず定めることになっている。

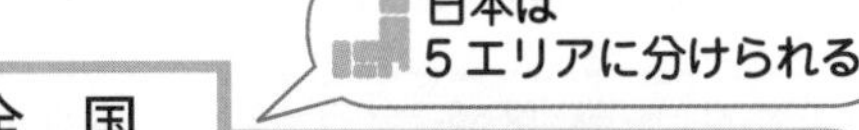

例示

全　国

①市街化区域

②市街化調整区域

都市計画区域

③区域区分の定めのない
都市計画区域

④準都市計画区域

⑤都市計画区域外・準都市計画区域外

★★★

2 用途地域（地域地区）

主に市街化区域を具体的にどう利用していくかという都市計画を「地域地区」といい、「○○地域」とか「○○地区」というのが登場します。そのなかで、基本中の基本となるのが「用途地域」です。建築物の用途や規模（建蔽率や容積率）を規制しています。

〔1〕用途地域はどこに定めるのか（13条）

①市街化区域	少なくとも用途地域を定めるものとする
②市街化調整区域	原則として用途地域を定めないものとする
③区域区分の定めのない都市計画区域	定めることができる
④準都市計画区域	定めることができる
⑤都市計画区域外 準都市計画区域外	定めることはできない

閑静な住宅街に、いきなり大型ディスカウントストアとかキャバクラとかないでしょう。

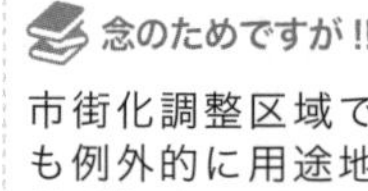

市街化調整区域でも例外的に用途地域が指定されている場合もある。

でも駅前だと、デパートや映画館、ゲームセンターとか平気でありまぁーす。つまりこれって、用途地域のしわざですね。

用途地域は全13種類。大きく分けて住居系8種類、商業系2種類、工業系3種類だよ。我々の土地利用は、用途地域によってコントロールされている。なにを

コントロールしているのかというと、「用途地域」というくらいだから、まず建物の用途。

第一種低層住居専用地域には店舗を建ててはならない、とか。

そうそう。それから建物のサイズ。つまり大きさを規制している。またあとで勉強するけど、その地域ごとにそれぞれ「建蔽率」と「容積率」が定められてるよ。

ここがポイント!!
都市計画法では「用途地域とはなんぞや」を規定しているだけで、実際の具体的制限は「建築基準法」に任せている。

〔2〕用途地域の種類（9条）

詳しく

用途地域		
住居系	①第一種低層住居専用地域	低層住宅に係る良好な住居の環境を保護するため定める地域とする。
	②第二種低層住居専用地域	主として低層住宅に係る良好な住居の環境を保護するため定める地域とする。
	③第一種中高層住居専用地域	中高層住宅に係る良好な住居の環境を保護するため定める地域とする。
	④第二種中高層住居専用地域	主として中高層住宅に係る良好な住居の環境を保護するため定める地域とする。
	⑤第一種住居地域	住居の環境を保護するため定める地域とする。
	⑥第二種住居地域	主として住居の環境を保護するため定める地域とする。
	⑦準住居地域	道路の沿道としての地域の特性にふさわしい業務の利便の増進を図りつつ、これと調和した住居の環境を保護するため定める地域とする。
	⑧田園住居地域	農業の利便の増進を図りつつ、これと調和した低層住宅に係る良好な住居の環境を保護するため定める地域とする。

商業系	⑨近隣商業地域	近隣の住宅地の住民に対する日用品の供給を行うことを主たる内容とする商業その他の業務の利便を増進するため定める地域とする。
	⑩商業地域	主として商業その他の業務の利便を増進するため定める地域とする。
工業系	⑪準工業地域	主として環境の悪化をもたらすおそれのない工業の利便を増進するため定める地域とする。
	⑫工業地域	主として工業の利便を増進するため定める地域とする。
	⑬工業専用地域	工業の利便を増進するため定める地域とする。

▶用途地域の都市計画において定めるもの（8条）

詳しく

①建蔽率	商業地域（80％と決められている）以外の用途地域で都市計画に定める。
②容積率	全用途地域で都市計画に定める。
③建築物の高さ制限	第一種・第二種低層住居専用地域、田園住居地域で都市計画に定める。
④敷地面積の最低限度	必要に応じて、全用途地域で都市計画に定める。
⑤外壁の後退距離	必要に応じて、第一種・第二種低層住居専用地域、田園住居地域で都市計画に定める。

▶田園住居地域内の農地について（52条）

原　則	田園住居地域内の農地の区域内において次の行為をしようとするものは、市町村長の許可を受けなければならない ①土地の形質の変更 ②建築物の建築 ③工作物の建設 ④土石などの物件の堆積
例　外	次のいずれかに該当するときはこの限りではない（許可不要） ①通常の管理行為、軽易な行為 ②非常災害のための必要な応急措置として行う行為 ③都市計画事業の施行として行う行為　など

▶用途地域における建築物の用途制限（主なもの）（建築基準法48条）

*1 1,500m²以下
*2 3,000m²以下
*3 農産物の生産貯蔵用などの建築物 「農産物の生産・集荷・処理・貯蔵用」や「農業生産資材の貯蔵用」の建築物
*4 農産物の店舗・飲食店 地域で生産された農産物の販売を主たる目的とする店舗や農業の利便を増進するために必要な店舗や飲食店など

	第一種低層住居専用地域	第二種低層住居専用地域	田園住居地域	第一種中高層住居専用地域	第二種中高層住居専用地域	第一種住居地域	第二種住居地域	準住居地域	近隣商業地域	商業地域	準工業地域	工業地域	工業専用地域
住宅・共同住宅													×
幼稚園・小中高等学校												×	×
大学・専門学校	×	×	×									×	×
農産物の生産貯蔵用などの建築物 *3	×	×		×									
500m²以内の農産物の店舗・飲食店 *4	×	×	2階以下	×									×
150m²以内の店舗・飲食店	×	2階以下	2階以下										×
500m²以内の店舗・飲食店	×	×	×	2階以下									×
1,500m²以内の店舗・飲食店	×	×	×	×	2階以下								×
事務所	×	×	×	×	2階以下 *1	*2							
パチンコ店	×	×	×	×	×	×							×
ホテル・旅館	×	×	×	×	×							×	×
カラオケボックス・ダンスホール	×	×	×	×	×	×							
映画館	×	×	×	×	×	×	×	200m²未満				×	×
キャバレー、料理店	×	×	×	×	×	×	×	×	×			×	×
個室付浴場業に係る公衆浴場	×	×	×	×	×	×	×	×	×		×	×	×
倉庫	×	×	×	×	×	×	×						
150m²超の倉庫	×	×	×	×	×	×	×	×	×	×			

第一種低層住居専用地域

第一種住居地域

商業地域

工業専用地域

★★★

3 地域地区（その他の地域・地区）(8条、9条)

用途地域のほかに、各種の地域・地区があります。用途地域に加え、これらの地域・地区を定めることで、よりきめ細やかな街づくりを誘導していくことができます。用途地域に重ねて定めるタイプや、用途地域の指定のないところで定めるものなどがあります。

〔1〕特別用途地区

特別用途地区は、用途地域内の一定の地区における当該地区の特性にふさわしい土地利用の増進、環境の保護等の特別な目的の実現を図るため当該用途地域の指定を補完して定める地区とする。

機能的には『用途地域による用途規制を強化したり緩和する』というもので、まぁひらたくいうと、おおざっぱに指定されている用途地域の用途制限をちょこまか補完するというもので、使いようによっては便利な道具である。

《例》**東京都渋谷区の“表参道”の場合**

“表参道”自体は商業地域ではあるものの、そこに「風俗業は建築禁止」系の特別用途地区（名称としては文教地区）が明治神宮まで指定されている。だから渋谷区の道玄坂界隈はラブホテルだのフーゾクだのが多いのに、原宿・表参道にはなかったりする。

東京都渋谷区・表参道

で、ちょっと前までは、「特別用途地区」は11種類と国が限定していたんだけど、改正で“限定を廃止”。「それぞれの自治体でそれぞれの特色を活かしつつ名称その他制限内容を独自に判断して活用してください」ということになった。そんな特別用途地区なんだけど、具体的にはこんなのがあります。

■特別工業地区

例示

工業系用途地域が対象。ま、そりゃそうでしょう。「公害防止（用途制限を強化）」という観点から、とか、住宅と工場が混在してゴチャゴチャしている下町あたりで「そこの地域の地場産業を保護・育成（用途制限を緩和）」という観点から指定されている。なお東京 23 区の場合、特別工業地区の指定がないのは千代田区だけ！　他の 22 区には指定あり！

■文教地区

学校その他の教育文化施設界隈の良好な環境を守ろうという観点から指定されている。主として住居系用途地域が指定の対象となっている。ゆえにバリバリの商業地域である表参道に指定されているのは珍しいパターン。 東京 23 区の場合、千代田区、港区、新宿区など 11 区で指定あり。あの台東区（ほぼ商業地域一色）にも指定がある！　どこだろう？　あ、上野公園や寛永寺周辺ですね。

■甲子園球場地区、深大寺通り沿道観光関連産業保護育成地区

その他、少し変わったものとして兵庫県西宮市の「甲子園球場地区（球場界隈にマージャン店、パチンコ店、フーゾク業などの出店は禁止）」とか、東京都調布市の「深大寺通り沿道観光関連産業保護育成地区（第一種低層住居専用地域なんだけど、そば店や民芸品店などは出店可能）」などがある。

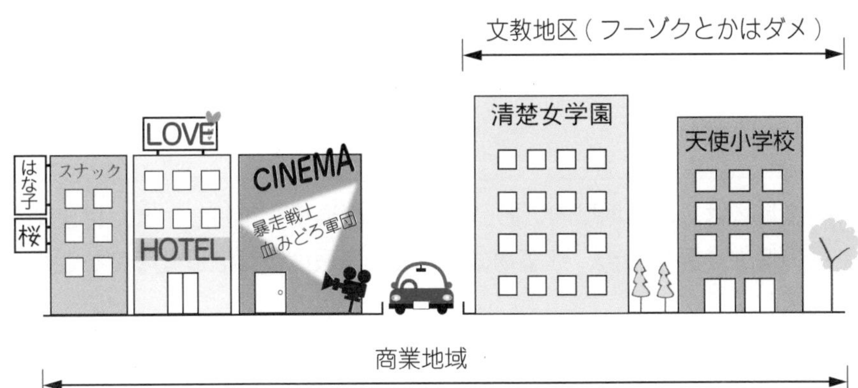

〔2〕高層住居誘導地区

高層住居誘導地区は、住居と住居以外の用途とを適正に配分し、利便性の高い高層住宅の建設を誘導するため、第一種住居地域、第二種住居地域、準住居地域、近隣商業地域または準工業地域でこれらの地域に関する都市計画において容積率が10分の40（400％）または10分の50（500％）と定められたものの内において、建築物の容積率の最高限度、建築物の建蔽率の最高限度及び建築物の敷地面積の最低限度を定める地区とする。

地価高騰などの影響で、かつては人口減に見舞われていた都心に人を呼び戻そう（高層住居の建設を誘導しよう）という趣旨で平成9年に誕生。この地区に指定されるのは、住宅とある程度の商業施設の混在を前提とした第一種住居地域などの用途地域で、もともと400～500％の容積率が指定されている地域。一般的な規制では、たとえ400％の容積率を認められているところでも、斜線制限やら日影規制などの“うっとうしい規制”が適用されるので実質的には容積率は280％程度になる。せっかくの容積率が使い切れない。

東京都港区・芝浦

しかし高層住居誘導地区に指定されると、600％まで容積率が認められるうえ、斜線制限、日影規制の適用を除外される。600％丸ごと使っちゃっていいのだ。いまのところ東京都港区の芝浦などに指定されている。

〔3〕 高度地区

高度地区は、用途地域内において市街地の環境を維持し、または土地利用の増進を図るため、建築物の高さの最高限度または最低限度を定める地区とする。

高度地区と次の高度利用地区は似ているので、よくヒッカケ問題で使われる。沿革からいうと、やっぱり高度地区の方が古い（というか当初からあった）。単に「建築物の高さの最高限度または最低限度」を定める地区とされる。

高度地区

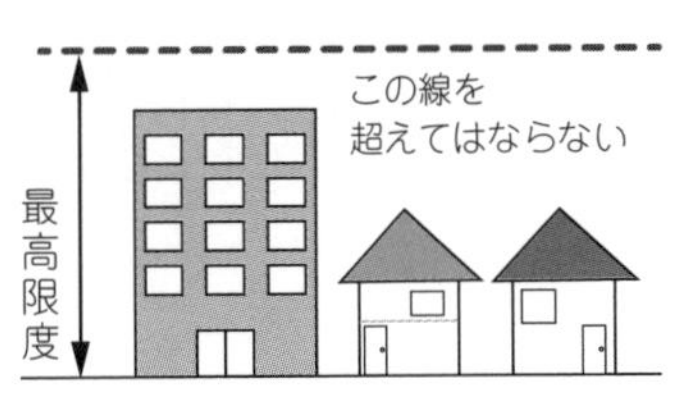

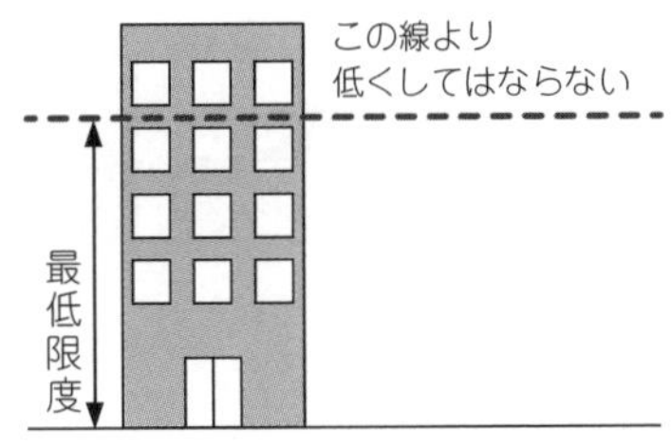

〔4〕 高度利用地区

高度利用地区は、用途地域内の市街地における土地の合理的かつ健全な高度利用と都市機能の更新とを図るため、建築物の容積率の最高限度及び最低限度、建築物の建蔽率の最高限度、建築物の建築面積の最低限度並びに壁面の位置の制限を定める地区とする。

東京都港区・六本木

一方こちらの『高度利用地区』は昭和 44 年生まれ。都心の古い木造密集地を再開発して高層ビルをドカーンと建てようというもの。ゆえに能書きには「土地の合理的かつ健全な高度利用と都市機能の更新」という、もっともらしい文言がある。法的にも、市街地再開発事業（都市再開発法）は「高度利用地区」が指定されているところじゃないと施行できないことになっている。「六本木ヒルズ」や「晴海トリトンスクエア」、あとは「代官山アドレス」は、この高度利用地区＋市街地再開発事業で作った。

〔5〕特定街区

特定街区は、市街地の整備改善を図るため街区の整備または造成が行われる地区について、その街区内における建築物の容積率並びに建築物の高さの最高限度及び壁面の位置の制限を定める街区とする。

東京都新宿区・西新宿

けっこう古くて、昭和36年からある制度。一般的なルールに縛られていたんでは、超高層ビルを建築することはできない。では、チンケなルールを蹴散らしてでも、ランドマークとなるような、巨大な建築物を建てるにはどうしたらいいか。つまり、ある種の特別ルールが必要で、それが『特定街区』。敷地単位でこれを使えば超高層ビルを建築することができるようになる。つまり、ここだけよと“特定”した、特別な“街区”に、特別ルールを適用して巨大建築物を建築しようじゃないか、ということだ。ドッカーンと超高層ビルを建てようというような魂胆だから、特定街区では、一般的な容積率の制限などは適用されず、その代わりに、都市計画において、その特定街区独自の『容積率の最高限度』、『建築物の高さの最高限度』、『壁面の位置』が定められる。特定街区で日本一有名なところといえば、東京の西新宿の超高層ビル街ということになりましょうか。ちなみに、そこには10ヶ所以上の特定街区がある。

例示

1 街区	東京都庁	《高さ 163 m　地上 34 階地下 3 階》
2 街区	新宿ＮＳビル	《高さ 134 m　地上 30 階地下 2 階》
3 街区	ＫＤＤＩビル	《高さ 165 m　地上 32 階地下 3 階》
4 街区	東京都庁	《高さ 243 m　地上 48 階地下 3 階》
5 街区	東京都庁　議会塔	（7階建て）
6 街区	京王プラザホテル	《高さ 170 m　地上 47 階地下 3 階》
7-1 街区	ホテルセンチュリーハイアット	《高さ 114 m　地上 28 階地下 4 階》
7-2 街区	第一生命ビル	《高さ 114 m　地上 26 階地下 4 階》
8 街区	新宿住友ビル	《高さ 200 m　地上 52 階地下 4 階》
9 街区	新宿三井ビル	《高さ 210 m　地上 55 階地下 3 階》
10 街区	新宿センタービル	《高さ 216 m　地上 54 階地下 4 階》
11-1 街区	安田海上火災ビル	《高さ 193 m　地上 43 階地下 6 階》
11-2 街区	新宿野村ビル	《高さ 203 m　地上 50 階地下 5 階》

あとは池袋のサンシャイン 60 とか、横浜のみなとみらいのランドマークタワーとか。都会には、特定街区がけっこうある。

〔6〕景観地区

詳しく

景観地区は、市街地の良好な景観の形成を図るために定める地区とする。

いままでは都市計画法の「地域地区」というカテゴリーのなかに『美観地区』というのがあった。「美観地区」は大正 8 年に旧都市計画法、市街地建築物法などの制定に合わせて「風致地区」と共に創設された制度であり、生い立ちとしては古い部類であった。で、風致地区はその

まま変わらないんだけど、2004 年に「景観法」が制定されたことに伴い「美観地区」制度は廃止。それに変わるものとして「景観地区」制度が導入されている。「景観地区」は東京都の国立市が有名かな。街路樹と街並みの調和を目指す。

東京都国立市・駅前大学通り

〔7〕風致地区

詳しく

風致地区は、都市の風致を維持するため定める地区とする。

「風致地区」は東京都内でもよく見受けられる。右の写真は東京・原宿の明治神宮。ちなみに「風致」とは、新明解国語辞典（第 5 版）から引用しますと「都会人の目を楽しませるものとしての森林、河川など、自然環境の整合の美」だそうです。自然的風景が醸し出す「趣き」とか「味わい」ということかな。

東京都渋谷区・明治神宮

風致地区内での建築等の制限

ポイント

「風致地区」内における建築物の建築、宅地の造成、木竹の伐採その他の行為については、政令で定める基準に従い、地方公共団体の条例で、都市の風致を維持するため必要な規制（例：都道府県知事の許可を受けなければならない）をすることができる。

〔8〕防火地域・準防火地域

詳しく

防火地域または準防火地域は、市街地における火災の危険を防除するため定める地域とする。

読んで字のごとく「燃えない建物を建てろ」という意図で指定される。たとえば、東京23区内で400％以上の容積率が指定されている区域には防火地域が重ねて指定されている。商業系は防火地域だったりする。住宅地についても「準防火地域になっているかな」という前提で考えておくべきか。もちろん、第一種・第二種低層住居専用地域などでは指定されていない地域もある。

防火地域や準防火地域内にある建築物は、建築物の規模に応じて一定の防火上の技術的基準に適合するものとしなければならない。

防火地域・準防火地域

駅
防火地域
準防火地域

〔9〕特例容積率適用地区

特例容積率適用地区は、第一種中高層住居専用地域、第二種中高層住居専用地域、第一種住居地域、第二種住居地域、準住居地域、近隣商業地域、商業地域、準工業地域または工業地域内の適正な配置及び規模の公共施設を備えた土地の区域において、建築物の容積率の限度からみて未利用となっている建築物の容積の活用を促進して土地の高度利用を図るため定める地区とする。

「特例容積率適用地区」とは歴史的建造物などの未利用容積（余った床面積）を周辺のビルに振り分けて活用する制度だ。たとえばここ、東京都千代田区丸の内一帯の約117ヘクタールが2002年、赤レンガで有名なＪＲ東京駅舎を創建当時（大正３年）の姿に復元するために指定されている。かんたんにいうと、駅舎とか遊歩道や公園などで使い切れていない容積率（床面積）を周りのビル用地に移転（売却）して、そこをさらに高層ビル化しようという趣旨。

この東京駅復元プロジェクトの総工費は500億円ほど。ＪＲ東日本は、これを容積率売却でまかなうことにした。駅舎なんてたかだか3階建てだから、未利用容積率（床面積）はかなりある。適用第1号は東京中央郵便局の隣にそびえたつ「東京ビル（三菱地所）」。まず床面積に換算して2万1,600㎡を売却。1㎡あたり60万円前後だったらしいから売却益は130億円くらいか。2007年に開業した「新丸の内ビル」もＪＲ東日本から床面積を購入している。こちらは約3万7,000㎡だから、222億円程度。

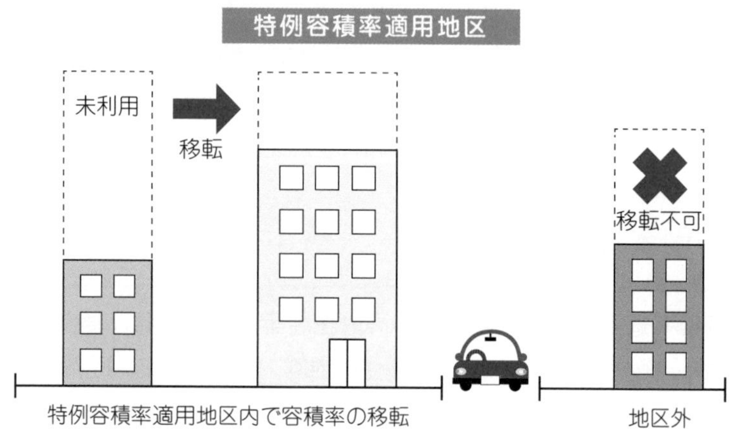

〔10〕特定用途制限地域

特定用途制限地域は、用途地域が定められていない土地の区域（市街化調整区域を除く。）内において、その良好な環境の形成または保持のため当該地域の特性に応じて合理的な土地利用が行われるよう、制限すべき特定の建築物等の用途の概要を定める地域とする。

平成12年の準都市計画区域制度とともに誕生。どこに指定するかというと、「用途地域が定められていないエリア」で「市街化調整区域を除く」ということなので、「区域区分の定めのない都市計画区域」か「準都市計画区域」で用途地域が定められていないエリアが対象。用途地域を指定するほどではないんだけど、とりあえずここでのフーゾク業はやめてね、とか。特定用途制限地域内での具体的な用途制限は地方公共団体の条例によって定められる。

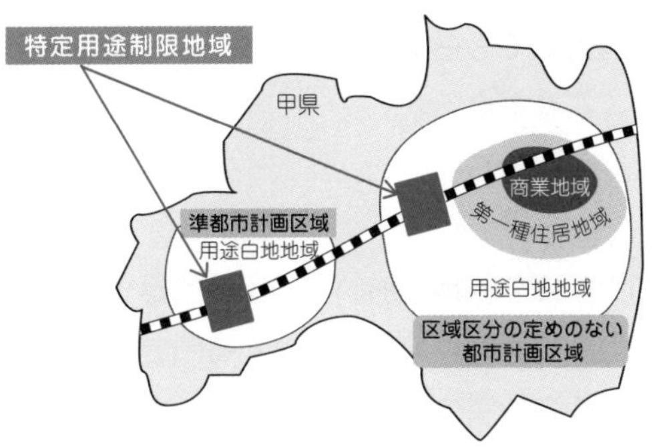

≪特定の用途制限の例≫

- 3,000㎡を超える店舗はダメ
- ホテル、旅館、劇場、映画館はダメ
- フーゾクはダメ

≪用途白地地域≫

➡用途地域を指定していない地域

〔11〕その他

詳しく

①	都市再生特別地区、居住調整地域、居住環境向上用途誘導地区、特定用途誘導地区	都市再生特別措置法
②	特定防災街区整備地区	密集市街地整備法
③	駐車場整備地区	駐車場法
④	臨港地区	都市計画法
⑤	歴史的風土特別保存地区	古都における歴史的風土の保存に関する特別措置法
⑥	第一種歴史的風土保存地区 第二種歴史的風土保存地区	明日香村における歴史的風土の保存及び生活環境の整備等に関する特別措置法
⑦	緑地保全地域、特別緑地保全地区、緑化地域	都市緑地法
⑧	流通業務地区	流通業務市街地の整備に関する法律
⑨	生産緑地地区	生産緑地法
⑩	伝統的建造物群保存地区	文化財保護法
⑪	航空機騒音障害防止地区 航空機騒音障害防止特別地区	特定空港周辺航空機騒音対策特別措置法

「その他」には、こんなのもあります。これらの「○○地区」ごとに「あれやっちゃダメこれやっちゃダメ」という規制があって、もしやるんだったら「届け出ろ」とか「許可を受けろ」とされています。

ちなみに、このうち、準都市計画区域でも指定できるのは、⑦の緑地保全地域と、⑩の伝統的建造物群保存地区。ご参考まで。

■緑地保全地域

里山など、都市近郊の比較的大規模な緑地において、比較的緩やかな行為の規制により、一定の土地利用との調和を図りながら保全する制度。緑地保全地域に指定されると、建築物や工作物の建築のほか、宅地造成、木竹の伐採、水面の埋立、土石や廃棄物の堆積を行う場合、事前の届出が必要となる。

■伝統的建造物群保存地区　～文化庁のホームページより引用～

昭和 50 年の文化財保護法の改正によって伝統的建造物群保存地区の制度が発足し、城下町、宿場町、門前町など全国各地に残る歴史的な集落・町並みの保存が図られるようになりました。重要伝統的建造物群保存地区については、市町村が、条例で保存地区の現状を変更する行為の規制などの措置を定め保護を図っており、文化庁や都道府県教育委員会は、市町村に対し保存に関し指導助言を行うほか、管理、修理、修景（伝統的建造物以外の建造物を周囲の歴史的風致に調和させること）などに対して補助を行っています。

まとめ **地域地区（まとめ）**

◆建築物の用途を規制していく系

特別用途地区	用途地域に重ねて指定。用途地域の用途制限を補完。制限を強化・緩和ができる。 ＊名称・制限内容は各自治体で決めてよい 例：文教地区（風俗店禁止)、特別工業地区（公害防止：用途強化、地場産業育成：用途規制緩和）など
特定用途制限地域	用途地域が定められていない区域（市街化調整区域を除く）で指定。特定の用途（例：風俗営業）のみ建築を禁じる。 ＊区域区分の定めのない都市計画区域・準都市計画区域が対象

◆建築物の規模(大きさ)を緩和していく系:どの用途地域に指定できるか？

まとめ

	高層住居誘導地区	特例容積率適用地区	高度利用地区	特定街区
一低	×	×	○	○
二低	×	×	○	○
田園	×	×	○	○
一中	×	○	○	○
二中	×	○	○	○
一住	○（容積 400・500）	○	○	○
二住	○（容積 400・500）	○	○	○
準住	○（容積 400・500）	○	○	○
近隣	○（容積 400・500）	○	○	○
商業	×	○	○	○
準工	○（容積 400・500）	○	○	○
工業	×	○	○	○
工専	×	×	○	○

まとめ

高層住居誘導地区	住居と住居以外を適正に配分し、高層住宅の建設を誘導。住居系と準工業地域を対象としている。
特例容積率適用地区	特例容積率適用地区内で、未利用の容積率（余った床面積）を周囲のビルに振り分けて活用できる制度。土地の高度利用。
高度利用地区	都市機能の更新をし、土地の高度利用を図る制度。 例：木造密集地を再開発し、高層ビルを建てる
特定街区	街区単位（四隅が道路で囲まれている島状の敷地）で特別ルールを設け、高層ビルを建てていく制度。

◆**似ていて間違いやすい系**

まとめ

高度地区	単に高さの最高限度・最低限度を定める。
高度利用地区	都市機能の更新をし、土地の高度利用を図る制度。 ＊そのため、建築物の容積率の最高限度・最低限度、建蔽率の最高限度、建築面積の最低限度、壁面の位置を独自に定める

ひとこと

日ごろクヨクヨしがちな人は、口ぐせを変えて元気な言葉で、元気を出そう。

Part
2

法令上の制限 -2

最初に出てくる「地区計画」は、地区を単位とした街づくり。次は道路などの都市施設。積極的に都市を建設していくために都市施設を計画する。その計画されているエリアには、はたしてどんな建築制限があるのか。また、「市街地開発事業」とは土地区画整理事業や市街地再開発事業など、市街地を生み出すための大規模な公共工事というイメージで。

1 Section

>> 都市計画法
地区計画できめ細やかな街づくり

地区を単位にステキな街づくり。
ほらそこは、特別な地区になるよ。

★★★

1 地区計画とは

概要

いままでに登場してきた○○地域や○○地区とは別に、地区計画という制度があります。ある一定の特色をもった地区を対象に、その地区ならではの独自の都市計画を立てることができるというものです。都道府県がおおざっぱに定めた都市計画を、地区単位（市町村）できめ細かくデザインしていく、そんなイメージです。

〔1〕地区計画の定義など（12条の5）

分析すると

定　義	地区計画とは、建築物の建築形態、公共施設その他の施設の配置等から見て、一体としてそれぞれの区域の特性にふさわしい態様を備えた良好な環境の各街区を整備し、開発し、保全するための計画をいう。
対　象	用途地域が定められている土地の区域。
	用途地域が定められていない土地の区域でも、良好な居住環境が形成されている区域や、無秩序な建築行為や敷地造成により不良な街区が形成されるおそれがある区域など。
決定権者	地区計画は市町村が定める。

都道府県が定めた全般的な都市計画を受けて、地元自治体である市町村が一定の地区を対象に、住民のみなさんと育む都市計画。それが地区計画。おだやかな感じです。

「一体としてそれぞれの区域の特性にふさわしい」という言葉に象徴されていますね。

でね、そのむかしは「用途地域を補う」というコンセプトだったんだけど、昨今の改正で用途地域の指定のないエリア（区域区分の定めのない都市計画区域や市街化調整区域）にも定めることができるようになってね。なので、めんどう（笑）。

でも、積極的に街づくり（地区の整備）をしていかない準都市計画区域や都市計画区域外には地区計画を定めることはできませーん。

プラスα

地区計画には、一般的な「地区計画」のほか、防災街区整備地区計画、歴史的風致維持向上地区計画、沿道地区計画、集落地区計画の５種があり、まとめて「地区計画等」と呼んだりする。

重 要！

市街化調整区域に地区計画を定める場合、市街化を促進することのない等、支障がないように定めることとされている。

〔2〕地区計画に関する都市計画で定めるもの（12条の5）

① 地区計画の名称・位置・区域
　＊区域の「面積」は定めるよう努める
② 地区施設（居住者等の利用に供される道路や公園など）
③ 地区整備計画（建築物等の整備並びに土地の利用に関する計画）
④ 当該地区計画の目標・当該区域の整備、開発及び保全に関する方針
　＊上記を定めるよう努める

どんな地区計画なのか、名称や方針を読めばなんとなくわかるけど、具体的な計画はこちら。その名もズバリ、地区整備計画。

この地区整備計画に、具体的な制限の内容が書いてあるんですねー。

▶**地区整備計画で定めるもの（主なもの）**

分析すると

①建築物の用途制限（規制強化も可能）
②容積率の最高限度
③容積率の最低限度（これ以上デカイのにしてね）
④建蔽率の最高限度
⑤敷地面積の最低限度（これ以上デカイのにしてね）
⑥建築面積の最低限度（これ以上デカイのにしてね）
⑦壁面の位置(道路から○ｍバックして壁面をつくろう)
⑧建築物の高さの最高限度
⑨建築物の高さの最低限度（これ以上デカイのにしてね）
⑩建築物の形態、意匠（模様や色彩）の制限
⑪緑化率の最低限度、垣・柵の構造制限　など

ここがポイント!!

「これ以上デカいのにしてね」系は、市街化調整区域での地区計画（地区整備計画）では指定できない。

プラスα

地区整備計画には、良好な居住環境確保のため、「現に存する良好な樹林地や草地等の保全」や「現に存する農地での土地の形質の変更などの行為の制限」に関する事項を定めることもできる。

地区計画

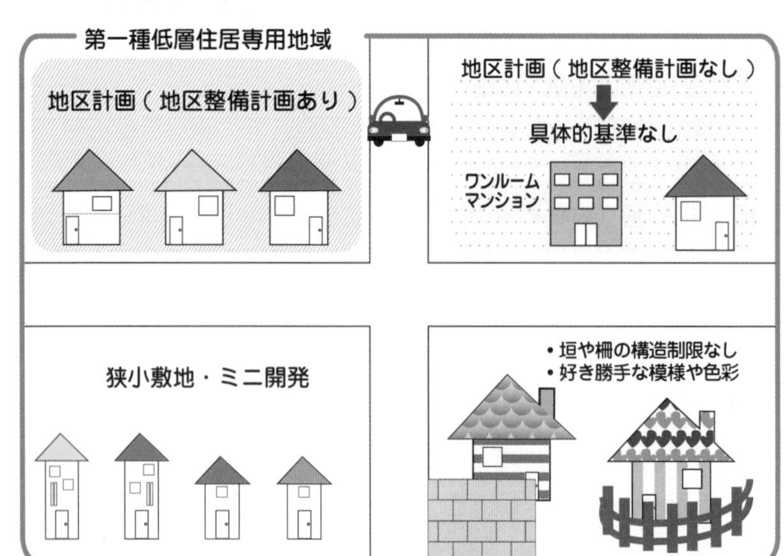

〔3〕地区計画の区域内での建築制限（58条の2）

地区計画の区域（再開発等促進区・開発整備促進区または地区整備計画が定められている区域に限る）内において、以下の行為を行おうとする者は、行為に着手する30日前までに、市町村長に届け出なければならない。

① 土地の区画形質の変更
② 建築物の建築
③ 工作物の建設

「再開発等促進区」とは地区計画の手法で再開発（合理的かつ健全な高度利用・都市機能の更新）をしようという制度。地区計画の区域内に「再開発等促進区」を定めて事業を実施する。

ポイントは、市町村長への届出。この「法令上の制限編」だと、たいていは「都道府県知事の許可」だから、とても珍しい。許可制度ではないことにご注意ください。

「開発整備促進区」とは劇場や店舗などの大規模な建築物の整備による商業などの利便の増進を図るためのもので、「第二種住居地域、準住居地域、工業地域」と「用途地域が定められていない土地の区域（市街化調整区域を除く）」における地区計画について定めることができる。

市町村主体の地区計画だから、市町村長への届出。それに、地区計画はその地区のみなさんと育むもの。なので、届出という穏やかな制度になっているんでしょうね。

以下、市町村長の勧告とか、そもそも届出が不要となる場合など、まとめておきました。

勧告	市町村長は、届出内容が地区計画に適合しないと認めるときは、設計の変更などを勧告することができる。
届出不要	以下の行為であれば、届出は不要となる。 ①通常の管理行為、軽易な行為 ②非常災害のため必要な応急措置として行う行為 ③国や地方公共団体が行う行為、都市計画事業の施行として行う行為 ④開発許可を要する行為　など

開発許可については、P.262～にて。

「命令」などとは異なり「勧告」には強制力はない。

▶ 地区計画の具体例

■田園調布の場合［現状保全型］

《地区計画の目標》

大正時代後期からの住宅と庭園の街づくりを基に、低層戸建住宅を中心とした緑豊かな住環境を形成している地区であり、引き続き緑化の推進及び建築物等に関する制限を行うことにより、良好な住環境の維持、保全を図ることを目標とする。

《地区整備計画》

●用途制限

第一種低層住居専用地域での用途制限に加え、共同住宅（床面積が37㎡以上のものを除く）、寄宿舎または下宿、公衆浴場、診療所（住宅を兼ねるものを除く）を建築してはならない。

●建築物の敷地面積の最低限度

165㎡（50坪以上ないと建築できない）。

●壁面の位置の制限

建築物の外壁またはこれに代わる柱の外面は、道路境界線から2m、その他は1.5mバックさせる。

●建築物等の意匠の制限

建築物の外壁またはこれに代わる柱及び屋根の色は、地区の環境に調和した落ち着いたものとする。

●垣・柵の構造の制限

生垣または透視可能な柵とし、かつ、道路に面する部分には植栽を施すものとする。

■南千住の場合［再開発型］

《地区計画の目標》

大規模未利用地の土地利用の転換を図り、魅力ある商業、業務施設の導入と、ゆとりある生活空間を実現する良好な都市型住宅の供給を行うとともに、道路、公園等の都市基盤施設の整備を行い、土地の合理的かつ健全な高度利用と都市機能の更新とを図る。

★マニアックな人は、この「地区計画の目標」をおもしろがる。同じ地区計画といっても、ここみたいな“再開発バリバリ系”と、田園調布あたりの昔ながらの“閑静な住環境を絶対保護”とでは、ぜんぜん違うテイストとなる。

《地区整備計画》

●用途制限

共同住宅や店舗（フーゾク店を除く）、郵便局や派出所、保育園や図書館などの建築のみ認める。

まるで第一種低層住居専用地域なみの厳しい規制。本来は「用途制限ユルユル何でもありあり」の「準工業地域」なのにね！

●容積率の最高限度：「400%」

容積率が400%でも、敷地本来の面積が広く、建築面積（いわゆる「建坪（たてつぼ）」のこと）を抑えれば、高層タワー型住宅を何本か建てられる。容積率400%をなめちゃいけない。ちなみに、ここには3つのタワーが建っている。すべて賃貸で、そして「大家さん」はバラバラ。

① リバーハープタワー南千住1号棟（9階建て）・2号棟（38階建て）
　➔都市再生機構（旧・都市基盤整備公団）の物件

② トミンタワー南千住四丁目（33階建て）
　➔東京都住宅供給公社

③ 都営南千住四丁目アパート（33階建て）
　➔東京都住宅局

●建築物の形態・意匠

建築物の3階以上の外壁は周辺環境に配慮し落ち着きある色調とする。3階以上は、ピンクや黄色なんかダメ！

2 Section

>> 都市計画法

道路を造ろう、市街地を計画的に開発しよう

★★★

1 都市施設に関する都市計画（都市計画施設）

概要

都市施設とは、道路・公園・下水道・学校・病院などの公共施設・公益施設で、都市の骨格となる施設をいい、都市計画区域については、都市計画に、これらの都市施設を定めることができます。都市計画で定められたこれらの都市施設を「都市計画施設」と表現します。

▶**都市施設の種類**（11条）

スッキリ条文

① 道路や都市高速鉄道などの交通施設や、公園などの公共空地
② 水道、電気、ガスの供給施設、下水道やごみ焼却場などの処理施設
③ 学校などの教育文化施設、病院や保育所などの医療施設・社会福祉施設
④ 市場、と畜場、火葬場
⑤ 河川や運河などの水路
⑥ 一団地の官公庁施設、一団地の住宅施設　など

都市には都市施設が必要でしょ。「住居地域」だ「商業地域」だ、ここは「地区計画」だと、いわば土地の利用を制限しているだけでは、都市の整備は進まないからね。

都市計画事業として都市施設を建設していく。

都市の骨格となる施設、だいじですよね。災害で道路が寸断されると物資を運搬できず、たちまち困窮したりしますもんね。飲み水の問題とか、トイレとか。

だから、戦争がはじまると真っ先に爆撃される施設ともいえます（汗）。以下、都市施設を都市計画に定める場合での注意点。

（11条、13条）

① 「市街化区域」と「区域区分の定めのない都市計画区域」には、少なくとも道路・公園・下水道を定める。
② 住居系の用途地域（8種）には、義務教育施設も定める。
③ 特に必要があるときは、都市計画区域外にも定めることができる。

都市計画は都市計画区域内に定めるのが原則なんだけど、都市施設についての都市計画は例外的に、都市計画区域外にも定めることができます。

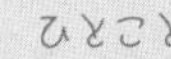

市街化調整区域にも都市施設に関する都市計画を定めることができる。

都市間をむすぶ道路とかですね。都市計画区域外を通さなきゃいけないこともあるでしょうし。

ひとこと

なりたい自分があるのなら、すでに「なったつもり」で行動してみよう。

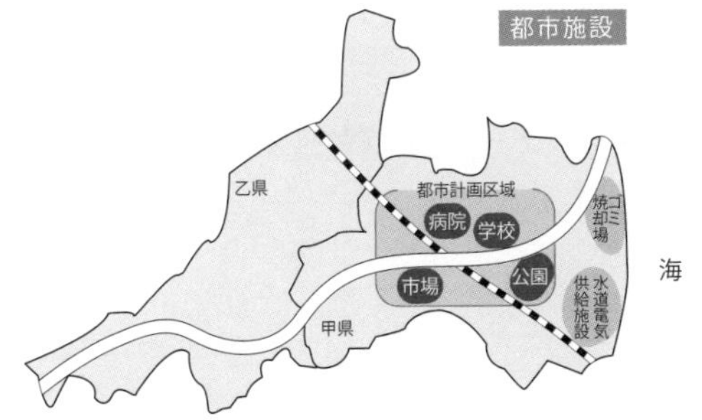

★★★

2 市街地開発事業に関する都市計画

市街地開発事業は、地方公共団体や土地区画整理組合などが行う、道路や公園、下水道などの都市施設の建設をも含めた良好な市街地の形成を行う事業をいいます。都市計画区域については、都市計画に、「市街地再開発事業」や、「土地区画整理事業」「新都市基盤整備事業」などの事業を定めることができます。

▶市街地開発事業の種類など（12条）

種類	市街地開発事業には、土地区画整理事業、新住宅市街地開発事業、工業団地造成事業、市街地再開発事業、新都市基盤整備事業、住宅街区整備事業、防災街区整備事業の７種類がある。
対象	市街地開発事業は、市街化区域と区域区分の定めのない都市計画区域内で定めることができる。

さきほどの「都市計画施設」は、都市施設を単品で建設していこうというプランなんだけど、こちら市街地開発事業は総合的で計画的、かつ、大規模なもので、公的なニュータウン造成事業とでもいいましょうか。

いったん市街地ができちゃうと、もう一度、区画を整理するとか基盤を作り直すとかはとってもむずかしいですしね。先手を打って土地区画整理事業とかしちゃおうということかしら。

念のためですが!!

市街地開発事業の具体的な７種類は、覚えなくてもよい。

そう。だから最初から計画的にニュータウンを開発していこうとか、再開発事業を実施して市街地を改造更新していこうというわけだね。

そんな市街地開発事業だからこそ、積極的に市街化を図らない「市街化調整区域」や「準都市計画区域」、「都市計画区域外」には定めることができません。

市街地開発事業

ニュータウン開発
都市施設もあわせて整備する

▶まとめ

	都市計画施設	市街地開発事業
市街化区域	○	○
市街化調整区域	○	×
区域区分の定めがない都市計画区域	○	○
準都市計画区域	○	×
都市計画区域外	○	×

★★★

3 都市計画制限

道路や公園などの都市施設が計画されている区域を「都市計画施設の区域」といい、また、市街地開発事業が計画されている区域を「市街地開発事業の施行区域」といいます。これらの区域で勝手に建築物を建築されたりすると、都市施設の建設や市街地開発事業がスムーズには進みません。そこで、これらの区域内での建築行為などにつき制限を加えることとしています。計画段階での制限と、事業決定後での制限の２種があります。

〔1〕都市計画施設等の区域内での建築制限（53条）

分析すると

許可	「都市計画施設の区域」または「市街地開発事業の施行区域」内において建築物を建築しようとする者は、都道府県知事等の許可を受けなければならない。
必ず許可	上記の許可の申請があった場合、「木造などで２階建て以下（地階なし）で、かつ、容易に移転・除却できる建築物」だったら許可しなければならない。
許可不要	次の３つは、そもそも許可不要となる。 ①軽易な行為 ②非常災害のため必要な応急措置として行う行為 ③都市計画事業の施行として行う行為

重要！

「都市計画施設の区域」と「市街地開発事業の施行区域」をあわせて「都市計画施設等の区域」と表現する。

プラスα

都道府県知事等とは、都道府県知事のほか、市の区域にあっては、その市長をいう。

「都市計画施設の区域」や「市街地開発事業の施行区域」といっても、いずれも都市計画として決定されただけで、実際に事業決定されるまで、とんでもなく長い時間がかかるんだよね。

ここがポイント!!

都市計画施設または市街地開発事業に関する都市計画に適合している建築物の建築についても許可される。

終戦直後の 1946 年に都市計画決定、なんていう道路計画を見たことがあります。いまだに事業決定しないのかしら…。

試験で「都市計画施設の区域」や「市街地開発事業の施行区域」と出てきたら、計画段階での話だなという理解で。遠い将来にもしかしたら事業決定されるかもしれないけど、いまは計画段階。

でも、建築制限はあるんですよね。とはいえ、木造２階建てを建てます、なんていう場合は許可が出ちゃうんですねー。

事業決定まで長いから、それまで住んでてね、みたいな（笑）。もし事業決定があったら、すぐに取り壊せる建物。そんなイメージだね。

プラスα

容易に移転、除却できるものとして、木造のほか、鉄骨造りやコンクリートブロック造りであってもよい。

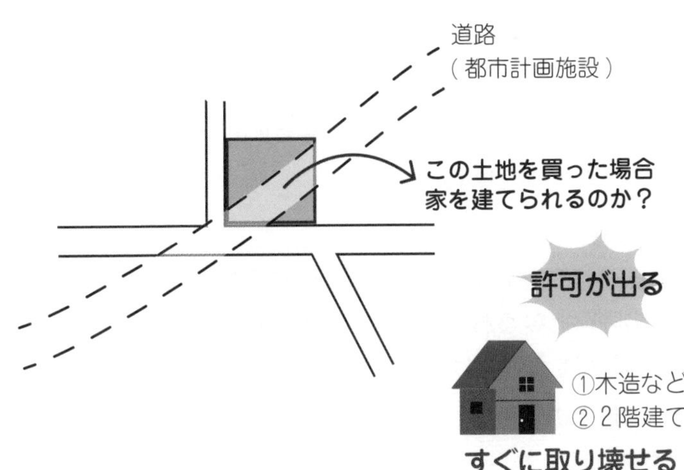

〔2〕事業決定の段階での制限（4条、59条）

都市計画事業とは、都道府県知事などの認可等を受けて行われる「都市計画施設の整備に関する事業」と「市街地開発事業」をいう。

さていよいよ事業決定。いままでの都市計画施設等の区域内での建築制限の時代は終わりを告げ、いよいよ都市計画事業がはじまるのであった。で、都市計画事業の施行者になるのは、市町村とか都道府県。国の機関が行う場合もあるよ。

▶都市計画事業の施行者

市町村	都道府県知事（一定の場合は国土交通大臣）の認可を受けて施行する
都道府県	市町村が施行することが困難であるなどの場合、国土交通大臣の認可を受けて施行する
国の機関	国土交通大臣の承認を受けて、国の利害に重大な関係を有する都市計画事業を施行する

都市計画事業の認可・承認があると、施行者の名称や事業の施行期間などが告示されるんですよね。告示があるといよいよスタート。

事業の認可等の告示があった後は、事業地内ということになるよ。じゃ、事業地内での制限を見てみよう。

（65条）

都市計画の認可等の告示があった後は、当該事業地内において、都市計画事業の施行の障害となるおそれがある次の行為をしようとする者は、都道府県知事等の許可を受けなければならない。

① 土地の形質の変更
② 建築物の建築
③ 工作物の建設
④ 重量5トン超の（移動の容易でない）物件の設置・堆積

さすがに事業地内ともなると、計画段階の場合とは異なり「木造２階建てだったら許可が出る」みたいな基準は用意されていない。それから「非常災害の場合の応急措置」だろうがなんだろうが、許可不要の例外もない。

事業地内になると非常災害の応急措置でも許可が必要。

とにかくなんでも許可がいる、と覚えておくのがいいかもしれませんねー。あと、計画段階の許可対象は「建築物の建築」だけでしたけど、事業段階となると土地の形質の変更なども許可の対象となってまーす。

	計画段階	事業決定段階
	都市計画施設の区域 市街地開発事業の施行区域	事業地内
①土地の形質の変更	—	許可
②建築物の建築	許可	許可
③工作物の建設	—	許可
④5トン超の物件設置	—	許可
必ず許可	木造２階建てなど	—
許可不要の例外	非常災害など	—

〔3〕都市計画事業を進めやすくする手段 (66条、67条、68条)

先買い	①都市計画事業の認可等の告示があったときは、施行者は一定事項を公告しなければならない。
	②公告があった日の翌日から起算して10日を経過した後に、事業地内の土地建物等を有償で譲り渡そうとする者は、予定対価の額や譲渡の相手方などを書面で施行者に届け出なければならない。
	③届出後30日以内に施行者が届出をした者に、その土地建物等を買い取ると通知したときは、施行者との間で売買が成立したものとみなす。

事業地内の土地や建物をわけのわからんヤツに売られると面倒なので、施行者が買い取るぜ、という制度です。

用地の確保も進みますねー。次に土地収用法との関係です。

（69条）

土地収用	①都市計画事業については、土地収用法の規定を適用する。
	②都市計画事業の認可等の告示をもって、土地収用法の規定による事業の認定の告示とみなす。

泣く子も黙る土地収用法。都市計画事業を進めていくために、土地収用法を使えます。強制的に立ち退かせることも可能となるよ。

ちなみに!!
土地収用法により収用するとなるとたいていはモメる。

都市計画事業の認可等の告示があれば、土地収用法を使えるということですね。

「都市計画事業の告示がありました」というようなことが書いてある看板。

実際の事業地の様子。まもなく、ここは道路になる。

3 Section

>> 都市計画法

都市計画が決まるまで

★★★

1 都市計画の決定手続き

基本的には市町村が主役になります。都市計画の決定にあたっては、市町村が中心となるべきであり、市町村の区域を超える広域的・根幹的な都市計画についてのみ、都道府県（2以上の都府県にわたる都市計画区域にあっては国土交通大臣）が決定することとしています。

〔1〕都市計画を定める者（15条）

	市町村	都道府県
都市計画区域の整備、開発・保全の方針		○
市街化区域・市街化調整区域（区域区分）		○
用途地域（地域地区）	○	
その他の地域地区	○	一定の風致地区※
地区計画	○	
都市施設	○	広域的な都市施設
市街地開発事業	○	大規模な市街地開発事業

※ 10ha 以上で、2以上の市町村の区域にわたる風致地区は都道府県が決定する。

〔2〕都市計画の案の作成・縦覧・決定など（15条の2、17条、19条、20条）

市町村が定める都市計画	都道府県が定める都市計画
市町村が案を作成	都道府県が案を作成
↓	↓
都市計画の案を公告。公告後２週間、公衆の縦覧に供する	
↓	↓
市町村都市計画審議会の議を経る。（設置されていない場合は、都道府県都市計画審議会の議）	関係市町村の意見を聴き、かつ、都道府県都市計画審議会の議を経る。
↓	↓
都道府県知事に協議しなければならない。	国の利害に重大な関係がある都市計画については、あらかじめ、国土交通大臣に協議し、その同意を得なければならない。
↓	↓
都市計画決定。告示があった日から効力が生じる	

都市計画の案を作成するにあたり、必要があれば公聴会などを開催して住民の意見を反映させる措置を講じたりしなければならないよ。

都市計画案の縦覧期間（２週間）内だったら、住民などの利害関係人は意見書を提出することもできるんですよね。

市町村が定める都市計画と都道府県が定める都市計画なんだけど、やっぱり整合性もだいじだろうし。次に、ポイントをまとめておきます。

（15条）

スッキリ条文

① 市町村が定める都市計画は、議会の議決を経て定められた当該市町村の建設に関する基本構想に即し、かつ、都道府県が定めた都市計画に適合したものでなければならない。

② 市町村が定めた都市計画が、都道府県が定めた都市計画と抵触するときは、その限りにおいて、都道府県が定めた都市計画が優先するものとする。

〔3〕市町村の都市計画に関する基本的な方針（18条の2）

① 市町村は、議会の議決を経て定められた「市町村の建設に関する基本構想」及び「都市計画区域の整備、開発及び保全の方針」に即し、市町村の都市計画に関する基本方針を定めなければならない。

② 市町村が定める都市計画は、基本方針に即したものでなければならない。

この「市町村の都市計画に関する基本的な方針」を市町村マスタープランということもあるよ。都市計画は基本方針に即して定めましょうということ。

都市計画自体は、市町村が「えいっ」と定めちゃっていいわけですよね。議会の議決を経て定めた「基本構想」などに即した「基本方針」を定め、その「基本方針」に即していれば、都市計画の決定にあたり、ここでまた議会の議決などは必要なし。

プラスα

お住まいの市町村のマスタープランを調べてみよう。理解が進みます。

気持ちが広がってくると、楽しめることが多くなってくるよ。

〔4〕都市計画の決定等の提案（21条の2）

① 都市計画区域または準都市計画区域内のうち、0.5ha 以上の一団の土地の区域について、その土地の所有者や借地権者は、一人で、または数人共同して、都市計画の決定・変更の提案をすることができる。
② 街づくりの推進を図る活動を行うことを目的として設立された特定非営利活動法人（NPO）や、一般社団法人、一般財団法人その他営利を目的としない法人、独立行政法人都市再生機構、地方住宅供給公社なども、都市計画の決定・変更の提案をすることができる。

都市計画自体の決定自体は市町村や都道府県が行うんだけど、昨今の改正で、土地の所有者らが都市計画の決定などの提案ができるようになったよ。ついでに、都市緑地法の規定により指定された都市緑化支援機構も、都道府県又は市町村に対し、都市における緑地の保全及び緑化の推進を図るために必要な都市計画の決定又は変更をすることを提案することができるよ。

なお、提案にあたり、その区域内の土地所有者らの３分の２以上の同意が必要とされてます。全員じゃありませーん。

念のためですが!!

土地の所有者や借地権者だけでなく、NPO 法人なども提案できる。

ひとこと

たまには豪華なランチにいこう。気分を変えるとヤル気も出てくる。

Part 2

法令上の制限 -3

建築物や特定工作物の敷地とするための土地の区画形質の変更を「開発行為」といいます。まず、どんな行為が開発行為になるのか、そこからスタート。開発行為をするには開発許可が必要となるものの、開発許可が不要となる「例外」があり、試験ではよくそこが出題されます。市街化区域と市街化調整区域での取り扱いの違いなども出題されています。

1 Section

都市計画法

ニッポン全国、開発許可制度！

★★★

1 開発行為と開発許可

開発行為とは、建築物や特定工作物の敷地とするために土地の区画形質を変更（宅地化）する工事をいい、市街化区域でも市街化調整区域でも開発行為を行うには開発許可が必要です。ただし、市街化区域では開発行為をどんどんさせようという方向性であるのに対し、市街化を抑制すべき市街化調整区域ではいかにして「許可をしないか」となっています。

〔1〕開発行為とは（4条）

①建築物の建築	主として、①や②の用に供する目的で行う土地の区画形質の変更をいう
②特定工作物の建設	

まずは、どんな工事が開発行為になるかなんだけど、「建築物を建築するための土地の区画形質の変更」と「特定工作物を建設するための土地の区画形質の変更」だよ。

重要！

どういう工作物が特定工作物になるのかをしっかり理解していこう。

特定工作物は２種類ですね。第二種特定工作物のほうが、なじみがあるかしら。

▶**特定工作物とは**

第一種 特定工作物	周辺の環境悪化をもたらすおそれがある工作物
	コンクリートプラント、アスファルトプラント、クラッシャープラントなど
第二種 特定工作物	大規模な工作物
	①ゴルフコース（面積要件なし） ②１ヘクタール（10,000㎡）以上の規模となる野球場、庭球場、陸上競技場、遊園地、動物園、その他の運動・レジャー施設である工作物、墓園

プラントとは、工場施設・生産設備一式をいう。

▶土地の区画形質の変更とは

区画の変更	土地の区画を物理的に変更	例：道路の付け替えや新設による区画変更
形質の変更	形状の変更	例：切土や盛土で斜面を宅地化（整地）する
	性質の変更	例：宅地ではない農地や山林を宅地化（整地）する

「土地の区画形質変更」となる工事。

ここで注意しておいてほしいんだけど、土地の区画形質の変更であっても「建築物の建築」や「特定工作物の建設」を目的としていないんだったら開発行為にはならないよ。

たとえば庭球場や野球場などで5,000㎡と広大な面積が出てきてもあわてないこと。
10,000㎡以上でなければ特定工作物にはならない。

開発行為にならないんだったら、開発許可なんて受ける必要もないですよね。

▶開発行為にならない例

- 建築物の建築を行わない青空駐車場の用に供する目的で行う土地の区画形質の変更
- 庭球場の建設の用に供する目的で行う5,000㎡の土地の区画形質の変更

〔2〕開発許可（29条）

開発行為をしようとする者は、あらかじめ、都道府県知事（指定都市・中核市ではそれぞれの市長）の許可を受けなければならない。

計画的に市街化を図るために、また、安全で住みよい街づくりにするために、開発行為（土地の区画形質の変更）の段階で工事の技術的基準などをチェックしていこう、という趣旨。

プラスα

国や都道府県等が行う開発行為については、国の機関や都道府県などと都道府県知事（一定の市長）と協議が成立することをもって、開発許可があったものとみなす。

都市計画区域の内外を問わず、開発行為をするには開発許可が必要となるんですよね。

そうなんだよね。でもね、試験で出てくるのは、特に市街化区域と市街化調整区域での考え方のちがい。例外的に開発許可が不要となるケースもよく出題されてます。

▶**基本的な考え方**

市街化区域と市街化調整区域に分け、段階的かつ計画的に市街化を図る	
市街化区域	開発行為に対して安全性などの一定の水準を保つ
市街化調整区域	一定のものを除き開発行為を行わせない

面積要件で開発許可が不要となる場合

①市街化区域	規模が 1,000㎡未満の開発行為
②市街化調整区域	面積要件なし。 規模により許可不要となるケースはない。
③区域区分の定めのない都市計画区域	規模が 3,000㎡未満の開発行為
④準都市計画区域	
⑤都市計画区域外 準都市計画区域外	規模が 10,000㎡未満の開発行為

市街化区域では 1,000㎡未満の開発行為については許可不要。市街化調整区域では面積が小さければ開発許可は不要となる制度なし。

市街化調整区域では、開発行為を行わせたくないため「面積要件で許可不要」などない。

開発行為をさせたくないですもんね。面積が小さくても開発許可の対象としているんですね。

規制強化（許可不要面積の引き下げ）

＊市街化区域については、都道府県の規則で開発許可が不要となる面積を 300㎡以上 1,000㎡未満の範囲で、別に規模を定めることができる。なお、東京 23 区などの三大都市圏の一定の区域にあっては「500㎡未満」としている。

＊区域区分の定めのない都市計画区域についても、都道府県の規則で開発許可が不要となる面積を 300㎡以上 3,000㎡未満の範囲で、別に規模を定めることができる。

農林漁業系だと開発許可が不要となる場合

①市街化区域	農林漁業系だろうがなんだろうが、開発許可の対象
②市街化調整区域	以下の開発行為については開発許可を受ける必要はない。 ・農林漁業を営む者の居住の用に供する建築物を建築するための開発行為 ・農林漁業用の以下の建築物を建築するための開発行為 a 農産物・林産物・水産物の生産または集荷用の建築物 b 農林漁業の生産資材の貯蔵または保管用の建築物
③区域区分の定めのない都市計画区域	
④準都市計画区域	
⑤都市計画区域外 準都市計画区域外	

市街化区域にあっては、農林漁業系だろうがなんだろうが、その人の職業で開発許可が不要となるケースはないよ。

市街化区域では農林漁業系であっても面積により開発許可の対象となる。

市街化調整区域から下は、その面積にかかわらず、農家などの自宅や、農林漁業用の建築物を建築するための開発行為については許可不要となるんですねー。

市街化調整区域は農民天国と覚えておこう（笑）。

開発許可が不要となる農林漁業用の建築物（主なもの）

a 農産物・林産物・水産物の生産または集荷用の建築物
　⇒　畜舎、温室、搾乳施設など
b 農林漁業の生産資材の貯蔵または保管用の建築物
　⇒　サイロ、堆肥舎、農機具収納施設など

注：農林漁業用の建築物でも「開発許可が不要となる農林漁業用の建築物」以外のものや、市街化調整区域内において生産される農産物・林産物・水産物の処理・貯蔵・加工に必要な建築物を建築するための開発行為については開発許可が必要となる。

公益上の必要性などで開発許可が不要となる場合

①	駅舎その他の鉄道の施設、図書館、公民館、変電所などの建築物の建築の用に供する目的で行う開発行為
②	都市計画事業・土地区画整理事業・市街地再開発事業・住宅街区整備事業・防災街区整備事業の施行として行う開発行為
③	公有水面埋立法の免許を受けた埋立地であって、まだ竣工認可の告示がないものにおいて行う開発行為
④	非常災害のための応急措置で行う開発行為
⑤	仮設建築物や車庫・物置などの付属建築物を建築するための開発行為（通常の管理行為・軽易な行為）

いずれも規模にかかわらず、どこで行うかを問わず開発許可は不要となる。

注意点として「学校」とか「医療施設・福祉施設」とかかしら。学校や医療施設などを建築するための開発行為は、許可不要となってないんですね。

そうそう。開発許可が必要となるよ。

ここがポイント!!

「公民館」と「非常災害のための応急措置」はよく出題されている。いずれも開発許可は不要である。

ひとこと

時間こそ、最も重要な資源。そして、最も乏しい資源。時間が欲しい!!

●開発許可の要・不要まとめ

開発行為

主として「建築物の建築」または「特定工作物の建設」の用に供する目的で行う土地の区画形質の変更

→ 該当する → **例外として開発許可が不要となる場合**

→ 該当しない → **開発許可不要**

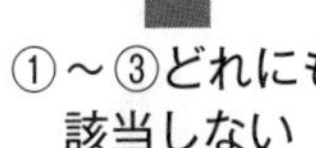

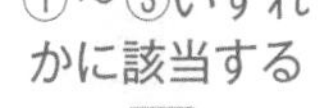

例外として開発許可が不要となる場合

①面積が小さい場合（面積要件）

②一定エリア内における農林漁業系開発

③エリア共通例外　（どこにでも許可不要）

→ ①～③どれにも該当しない → **開発許可必要**

→ ①～③いずれかに該当する → **開発許可不要**

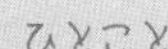

ひとこと

「忙しい」はいわないほうがいいみたいです。心を亡くすということで。

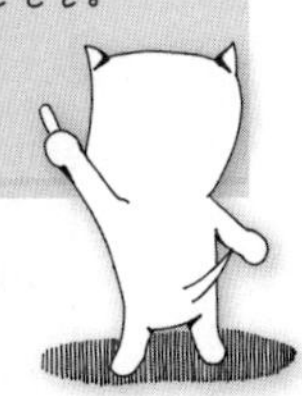

★★★

2 開発許可の手続き

開発許可を申請するにあたり、事前に公共施設の管理者との協議や同意を得ておくことが必要となったり、技術的基準・立地的基準という開発許可をするにあたっての基準などがあります。また、工事を廃止したときの届出など、開発許可をめぐる各種の手続きを学習していきます。

〔1〕開発許可の手続き（全体の流れ）

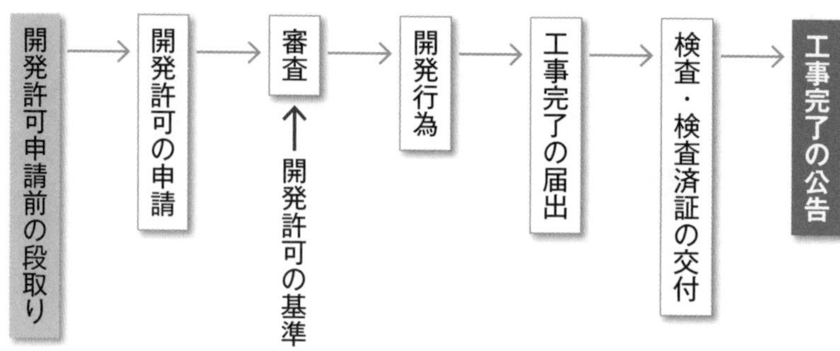

〔2〕許可申請前の段取り（32条、33条）

開発許可を申請しようとする者は、あらかじめ、以下のことをしておかなければならない。	
公共施設の管理者	開発行為に関係がある公共施設（変更を加える既存の公共施設）の管理者と協議をし、その同意を得なければならない。
	開発行為により設置される公共施設（新設の公共施設）を管理することとなる者と協議をしなければならない。
相当数の同意	開発行為をしようとする区域内の土地や建物の権利者の相当数（３分の２）の同意を得ていること。

開発行為で、たとえば既存の道路や公園などに変更を加えることになる場合もあろう。なので、その道路や公園の管理者が市町村であれば、市町村（例：道路課、公園課）と協議をし、同意を得ておく。

開発行為に関係がある公共施設の管理者との「協議」と「同意」が必要。どちらかではない。

公共施設を新設する場合も「誰がどう管理していくの」的な話をつめておかなきゃいけませんもんね。なので管理予定者と協議が必要であると。

あと、開発許可の申請者が開発区域内の土地を所有者じゃなくても許可は出るよ。関係権利者の相当数の同意が必要だけどね。本来であれば、ぜんぶ自己所有地か、全員の同意があるのが望ましいんだろうけど、とりあえず「相当数の同意」でオッケー。

〔3〕開発許可の申請（30条）

開発許可を受けようとする者は、以下の事項を記載した開発許可申請書を提出しなければならない。

①開発区域
②開発区域で予定される建築物または特定工作物（予定建築物等）の用途
③開発行為に関する設計
④工事施行者
⑤工事着手予定年月日・工事完了予定年月日　など

この開発許可申請書には、公共施設の管理者の同意書面・協議書面、関係権利者の相当数の同意を得たことを証明する書面を添付することになってます。

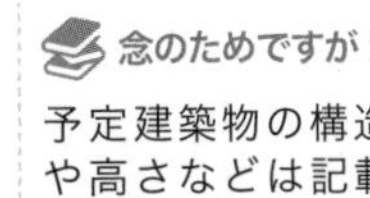

予定建築物の構造や高さなどは記載事項ではない。用途のみと覚えておこう。

関係各方面とちゃんと話し合いましたよ、文句は来ませんよ、だいじょうぶですよ。そんな意味合いの添付書面ですね。

〔4〕開発許可の基準（33条、34条）

技術的基準	都道府県知事（一定の市長）は、開発許可の申請があった場合、技術的基準に適合しており、かつ、申請手続きが法令に違反していないと認めるときは、開発許可をしなければならない。
立地的基準	市街化調整区域での開発行為については、技術的基準に該当するほか、立地的基準のいずれかに該当する場合でなければ、開発許可をしてはならない。

開発許可の基準は２つあって、どんな区域であってもこれをクリアしていなければいけませんよという技術的基準っていうのと、市街化調整区域で適用される立地的基準というのがあるよ。

プラスα

市街化調整区域であっても、野球場などの第二種特定工作物を建設する目的の開発行為については、技術的基準のみ適用。立地的基準は問わない。

市街化調整区域は「市街化を抑制すべき区域」だから、いかにして開発許可をしないようにするか。そんなこともあって、立地的基準っていうハードルが用意されているわけなんですよね。

技術的基準の例

開発行為の目的を問わず適用される技術基準の例

①予定建築物の用途が用途地域や地区計画などに適合していること
②排水施設が適切に設計されていること
③地盤の軟弱な土地などであるときは、地盤の改良などの設計がされていること
④開発行為をしようとする区域内の土地や建物の権利者の相当数の同意（３分の２）を得ていること

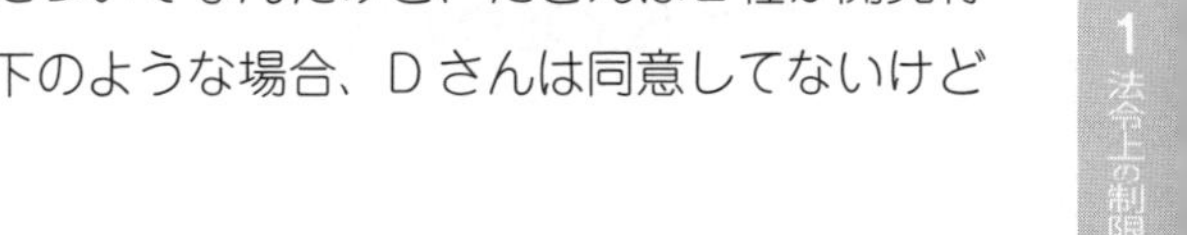

関係権利者の相当数の同意についてなんだけど、たとえばZ社が開発行為をしようとする区域が以下のような場合、Dさんは同意してないけど開発許可が出ます。

見切り発車的に、開発許可って出ちゃうんですよね。

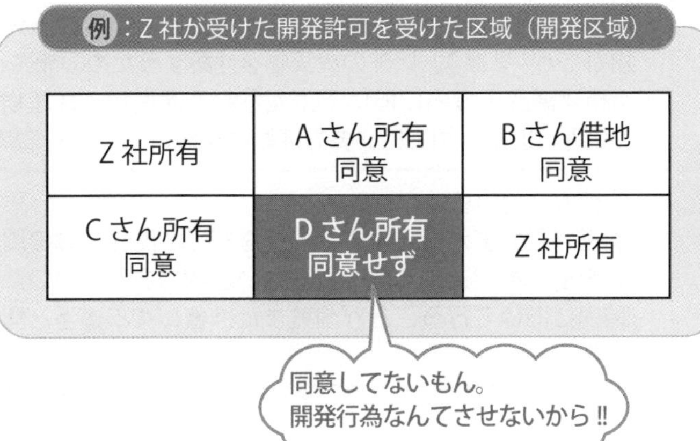

技術的基準の例

自己居住用の住宅の建築を目的とする開発行為では適用されない技術基準の例

①道路、公園、広場などが適当に配置されていること
②水道などの給水施設が適当に配置されるよう設計されていること
③申請者に開発行為を行う資力・信用があること

技術的基準には、どんな開発行為でも適用する基準と、自宅の建築のための開発行為だったら適用しない基準っていうのがあります。

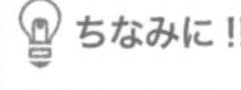

「自己居住用の住宅」だったら適用されない技術的基準はけっこう多い。

自宅なのに、水道の供給施設だなんて、ちょっと大げさですもんね。

立地的基準の例

①	周辺の地域において居住している者の日常生活のため必要な物品を販売、加工、修理をするための店舗（事業所）を建築するための開発行為
②	鉱物資源や観光資源などの有効な利用上必要な建築物を建築するための開発行為
③	・市街化調整区域内で「開発許可が不要となる農林漁業用の建築物（P.267 参照）」以外の建築物を建築するための開発行為 ・市街化調整区域内において生産される農産物・林産物・水産物の処理・貯蔵・加工に必要な建築物を建築するための開発行為
④	その他の立地的基準 ・都道府県知事が開発審査会の議を経て、開発区域の周辺における市街化を促進するおそれがないと認められ、かつ、市街化区域内において行うことが困難または著しく不適当と認める開発行為

市街化調整区域での開発行為ともなると、基本的には不許可にしたい。だって市街化調整区域なんだもんね。だから、「なぜそこの市街化調整区域で開発行為をしなければならないのか」という理由、いわば言い訳が必要。

「市街化調整区域は市街化を抑制すべき区域である」という原点にもどってとらえておこう。

例外的に開発許可が出るかも、そんな感覚ですよね。

開発許可の基準のまとめ

<table>
<tr><th colspan="2">区域（開発行為の目的）</th><th>技術的基準</th><th>立地的基準</th></tr>
<tr><td colspan="2">市街化区域</td><td rowspan="4">適用</td><td rowspan="4">×</td></tr>
<tr><td colspan="2">区域区分の定めのない都市計画区域内</td></tr>
<tr><td colspan="2">準都市計画区域</td></tr>
<tr><td colspan="2">都市計画区域及び準都市計画区域以外</td></tr>
<tr><td rowspan="3">市街化調整区域</td><td>建築物の建築のため</td><td>適用</td><td>適用</td></tr>
<tr><td>第一種特定工作物の建設のため</td><td>適用</td><td>適用</td></tr>
<tr><td>第二種特定工作物の建設のため</td><td>適用</td><td>×</td></tr>
</table>

〔5〕開発許可後のあれこれ

▶許可・不許可（35条）

都道府県知事（一定の市長）は、開発許可の申請があったときは、遅滞なく、許可・不許可の処分をしなければならない。

※許可・不許可は文書で通知される。

プラスα

許可・不許可についての審査請求は開発審査会に対してする。

▶開発許可をする場合に定める制限（41条）

用途地域が定められていない土地の区域で開発許可をする場合、都道府県知事（一定の市長）は、必要に応じて以下の制限を定めることができる。

①建蔽率
②建築物の高さ
③壁面の位置
④その他建築物の敷地、構造、設備に関する制限

原　則	建築物は、これらの制限に違反して建築してはならない。
例　外	都道府県知事（一定の市長）が環境の保全上支障がないと認め、または公益上やむを得ないと認めて許可したときは制限を超えて建築できる。

「用途地域が定められていない」っていうくらいだから、区域区分の定めのない都市計画区域などが対象となるかな。あまり市街化を想定していないところだね。

市街化区域だったら用途地域が定められていますしね。用途地域が指定されていれば建蔽率なども定められているから、わざわざこんな制限を定めなくてもいいんですよね。

まぁそんなわけで、開発許可を出す段階で「建蔽率は30%にせよ」とか「壁面の位置は接道している道路から10m後退させよ」というような制限を課すことができるのでありました。

▶開発登録簿（46条、47条）

都道府県知事（一定の市長）は、開発登録簿を調整し、保管しなければならず、開発許可をしたときは、以下の事項を登録しなければならない。

①開発許可の年月日
②予定建築物等（用途地域内の建築物は除く）の用途
③公共施設の種類・位置・区域
④建蔽率などの指定による制限（用途地域の定められていない土地の区域での開発許可をする場合）
⑤開発許可に基づく地位を承継した者の氏名・住所

※開発登録簿は閲覧できる。写しの交付（コピー）も請求できる。

▶変更の許可・届出（35条の2）

開発許可を受けてから、開発許可を受けた事項を変更しようとする場合には、変更の許可を受けなければならない。ただし以下の「軽微な変更」の場合は許可不要。

変更の届出	「工事施行者」「工事着手予定年月日・工事完了予定年月日」の変更（軽微な変更）をしたときは、遅滞なく、都道府県知事に届け出なければならない。

開発許可を受けた内容を変更するということだから、許可を取り直さなきゃいけないのが原則。変更の許可といいます。

「開発区域を変更する」などの場合は変更の許可を受けなければならない。

でも工事完了予定年月日が後ろにズレるなんていうことはよくあるお話で、それでもいちいち許可を取り直すというのもどうかと。なのでそんな場合は届出でオッケーということなんですね。

開発許可不要となるものに変更する場合は、変更の許可は不要。

▶開発行為の廃止（38条）

> 開発許可を受けた者は、開発行為に関する工事を廃止したときは、遅滞なく、都道府県知事（一定の市長）に届け出なければならない。

開発行為を途中で取りやめることは、じつはたいへん危険です。土砂崩れのおそれ大。

廃止の届出を受けた知事が「事後処理をきちんとしてください」と言う場合もあるみたいですね。

▶開発許可に基づく地位の承継（44条、45条）

一般承継	開発許可を受けた者の相続人やその他の一般承継人（合併後に存続する会社など）は、被承継人が有していた許可に基づく地位を承継する。
特定承継	開発許可を受けた者から、開発区域内の土地の所有権その他開発行為に関する工事を施行する権原を取得した者は、都道府県知事（一定の市長）の承認を受けて、開発許可に基づく地位を承継することができる。

工事が完了するまでの道のりは長い。かなりの時間がかかるから、途中で開発許可を受けた者が死亡したり、開発許可を受けた会社が吸収合併されたりすることもあろう。

開発許可を承継したものが開発行為を廃止する場合は、開発行為の廃止の届出をしなければならない。

相続人や吸収合併した存続会社は開発許可を承継できるということだから、あらためて開発許可を受けなくてもいいんですよね。

そうそう。相続や合併のときはそのまま承継だけど、開発区域内の土地をすべて買い取ったというような場合は、知事の承認が必要になるよ。

〔6〕工事完了の公告と建築制限

工事完了の届出	開発許可を受けた者は、開発行為に関する工事を完了したときは、都道府県知事（一定の市長）に届け出なければならない。
工事完了の公告	都道府県知事（一定の市長）は、工事内容が開発許可の内容に適合していると認めたときは、検査済証を交付し、工事が完了した旨を公告しなければならない。

▶工事完了の公告前の建築制限（37条）

原　則	工事完了の公告があるまでの間は、建築物を建築し、または特定工作物の建設をしてはならない。
例　外	工事完了の公告前でも、以下の場合は建築できる。 ①開発行為に関する工事用の仮設建築物など ②都道府県知事（一定の市長）が支障がないと認めたとき ③開発区域内の土地所有者などで、その開発行為に同意していない者が、その権利の行使として（自己の土地に）建築物を建築し、または特定工作物を建設するとき

開発許可を受けて工事がはじまり、完了したら届出。そして公告。工事完了の公告があるまでは建築物を建築しないでねと、まぁそりゃそうだなというお話です。

開発行為に関する工事用の仮設建築物は、知事の承認がなくても建築できる。

開発行為に同意していない人は、そもそも開発許可の流れなんか関係ないし、自分の土地だし、ということで建築できちゃうと。

▶工事完了公告後の建築制限（42条）

原　則	工事完了の公告があった後は、予定建築物等以外の建築物の新築または特定工作物の新設や、建築物を改築しまたは用途変更をして、予定建築物以外の建築物としてはならない。
例　外	次のいずれかに該当するときはこの限りではない。 ①都道府県知事（一定の市長）が支障がないと認めて許可したとき ②用途地域が定められているとき

※国または都道府県等が行う建築等については、国または都道府県等と都道府県知事等の協議が成立することをもって、許可があったものとみなす。

工事完了の公告があってから、やっとその敷地で建築可能。でも建てられるのは予定建築物。そりゃそうなんだけど例外もありまして、まず知事の許可があればこの限りではないと。

工事完了の公告があるまでの間であっても、土地の売却は可能。

あと、用途地域が指定されている場合も話は別で、予定建築物以外の建築物を、知事の許可を受けずに建築できるんですよね。

そうなんだよね。また建築基準法でもやるけど、たとえば「第二種住居地域」での開発行為だったとすると、第二種住居地域で建ててよいとされる建築物（用途制限に適合する建築物）であれば、そっちに変更できちゃうよ。

▶工事完了公告後の公共施設の管理（39条）

①開発行為により設置された公共施設は、工事完了の公告の日の翌日において、その公共施設の存する市町村の管理に属する。
②開発行為により設置された公共施設の敷地も、工事完了の公告の日の翌日において、その公共施設を管理する者に帰属する。

他の法律に基づき管理者が別にあるとき、または事前の協議により管理者について別段の定めをしたときは、それらの者が管理する。

道路や公園など開発行為で作った公共施設は、6月30日に工事の完了公告があったとすると、7月1日からそこの市町村の管理ということになります。

作った道路が県道に指定された（道路法による）なんていう場合だと、県の管理になるんですよね。

★★★

3 市街化調整区域内における建築制限

概要

市街化調整区域は市街化を抑制すべき区域であることから、なるべく開発行為をさせないようなしくみになっていました。しかしそれだけでは足りず、開発行為を伴わない平坦な土地での建築行為も抑制させる必要もあります。そのため市街化調整区域では、開発行為を伴わない単なる建築行為であっても、許可がなければできないようになっています。

分析すると

（43条）

原則	市街化調整区域のうち、開発許可を受けた開発区域以外の区域においては、都道府県知事（一定の市長）の許可を受けなければ、建築物の新築・改築・用途変更、第一種特定工作物の新設をしてはならない。
例外	以下の建築物の新築・改築・用途変更、第一種特定工作物の新設については、許可不要となる。 ①農林漁業用の一定の建築物、農林漁業を営む者の居住用建築物 ②駅舎等の鉄道施設、図書館・公民館・博物館、変電所など ③都市計画事業の施行として行う建築物の建築行為や第一種特定工作物の新設 ④非常災害のための必要な応急措置としての建築行為 ⑤仮設建築物の新築 ⑥通常の管理行為、軽易な行為

ちなみに !!

第二種特定工作物は、許可不要で新設できる。

プラスα

国や都道府県等が行う建築等については、国の機関や都道府県等と都道府県知事（一定の市長）の協議が成立することをもって、建築許可があったものとみなす。

「市街化調整区域のうち、開発許可を受けた開発区域以外の区域」という長ったらしいフレーズなんだけど、「市街化調整区域の平坦な土地」のことをいってるよ。

念のためですが!!
市街化区域にあっては、「開発許可を受けた開発区域以外の区域」での「建築許可」というような規定はない。

市街化調整区域の平坦な土地

開発行為をする必要がない土地のことですよね。市街化抑制のため許可がないと建築できないんですね。

この許可のことを建築許可といったりすることもあるよ。で、建築許可が不要となるケースは、開発許可が不要となるケースとほぼおなじです。

市街化調整区域は農民天国っていうやつですね(笑)。

ひとこと
江戸時代、「忙しそうだね」と言われるのが最大の恥辱だったそうな。

Part
2

法令上の制限 -4

今回から建築基準法。試験対策上とくに大事なのが都市計画区域内の建築物に適用される集団規定。建築物の敷地と道路との関係（接道義務）、そして敷地での建築物の規模を規制している建蔽率や容積率など。また、用途地域に応じた建築物の用途制限も。都市計画図を役所で入手して、地図を片手に街歩き。それがいちばんの勉強になります。

Section 1

>> 建築基準法

建築基準法の目的・制度趣旨

建築基準法は、君を
死なせない。君の生命と財産を、
ボクが守る。

★★★

1 建築基準法のしくみ

概要

建築基準法は、個々の建築物の技術的な基準（単体規定といいます）を定めているほか、主に都市計画区域内で適用される良好な都市環境を作るための規定（集団規定といいます）を用意しています。ここではまず、建築基準法のしくみや目的を取り上げてみます。

〔1〕建築基準法の目的（1条）

スッキリ条文

この法律は、建築物の敷地、構造、設備及び用途に関する最低の基準を定めて、国民の生命、健康及び財産の保護を図り、もって公共の福祉の増進に資することを目的とする。

さて今回から建築基準法です。「最低の基準」というフレーズが目につくかな。人が死なないための、財産を失わないための最低の基準。

建築主は、建築物を好きなように建築したいんでしょうけど。でも、建築基準法などの規定に従っての建築をお願いしまーす。

そんな建築基準法。全体のしくみはこんな感じです。

制度規定	建築に関する手続きなどを定めたもの。たとえば建築確認の申請などで、全国どこででも適用。
単体規定	個々の建築物の構造基準（最低の基準）を定めたもの。全国どこの建築物にも適用。
集団規定	原則として都市計画区域内と準都市計画区域内において適用。 例　道路などの制限、用途地域での制限、建蔽率、容積率、斜線制限、日影規制、防火・準防火地域での制限。

単体規定は建築物の安全面・衛生面に関する規定だから、北海道から沖縄まで、都市計画区域の内外を問わず、全国一律に適用されます。っていうか、これを守って設計・建築してもらわないと国民の生命や財産を守れません。

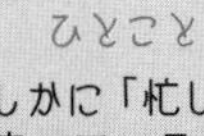

建築確認の段取りについては、P.334～を参照。

集団規定は、都市計画区域などを対象に、都市を建設していくという観点からの規定でーす。

これら単体規定や集団規定を守ってもらわないと困るので、「建築確認」という制度があるんだよね。建築確認を受けてからじゃないと、建築工事はできないよ。

ひとこと
たしかに「忙しい」と言っている人に限って、その場のことを後回しだ。

〔2〕建築基準法の適用除外（3条）

① 文化財保護法によって、重要文化財などとして指定・仮指定された建築物や、それらを再現する建築物で特定行政庁が認めたもの。
② 既存不適格建築物。

「特定行政庁」とは、建築主事（建築確認を行う地方公務員）を置く市町村ではその市町村の長をいい、建築主事を置かない市町村の区域については都道府県知事をいう。

既存不適格建築物とは、現時点で建っている建築物なんだけど、いまの建築法規には適合しないもの。

当時はオッケーだったんだけど、その後に法律改正などがあって、いまや不適格になってしまいました。なんかかわいそうな気も。

建て直しや増改築の際には現行の法規が適用されるので、場合によってはいままでのサイズでは建てられなかったりするよ。中古の物件を買うときは要注意!!

〔3〕単体規定（主なもの）

敷　地	● 建築物の敷地は、道の境より高くなければならない。 ● 湿潤な土地やごみを埋め立てた土地については、盛土や地盤改良などの衛生上・安全上の措置をとらなければならない。 ● 雨水や汚水を排出するための下水管などを設けなければならない。

建築物の構造など	● 建築物は自重や積雪や風圧、地震などの振動に対して安全なものでなければならない。 ● 屋上や2階以上の階にあるバルコニーには、高さ1.1m以上の手すり壁や柵・金網を設けなければならない。 ● 高さ20mを超える建築物には、避雷設備を設けなければならない。 ● 高さ31mを超える建築物には、非常用昇降機を設けなければならない。 ● アスベストの使用は禁止。ホルムアルデヒド、クロルピリホスの使用についても一定の制限がある。
居　　室	● 住宅などの居室には、原則として採光のための窓などの開口部（住宅にあっては床面積に対して7分の1以上）がなければならない。 ● 居室には、原則として換気のための窓などの開口部（床面積に対して20分の1以上）がなければならない。 ● 住宅などの居室を地階に設ける場合には、防湿の措置など衛生上の一定の基準（例：から堀りを設ける）に適合するものとしなければならない。 ● 居室の天井の高さは2.1m以上（平均）としなければならない。

単体規定としての数はめちゃ多い（笑）。なので、とりあえず、これだけでも。

ホルムアルデヒドは接着剤などに含まれている化学物質。クロルピリホスはシロアリ駆除の殺虫剤。いずれもシックハウス症候群の原因物質でーす。

重 要！

居室とは家族が日常いる部屋。居間など。トイレ、洗面室、浴室、納戸などは居室とはならない。

2 Section

>> 建築基準法

道路と敷地の関係、用途制限

★★★

1 やっぱり勝手には建てられません(集団規定)

概要

都市計画区域内や準都市計画区域内の建築物の建築については、良好な都市環境を作るための観点からの規定（集団規定）が適用されます。「建築物が集団として建っている」という都市の特徴をふまえたもので、都市計画法で定められた都市計画にしたがう形で、具体的かつ集団的な建築規制が行われます。

都市計画区域内などで適用される集団規定なんだけど、こんなのがあります。

サクッと

①道路と敷地の関係、②用途制限、③建蔽率、④容積率、⑤低層住居専用地域内での制限、⑥斜線制限や日影規制、⑦敷地面積の最低限度、⑧防火地域・準防火地域での制限、⑨その他

プラスα

都市計画区域や準都市計画区域以外でも、知事が指定する区域では、集団規定の一部を適用する（条例で定める）ことができる。

宅建業法で出てきた「重要事項の説明」を思い出してくださーい。宅建士は、これらの内容をちゃんと説明しなければなりませーん（笑）。

準都市計画区域内にも集団規定が適用される。

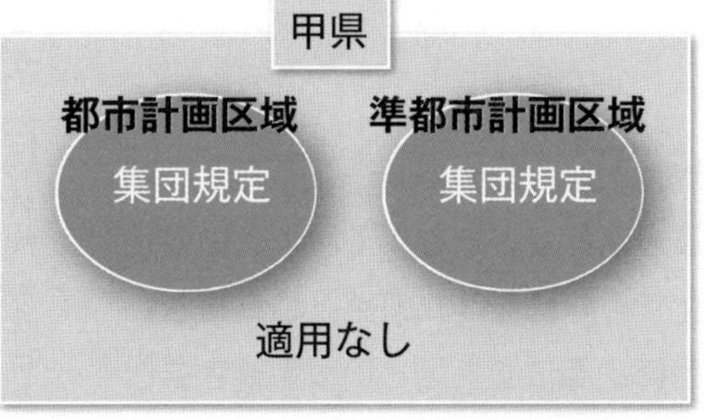

★★★

2　道路と敷地の関係

都市計画区域等においては、幅４ｍ以上の道路に、２ｍ以上接している土地でなければ建築できません。これを接道義務といいます。まず、建築基準法上の「道路」となるのはどんな道なのかからはじめて、セットバックとはなにか、などを学習していきましょう。

〔１〕建築基準法上の道路になる道（42条）

道	幅員
①道路法、都市計画法、土地区画整理法などによる道路 ②現に存在する道 ③道路法や都市計画法などによる新設・変更の事業計画のある道路（２年以内に事業が執行される予定のものとして特定行政庁が指定したもの） ④土地を建築物の敷地として利用するため、道路法や都市計画法などによらないで築造する道（築造しようとする者が特定行政庁からその位置の指定を受けたもの）	幅員４ｍ（６ｍ）以上

念のためですが!!

都市計画区域・準都市計画区域・知事指定区域をあわせて「都市計画区域等」と表現。

まずね、幅員が4ｍ以上あること。公道だったとしても、幅員が4ｍ以上なければ道路として扱わないよ。

場所によっては幅員6ｍ以上とされることもありまーす。

④の「建築物の敷地とするために築造する道」とはね、道路法による道路とかじゃなくて、大きい敷地を分割して敷地化する際に作った道路。私道だとしても、特定行政庁による位置指定という手続きをとれば道路（位置指定道路）となるよ。

プラスα

「現に存在する道」とは、都市計画区域などの指定により集団規定が適用されるに至った際、すでに存在していた道。

重 要！

特定行政庁が、気候や風土の特殊性・土地の状況の必要性から都道府県都市計画審議会の議を経て指定した区域では、幅員6ｍ以上が道路となる。

〔2〕みなし道路（42条2項）

① 都市計画区域の指定などにより建築基準法の集団規定が適用されるに至った際、現に建築物が立ち並んでいる道で、特定行政庁が指定したものは、幅員4ｍ（6ｍ）未満であっても道路とみなされる。

② みなし道路の中心線から2ｍ（3ｍ）の線が、その道路との境界線とみなされる。

むかしの道路の道幅はせまい。そんな道路沿いに建築物を建てて人々は暮らしていたわけなんだけど、ある日を境に「幅員4m（6m）以上が道路」という法律の規定が適用されることになった。さてどうしよう。

とりあえず、現状のままオッケー。道路とみなしておきましょう。でも、建て替える際には、道路の中心線から2m（3m）ずつ下がってね。これを「セットバック」といいまーす。敷地の一部が道路としてとられちゃうんですよね。

重 要！

建築基準法第42条第2項の規定による道路なので、「2項道路」と呼ばれたりする。

重 要！

みなし道路（2項道路）となるには現に建築物が立ち並んでいるだけでは足りず特定行政庁の指定が必要となる。

そうだね。無償提供です。補償なし。で、それぞれ下がれば、いずれ、道路の幅員は4m（6m）以上となります。なお、道路の向こう側がガケ地や川、線路敷だなんていう場合は、ガケ地側からこっちに向かって4m（6m）下がることになっちゃうよ。

なんと幅員２mしかないっ!!

果たしてセットバックは可能なのか??

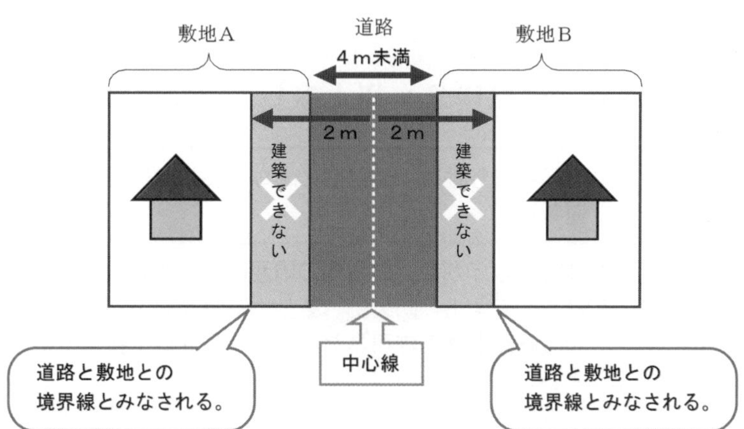

道路に埋め込まれている「42条２項道路」の丸いプレート。

セットバックして建てられた建物。

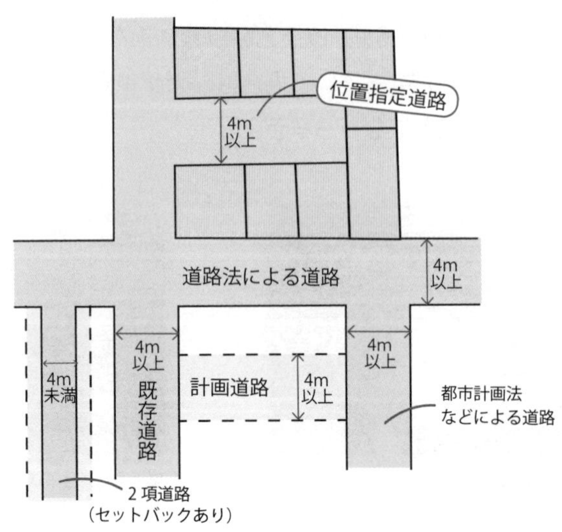

〔3〕接道義務。道路に2m 以上接していなければ…（43条）

原　則	建築物の敷地は、道路に2m 以上接しなければならない（接道義務）。
例　外	特定行政庁が、その敷地の周囲に広い空地を有する建築物などで、安全上・防火上・衛生上支障がないと認めて建築審査会の同意を得て許可した場合は、2m 以上接していなくてもよい。

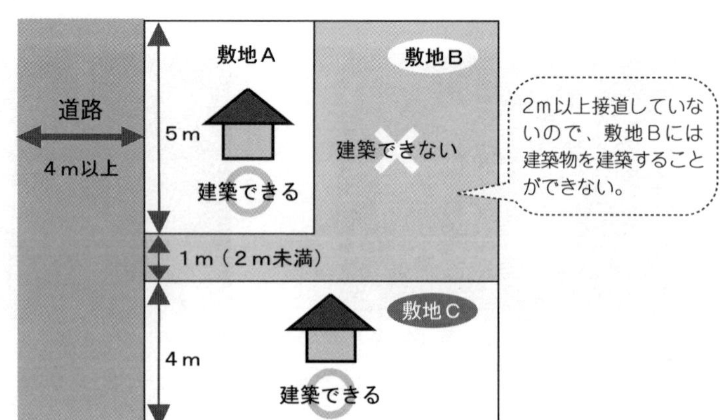

敷地が接する道路なんだけど、いわゆる「自動車専用道路」とかじゃダメだよ（笑）。で、接道義務の例外となる「特定行政庁の許可」の空地なんだけど、単なる空地じゃダメみたい。

建築審査会は、建築主事を置く市町村及び都道府県に置かれる。

将来も空地であり続けるであろう公園などに敷地が隣接している、なんていうことを想定しているみたいですね。

そのほか、道路関係の規定は以下のとおり。まとめておきました。

（44条～47条）

条例による制限	地方公共団体は、特殊建築物や大規模建築物については、敷地が接しなければならない道路の幅員や敷地が道路に接する部分の長さなどについて、条例で制限を付加できる（緩和はできない）。 **〔対象となる建築物〕** ①特殊建築物（スーパーや量販店など） ②３階建て以上の建築物 ③延べ面積が 1,000㎡超の建築物 ④その敷地が袋路状道路にのみ接する建築物で、延べ面積が150㎡を超えるもの（一戸建ての住宅を除く）	
道路内の建築制限	原則	建築物や敷地を造成するための擁壁は、道路内や道路に突き出して建築してはならない。
	例外	地盤面下に設ける建築物。また、特定行政庁の許可を受ければ、公衆便所・巡査派出所、公共用歩廊や道路上空の渡り廊下なども道路内や道路に突き出して建築できる。
廃止制限	私道の変更などで法令の規定に抵触することになる場合は、特定行政庁は私道の変更・廃止を禁止・制限することができる。	
壁面線	特定行政庁は、建築審査会の同意を得て、壁面線を指定（例：「道路から壁を○ｍ後退」）することができる。	
	原則	建築物の壁・柱・高さ２ｍを超える門や塀は、壁面線を越えて建築してはならない。
	例外	地盤面下の部分、特定行政庁が建築審査会の同意を得て許可した歩廊の柱などは壁面線を越えて建築できる。

例示

渋谷の地下街の入り口。

道路(歩道)に建っている
巡査派出所(東京・渋谷にて)。

国道(道路)の下に広がる
地下街。

★★★

3 建築物の用途制限

用途地域内においては、それぞれの用途地域に応じて定められた用途制限があります。また、特別用途地区・特定用途制限地域においてもそれぞれ用途制限があります。

〔1〕用途制限（48条～49条の2）

用途地域	用途地域ごとに定められた用途制限に適合するものでなければならない。ただし、特定行政庁の許可があればこの限りではない。
特別用途地区	①建築物の建築制限または禁止についての必要な規制は、地方公共団体の条例で定める。 ②特別用途地区内においては、地方公共団体は、国土交通大臣の承認を得て、条例で、用途地域での用途制限を緩和することができる。
特定用途制限地域	建築物の用途制限は、地方公共団体の条例で定める。

用途地域は全 13 種類。その用途地域ごとに建てられる建物が決まっています。第一種低層住居専用地域に大規模なショッピングセンターとか工場はダメでしょ。

特別用途地区では、用途地域での用途制限の緩和もできるんですよね。ちょっとめずらしいかな、こういう規定って。

ここがポイント!!

敷地が 2 以上の用途地域にわたる場合は、面積が大きいほうの用途地域の用途制限に従う。

重 要!

特別用途地区は P.228 を、特定用途制限地域は P.236 を参照。

まとめ

《表中の記号の意味》

－1 600㎡以下のものに限り建築可能。
－2 その用途が 2 階以下かつ 1,500㎡以下の場合に限り建築可能。
－3 その用途が 3,000㎡以下の場合に限り建築可能。
－4 その用途が 10,000㎡以下の場合に限り建築可能。
△ その用途が 2 階以下の場合に限り建築可能。
■ 物品販売店舗、飲食店が禁止される。

			第一種低層住居専用地域	第二種低層住居専用地域	田園住居地域	第一種中高層住居専用地域	第二種中高層住居専用地域	第一種住居地域	第二種住居地域	準住居地域	近隣商業地域	商業地域	準工業地域	工業地域	工業専用地域
どこでも	1	神社、寺院、教会等													
どこでも	2	保育所等、公衆浴場、診療所（病床数 19 以下）													
どこでも	3	老人福祉センター、児童厚生施設等	-1	-1	-1										
どこでも	4	巡査派出所、公衆電話所等													
家	5	住宅、共同住宅、寄宿舎、下宿、老人ホーム、福祉ホーム等													×
学校系	6	図書館等													×
学校系	7	幼稚園、小学校、中学校、高等学校												×	×
学校系	8	大学（高等専門、専修学校等）病院（病床数 20 以上）	×	×	×									×	×
田園＊	9	農産物の生産貯蔵用などの建築物	×	×		×									
田園＊	10	500㎡内の農産物の店舗や飲食店	×	×	△	×									×

＊P.227 を参照してください。

まとめ

《表中の記号の意味》

－1　600㎡以下のものに限り建築可能。
－2　その用途が2階以下かつ1,500㎡以下の場合に限り建築可能。
－3　その用途が3,000㎡以下の場合に限り建築可能。
－4　その用途が10,000㎡以下の場合に限り建築可能。
△　その用途が2階以下の場合に限り建築可能。
■　物品販売店舗、飲食店が禁止される。

			第一種低層住居専用地域	第二種低層住居専用地域	田園住居地域	第一種中高層住居専用地域	第二種中高層住居専用地域	第一種住居地域	第二種住居地域	準住居地域	近隣商業地域	商業地域	準工業地域	工業地域	工業専用地域
デート	11	床面積の合計が150㎡以内の一定の店舗、飲食店等	×	△	△										■
	12	床面積の合計が500㎡以内の一定の店舗、飲食店等	×	×	×	△									■
	13	上記以外の物品販売業を営む店舗、飲食店	×	×	×	×	-2	-3	-4	-4				-4	■ -4
	14	一般の事務所等	×	×	×	×	-2	-3							
	15	ボウリング場、スケート場、水泳場等	×	×	×	×	×	-3							×
	16	ホテル旅館	×	×	×	×	×	-3						×	×
	17	カラオケボックス、ダンスホール	×	×	×	×	×	×	-4	-4				-4	-4
	18	マージャン屋、パチンコ屋、射的場、勝馬投票券発売所等	×	×	×	×	×	×	-4	-4				-4	×
	19	客席部分の床面積の合計が200㎡未満の劇場、映画館、ナイトクラブ等	×	×	×	×	×	×	×					×	×
	20	客席部分の床面積の合計が200㎡以上の劇場、映画館、ナイトクラブ等	×	×	×	×	×	×	×	×				×	×
風俗	21	キャバレー、料理店等	×	×	×	×	×	×	×	×	×			×	×
	22	個室付浴場業に係る公衆浴場等	×	×	×	×	×	×	×	×	×		×	×	×
クルマ	23	2階以下かつ床面積の合計が300㎡以下の自動車車庫	×	×	×	×									
	24	自動車教習所	×	×	×	×	×	-3							
	25	3階以上または床面積の合計が300㎡を超える自動車車庫	×	×	×	×	×	×	×						
	26	作業場の床面積の合計が150㎡以下の自動車修理工場	×	×	×	×	×	×	×						
	27	作業場の床面積の合計が300㎡以下の自動車修理工場	×	×	×	×	×	×	×	×					

まとめ

《表中の記号の意味》

－1　600㎡以下のものに限り建築可能。
－2　その用途が2階以下かつ1,500㎡以下の場合に限り建築可能。
－3　その用途が3,000㎡以下の場合に限り建築可能。
－4　その用途が10,000㎡以下の場合に限り建築可能。
△　その用途が2階以下の場合に限り建築可能。
■　物品販売店舗、飲食店が禁止される。

			第一種低層住居専用地域	第二種低層住居専用地域	田園住居地域	第一種中高層住居専用地域	第二種中高層住居専用地域	第一種住居地域	第二種住居地域	準住居地域	近隣商業地域	商業地域	準工業地域	工業地域	工業専用地域
倉庫や工場	28	倉庫業を営む倉庫	×	×	×	×	×	×	×						
	29	原動機を使用する作業場の床面積の合計が50㎡以下の工場で危険性や環境を悪化させるおそれが非常に少ないもの	×	×	×	×	×								
	30	原動機を使用する作業場の床面積の合計が150㎡以下の工場で危険性や環境を悪化させるおそれが非常に少ないもの	×	×	×	×	×	×	×	×					
	31	原動機を使用する作業場の床面積の合計が150㎡を超える工場または危険性や環境を悪化させるおそれがやや多いもの	×	×	×	×	×	×	×	×	×	×			
	32	危険性が大きいかまたは著しく環境を悪化させるおそれがある工場	×	×	×	×	×	×	×	×	×	×	×		

例示

第一種低層住居専用地域

第一種住居地域

商業地域

工業専用地域

コラム

これで覚えちゃおう！ 建築物の用途制限

1．どこにでも建築できるもの

» ① 宗教上の施設：神社、寺院、教会など

覚え方 ＞ バチがあたるから。

» ② 公衆浴場

覚え方 ＞ 臭いとイヤだから。

» ③ 巡査派出所、公衆電話所

覚え方 ＞ まぁ、そりゃそうだから。

» ④ 保育所【注意：幼稚園は"学校"扱いなのだ】

覚え方 ＞ 子どもは社会の宝だから。

» ⑤ 診療所（病床数 19 以下）

覚え方 ＞ 地域を問わず診療所は必要だから。

2．通常は建てられないもの

» ● 火葬場、と畜場、汚物処理場、ゴミ焼却場 ＞ 嫌悪施設と呼ばれている

» ● 卸売市場 ＞ うるさい！

※都市計画で敷地の位置（どこに建てるか）が決定しているものでなければ、新築や増築ができない。

ゴロ

住宅（ホーム）

＞「工業専用地域だけ、住宅（ホーム）を建築することができない」

一低	二低	田園	一中	二中	一住	二住	準住	近商	商業	準工	工業	工専
○	○	○	○	○	○	○	○	○	○	○	○	×

理由 トラックにひかれて死んじゃうかもしれないから。

図書館 ＞「センコー（工専をさかさまに読む）は本を読まねぇ…」

一低	二低	田園	一中	二中	一住	二住	準住	近商	商業	準工	工業	工専
○	○	○	○	○	○	○	○	○	○	○	○	×

●住宅といっしょ。「本を読まない教諭が多い（らしい）」という社会問題を踏まえている。

学校（幼稚園、小中高）＞高校生（工業、工専）は不登校（学校ダメ）

一低	二低	田園	一中	二中	一住	二住	準住	近商	商業	準工	工業	工専
○	○	○	○	○	○	○	○	○	○	○	×	×

●ちなみに、幼稚園は“学校”です。“保育所”と扱いが違います。ご注意を。

大学・病院
＞「高校生（工業・工専）の低学年（低層・田園）は、大学受験できない（建築不可）」

一低	二低	田園	一中	二中	一住	二住	準住	近商	商業	準工	工業	工専
×	×	×	○	○	○	○	○	○	○	○	×	×

●大学と病院は本来はちがうけど、大学病院という語感で覚えよう。

飲食店、店舗（150㎡以内）＞「喫茶店は端にすわるな！（両端が×ね）」

一低	二低	田園	一中	二中	一住	二住	準住	近商	商業	準工	工業	工専
×	○	○	○	○	○	○	○	○	○	○	○	×

●セブン - イレブンの平均店舗面積が 110㎡だから、150㎡以内とはいってもそこそこの規模となるか。カフェやオシャレなイタリアンなどがここに該当する。

ボウリング場、スケート場、水泳場

「カップル“専用”の怪しいボウリング場や水泳場にいっちゃダメダメ」

一低	二低	田園	一中	二中	一住	二住	準住	近商	商業	準工	工業	工専
×	×	×	×	×	○	○	○	○	○	○	○	×

●第一種住居から建築可能となるのがポイント。また、「住居系・工業系の“専用”がつく用途地域には建築できない」と覚えておいてもいい。

ホテル・旅館

「高校生（工業・工専）、お手手（低層）つないで、ホテルでチュッチュ。田んぼや畑（田園）もいけません」

一低	二低	田園	一中	二中	一住	二住	準住	近商	商業	準工	工業	工専
×	×	×	×	×	○	○	○	○	○	○	×	×

●「誰かさんと誰かさん」「ザ・ドリフターズ」で検索してみてください。麦畑ができます。

カラオケボックス・ダンスホール

「カラオケ・ダンスで二十曲（二住）。工専までまっしぐら」

一低	二低	田園	一中	二中	一住	二住	準住	近商	商業	準工	工業	工専
×	×	×	×	×	×	○	○	○	○	○	○	○

●カラオケボックス。商業系の匂いがする。住居系と商業系の境目を担当する第二種住居地域。そうなのだ。住居系としてはある意味「どーでもいい」というニュアンスの第二種住居の出番となる。第二種住居から工専までまっしぐら。

マージャン屋、パチンコ屋、勝馬投票券発売所

「衣食住（一種住）足りてパチンコを打つ」

一低	二低	田園	一中	二中	一住	二住	準住	近商	商業	準工	工業	工専
×	×	×	×	×	×	○	○	○	○	○	○	×

●第二種住居の出番が続く。第二種住居地域に住む奥様たちがパチンコ屋にたむろっている。店内を見渡しながら「あら、あの店員かっこいいわね」「あらいやだ、もう」と歓声があがる。彼女らは生活に困っていない。「衣食住（一種住）足りてパチンコを打つ」。工業専用は建築不可。

客席が200㎡未満の映画館など

「小さい映画館やナイトクラブです。順々に入ろう」

一低	二低	田園	一中	二中	一住	二住	準住	近商	商業	準工	工業	工専
×	×	×	×	×	×	×	○	○	○	○	×	×

●映画館は、近隣商業地域・商業地域・準工業地域に建築できるんだけど、客席が200㎡未満だったら、準住居地域にも建築できる。準住居地域は「道路の沿道」がキーワードだよね。なので準住居地域は、いわゆるロードサイドってことになるわけで、そこにクルマで行けるミニシアターでも、ということなんでしょうか。

キャバレー、料理店など

「翔（商業）とジュンコ（準工）はフーゾク仲間」

一低	二低	田園	一中	二中	一住	二住	準住	近商	商業	準工	工業	工専
×	×	×	×	×	×	×	×	×	○	○	×	×

●商業はいいとして、「準工業はオッケーだけど、近隣商業はダメ」というのがミソ。ヒッカケ問題を作るのにちょうどいい。ついでだから、準工業のキャバレーを探しに行こう。

料理店とは

よく「飲食店」とまちがえやすいんだけど、ここでいう「料理店」は風俗営業適正化法の対象となるような業態で、キャバレーと同類のフーゾク系を指す。レストランやコーヒーショップなどの「飲食店」とは違うんですよー。

で、「料理店」なんだけど、定義としては「待合（まちあい）、料理店、カフェーその他設備を設けて客の接待をして客に遊興または飲食をさせる営業」となる。待合もカフェーもフーゾク系。「待合」とは、男女の密会、客と芸妓の遊興などのための席を貸し、酒食を供する店をいう。そして「カフェー」とは、街によくある「Cafe（カフェ）」のことではない。その昔の、酒場風に装った娼家に近い店を意味する。単純な飲食のみを提供するのではなくて、そういう感じのお店です。

自動車教習所 ＞ 「郷愁は住居から。思い出まっしぐら（工専まで）…」

一低	二低	田園	一中	二中	一住	二住	準住	近商	商業	準工	工業	工専
×	×	×	×	×	○	○	○	○	○	○	○	○

●郷愁（教習）は住居から。彼女といっしょに暮らした1LDK。短い夏だった。みたいな。

倉庫　「純情な子（準住居）どこ？　そこ！」

一低	二低	田園	一中	二中	一住	二住	準住	近商	商業	準工	工業	工専
×	×	×	×	×	×	×	○	○	○	○	○	○

●倉庫なんていうのは、工業系には絶対的に必要だから、工業専用までまっしぐらなのはいいとして、問題はどこからスタートするかということ。準住居からです。ここは「道路の沿道」ですもんね。

★★★

4　建蔽率で建築面積が決まる

建蔽率とは「建築面積（通常は1階部分の床面積）の敷地面積に対する割合」をいいます。敷地をどれくらい建築物で覆ってしまってよいかという数値で、建蔽率が50%と指定されていたら、敷地の半分は空地にしておかなければなりません。

$$建蔽率 = \frac{建築面積}{敷地面積}$$

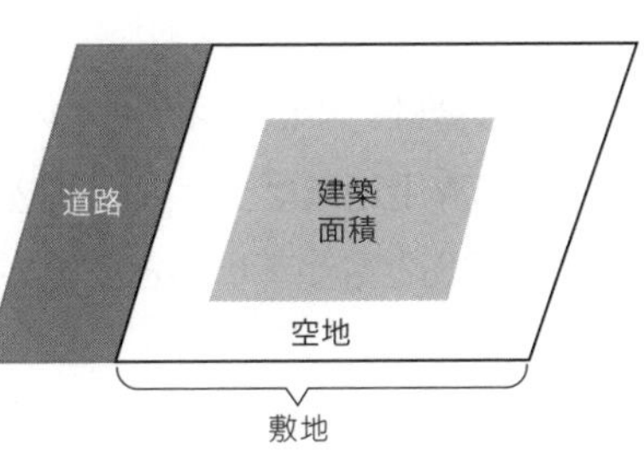

〔1〕建蔽率の最高限度（都市計画で定める） 単位：「%」(53条)

まとめ

専用・田園系	一低専用	30	40	50	60		
	二低専用	30	40	50	60		
	田園住居	30	40	50	60		
	一中専用	30	40	50	60		
	二中専用	30	40	50	60		
	工業専用	30	40	50	60		
ゴチャゴチャ系	一種住居			50	60		80
	二種住居			50	60		80
	準住居			50	60		80
	準工業			50	60		80
商工系	近隣商業				60		80
	商業						80
	工業			50	60		
	未指定※	30	40	50	60	70	

※特定行政庁が都市計画審議会の議を経て定める（都市計画で定めるのではない）。

・**専用・田園系のゴロ** ＞ 30～60%なので、「専用でさしごろ」で覚えよう。

・**ゴチャゴチャ系とは** ＞ 第一種住居、第二種住居、準住居、準工業。雑多な建築物がゴチャゴチャ建ち並びそうな用途地域というイメージで。

この表の数値はとくに覚えておかなくてもいいです（笑）。たとえば第一種低層住居専用地域だったら、建蔽率が40%と定められているところもあれば、60%となっているところもあると。

おなじ用途地域だとしても、調べてみないとわからないんですよね。

建蔽率、意外と広い？

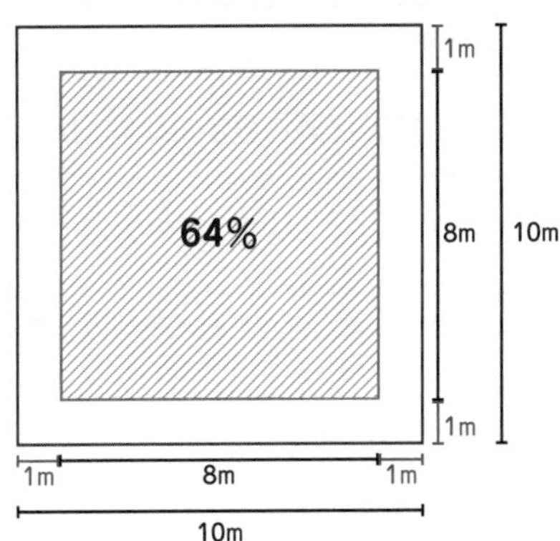

〔2〕建蔽率が100%となる場合

適用除外	建蔽率が80％とされている区域内で、かつ、防火地域内にある耐火建築物等には建蔽率制限は適用しない（建蔽率100％）。

建蔽率が80％＋防火地域＋耐火建築物等という組み合わせの場合、建蔽率制限は適用されない。つまり、敷地めいっぱいに建築できちゃう。

※耐火建築物等とは「耐火建築物」または「これと同等以上の延焼防止性能を有する建築物」。

耐火建築物・準耐火建築物とは

耐火建築物	主要構造部（壁、柱、床、はり、屋根または階段をいう）を耐火構造などとした建築物。
準耐火建築物	耐火建築物と比べれば耐火性能は多少低くなるものの、主要構造部を準耐火構造などとした建築物。

東京・銀座の様子。ごらんのとおり建蔽率100％。

（参考）建蔽率の制限が適用されないもの

- 巡査派出所や公衆便所など
- 公園や広場などの内にあって、特定行政庁が安全上、防火上及び衛生上支障がないと認めて許可したもの

〔3〕建蔽率が緩和される場合

<table>
<tr><td rowspan="3">10%緩和</td><td rowspan="2">①</td><td>防火地域（建蔽率80%とされている地域を除く）内にある耐火建築物等</td></tr>
<tr><td>準防火地域内にある耐火建築物等または準耐火建築物等</td></tr>
<tr><td colspan="2">②　街区の角にある敷地で特定行政庁の指定するものの内にある建築物</td></tr>
</table>

※「準耐火建築物等」とは「準耐火建築物」または「これと同等以上の延焼防止性能を有する建物等」。

こんどは緩和。10%アップ。角敷地だと有利だね。

①と②の両方を満たせば、建蔽率は20%緩和（プラス）されまーす。

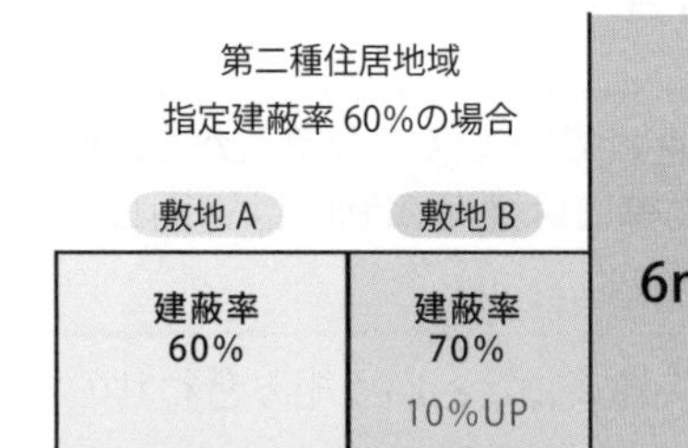

★★★

5 容積率で延べ面積が決まる

容積率とは「建築物の延べ面積（各階の床面積を合計した面積）の敷地面積に対する割合」をいいます。土地に対してどれくらいの大きさの建築物を建築できるのかを示しています。敷地面積に容積率をかけると、建築物の延べ面積が算出されます。

図解

容積率＝ $\dfrac{\text{延べ面積（各階の床面積の合計）}}{\text{敷地面積}}$

例：敷地面積 100㎡で容積率が 400%の場合

例示

100㎡× 400%＝400㎡（延べ面積）
・各階 100㎡とすると、4 階建てまで
・各階 80㎡とすると、5 階建てまで
・各階 40㎡とすると、10 階建てまで

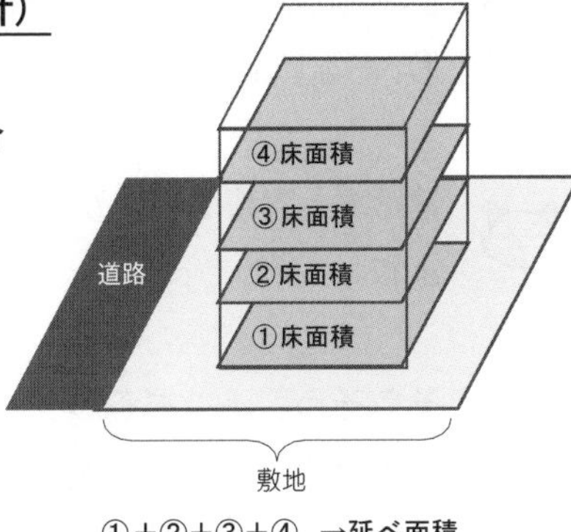

〔1〕容積率の最高限度（都市計画で定める）単位：%（52条）

まとめ

一低専用	50	60	80	100	150	200					
二低専用	50	60	80	100	150	200					
田園住居	50	60	80	100	150	200					
一中専用				100	150	200	300	400	500		
二中専用				100	150	200	300	400	500		
一種住居				100	150	200	300	400	500		
二種住居				100	150	200	300	400	500		
準住居				100	150	200	300	400	500		
近隣商業				100	150	200	300	400	500		
準工業				100	150	200	300	400	500		
商業						200	300	400	500	～	1300
工業				100	150	200	300	400			
工業専用				100	150	200	300	400			
未指定※	50		80	100		200	300	400			

※特定行政庁が都市計画審議会の議を経て定める（都市計画で定めるのではない）。

こちらの表も、建蔽率と同様、覚えなくていいです（笑）。建蔽率も容積率も、おなじ用途地域だったとしても、それぞれ調べてみないとわからない。

建蔽率と容積率の組み合わせで、建築物の規模が決まってくるわけですよね。

そうそう。よくあるパターンを例にとってみよう。第一種低層住居専用地域で、建蔽率が50%・容積率が100%だったとすると、どんなふうになるかな。敷地面積は100㎡としておこう。

- 建築面積
  100㎡×建蔽率 50%
  ＝建築面積 50㎡
- 延べ面積
  100㎡×容積率 100%
  ＝延べ面積 100㎡

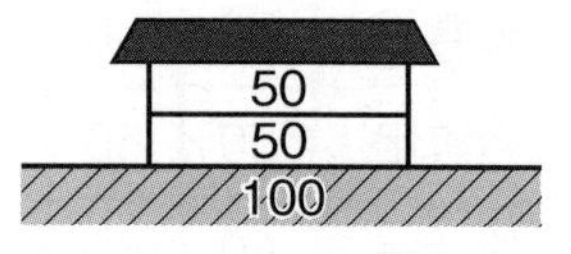

2階建ての住宅って感じですよねー。

じゃさ、こんどは商業地域あたりを例にとってだね、建蔽率80%・容積率800%としてみよう。敷地面積は100㎡でいいかな。

- 建築面積
  100㎡×建蔽率 80%
  ＝建築面積 80㎡
- 延べ面積
  100㎡×容積率 800%
  ＝延べ面積 800㎡

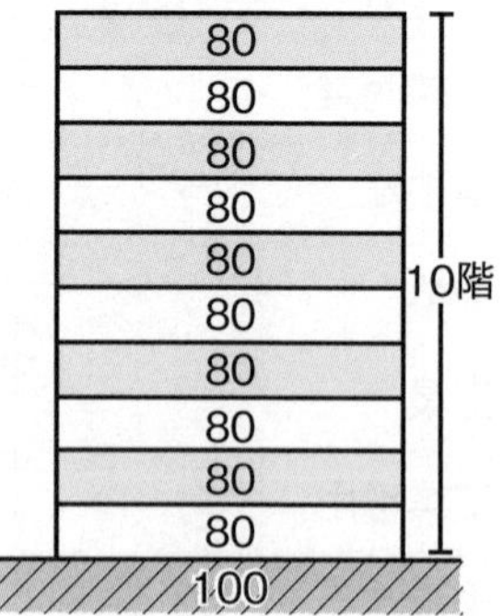

第一種低層住居専用地域の例とは、ずいぶんちがいますねー。

〔2〕前面道路の幅員による容積率の制限

「都会の問題点は、都市計画で定められた容積率をそのまま使えないことにある」という人もいるよ。じつは、前面道路の幅員が 12m 未満の場合、容積率が制限されちゃう。

計算式は以下のとおりです。計算された数値と定められている容積率とを比較して、小さいほうの数値が容積率の限度となりまーす。

ここがポイント!!

現地で道幅を確認しないと容積率はわからない。

前面道路が 2 以上ある場合は、最大の幅員（広いほう）で容積率を計算する。

計 算 式	前面道路の幅員×法定乗数＝前面道路の幅員による容積率
法定乗数	住居系の用途地域だったら 0.4、商業・工業系、用途未指定だったら 0.6 となる。

※住居系（低層を除く）で「0.6」、商業･工業系、用途未指定では「0.4」「0.8」とされる場合もある。

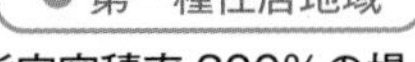

指定容積率 300%の場合

幅員 12m	幅員 4m				幅員 8m
	A 300%	B 160%	C 160%	D 300%	
	E 300%	F 240%	G 240%	H 300%	
	幅員 6m				

敷地 A・E　12m以上の道路に接しているので 300%のまま
敷地 B・C　4（m）×0.4=160%
敷地 D・H　8（m）×0.4=320% となるが指定容積率 300%が上限
敷地 F・G　6（m）×0.4=240%

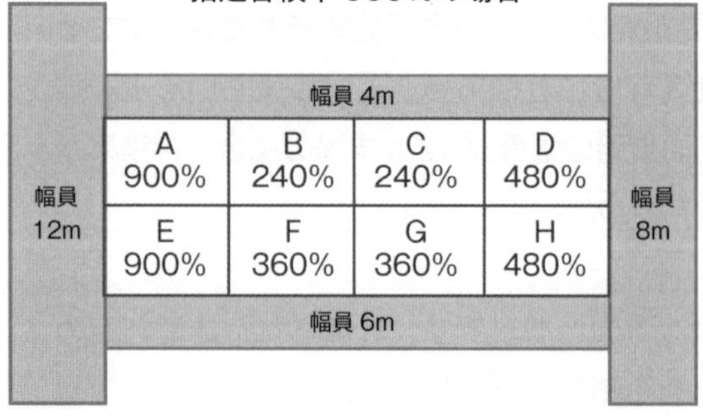

敷地 A ～ H までをまとめちゃえば、けっこうな規模となる容積率 900%の敷地ができあがる。

〔3〕容積率の緩和

容積率の緩和措置として、延べ面積に建築物の一定部分の床面積を算入しないという特例とかがあるよ。

敷地面積と容積率で掛け算して、出てきた延べ面積が 300㎡だったとしても、330㎡にしちゃうなんてこともできるわけですね。

（1）周囲に空地がある場合の特例

敷地の周囲に広い公園や広場、道路などの空地を有する建築物で、特定行政庁が支障がないと認めて許可した場合、その許可の範囲内において、容積率の限度を超えることができる。

許可された分だけ容積率が緩和される。なお容積率については、建蔽率とは異なり適用除外とかはない。

（2）宅配ボックス設置部分の特例

宅配ボックスを設ける部分の床面積は、延べ面積の 100 分の 1 を限度として、容積率の算定の基礎となる延べ面積に算入しない。

（3）住宅地下室の特例

住宅用または老人ホーム等の地下室の床面積は、その建築物の住宅用の床面積の３分の１を限度として、容積率の算定の基礎となる延べ面積に算入しない。

たとえば、建蔽率50%で容積率100%の場合。延べ面積は100㎡まで。１階50㎡、２階50㎡で通常はこれで打ち止めだけど、住宅用の地下室を作るんだったら50㎡まで作れる。つまり延べ面積は150㎡までオッケーということ。実質1.5倍。

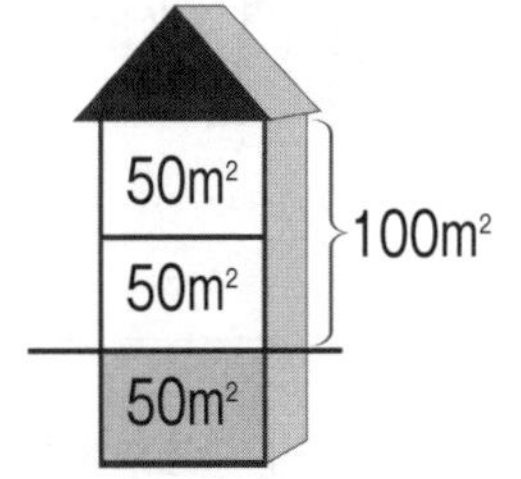

（4）昇降機の昇降路・共同住宅の特例

「昇降機の昇降路」と「共同住宅・老人ホーム等の共用の廊下や階段」の床面積は、容積率の算定の基礎となる延べ面積に算入しない。

昇降機の昇降路（共同住宅・老人ホーム等とは限らない）と、共同住宅（分譲・賃貸いずれも）や老人ホーム等の共用廊下や階段の床面積は、限度なしにすべて延べ面積には算入しない。共同住宅だと恩恵大。その分、専有部分の床面積を大きくすることができる。

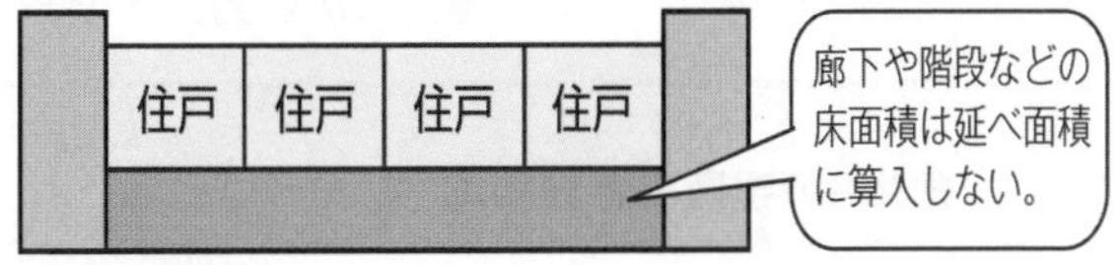

（5）自動車車庫や駐輪場の特例

自動車車庫や駐輪場の床面積は、延べ面積の５分の１を限度として、容積率の算定の基礎となる延べ面積に算入しない。

車庫が30㎡、１階の車庫を除いた部分が50㎡、２階が70㎡だという戸建てだとピッタリ。合計150㎡の５分の１は30㎡であり、車庫部分の床面積がまるまる除外。

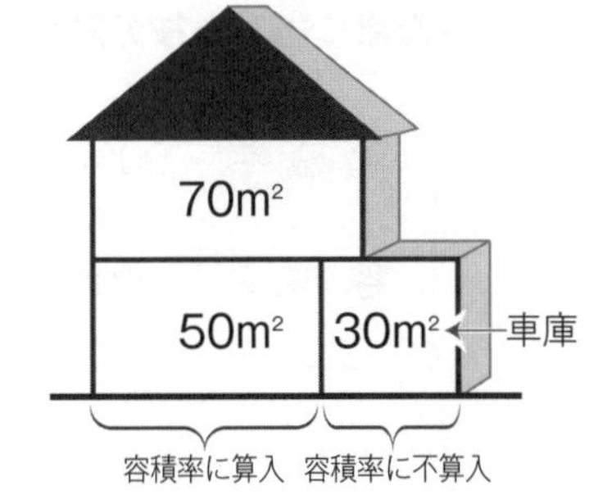

〔4〕建築物の敷地が２以上の用途地域にまたがる場合の建蔽率・容積率の計算

敷地A	指定容積率 400%・建蔽率 80%
敷地B	指定容積率 200%・建蔽率 60%

※防火地域の指定はないものとします。

A
近隣商業
300㎡

B
住居
100㎡

6m

4m

敷地Aの建蔽率と容積率

建蔽率　80% ⇒ 90%（角敷地という扱いになる）
容積率　6m（幅員の広い方）× 0.6 ＝ 360%

敷地Bの建蔽率と容積率

建蔽率　60% ⇒ 70%（角敷地）
容積率　200%　こちらはかわらず
（6m × 0.4 = 240%　となるけど、厳しい方を採用するので200%）

面積に応じた按分計算をする

建蔽率　$90\% \times \frac{300㎡}{400㎡} + 70\% \times \frac{100㎡}{400㎡} = 85\%$

容積率　$360\% \times \frac{300㎡}{400㎡} + 200\% \times \frac{100㎡}{400㎡} = 320\%$

特定道路による緩和

敷地の前面道路の幅員が 6m 以上 12m 未満で、その前面道路が幅員 15m 以上の道路（特定道路）に延長 70m 以内で接する場合には、前面道路の幅員を割増する緩和がある。Wa の値が前面道路にプラスされる。

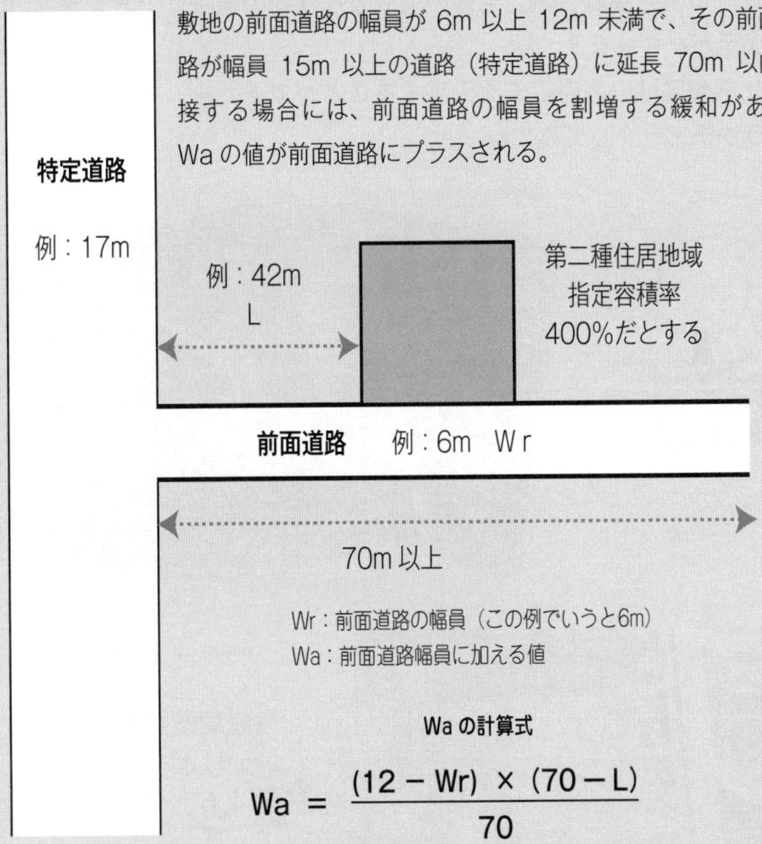

特定道路

例：17m

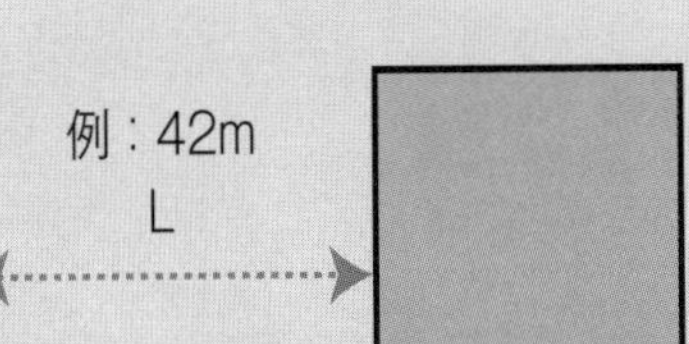

第二種住居地域
指定容積率
400%だとする

前面道路　例：6m　Wr

70m 以上

Wr：前面道路の幅員（この例でいうと6m）
Wa：前面道路幅員に加える値

Wa の計算式

$$Wa = \frac{(12 - Wr) \times (70 - L)}{70}$$

上記例だと Wa の値は 2.4 になる。

つまり、（12−6）×（70−42)＝168、168を 70 で割ると 2.4。

前面道路が6mだからこれに2.4を加えると8.4。8.4×0.4＝336%

400%と比べ小さいほうということで、容積率は 336%となる。

コラム

「市街化調整区域」の実際の販売広告

市街化調整区域。平気で売ってます（笑）。メッチャ安いですけど。

のちほど「景品表示法」で取り上げますけど、市街化調整区域の販売広告には「市街化調整区域。宅地の造成及び建物の建築はできません。」という表示がなきゃダメ。

市街化調整区域の販売広告を入手することができたら、その表示があるかどうかチェックしてみてねー。

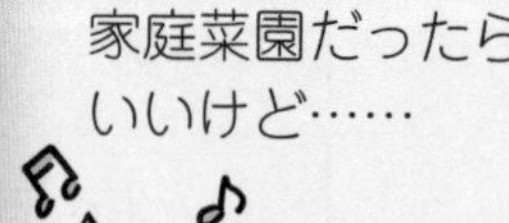

Part 2

法令上の制限 -5

建蔽率や容積率のほかに、建築物の「高さ」を制限する規定群があります。低層住居専用地域や田園住居地域にだけ適用される絶対高さ制限や、道路に面しての道路斜線制限、日影規制などです。
建築確認については、建築確認の対象を理解すること。

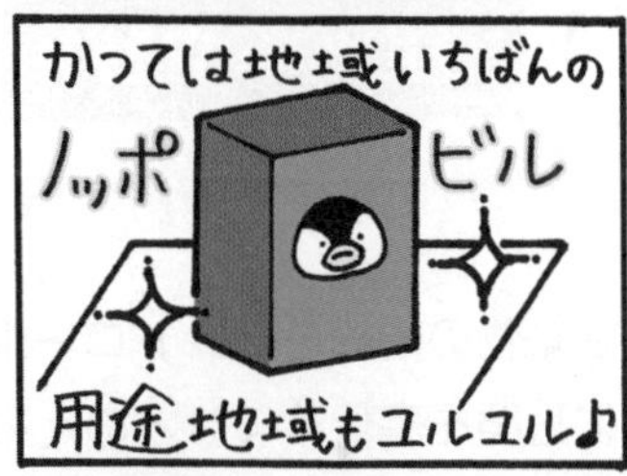

1 Section

>> 建築基準法

斜線制限、日影規制などの「高さ制限」

★★★

1 建蔽率や容積率のほかに…

概要

建築物の規模をコントロールしている建蔽率・容積率のほか、ここでは主に日照を確保するなどのための「建築物の高さ」に関する以下の規制を学習していきます。

〔1〕絶対高さ制限（第一種・第二種低層住居専用地域・田園住居地域のみ）

〔2〕斜線制限（道路斜線制限、隣地斜線制限、北側斜線制限）

〔3〕日影規制（日影による中高層建築物の高さの制限）

〔1〕絶対高さ制限（低層住居専用・田園住居地域のみ）（55条）

スッキリ条文

第一種・第二種低層住居専用地域・田園住居地域においては、建築物の高さは、10m または 12m のうち、都市計画において定められた建築物の高さの限度を超えてはならない。

第一種・第二種低層住居専用地域・田園住居地域だと、なにかとうるさい（笑）。「低層」を守るため、建築物の高さは10mか12mまで。どちらかで必ず定められているよ。他の住居系用途地域には適用なしだけどね。

さらに「外壁の後退距離の限度」など、うるさい規定がある。

それにしても、用途制限も厳しいし、建蔽率や容積率も小さい数値だし、絶対高さ制限だし（笑）。

低層住居専用地域には、２階～３階の低層住宅が建ち並ぶ。

10mの制限でも、特定行政庁の認めるものについては12mとなる。また、学校や敷地の周囲に空地があるなどで特定行政庁が許可した場合は、適用除外。

〔2〕斜線制限（道路斜線制限、隣地斜線制限、北側斜線制限）

（56条）

名　称	どこに適用されているか？
〔1〕道路斜線制限	都市計画区域と準都市計画区域（用途地域は問わない）
〔2〕隣地斜線制限	第一種・第二種低層住居専用地域・田園住居地域以外の都市計画区域（準都市計画区域）
〔3〕北側斜線制限	第一種・第二種低層住居専用地域・田園住居地域と日影規制が適用されていない第一種・第二種中高層住居専用地域

斜線制限はぜんぶで３種類。なんで「斜線制限」なんていう名称になっているかというと、斜線的に建築物の高さが制限されているからですっ‼

見えない透明な板で囲まれている部分に建ててね。そんなイメージかしら。

① 道路斜線制限

道路斜線制限は用途地域を問わず、都市計画区域と準都市計画区域に適用される。通風や採光の確保、それと心理的圧迫感を少なくしようということで、敷地が接する道路の幅員によって高さ制限が変わってくる。道路が狭ければそれなりにしか建築できない。斜線の勾配は２種類あって、住居系用途地域内には$\frac{1.25}{1}$、その他の用途地域（区域）にあっては$\frac{1.5}{1}$となっている。

念のためですが!!

道路斜線制限は、住居系・商業系・工業系を問わず、どの用途地域であっても適用される。

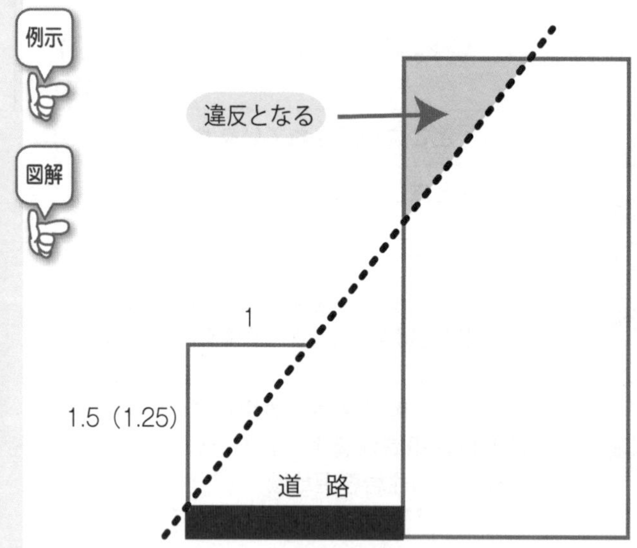

一般に違反建築といえば容積率オーバーを考えがち。でも斜線制限などに則っていない場合もやはり違反建築となる。中古の物件を購入する場合には気を付けたいところ。斜線制限違反については仲介業者でもなかなか判断できず難しい。

② 隣地斜線制限

要チェック

隣地斜線制限は、「31ｍ（20ｍ）を超えて建築される高層部分についての高さを規制していこう」ということで導入された。なお第一種・第二種低層住居専用地域・田園住居地域にはもっと厳しい高さ制限（10ｍか12ｍまで）があるため、隣地斜線制限は適用されない。

例示

図解

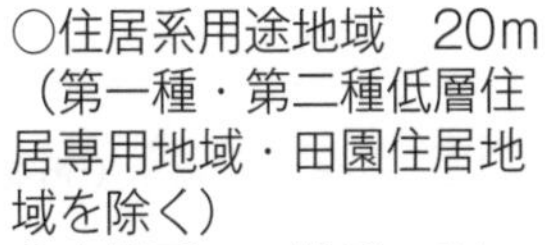

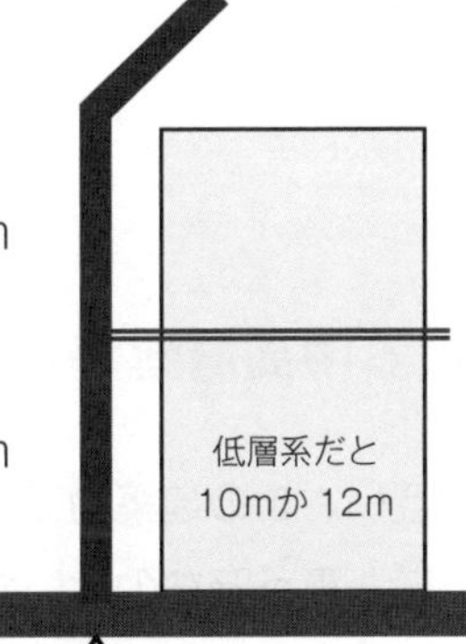

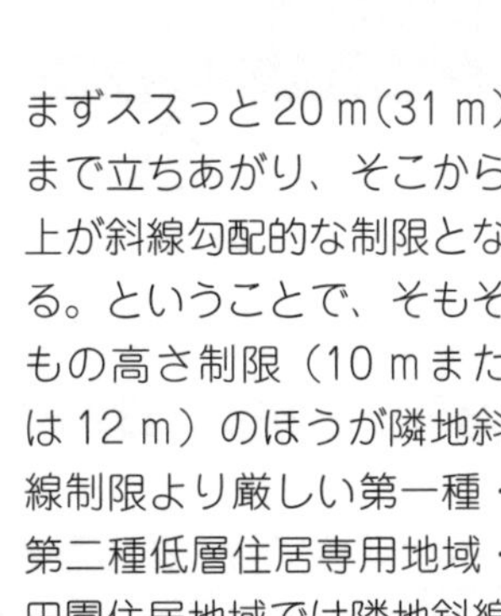

まずススっと20ｍ(31ｍ)まで立ちあがり、そこから上が斜線勾配的な制限となる。ということで、そもそもの高さ制限（10ｍまたは12ｍ）のほうが隣地斜線制限より厳しい第一種・第二種低層住居専用地域・田園住居地域では隣地斜線制限は適用されない。

要チェック

③ 北側斜線制限

住宅地における日照紛争を防止したいために導入された制度が北側斜線制限。北側の敷地の日照を確保しようということで建物を斜めに削る。この規定が適用されるのは第一種・第二種低層住居専用地域・田園住居地域と第一種・第二種中高層住居専用地域のみ。ただし“中高層住居専用地域”については、そこに日影規制の適用がない場合に限る。日影規制が適用されているのであればそっちで規制される。

北側となる土地（左側）の日照を確保するため建物を斜めに削る。

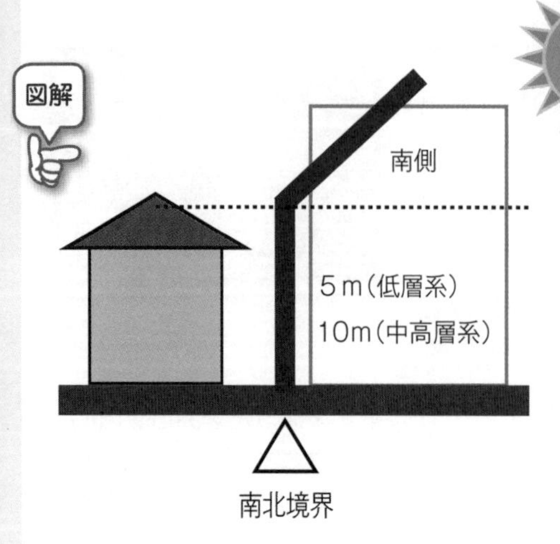

北側になる土地の日照を確保するための高さ規制。北側のちいさな住宅の日照を守る。その昔、日照権をめぐるトラブルが続発したので、こんなルールが設けられた。

〔3〕日影規制（日影による中高層建築物の高さの制限）（56条の2）

都会では、ある意味お互いさまの建築物で生じる日影。とはいえ、あまりにも真っ暗なのはいかがなものかということで、建築物の高さを制限する「日影規制」というのがあるわけだ。

建物の北側の日照を確保しようというのが主目的だそうです。

ここがポイント!!

冬至日の真太陽時の午前８時～午後４時（北海道では午前９時～午後３時まで）の間の日影時間を規制する。最低でも２時間は日照を確保させる。

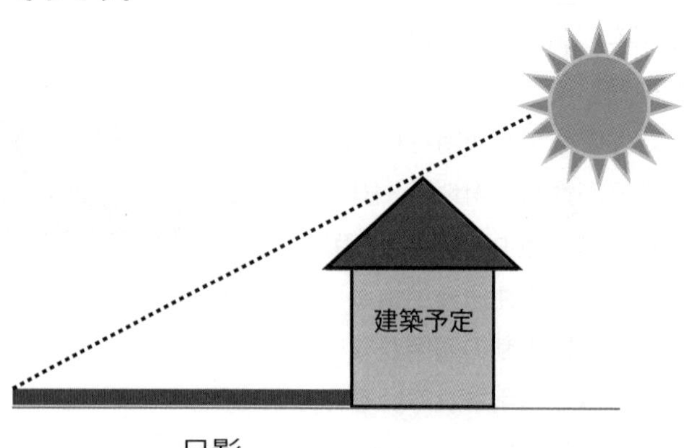

▶日影規制の対象となる区域と建築物

例示

第一種・第二種低層住居専用地域 田園住居地域	軒の高さが７ｍを超える建築物 または 地階を除く階数が３以上である建築物
第一種・第二種中高層住居専用地域 第一種・第二種住居地域 準住居地域 近隣商業地域 準工業地域	単に、高さが 10 ｍを超える建築物
用途地域の指定のない区域	地方公共団体が上記のどちらかを指定

スッキリ条文

① 日影規制は、上記の用途地域・未指定区域のうち、地方公共団体の条例で指定する区域内で適用される。

② 対象区域外にある高さが 10m を超える建築物で、冬至日において、対象区域内の土地に日影を生じさせるものは、日影規制の対象区域内にある建築物とみなして、日影規制を適用する。

商業地域・工業地域・工業専用地域は日影規制の対象区域とはされてないよ。住宅地の日照確保っていうのがメインだから、そりゃそうか。

日影規制の対象区域は条例で指定されているんですね。「都市計画で定める」と出てきたら×です。

重 要！

同一敷地に２以上の建築物がある場合、それらを１つの建築物とみなして日影規制を適用する。

プラスα

道路や水面、線路敷などに敷地が接する場合や、隣地との高低差が著しい場合などだと、日影規制は緩和される（例：線路敷や水面は日影でもよい)。

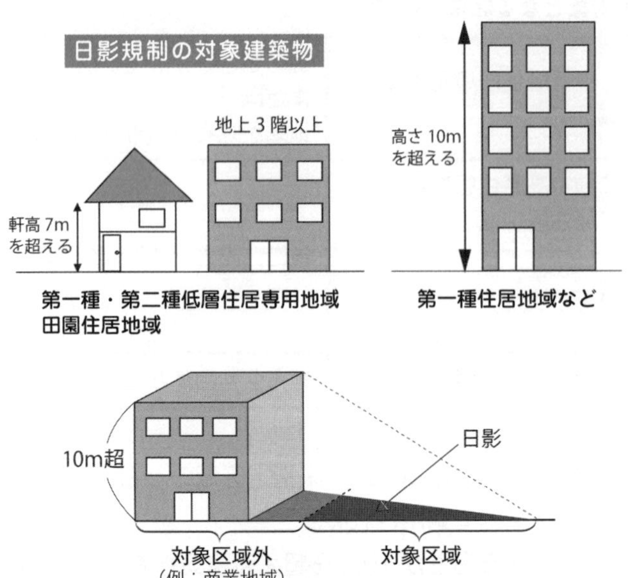

▶建築物の高さの制限　まとめ

地域・区域 ＼ 制限の種類	絶対高さ制限	道路斜線制限	隣地斜線制限	北側斜線制限	日影規制
第一種低層住居専用地域 第二種低層住居専用地域 田園住居地域	適用	適用	×	適用	適用
第一種中高層住居専用地域 第二種中高層住居専用地域	×	適用	適用	適用*	適用
第一種住居地域 第二種住居地域 準住居地域 近隣商業地域	×	適用	適用	×	適用
商業地域	×	適用	適用	×	×
準工業地域	×	適用	適用	×	適用
工業地域	×	適用	適用	×	×
工業専用地域	×	適用	適用	×	×
用途地域の指定のない区域	×	適用	適用	×	適用

＊日影規制の適用がない場合に適用。

★★★

2 敷地について、あれこれうるさくいう場合あり

建築物の高さのほか、建築物の敷地についても「建築物の敷地の最低限度」や第一種・第二種低層住居専用地域・田園住居地域内では「外壁の後退距離の限度」など、都市計画であれこれ制限を定めている場合があります。

〔1〕建築物の敷地面積の最低限度（53条の2）

① 建築物の敷地は、用途地域に関する都市計画で「建築物の敷地面積の最低限度（例：150㎡）」が定められたときは、その最低限度以上（例：150㎡以上）でなければならない。

② 都市計画で「敷地面積の最低限度」を定める場合においては、その最低限度は、200㎡を超えてはならない。

土地の細分化を防ぐため「最低でも敷地面積はこれ以上にしろ」という趣旨。定められていないときはどうでもいいんだけど、都市計画で「敷地面積の最低限度」が定められているときは、それ以上としてね。

「最低でも200㎡（約60坪）以上としてくださいね」はオッケーだけど、「最低でも250㎡（約75坪）としてください」はダメなんですね。

用途地域を問わず、都市計画で定めることができる。必ず定められるものではなく、定められていない場合もある。

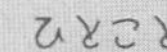

その場で片付けないから問題山積み。そしてまた「忙しい」で後回し。

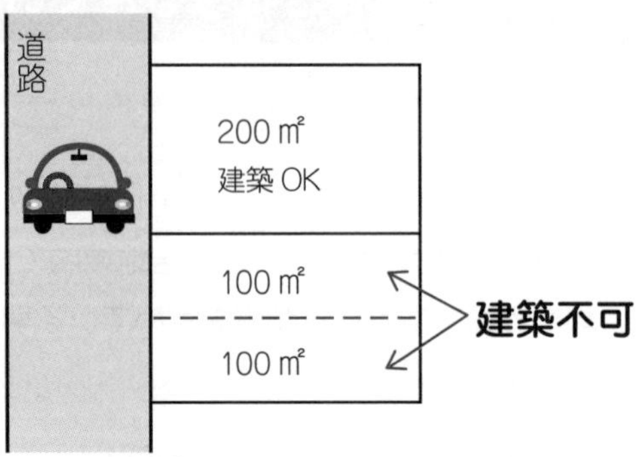

〔2〕低層住居専用地域・田園住居地域内における外壁の後退距離（54 条）

① 第一種・第二種低層住居専用地域・田園住居地域内においては、建築物の外壁またはこれに代わる柱の面から敷地境界線までの距離（外壁の後退距離）は、当該地域に関する都市計画において外壁の後退距離の限度が定められた場合においては、当該限度以上でなければならない。

② 都市計画において外壁の後退距離の限度を定める場合においては、その限度は、1.5 メートルまたは 1 メートルとする。

第一種・第二種低層住居専用地域・田園住居地域に限って適用される規制として、「絶対高さ制限」のほか「外壁の後退距離の限度」があるよ。都市計画で定められていないんだったらカンケーないけど、定められている場合だったら、外壁や柱をバックさせないとね。

建蔽率で空地の量をコントロールして、外壁の後退距離で、空地を敷地の周囲に配置させることができるんですね。

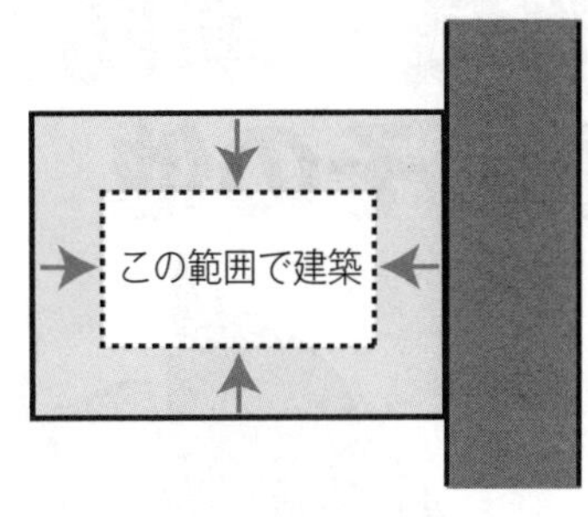

▶敷地についての制限　まとめ

まとめ

	敷地面積の最低限度	外壁の後退距離
第一種低層住居専用地域 第二種低層住居専用地域 田園住居地域	適用あり	適用あり
その他の用途地域	適用あり	×

ひとこと

「がんばらなきゃ」と追い込みがちで疲れちゃったら、ちょっと休もう。

2 Section

>> 建築基準法

防火地域・準防火地域での制限、その他

★★★

1 防火地域・準防火地域に家を建てる場合

概要

防火地域や準防火地域が指定されている場合、建築物の規模により、火災に強い建築物の建築が要求されます。住宅が密集する都市で火災が発生した際の延焼防止のため、このような規定が用意されています。

〔1〕防火地域及び準防火地域内の建築物（61条）

ポイント

① 防火地域または準防火地域内にある建築物は、その外壁の開口部で延焼のおそれのある部分に防火戸などの防火設備を設け、かつ、壁、柱、床などの部分や当該防火設備を通常の火災による周囲への延焼を防止するためにこれらに必要とされる性能に関して一定の技術的基準に適合するもので、国土交通大臣が定めた構造方法を用いるものまたは国土交通大臣の認定を受けたものとしなければならない。

② 「門または塀で、高さ２ｍ以下のもの」または「準防火地域内にある建築物（木造建築物等を除く）に附属するもの」については、この限りでない。

〔2〕防火地域・準防火地域で共通の規制（62条、63条）

サクッと

屋　根	屋根の構造は、一定の技術的基準に適合するもので、国土交通大臣が定めた構造方法によるもの、またはその認定を受けたものとしなければならない。
外　壁	外壁が耐火構造であれば、その外壁を隣地境界線に接して設けることができる。
防火戸	外壁の開口部で延焼のおそれのある部分に、防火戸などの防火設備を設けなければならない。

プラスα

具体的には、屋根を耐火構造か準耐火構造とするか、不燃材料で造る（ふく）。

プラスα

民法では「建物を建築するには、隣地境界線から50センチ以上の距離を保たなければならない」という規定がある。「外壁が耐火構造」の場合、その例外を定めている。

プラスα

周辺で火災が起きたときに、開口部から室内へ炎が出ないように防火戸を設ける。

〔3〕防火地域内の看板や広告塔など（64条）

ポイント

防火地域内にある看板や広告塔などで、「屋上に設けるもの」または「高さ３ｍを超えるもの」は、その主要な部分を不燃材料（例：鋼材やコンクリートなど）で造るか、覆わなければならない。

準防火地域内だったら高さ3mを超える広告塔などを木造としてもよい。

防火地域内だと、さらにこの「燃えない看板ルール」があります。屋上の看板も火の粉が飛んで来たら燃えそうだし、ただそれだけでデカい高さ３ｍ超の広告塔がまるっきり木造だったら､キャンプファイヤー状態(笑)。

ちなみに準防火地域には「燃えない看板ルール」は適用されませーん。防火地域だけでーす!!

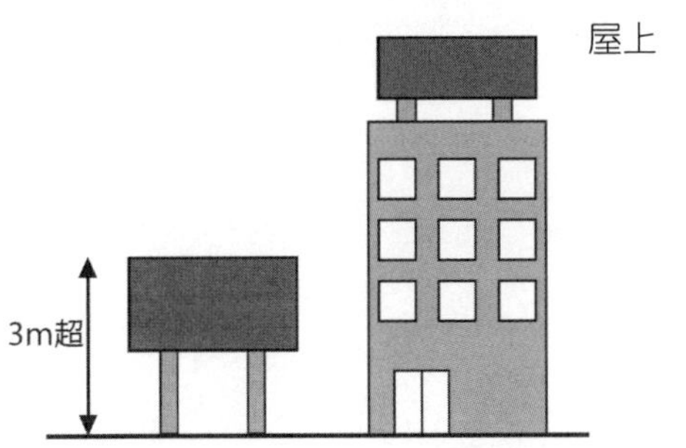

ひとこと

「がんばる」じゃなくて「ふんばる」にしてみてはどうでしょうか。

〔4〕建築物が防火地域・準防火地域にまたがる場合（65条）

要チェック

どんな状況か	制限の厳しいほうの規定を適用
防火地域と準防火地域にまたがる場合	防火地域の規定が適用される
防火地域と未指定地域にまたがる場合	防火地域の規定が適用される
準防火地域と未指定地域にまたがる場合	準防火地域の規定が適用される

敷地ではなくて、建築物がどこに建っているかがポイント。どっちの面積が大きいかではなくて、制限の厳しいほうの規定が適用される。

防火壁で区画されている場合は話は別なんでしたっけ？

あ、そうそう。たとえば、建築物が防火地域と準防火地域にまたがる場合で、準防火地域内の建築物の部分に防火壁があるときは、こんな感じで、準防火地域の規定を守ればオッケー。

図解

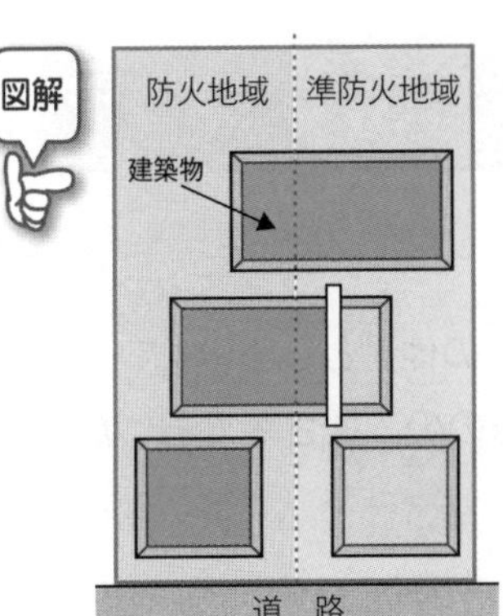

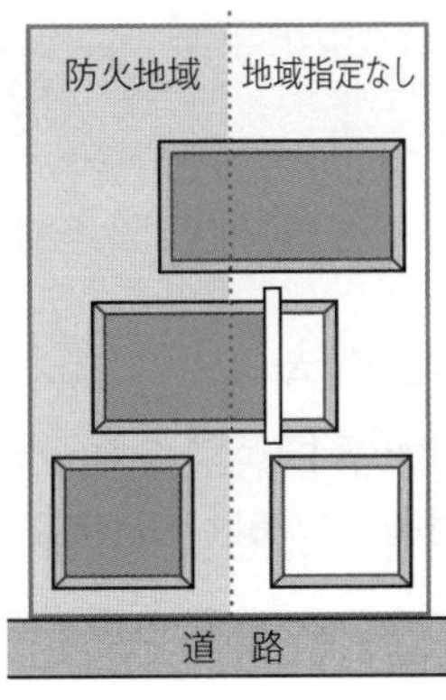

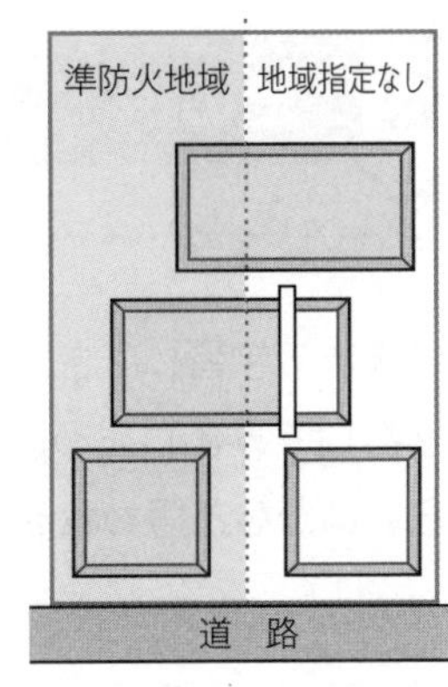

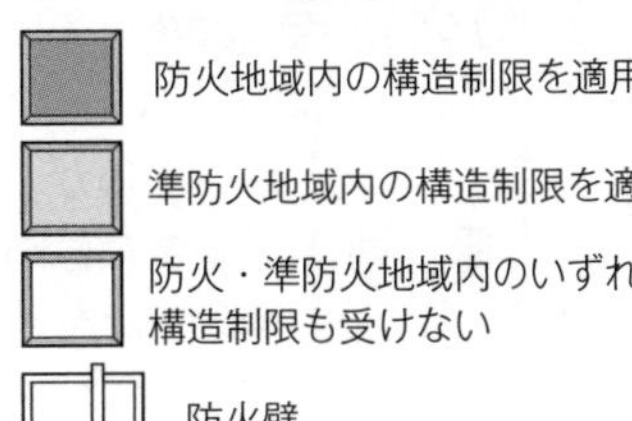

ひとこと

気分転換。文房具を一新すると、やる気がまた出てくるよ。工夫しながら楽しもう。

★★★

2 その他

いままで学習してきた建築基準法の内容に加え、「その他」としていくつか学習してみましょう。出題頻度はさほど高くないものの、押さえておいたらいいかなと思われる項目をとりあげてみます。

〔1〕防火壁等（26条）

原　則	延べ面積が 1,000㎡を超える建築物は、防火上有効な構造の防火壁または防火床によって有効に区画し、かつ、各区画の床面積の合計をそれぞれ 1,000㎡以内としなければならない。
例　外	ただし、次のいずれかに該当する建築物については、この限りでない。 ①　耐火建築物または準耐火建築物 ②　卸売市場の上家、機械製作工場その他これらと同等以上に火災の発生のおそれが少ない用途に供する建築物で一定のもの ③　畜舎などの用途に供する一定の建築物

防火地域や準防火地域での規定ではないんだけど、防火地域や準防火地域からの出題として、選択肢の１つで出てくるかもしれないので、ここでとりあげてみました。

延べ面積が 1,000㎡を超えるというと、かなり大きな建築物ですね。そんな建築物だったら防火壁や防火床で、1,000㎡以内で区切ってくださいということに。

耐火建築物や準耐火建築物だったら、防火壁等の規定は適用されないよ。

〔2〕その他の都市計画と建築基準法での制限

▶高層住居誘導地区が指定されている場合（57条の5）

高層住居誘導地区内においては、建築物の建蔽率は、高層住居誘導地区に関する都市計画において建築物の建蔽率の最高限度が定められたときは、当該最高限度以下でなければならない。

▶高度地区が指定されている場合（58条）

高度地区内においては、建築物の高さは、高度地区に関する都市計画において定められた内容に適合するものでなければならない。

▶高度利用地区が指定されている場合（59条）

高度利用地区内においては、建築物の容積率及び建蔽率並びに建築物の建築面積は、高度利用地区に関する都市計画において定められた内容に適合するものでなければならない。

▶特定街区が指定されている場合（60条）

特定街区内においては、建築物の容積率及び高さは、特定街区に関する都市計画において定められた限度以下でなければならない。

▶景観地区が指定されている場合（68条）

景観地区内においては、建築物の高さ（最高限度･最低限度）、壁面の位置、建築物の敷地面積（最低限度）は、都市計画においてそれぞれの限度（制限）が定められたときは、それに適合するものでなければならない。

▶特例容積率適用地区が指定されている場合（57条の4）

特例容積率適用地区内においては、建築物の高さは、特例容積率適用地区に関する都市計画において建築物の高さの最高限度が定められたときは、当該最高限度以下でなければならない。

3 Section

>> 建築基準法

建築協定による街づくり

★★★

1 建築協定という手段

概要

建築についての最低基準を全国一律に定めた建築基準法では満たすことのできない地域の個別的な要求を満足させるための手段として、建築協定という制度が用意されています。「住民同士で作る街づくりのルール」というイメージです。建築物の用途や敷地などにつき、建築基準法の規定に上乗せする形で設けられます。

〔1〕建築協定のしくみ（69条～77条）

まとめ

締結できる区域	市町村が「建築協定を締結できる」と条例で定めている区域。
協定の内容	建築物の敷地（例：最低面積）、位置、構造、用途、形態、意匠（例：原色は使わない）、建築設備に関する基準。
協定の認可	協定を締結しようとする土地の所有者等（土地所有者と借地権者）は、建築協定区域、建築物に関する基準、協定の有効期間などを定めた建築協定書を作成・提出し、特定行政庁の認可を受けなければならない。

土地所有者等の合意	建築協定書については、土地の所有者等の全員の合意がなければならないが、借地権の目的となっている土地がある場合においては、借地権者の合意があれば足りる。
協定の効力※	建築協定は、特定行政庁の認可を受け、公告があった日以降、建築協定区域内の土地所有者、借地権者となった者にも及ぶ。
協定の変更	協定内容を変更する場合は、全員の合意が必要(特定行政庁の認可)。
協定の廃止	過半数の合意が必要（特定行政庁の認可)。
一人協定	所有者が一人の区域でも、建築協定を締結できる。

※建築物の借主にも効力が及ぶ場合もある。

役所のパンフレットに「建築協定とは地区のみなさんの合意によって、街づくりのルールを作り、お互いに守りあっていくことを約束する制度です」というようなことが書いてあったりするよ。

東京・国立市の建築協定区域

地域の環境を守るため「敷地の最低面積は 150㎡にする」や「店舗の建築はできない」とか、「原色を用いたデザインはダメ」とか。そんな協定を定めることができるわけですね。

ちなみに、一人協定なんだけど、新規宅地分譲の事業者（デベロッパー）が「作り上げたこの環境を残そう」という趣旨で定める。そんなイメージみたいだね。

その土地を買ったみなさんは、以後、建築協定を守らなければならないと。結果、環境は守られていくのでありました。めでたしめでたし（笑)。

プラスα

都市計画法の「地区計画制度」と似ている。地区計画は都市計画（公的な制度）なので市町村の運営となるが、建築協定は「地区の住民による運営（私法的な契約という位置づけ)」というイメージ。
なお、すでにできあがっている街で建築協定が締結された例はほとんどないらしい。事実上、建築協定は「一人協定」からはじまるようだ。

Section 4 ≫ 建築基準法

建築確認という制度

ちょっと待って。
建築確認を受けてからじゃ
ないと建築できないよ。

★★★

1 建築確認とは

概要

建築物を建築するには、設計図書（図面や仕様書）の内容が建築基準法などの規定に適合しているかどうかの「確認」、つまり建築主事（または指定確認検査機関）などのチェックを受けてからになります。どんな建築物を建築するときに建築確認がいるのか、どんな工事が建築確認の対象となるのかなどが、学習のポイントです。

〔1〕建築物の種類（6条）

①特殊建築物（構造は問わない）

例示

学校、体育館、病院、劇場、映画館、共同住宅、ホテル、旅館、下宿、寄宿舎、百貨店、物品販売業を営む店舗（コンビニエンスストアなど）、飲食店、倉庫、自動車車庫、自動車修理工場、映画スタジオ、テレビスタジオ、キャバレー、バーなど

プラスα

建築主事とは、建築確認を行う地方公務員。人口25万人以上の市には置かなければならないとされている。また、建築副主事を置くこともできる。

語句　図解

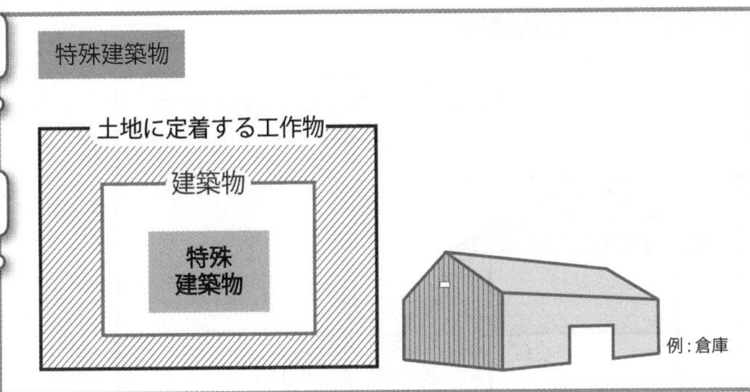

プラスα

指定確認検査機関とは、建築確認を行う機関として国土交通大臣や都道府県知事から指定された民間の機関。

重要！

「自宅」と「事務所」でなければ特殊建築物となると覚えておこう。

②大規模建築物

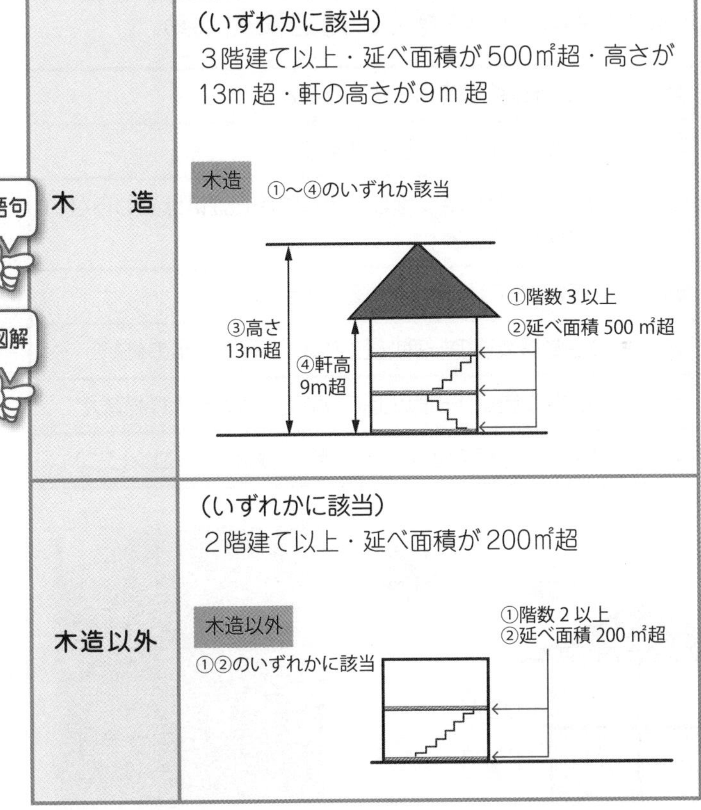

木　造	（いずれかに該当） 3階建て以上・延べ面積が500㎡超・高さが13m超・軒の高さが9m超
木造以外	（いずれかに該当） 2階建て以上・延べ面積が200㎡超

語句　図解

ちなみに!!

受験生の間でよく使われている語呂。産後の父さん、苦しい夫婦（3・5・13・9・2・2）。

ひとこと

ご承知のとおり、カラダを動かせば幸運がやってきます。ほらそこに!!

③上記以外の建築物（小規模建築物）

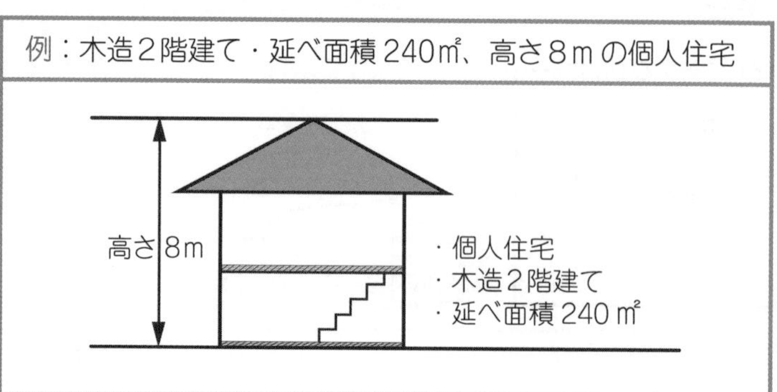

〔２〕建築、大規模の修繕・模様替え、用途変更（6条）

語句 まとめ

建築	新築	更地に新しく建築物を建てること
	増築	建築物の床面積を増加させること
	改築	建築物の一部を取り壊し、構造や用途がほぼ変わらないものを建てること
	移転	同一敷地内で建築物の位置を変えること
大規模の修繕		建築物の主要構造部の一種以上について行う過半の修繕
大規模の模様替え		建築物の主要構造部の一種以上について行う過半の模様替え
用途変更		建築物の使い方を変更すること（**例**：一般住宅→コンビニ）

図解 例示

主要構造部

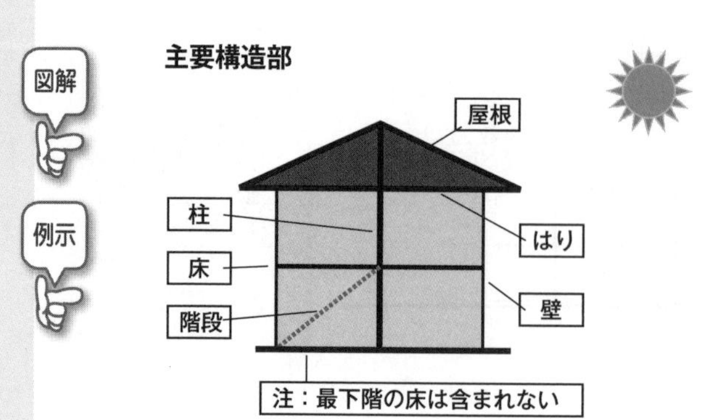

共同住宅（特殊建築物）での大規模の修繕

「大規模の模様替え」なんだけど、模様替えっていうとお部屋のレイアウト変更みたいなイメージかも。でもそうじゃないんだよね。

材質の変更などの工事をいうみたいですね。たとえばトタン屋根の過半を瓦葺きに変えるとか、外壁の過半をモルタル塗りからタイル貼りに変えるとか。

〔3〕建築確認が必要となる場合（6条）

	建築物の種類	新　築	増改築・移転	大規模の修繕・模様替え	用途変更
全国どこでも	特殊建築物で床面積が200㎡超	○	○＊2	○	○＊3
	大規模建築物	○	○＊2	○	×
都市計画区域等＊1	小規模建築物（上記以外）	○	○＊2	×	×

＊1　都市計画区域等とは、都市計画区域のほか、準都市計画区域・知事指定区域・準景観区域をいう。

＊2　10㎡以内の増改築・移転であれば建築確認は不要。ただし、防火地域・準防火地域内での増改築・移転については、面積にかかわらず、10㎡以内だったとしても建築確認を受けなければならない。

＊3　たとえば、一般住宅を用途変更して、200㎡超のコンビニエンスストア（特殊建築物）にするなどの場合、建築確認が必要となる。ただし、以下のような特殊建築物間での「類似の用途変更」の場合については建築確認は不要となる。

●類似の用途変更の例（主なもの）

類似の用途変更
劇場 ⟷ 映画館
ホテル ⟷ 旅館
診療所(収容施設あり) ⟷ 児童福祉施設等
キャバレー ⟷ ナイトクラブ
下宿 ⟷ 寄宿舎

ちなみにここでいう「下宿」とは旅館業法に規定されている1ヶ月以上の期間を単位とする旅館の一種をいう。「寄宿舎」とは労働基準法の規定によるもので、長期滞在を前提としている。

都市計画区域内や準都市計画区域内で建築物を新築する場合だと、規模にかかわらず建築確認が必要となるんだよね。

都市計画区域外で新築するというシチュエーションだと、大規模建築物や 200㎡超の特殊建築物の場合が確認の対象となるんですねー。

建築のほか、大規模の修繕や模様替えをする場合も建築確認が必要となるんだけど、対象となる建築物は、大規模建築物や 200㎡超の特殊建築物だけ。小規模建築物での大規模修繕などだったら建築確認はいらないよー。

〔4〕建築確認の流れ、工事完了の検査など（6条、7条、7条の3）

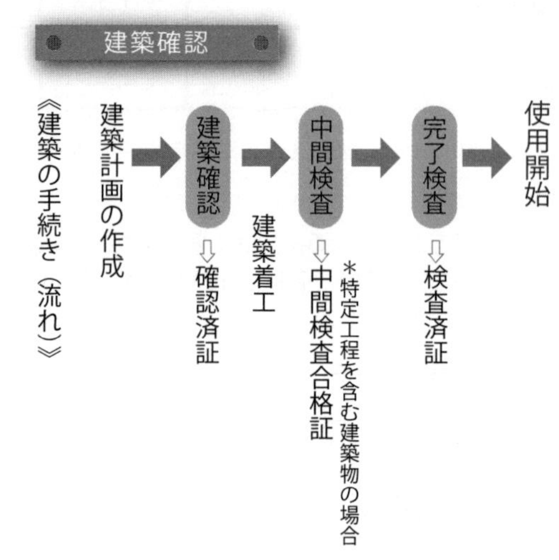

ここがポイント!!

中間検査が必要となる場合がある。

ひとこと

汗をかいて深呼吸。そのとき、幸運を吸って不運を吐く。そんなイメージで。

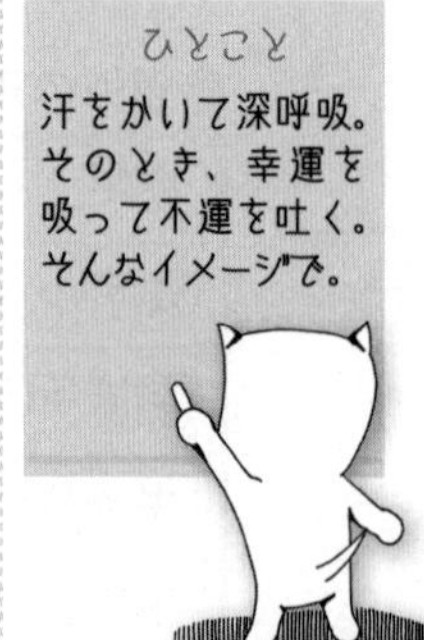

まとめ

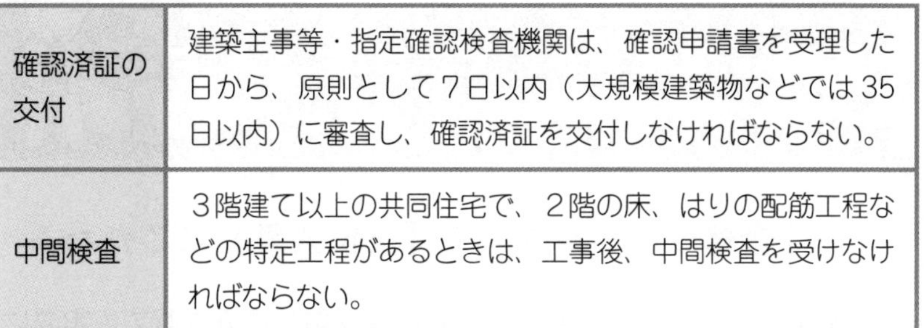

確認済証の交付	建築主事等・指定確認検査機関は、確認申請書を受理した日から、原則として７日以内（大規模建築物などでは 35 日以内）に審査し、確認済証を交付しなければならない。
中間検査	３階建て以上の共同住宅で、２階の床、はりの配筋工程などの特定工程があるときは、工事後、中間検査を受けなければならない。
工事完了の検査	建築主は、工事が完了した日から４日以内に、工事完了の検査を申請しなければならない。
検査済証の交付	建築主事等・指定確認検査機関は、申請を受理した日から７日以内に検査し、検査済証を交付しなければならない。

大規模建築物の場合、検査済証の交付を受けた後でなければ使用できないよ。

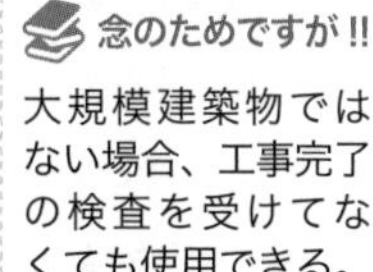

念のためですが!!

大規模建築物ではない場合、工事完了の検査を受けてなくても使用できる。

でも、７日以内に検査済証が交付されない場合や特定行政庁が仮使用を承認した場合は仮使用できることになってまーす。

プラスα

工事届出は建築確認とは別のもの。この届出を受けて、建築統計が作成される。なお、床面積が10㎡以内の工事であれば届出は不要。

あと、工事現場でのあれこれを、以下、まとめておきました。

工事現場の表示	工事の施工者（建築会社など）は、建築現場に建築主や施工者の氏名などや、建築確認があった旨の表示をしなければならない。
工事現場の危害防止	工事の施工者は、工事用の工作物の倒壊等による危害を防止するために必要な措置を講じなければならない。
工事届出	「建築主が建築物を建築しようとする場合」または「施工者が建築物の除却の工事をしようする場合」は、その旨を都道府県知事に届け出なければならない。

コラム

宅建ダイナマイト流 受験勉強心得

「合格点」じゃなくて「上位入賞」にこだわる

例年、24 〜 25 万人が宅建試験の受験申し込みをして、実際に受験するのが 19 〜 20 万人くらい。合格率が 15%前後だから合格者は３万人ほど。ということで 「万」の単位を省くと 20 人中３人。クラスに 20 人いたら、そのうち３人だけが合格。そんなイメージかな。

一方、いわゆる合格点はどうなっているかということなんだけど、その年の問題の難易度によって変動してます。平成 26 年度だと 32 点、平成 30 年だと 37 点。ということで「何点とればいいか」じゃなくて「上位 15%に入る」っていうことを意識しておく。

でもね、その 20 人のうち、「過去問ざっと解いて受験しちゃったー」みたいな人がけっこう多いからその数に惑わされることなく、やるべきことをきっちりやっておけばだいじょうぶ。

どうすればいいかというと、基本はひとつ。過去問とおなじ趣旨の問題は完勝すること。とくに宅建業法編や法令制限編はきっちり仕上げておこう。おなじような内容が繰り返し出題されてます。

民法などの権利関係編は、過去問に出てない話が混じったりしてきます。それでビビっちゃうかもしれないけど「テキスト３回・問題５回」をクリアしてたら「あ、この問題（選択肢）はだれもわかんないなー」という判断でオッケー。飛ばして次にいっちゃいましょう。

まぁそのあたりのお話は、直前期にでもまた。いずれにせよみなさんにお伝えしたいのは「宅建士試験の受験勉強ってほんとは楽しいんだってば!!」っていうこと。さぁいっしょに盛り上がっていきましょう。

試験当日、ホームランをガンガンかっとばしましょうね!!

Part 2

法令上の制限 -6

宅地造成及び特定盛土等規制法と国土利用計画法を主に学習します。宅地造成及び特定盛土等規制法は、傾斜地での盛土・切土による宅地造成工事を規制しています。粗悪な造成工事による土砂災害の防止が目的です。国土利用計画法は、一定以上の規模の土地の売買などをした場合、届出をすることと定めています。届出をしなければならない場合や、届出内容を理解すること。

1 Section 宅地造成及び特定盛土等規制法

★★★

1 宅地造成及び特定盛土等規制法の目的

概要

この法律は、宅地造成や危険な盛土・切土などの工事を規制しています。工事に伴うがけ崩れや土砂の流出による災害を防止するために必要な規制を行うことによって、国民の生命・財産を保護することを目的として制定されました。

〔1〕宅地造成等工事規制区域の指定（10条）

スッキリ条文

① 都道府県知事は、宅地造成等（宅地造成、特定盛土等又は土石の堆積）に伴い災害が生ずるおそれが大きい市街地若しくは市街地となろうとする土地の区域又は集落の区域（「市街地等区域」という。）であって、宅地造成等に関する工事について規制を行う必要があるものを、宅地造成等工事規制区域として指定することができる。

宅地造成等工事規制区域は、いままで市街地じゃなかった傾斜地を対象にしているよ。斜面を削り取って土を盛って宅地にする。ちゃんとした工事をしてもらわないとね。なので許可制になってます。

この法律でいう「都道府県知事」とは、地方自治法に基づく指定都市、中核市の区域については、それぞれの市長となる。

▶宅地造成等に関する工事の許可（12条）

> 宅地造成等工事規制区域内において行われる宅地造成等に関する工事については、工事主は原則として、当該工事に着手する前に、都道府県知事の許可を受けなければならない。

宅地造成と特定盛土等に該当する土地の区画形質の変更はこんな工事ですね。

宅地造成	宅地以外の土地を宅地にするために行う盛土その他の土地の形質の変更で政令で定めるものをいう。
特定盛土等	宅地又は農地等において行う盛土その他の土地の形質の変更で、当該宅地又は農地等に隣接し、又は近接する宅地において災害を発生させるおそれが大きいものとして政令で定めるものをいう。

政令で定めるもの

① 盛土であって、当該盛土をした土地の部分に高さが１ｍを超える崖を生ずることとなるもの

② 切土であって、当該切土をした土地の部分に高さが２ｍを超える崖を生ずることとなるもの

③ 盛土と切土とを同時にする場合において、当該盛土及び切土をした土地の部分に高さが２ｍを超える崖を生ずることとなるときにおける当該盛土及び切土

④ ①又は③に該当しない盛土であって、高さが２ｍを超えるもの

⑤ ①〜④のいずれにも該当しない盛土又は切土であって、当該盛土又は切土をする土地の面積が 500㎡を超えるもの

切土の例

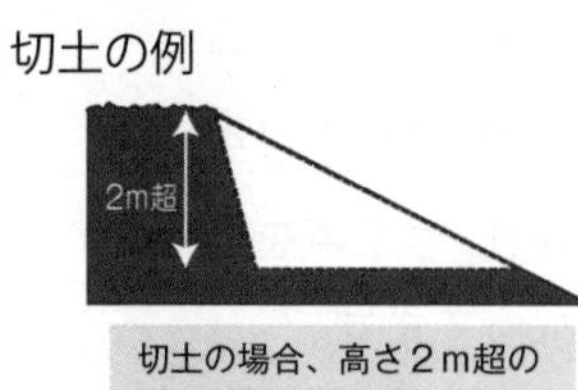

切土の場合、高さ２ｍ超の
ガケが生じるかどうか

盛土の例

盛土の場合、高さ１ｍ超の
ガケが生じるかどうか

面積 500 ㎡超の例

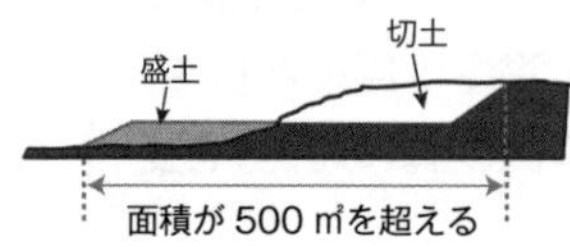

あとね土石の堆積っていうのもあるよ。こんな工事だ。

① 高さが２ｍを超える土石の堆積

② ①に該当しない土石の堆積であって、当該土石の堆積を行う土地の面積が 500㎡を超えるもの

そのほか、許可関連のあれこれをまとめておきます。

▶宅地造成等に関する工事の技術的基準等（13条）

宅地造成等工事規制区域内において行われる宅地造成等に関する工事は、一定の技術的基準に従い、擁壁等（擁壁、排水施設など）の設置その他宅地造成等に伴う災害を防止するため必要な措置が講ぜられたものでなければならない。

一定の資格を有する者の設計によらなければならない工事

① 高さが５ｍを超える擁壁の設置

② 盛土又は切土をする土地の面積が 1,500㎡を超える土地における排水施設の設置

▶完了検査等（17条）

宅地造成又は特定盛土等に関する工事について許可を受けた者は、当該許可に係る工事を完了したときは、工事が完了した日から４日以内に、その工事が技術的基準等に適合しているかどうかについて、都道府県知事の検査を申請しなければならない。

続いて、工事の停止とか、擁壁の設置とか。

ちゃんと安全な宅地を造成してくださいねー。

工事中（停止など）

・無許可や条件違反の工事 ・技術的基準に適合しない工事	都道府県知事は、工事主や工事の請負人（下請けを含む）、現場管理者に対して工事の停止・擁壁の設置などの災害防止の措置をとることを命じることができる。

工事後（使用禁止など）

・無許可で造成された宅地 ・技術的基準に適合しない宅地	都道府県知事は、所有者・占有者・工事主に対して、使用禁止・使用制限・擁壁の設置などの災害防止の措置をとることを命じることができる。

許可制度のほかにも、都道府県知事への届出制度もあるんだよねー。なにかとうるさい（笑）。

宅地に転用する工事で、盛土だ切土だと派手にやるんでしたら「許可」なんだけど、そこまでじゃないよという場合は14日以内に届出。ほんと、なにかとうるさいです（笑）。

21日以内	宅地造成等工事規制区域指定の際、すでに宅地造成等に関する工事が行われていた場合、工事主は、指定後21日以内に届け出なければならない。
14日前まで	宅地造成等工事規制区域内で「2mを超える擁壁」や「排水施設」を除却する工事を行おうとする者は、工事に着手する日の14日前までに届け出なければならない。
14日以内	宅地造成等工事規制区域内の公共施設用地を宅地又は農地等に転用した者は、許可を必要とする場合を除き、転用した日から14日以内に届け出なければならない。

許可だ届出だとやってきましたが、以下、その他もろもろをまとめておきます。

■土地の保全等（22条）

①宅地造成等工事規制区域内の土地の所有者・管理者・占有者は、宅地造成等（宅地造成等工事規制区域の指定前に行われたものを含む）に伴う災害が生じないよう、その土地を常時安全な状態に維持するよう努めなければならない。
②都道府県知事は、宅地造成等工事規制区域内の土地について、宅地造成等に伴う災害防止のため必要があると認めるときは、当該土地の所有者・管理者・占有者・工事主・工事施行者に対して、擁壁の設置・改造など宅地造成等に伴う災害防止のための措置をとることを勧告することができる。

勧告に従わない場合、改善命令が発令される場合がある。勧告とはことなり、改善命令に従わない場合は罰則（6ヶ月以下の懲役・30万円以下の罰金）が用意されている。

■立入検査（24条）

都道府県知事は必要な限度において、その職員に、当該土地において行われている宅地造成等に関する工事の状況を検査させることができる。

■報告の徴収（25条）

都道府県知事は、宅地造成等工事規制区域内の土地の所有者・管理者・占有者に対して、当該土地または当該土地において行われている工事の状況についての報告を求めることができる。

★★★

2 特定盛土等規制区域というのもある

宅地造成等工事規制区域以外の土地の区域で、土地の傾斜度や渓流の位置などの自然的条件や、土地の利用状況などの社会的条件からみて、特定盛土や土石の堆積が行われた場合に災害が生ずる危険が大きい区域を、都道府県知事は「特定盛土等規制区域」として指定することができます。

特定盛土等規制区域とは、その名のとおり盛土等に伴う災害が発生しそうな区域を対象としていて、この特定盛土等規制区域での工事でも、届出や許可がいるよ。

▶特定盛土等又は土石の堆積に関する工事の届出（27条）

> 特定盛土等規制区域内において行われる特定盛土等又は土石の堆積に関する工事については、工事主は、当該工事に着手する日の30日前までに、当該工事の計画を都道府県知事に届け出なければならない。

▶特定盛土等又は土石の堆積に関する工事の許可（30条）

> 特定盛土等規制区域内において行われる特定盛土等又は土石の堆積で政令で定める規模（大規模な崖崩れ又は土砂の流出を生じさせるおそれが大きいもの）に関する工事については、工事主は、当該工事に着手する前に、都道府県知事の許可を受けなければならない。

政令で定めるもの

① 盛土であって、当該盛土をした土地の部分に高さが２ｍを超える崖を生ずることとなるもの

② 切土であって、当該切土をした土地の部分に高さが５ｍを超える崖を生ずることとなるもの

③ 盛土と切土とを同時にする場合において、当該盛土及び切土をした土

地の部分に高さが5ｍを超える崖を生ずることとなるときにおける当該盛土及び切土

④　①又は③に該当しない盛土であって、高さが5ｍを超えるもの

⑤　①～④のいずれにも該当しない盛土又は切土であって、当該盛土又は切土をする土地の面積が3,000㎡を超えるもの

災害防止のため、特定盛土等規制区域の土地の所有者たちにも、災害を防止するよう求めているよ。

▶土地の保全等（41条）

①　特定盛土等規制区域内の土地の所有者、管理者又は占有者は、特定盛土等又は土石の堆積（特定盛土等規制区域の指定前に行われたものを含む。）に伴う災害が生じないよう、その土地を常時安全な状態に維持するように努めなければならない。

②　都道府県知事は、特定盛土等規制区域内の土地について、特定盛土等又は土石の堆積に伴う災害の防止のため必要があると認める場合においては、その土地の所有者、管理者、占有者、工事主又は工事施行者に対し、擁壁等の設置又は改造その他特定盛土等又は土石の堆積に伴う災害の防止のため必要な措置をとることを勧告することができる。

★★★

3 造成宅地防災区域というのもある

宅地造成等工事規制区域や特定盛土等規制区域は、これから宅地造成等や特定盛土等などを行う場合を規制の対象としていますが、造成宅地防災区域は、すでに造成された「既存の造成宅地」のがけ崩れを防ごうというものです。特定盛土等規制区域と同様に宅地造成等工事規制区域の土地を除いて指定されます。

〔1〕造成宅地防災区域の指定（45条）

都道府県知事は、宅地造成又は特定盛土等（宅地において行うものに限る。）に伴う災害で相当数の居住者等に危害を生ずるものの発生のおそれが大きい一団の造成宅地（宅地造成等工事規制区域内の土地を除く。）の区域であって政令で定める基準に該当するものを、造成宅地防災区域として指定することができる。

政令で定める基準

① 次のいずれかに該当する一団の造成宅地の区域（盛土をした土地の区域に限る）であって、安定計算によって、地震力及びその盛土の自重による当該盛土の滑り出す力がその滑り面に対する最大摩擦抵抗力その他の抵抗力を上回ることが確かめられたもの

イ　盛土をした土地の面積が3,000㎡以上であり、かつ、盛土をしたことにより、当該盛土をした土地の地下水位が盛土をする前の地盤面の高さを超え、盛土の内部に浸入しているもの

ロ　盛土をする前の地盤面が水平面に対し20度以上の角度をなし、かつ、盛土の高さが5メートル以上であるもの

② 盛土又は切土をした後の地盤の滑動、宅地造成又は特定盛土等（宅地

において行うものに限る。）に関する工事により設置された擁壁の沈下、盛土又は切土をした土地の部分に生じた崖の崩落その他これらに類する事象が生じている一団の造成宅地の区域

「相当数の居住者等に危害を生ずるものの発生のおそれが大きい一団の造成宅地」というフレーズが怖いね。

地震などで大災害が発生する。そんなイメージかしら。そういえば、宅建業法の重要事項説明のところでも、造成宅地防災区域は登場していますね（P.159 参照）。

そんな危ない造成宅地防災区域なので、所有者らに災害防止のための措置をお願いしているよ。

▶災害の防止のための措置（46条）

① 造成宅地防災区域内の造成宅地の所有者、管理者又は占有者は、災害が生じないよう、その造成宅地について擁壁等の設置又は改造その他必要な措置を講ずるように努めなければならない。

② 都道府県知事は、造成宅地防災区域内の造成宅地について、災害の防止のため必要があると認める場合においては、その造成宅地の所有者、管理者又は占有者に対し、擁壁等の設置又は改造その他災害の防止のため必要な措置をとることを勧告することができる。

2 Section 国土利用計画法

★★★

1 地価高騰を抑えるのが主目的!?

国土利用計画法（国土法）は、昭和 49 年に、当時の全国的な地価高騰の抑制を図るために緊急立法されました。土地の取引内容を把握するために「許可制度」や「事前の届出制度」を用意し、売却価格があまりにも高額な場合や、目に余る投機的取引に対し、取引の中止などを勧告するというしくみでした。

〔1〕地価が下落しているときは無意味な法律？

当時の我が国は高度経済成長期。そして田中角栄首相の「日本列島改造論」。日本中のマネーが不動産に流れ込み、全国的に地価高騰の狂乱お祭り騒ぎ。

誰しもが土地を欲しがった時代。ぜったい値上がりするんですもんね。「一億総不動産屋」なんて言葉もあったみたいで、ある意味たのしそうな時代ですね（笑）。

ちなみに!!

「決断と実行」をスローガンに「日本列島改造論」を掲げ、1972 年(昭和 47 年)に当時 54 歳の田中角栄氏が率いる田中政権が颯爽と発足。発足直後の内閣支持率は 61%。当時としては爆発的な内閣支持率だった。その後、インフレ＆狂乱物価で大混乱。

まぁね。とはいえ、行き過ぎた地価高騰はいかがなものか。そんな地価高騰と戦うために生まれた国土利用計画法。売買などの土地取引の前に「許可を受けてね」とか「届け出をしてね」という制度にして、事前に取引内容をチェック。

念のためですが!!
1980年代後半のバブル時代でも、「2年で2倍」などの地価高騰があった。

「もっと安くして」とか「取引を中止して」とか言いたいわけですから、そりゃやっぱり事前の届出とかですよね。事後に届け出てもらってもしょうがないですし。

ちなみに!!
経済企画庁の試算では、1987年の日本の土地の値上がり分は1年間で、なんと370兆円に達した。

だよね。で、その後の昭和の終わりころの「地価高騰の狂乱ドンチャン騒ぎ」、例のバブル時代あたりまではそれなりに存在意義があった国土法なんだけど、平成3年7月以降、ご存知のとおり地価はずーっと下落。

ちなみに!!
1987年の東京都区部の公示価格なんと、前年度比76.8%の上昇。翌88年は、これまた44.1%の上昇。

値上がりするから土地を買おう、なんて、いまやだれも思わないですしね。不動産が投機的取引の対象ではなくなりまして、はや20年以上（笑）。

そんな時代になり、国土利用計画法の出番もない。で、どうなったかというと平成10年に国土利用計画法の改正があり、なんと、事後届出制度が導入され、それが主軸となったのでありました。

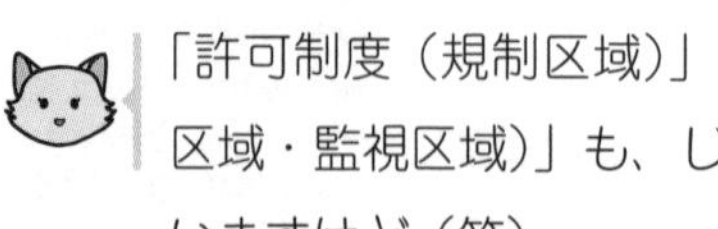

「許可制度（規制区域）」と「事前の届出制度（注視区域・監視区域）」も、じつはこっそり温存されてはいますけど（笑）。

ひとこと
まず自分が「どうしたらシアワセになれるか」いろいろ工夫してみよう。

原　則	事後届出制度	大規模な土地取引をした場合、２週間以内に事後届出	
例　外	事前届出制度	注視区域	大規模な土地取引に対し、事前届出
		監視区域	小規模な土地取引に対し、事前届出
	許可制度	規制区域	面積にかかわらず、事前に許可を受ける

注視区域	地価が一定の期間内に社会的経済的事情の変動に照らして相当な程度を超えて上昇し、または上昇のおそれがあるものとして国土交通大臣が指定する基準に該当し、適正かつ合理的な土地利用の確保に支障が生ずるおそれがある区域について、都道府県知事が指定する。
監視区域	地価が急激に上昇し、または上昇するおそれがあり、これによって適正かつ合理的な土地利用の確保が困難となるおそれがある区域について、都道府県知事が指定する。
規制区域	投機的取引が集中して行われ、または行われるおそれがあり、地価が急激に上昇し、または上昇するおそれがある区域について、都道府県知事が指定する。

※規制区域（許可制度）は一度も指定されたことがない。注視区域も創設してから指定なし。監視区域は１ヶ所（東京・小笠原村）のみ。

ひとこと

だって自分が楽しくないと、他人を楽しくさせることなんてできないし。

★★★

2 事後届出制度

「事後届出制度」は、注視区域や監視区域、規制区域の指定がない区域での土地取引について適用されます。どういう取引をするときに事後届出が必要となるのか、届出対象となる面積はどれくらいか、などがポイントです。

〔1〕事後届出制度。買主側に義務があり（23条）

一定規模以上となる土地売買等の契約を締結した場合には、権利取得者（例：買主）は、契約を締結した日から起算して２週間以内に、一定事項を都道府県知事に届け出なければならない。

「事後届出制度」なんだけど、まず「２週間以内」にね。そして誰が届出をするかというと、売買だったら買主側。権利取得者といいます。買主が役所に書類を持って行くこと。

プラスα

届出は、その土地が所在する市町村の長を経由してする。

届出が必要となる「土地売買等の契約」とはどんなものか、そして、届出が必要となる土地面積はどれくらいか、がポイントですよね。

プラスα

「国土法 23 条の届出」という場合もある。

そうだね。まず「土地売買等の契約」なんだけど「等」がついているから、売買だけじゃないんだよね。

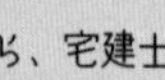

ひとこと

だから、宅建士試験に受かろう！　だいじょうぶ、なんとかなるって。

「土地に関する権利」を、「対価」を得て、「移転または設定する契約」で「予約」も含む。そんな感じなんですねー。

土地売買等の契約（次の①～③の要件を満たすもの）（14条）

> ①　土地の所有権・地上権・賃借権、またはこれらの権利の取得を目的とする権利（以下「土地に関する権利」という）の移転または設定であること。
>
> ②「土地に関する権利」の移転または設定が対価を得て行われるものであること。
>
> ③「土地に関する権利」の移転または設定が契約（予約を含む）により行われるものであること。

たとえば、住宅ローンを借りるときに不動産に抵当権を設定するでしょ。これって「土地売買等の契約」になるかというと？

なりませーん。①の土地に関する権利（土地の所有権・地上権・賃借権）の設定じゃないからでーす。

そうそう。で、土地売買等の契約になるかならないか、以下にまとめておきました。国土法はそもそも地価高騰を抑制するためのものだったから、その契約が地価高騰につながるか、つまりおカネのやりとりがあるか、そんな観点からの規制です。

解説　土地売買等の契約について

土地売買等の契約になるもの

①　売買契約、停止条件つき売買契約※1、売買予約、交換、共有持分の譲渡、土地区画整理事業における保留地処分

②　譲渡担保、代物弁済※2、代物弁済の予約

③　権利金の授受のある地上権・賃借権の設定（借地契約で権利金の授受がある場合、その権利金を売買代金とみなす）

④　予約完結権や買戻権の譲渡（これの権利があれば所有権が手に入る）

土地売買等の契約にならないもの

贈与、信託契約、相続、時効による土地取得、抵当権設定、権利金の授受のない借地権設定契約、停止条件の成就による場合、など。

※1 「海外転勤が決まったら売却する」などの停止条件付き売買の場合、その売買契約をする際に届出が必要。その後、実際に停止条件が成就すれば契約の効力が生じるが、再度の届出は不要。

※2 代物弁済とは「借金の代わりに土地を渡す」というもの。代物弁済の「予約」をすることもでき、この場合、予約の時点で届出の対象となる。その後、実際に予約完結権を行使する際は届出不要。

事後届出の必要な土地（一定規模以上となる土地）

区域	面積
① 市街化区域	2,000㎡以上
② 市街化調整区域	5,000㎡以上
③ 区域区分の定めのない都市計画区域	
④ 準都市計画区域	10,000㎡以上
⑤ 都市計画区域外 準都市計画区域外	

※　覚え方　２×５＝１０　〈にごじゅう〉

たとえば市街化区域で2,000㎡未満の土地売買だったら届出は不要だよね。

はい。かなり大規模な土地取引だけを届出の対象としていますねー。

でもね、取得する個々の土地面積は小さくても、権利取得者（例：買主）が一連の計画のもとに取得する「一団の土地」が一定規模以上となる場合には、契約の時期がずれていたとしても、個々の取引ごとに届出が必要となるよ。要は買い占めタイプ。総面積で判断してね。

▶市街化区域

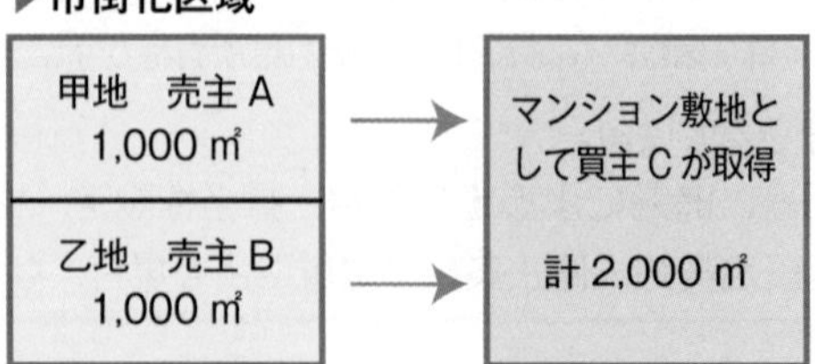

市街化区域の場合、買主が事後届出をしなければならない。

えーとね、「買いの一団」ではなく、一団の土地を切り売りする場合は、個々の買主が取得する面積で判断すればいいです。たとえば、市街化区域の2,000㎡の土地を500㎡の土地に分割して4人に分譲するような場合とか。

500㎡を個々に買うということだから、その取引ごとについては届出不要ですね。

次にね、届出が不要となる例外がいくつかありまして。

農地を農地として売買の「農地法第3条の許可」のときは届出不要なんですねー。農地法第5条の許可とまちがわないようにしないと!!

■届出が不要となる場合

① 当事者の一方または双方が国、地方公共団体などである場合
② 農地法3条の許可（農地を農地として売買）を要する場合
※農地法5条の許可（農地を宅地として売買）を要する場合は届出必要
③ 滞納処分、強制執行、抵当権などの担保権の実行としての競売などの場合
④ 非常災害の応急措置として行われる場合
⑤ 民事調停法による調停による場合

〔2〕事後届出制度での届出事項・勧告制度

■届出事項（23条）

① 契約当事者の氏名・住所等
② 契約締結年月日
③ 土地の所在地及び面積
④ 土地に関する権利の種別及び内容
⑤ 土地の利用目的
⑥ 対価の額（対価が金銭以外のものであるときは、これを時価を基準として見積った額）

事後届出なのに、いちおう「対価の額」も届出事項なんだよね。交換の場合は見積もり額になるけど。

「対価の額」は、事前届出の時代は意味がありましたけど（笑）。

なので、事後届出制度でのメインとなる届出事項は「土地の利用目的」。都道府県知事サイドは、「土地の利用目的」について勧告することができる。

といいますか、事実上、それしか勧告できないですよね（笑）。

■都道府県知事の勧告（24条、26条）

① 都道府県知事は、事後届出があった場合において、「土地の利用目的」が土地利用本計画などの計画に適合せず、周辺の地域の適正かつ合理的な土地利用を図るために著しい支障があると認めるときは、利用目的を変更すべきことを勧告することができる。
② 勧告は、事後届出があった日から起算して３週間以内にしなければならない。
③ 都道府県知事は、勧告を受けた者が勧告に従わないときは、その旨及びその勧告の内容を公表することができる。

ということで、土地の利用目的のみを審査し、場合によっては勧告する。そんな感じです。当たり前だけど、取引価格については勧告しない。というかできない（笑）。

この勧告は「3週間以内」についてなんですけど、合理的理由があれば「3週間の範囲で延長できる」という規定もあります。なので、マックス6週間。

ちなみに「勧告」には強制力はないから、勧告に従わなかったとしても契約の効力に影響はなく、勧告を受けた旨などが公表されるにとどまる。罰則もない。

それに、必ずしも公表されるわけじゃなくて、「公表することができる」となっていまーす。

■その他（**25条〜27条、47条、49条**）

報告	都道府県知事は、必要があるときは、勧告を受けた者に対して、勧告に基づいて講じた措置について報告させることができる。	
あっせん	都道府県知事は、勧告に基づき土地の利用目的が変更された場合、必要があると認めるときは、権利の処分についてあっせんするなどの措置を講ずるよう努めなければならない。	
助言	都道府県知事は、事後届出をした者に対し、その土地の利用目的について、当該土地を含む周辺の地域の適正かつ合理的な土地利用を図るために必要な助言をすることができる。	
罰則	6ヶ月以下の懲役・100万円以下の罰金	・事後届出をしなかった者 ・事後届出について虚偽の届出をした者
	30万円以下の罰金	勧告に基づく報告をしなかった場合や、虚偽の報告をした場合

助言というのもあるでしょ。これ、勧告とは異なり、助言に従わなくても公表とかはないよ。

この助言制度は事後届出制度の場合のみあります。事前届出制度にはありません。念のため。

★★★

3 事前届出制度・許可制度

概要

注視区域・監視区域内では事前届出制度、規制区域内では許可制度となっています。地価の急激な上昇が見られない昨今、あまり出番のない制度ともいえます。

〔1〕注視区域・監視区域における事前届出制度（27条の3～27条の7）

スッキリ条文

① 注視区域内・監視区域内で土地売買等の契約を締結しようとする場合、当事者は、一定事項をあらかじめ都道府県知事に届け出なければならない。

② 事前届出をした者は、その届出をした日から起算して6週間を経過する日までの間、その届出に係る土地売買等の契約を締結してはならない。ただし、勧告または不勧告通知を受けた場合は契約を締結してよい。

■事前届出が必要となる面積

要チェック

注視区域	にごじゅう（P.356 参照）
監視区域	都道府県の規則で定めた面積（例：市街化区域で 500㎡以上）

プラスα

「一団の土地」については、買い占め型のほか、切り売り型でも事前届出の対象となる。事後届出制度とは異なる取り扱い。

事前届出制度だと、届出義務者は「当事者」。事後届出制度だったら「権利取得者」だけだったけどね。

監視区域だと、「にごじゅう」より小さい面積でも事前届出の対象とすることができるんですね。地価高騰を特に監視しようということかしら。

あと、「土地の利用目的」のほか「予定対価の額」についても都道府県知事は勧告することができるよ。なんてったって、事前届出制度だし。

ちなみに、事前届出をしなかった場合、罰則の適用（6ヶ月以下の懲役・100万円以下の罰金）はありますけど、契約自体は有効です。無効にはなりません。

〔2〕規制区域における許可制度（14条）

① 規制区域内で土地売買等の契約を締結しようとする場合には、当事者は、都道府県知事の許可を受けなければならない。
② 許可を受けないで締結した土地売買等の契約は効力を生じない。

規制区域はけっこう強烈で、取引面積を問わず、土地売買等の契約を締結する前に都道府県知事の許可を受けなければならない。

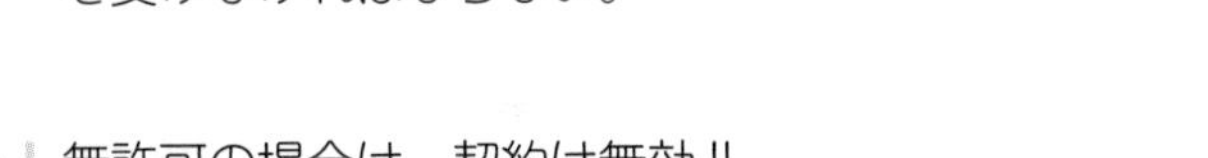

無許可の場合は、契約は無効!!

つまり自分の土地であっても、もはや自由に売却はできないということになる。許可がおりなきゃ売却できない。取引自由の原則を完全に否定するすさまじさ。「売買禁止区域」というニュアンスだね。

プラスα
狂乱の地価高騰に翻弄された昭和の終わりのバブル時代、時の中曽根内閣で、禁断の規制区域の指定を検討した節もある。

無許可売買の場合、なんと3年以下の懲役。罰金200万円。誰も投機的取引をしなくなるから、規制区域内の土地は劇的に値下がりしますよね。

おまけに、その区域の経済も壊滅しちゃうかな。「高熱でうなされている人の熱を下げるために、いったん殺しちゃおう」というような感じとでもいいましょうか。

結局、危ないので、一度も指定されてませーん。

ちなみに!!

一時は3万8,915円87銭もの史上最高値を付けた株価も1992年3月、2万円の大台を割った。1986年11月からのバブル景気も、ついに終わった。

ひとこと

きょうもお疲れ。よくふんばった。明日は明日の風が吹く。気楽にいこう。

Part 2

法令上の制限 -7

土地区画整理法と農地法を取り上げます。土地区画整理法では、土地区画整理事業の施行者や実施にあたっての段取りが出題されます。換地・仮換地という言葉がキーワードです。農地法は、農地の売買や転用を規制しています。売買や転用をするには農地法上の許可が必要となり、どのような局面でどの許可が必要となるかを理解しておきましょう。

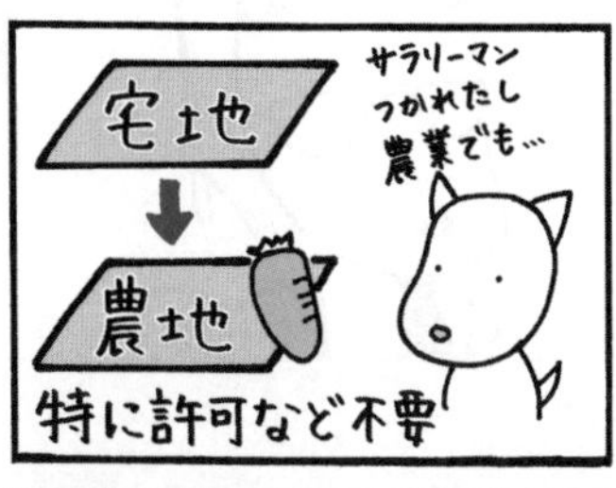

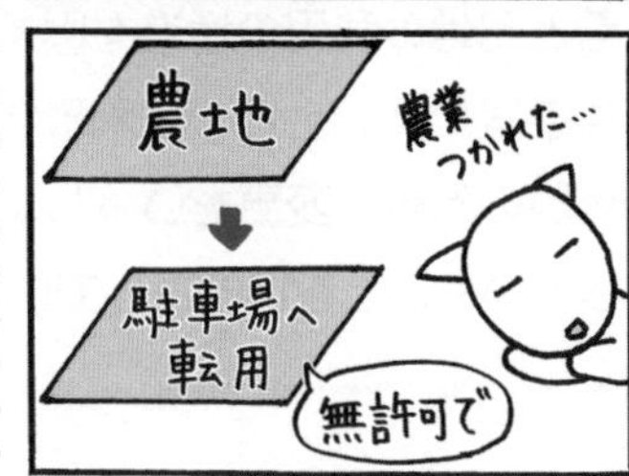

Section 1 土地区画整理法

土地区画整理事業で
スッキリ良好な街づくり。
時間はかかるけど…。

★★★

1 土地区画整理事業とは

概要

土地区画整理事業は、都市計画区域内の土地について、公共施設の整備改善と宅地の利用の増進を図るため、土地区画整理法の定めに従って行われる事業です。土地の区画形質の変更（区画整理）と道路や公園などの公共施設の新設・変更をいっしょに行い、スッキリとした良好な市街地を形成していくことを目的としています。

ひとこと

いまさらだけど、オレの名前は宅犬おじさんだよ。これからもよろしくね。

〔1〕土地区画整理事業のしくみ（段取り）

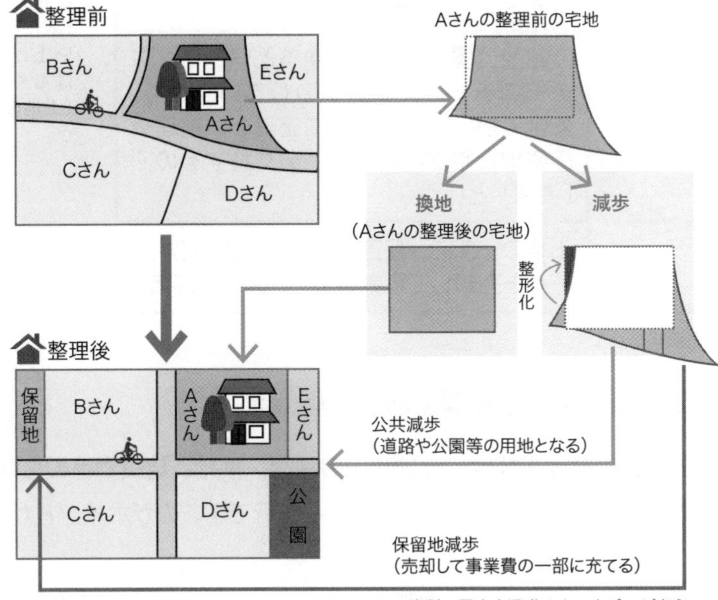

資料：国土交通省のホームページから

土地区画整理事業なんだけど、まずどこで行うことができるかというと都市計画区域内の土地。どんなしくみで行うかが、減歩（げんぶ）と換地（かんち）。

整理後に換地される宅地面積は、整理前の宅地面積より小さくなるんですけど、価値が上昇するので面積減と相殺というふうに考えるんですよね。

ちなみに!!

土地区画整理事業は、東京や横浜では関東大震災の復興で行われたり、また、第二次世界大戦で受けた被害の復興を目的として各地で行われたりしている。

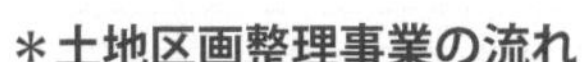

＊土地区画整理事業の流れ

事業計画の作成・認可（P.367）
↓
換地計画の作成・認可（P.369）
↓
仮換地の指定（P.371）
↓
換地処分（P.375）
↓
登記（P.377）

（事業計画の作成・認可〜換地処分）**建築行為等の制限**（P.368）

減　歩	土地の所有者から少しずつ土地を提供（減歩）してもらい、効率的に集約して道路・公園などの公共用地に充てる。
換　地	道路や公園などを整備すると同時に、ゴチャゴチャと使い勝手のわるい土地を、安全で使いやすい宅地に整形し、整理後の宅地と整理前の宅地とを交換するので「換地」という。
保留地	土地の一部に「保留地」というのを作り、それを売却して事業資金の一部に充てる。

重要！

土地区画整理事業は買収・収用方式（施行者が土地を買い上げる方式）ではなく、換地方式（土地の交換）で行う。

〔2〕土地区画整理事業の施行者（3条）

土地区画整理事業は、土地利用の制限、換地、建築物等の移転等の強制力を伴うものなんだけど、民間でも施行できるのがポイントかな。

民間施行と公的施行に大別できるんですよね。で、民間だと土地区画整理組合が、公的だと地方公共団体が施行者となっている土地区画整理事業が多いみたいですねー。

施行者		どこで施行できるか	市街化調整区域
民間施行	①個人施行者 ②土地区画整理組合 ③区画整理会社	都市計画区域内ならどこでも	施行できる
公的施行※2	①地方公共団体 ②国土交通大臣 ③都市再生機構 ④地方住宅供給公社	都市計画で決定した市街地開発事業の施行区域（P.250参照）	施行できない※1

※1　市街地開発事業は市街化区域と区域区分の定めのない都市計画区域でしか実施できない。

※2　公的施行の場合、施行者と施行地区内の土地の権利者とは必ずしも一致しないので、土地区画整理事業ごとに「土地区画整理審議会」が設置される。

土地区画整理事業は個人でも施行することができるよ。以下、個人施行者のポイントをまとめておきます。

▶個人施行者について（4条）

- 1人で行う場合（一人施行）のほか、宅地の所有者・借地権者が数人共同で行うこと（共同施行）もできる。
- 自分たち以外に区域内の宅地に権利を有する人がいれば、事業計画についてその人の同意を得なければならない。
- 規準（一人施行）・規約（共同施行）及び事業計画を定め、都道府県知事の認可を受けなければならない。

個人施行の場合は組織を必要としないけど、組合施行などとするんだったら、まず、その組織を作らないとね。以下、土地区画整理組合を設立するための段取りをまとめておきます。

▶土地区画整理組合について（15条、18条、25条）

① 土地区画整理組合を設立しようとする者は、宅地の所有者・借地権者の７人以上共同して、定款（組合のしくみ）及び事業計画（設計の概要や資金計画など）を定め、その設立について都道府県知事の認可を受けなければならない。

② 組合の認可を申請しようとする者は、定款・事業計画について、土地区画整理事業の施行地区となるべき宅地の所有者・借地権者の３分の２以上の同意を得なければならない。

プラスα

解散についても都道府県知事の認可が必要。

プラスα

同意した地権者の「数」と、その地権者らの土地のトータル面積が全体の３分の２以上であること。両方を満たす必要がある。

組合が認可されると、施行地区内の宅地の所有者・借地権者はすべて組合員となっちゃいます。あとから所有者や借地権者になった人も組合員。権利義務も承継します。

組合は、事業の経費に充てるため参加組合員（都市再生機構や地方住宅供給公社など）以外の組合員に対して金銭の賦課徴収することができるよ。

★★★

2 建築行為等の制限

土地区画整理事業を行う区域を施行地区といいます。施行地区内では、土地区画整理事業の実施の妨げとならないよう、建築行為などに制限を加えています。

〔1〕大臣や都道府県知事等の許可が必要（76条）

土地区画整理事業の施行地区内において、土地区画整理事業の施行の障害となるおそれがある以下の行為を行おうとする者は、国土交通大臣（国土交通大臣施行の場合）または都道府県知事等の許可を受けなければならない。

① 土地の形質の変更
② 建築物・工作物の新築、改築、増築
③ 重量5トンを超える物件（移動の容易でない物件）の設置、堆積

事業を円滑に行うための規制だね。土地の形質の変更というと、たとえば私道を作ったり、土地の切土盛土を行うとか。もちろん建築行為も制限されてるし。

国土交通大臣や都道府県知事等の許可が必要なんですよね。「組合施行だと組合の許可」というようなヒッカケにご注意くださいねー。

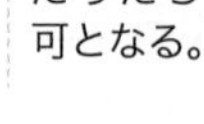

都道府県知事等とは市長を含んでの表現。施行者が大臣だったら大臣の許可。市の区域において民間施行または市が施行する土地区画整理事業だったら市長の許可となる。

この規定に違反した人がいたら、国土交通大臣または都道府県知事等は、相当の期限を定めて、土地の原状回復を命じたり、建築物などの移転や除却を命ずることができるよ。

★★★

3 換地計画・仮換地・換地処分

土地区画整理事業の本質は「換地処分」です。この処分を行うために、施行地区全体の「換地計画」を定めることになります。また、換地処分は事業開始から20年〜30年ほど先になるため、将来換地となる土地に仮換地の指定があります。仮換地が指定されると従前の宅地は使用できなくなり、仮換地を使用収益していくことになります。

〔1〕換地計画（86条）

① 施行者は、施行地区内の宅地について換地処分を行うため、換地計画を定めなければならない。

② 民間施行（個人・整理組合・整理会社）、市町村・機構・公社が施行者のときは、換地計画について都道府県知事の認可を受けなければならない。

とにかく、この換地計画がだいじ。「オレの土地はどこに換地される？」「え、こっちなの!!」みたいな話だしね。

（参考）土地区画整理審議会について

施行者が公的施行の場合、その事業ごとに土地区画整理審議会が設置される。土地区画整理審議会の委員は、施行地区内の宅地の権利者から選出される委員と、市町村長が選任する学識経験委員により構成されている。

土地区画整理審議会の役割（権限）

意見	①換地計画を作成・変更しようとする場合 ②換地計画について提出された意見書を審査する場合 ③仮換地を指定しようとする場合
同意	①換地計画において特別の定めをしようとする場合 ②換地計画に保留地を定めようとする場合

■換地計画で定める内容（87条）

- 換地設計（換地図）
- 清算金明細（換地を定めた際に生じる不均衡は金銭で清算）
- 保留地（事業の施行の費用に充てるなどのため、一定の土地を換地に定めずに売却）＊公的施行の場合、土地区画整理審議会の同意が必要。

換地計画で換地を定める（換地設計）にあたっては､「換地照応の原則」っていうのがあるんですよね。

■換地照応の原則（89条､95条）

- 換地と従前の宅地の位置、地積、土質、水利、利用状況、環境等が照応するように定めなければならない。
- 公共施設の用に供している宅地に対しては､換地計画において､位置､地積等に特別の考慮を払い換地を定めることができる。

■所有者の同意により換地を定めない場合（90条）

- 宅地の所有者の申出または同意があった場合においては、換地計画において、その宅地の全部または一部について換地を定めないことができる。
- 施行者は、換地を定めない宅地またはその部分について賃借権などの宅地を使用・収益することができる権利を有する者があるときは、換地を定めないことについてこれらの者の同意を得なければならない。

いずれにしても、換地計画は、土地区画整理事業をすることによって、最終的にどうなるかを定めた計画だもんなー。

なので、土地区画整理組合などの民間施行の場合、換地計画につき都道府県知事の認可が必要となるんですよね。

あとね、この換地計画について地権者らの同意が必要だったりするんだけど、段取りをまとめておこう。

▶換地計画について

施行者		同意	土地区画整理審議会の意見を聴く	公衆の縦覧(2週間)※1	知事の認可
民間施行	①個人施行	個人施行者以外の地権者の同意	—	—	○
	②土地区画整理組合	総会の決議	—	○	○
	③区画整理会社	地権者の3分の2以上の同意	—	○	○
公的施行	①地方公共団体※2	—	○	○	市町村の場合○
	②国土交通大臣	—	○	○	—
	③都市再生機構	—	○	○	○
	④地方住宅供給公社	—	○	○	○

※1　個人施行者以外の施行者は、換地計画を定めようとするときは、その換地計画を2週間公衆の縦覧に供しなければならない。
※2　都道府県が施行者の場合、知事の認可は不要。

〔2〕仮換地の指定 (98条、99条)

①　施行者は、換地処分を行う前に仮換地を指定することができる。
②　仮換地が指定された場合、従前の宅地について使用・収益できる者は、仮換地について、従前の宅地と同様の使用・収益をすることができるものとし、従前の宅地については使用・収益することができないものとする。

換地計画にしたがって土地の区画の変更をしていき、そして最終的には「換地処分」なんだけど、そのゴールまでの道のりは、果てしなく遠い(笑)。

地権者のみなさんに、いったんどいてもらって、そこで工事をして、できあがったらそこに戻ってきてもらって、また次の工事をして、とそんなノリですよね。

まぁそんなこともあって、仮換地という制度があります。仮換地が指定された場合、従前の宅地の使用・収益はできなくなり、仮換地を使用・収益することになるよ。

所有者のほか、従前の宅地を借りている人（借地権者）たちも、これからは仮換地のほうを使ってね、ということになりまーす。

A所有の宅地（甲地）の仮換地がB所有（乙地）に指定された場合

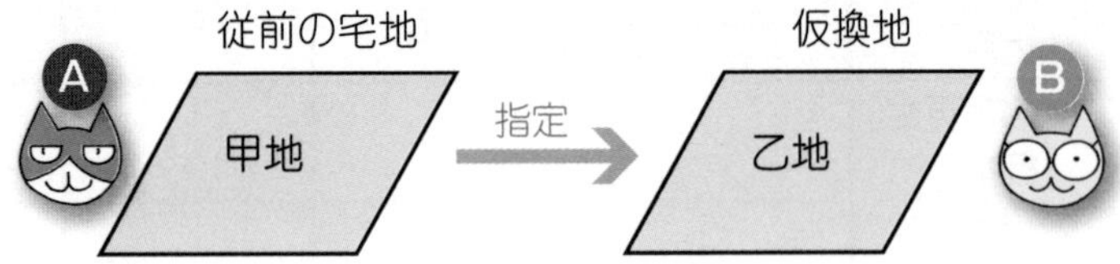

A は甲地を使えなくなり乙地を使う。

B は乙地を使えなくなるけど乙地について指定された仮換地を使うことになる。

仮換地の指定なんだけど、上の例でいうと、従前の宅地の所有者（A）と仮換地となるべき宅地の所有者（B）の双方に①仮換地の位置・地積、②仮換地指定の効力の発生日を通知して行われるよ。

ここでのポイントは、仮換地指定の時点で所有権などを取得するわけではないっていうことですよね。

そのとおり。権利関係の確定・登記は換地処分まで待たなければならないからね。イメージとしては「従前の宅地の権利者が仮換地を使える」という感じかな。所有権と使用・収益権が分かれます。

ここがポイント!!
この分離状態は「仮換地の指定の効力が発生の日から換地処分の公告の日」まで続くことになる。

なので、仮換地を目的とした売買をしたいのであれば、従前の宅地を売買するという形をとって、とりあえず、従前の登記簿に登記しておく。そんなふうになるのかしら。

そんな仮換地。たとえていうならば「入籍はまだだけど婚約中のカップル」っていう感じかね。事実上そういう関係にあり（笑）。そのほかの仮換地にまつわるあれこれは、以下にまとめておくよ。

仮換地の使用・収益の開始日を別に定める（99条）

仮換地に使用・収益の障害となる物件が存するなどの事情がある場合、「仮換地の使用・収益を開始することができる日」を「仮換地指定の効力発生の日」と別に定めることができる。

使用・収益の停止、建築物などの移転除去（77条、100条）

- 施行者は、換地計画において換地を定めないこととされている宅地の所有者などに対して、工事のため必要があるなどの場合、期日を定めて、その宅地の使用・収益を停止させることができる。
- 施行者は、仮換地の指定や従前の宅地の使用・収益を停止させた場合で、従前の宅地に存する建築物などを移転・除却することが必要となったときは、建築物などを移転・除却することができる。

仮換地に指定されない土地の管理（100条の2）

「仮換地の指定により、使用・収益する者がいなくなった従前の宅地」と「使用・収益の停止により、使用・収益する者がいなくなった宅地」については、換地処分の公告がある日までは施行者が管理する。

仮清算（102条）

施行者は「仮換地を指定した場合」や「使用・収益を停止させた場合」において、必要があるときは仮清算金の徴収・交付をすることができる。

まぁそんなこんなで仮換地。最後に、仮換地の指定手続きをまとめておきます。

「仮換地は婚約中」っていうのが、ワタシ的にはわかりやすいかも（笑）。

仮換地の指定手続き（98条）

民間施行	①個人施行	従前の宅地の所有者と仮換地となるべき宅地の所有者の同意を得なければならない。
	②土地区画整理組合	総会の同意を得なければならない。
	③区画整理会社	地権者の3分の2以上の同意を得なければならない。
公的施行	①地方公共団体	土地区画整理審議会の意見を聴かなければならない。
	②国土交通大臣	
	③都市再生機構	
	④地方住宅供給公社	

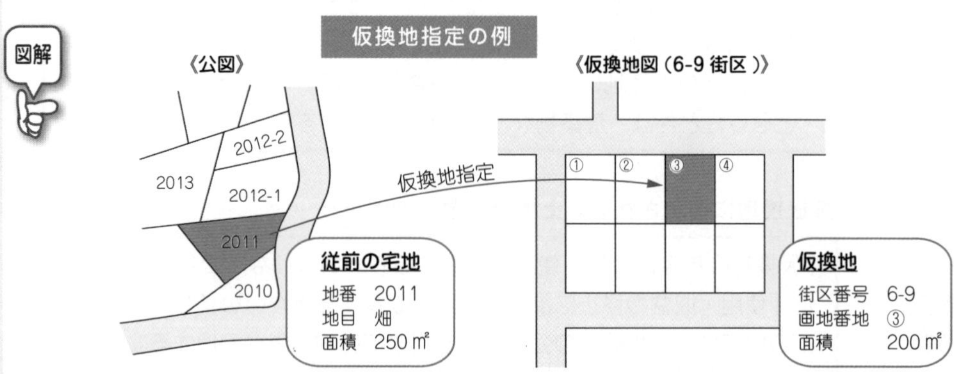

〔3〕換地処分（103条）

① 換地処分は、関係権利者に換地計画において定められた関係事項を通知してするものとする。

② 換地処分は、換地計画に係る区域の全部について、土地区画整理事業の工事が終了した後において、遅滞なく、しなければならない。

やっとたどりつきました換地処分。換地処分自体は関係権利者に一定事項を通知するに過ぎないけど、なにはともあれ、土地区画整理事業の最終局面だね。

プラスα

基準・規約・定款などに別段の定めがあれば、工事完了前であっても換地処分をすることができる。

関係権利者に通知をするだけじゃ一般の人たちにはわからないので、都道府県知事への「換地処分の届出」「換地処分の公告」という流れになってまーす。

換地処分の届出・換地処分の公告（103条）

① 個人施行者・土地区画整理組合・土地区画整理会社・市町村・機構・公社は、換地処分をしたときは、遅滞なく、その旨を都道府県知事に届け出なければならない。

② 都道府県知事は、換地処分の届出があったときは、換地処分の公告をしなければならない。

ひとこと

落ち込んだ翌日は、いつもいいことが起こるね。不思議な前触れ。

▶換地処分について（103条）

<table>
<tr><th colspan="2">施行者</th><th>換地処分の届出</th><th>換地処分の公告</th></tr>
<tr><td rowspan="3">民間施行</td><td>①個人施行</td><td rowspan="3">○</td><td rowspan="4">都道府県知事が公告</td></tr>
<tr><td>②土地区画整理組合</td></tr>
<tr><td>③区画整理会社</td></tr>
<tr><td rowspan="4">公的施行</td><td>①地方公共団体</td><td>市町村は届出</td></tr>
<tr><td>②国土交通大臣</td><td>不　要</td><td>国土交通大臣が公告</td></tr>
<tr><td>③都市再生機構</td><td rowspan="2">○</td><td rowspan="2">都道府県知事が公告</td></tr>
<tr><td>④地方住宅供給公社</td></tr>
</table>

この換地処分の公告があると、以下のような効果が発生するよー。

ついに換地。権利関係も確定します。出てっちゃう人には清算金の交付がありまーす。

■公告があった日が終了したとき（104条）

換地を定めなかった従前の宅地について存する権利は、その公告があった日が終了した時において消滅する。

■公告があった日の翌日（104条）

① 換地計画に定められた換地が従前の宅地とみなされる（仮換地が換地となる）。
② 清算金が確定する（徴収・交付が行われる）。
③ 施行者が保留地を取得する。
④ 新設された公共施設は、原則として市町村の管理に属する。
⑤ 新設された公共施設用地は、管理者に帰属する。
⑥ 従前の宅地について存した地役権以外の権利（借地権や抵当権など）は、換地に移行する。

※公共施設を管理すべき者について、他の法律（道路法など）や別段の定めがあれば、市町村以外の管理となる。

地役権の取り扱い（104条）

①　従前の宅地について存した地役権は、換地となる新たな土地に移行せず、換地処分の公告があった日の翌日以降も、なお従前の宅地の上に存する。

②　土地区画整理事業の施行により行使する利益のなくなった地役権は、換地処分の公告があった日が終了したときに消滅する。

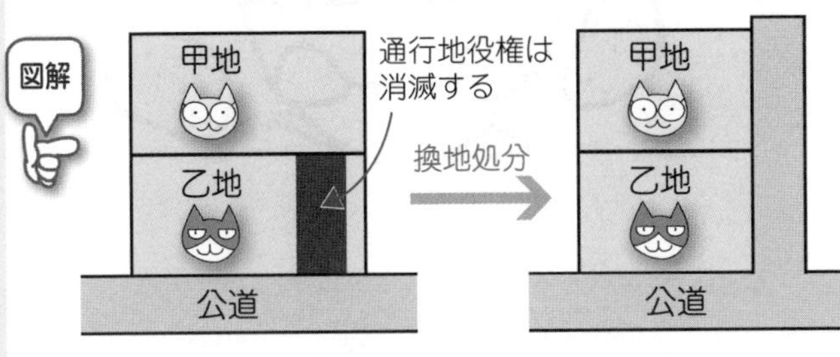

乙地には甲地のための通行地役権（通路を作って通行する権利）が設定されていたが、土地区画整理事業の施行により不要となった場合、この通行地役権（行使する利益のなくなった地役権）は、換地処分の公告があった日が終了したときに消滅する。

〔4〕登　記（107条）

スッキリ条文

①　施行者は、換地処分の公告があった場合、直ちに、その旨を換地計画に係る区域を管轄する登記所に通知をしなければならない。

②　施行者は、施行地区内の土地・建物について事業の施行により変動があったときは、遅滞なく、その変動に係る登記を申請するか、嘱託しなければならない。

③　換地処分の公告があった日後においては、施行地区内の土地・建物に関しては、②による施行者による登記がされるまでは、原則として、他の登記をすることができない。

土地区画整理事業が施行されれば、そりゃやっぱり、大幅な変動があるだろうしね。生まれ変わった美しい街。なので、従前の登記じゃどうにも対応できないから、新しくしないとね。

区画整理の記念碑

広くなった道路

整った街並み

Section 2
農地法

★★★

1 農地法のしくみ

概要

いうまでもなく農地は農業生産の基盤であり、貴重な資源でもあるため、農地法では「農地をちゃんと確保しよう」「有効利用しよう」という観点から、農地の売買・貸借や転用につき、以下のような制限を加えています。

・農地を農地として売買・貸借する場合　→　農地法第３条の許可制度
・農地を自己転用する場合　→　農地法第４条の許可制度
・農地を転用目的で売買・貸借する場合　→　農地法第５条の許可制度

〔1〕どんな土地が農地（採草放牧地）になるのか（2条）

スッキリ条文

① 農地法上の農地とは、耕作の目的に供される土地をいう。
② 採草放牧地とは、農地以外の土地で、主として耕作や養畜の事業のための採草や家畜の放牧の目的に供されるものをいう。

農地法上の農地になると、売買・貸借や転用には許可が必要となるんだけど、どんな土地が農地になるかというと、見た目で判断（笑）。むずかしくいうと現況で判断。

登記簿上の地目が「原野」や「山林」だったとしても、耕作が行われているんだったら農地となるんですよね。これ、よくヒッカケで出てます!!

そして農地法は、ひとたび農地となったならば、農地の所有者らに、以下のような責務を課しているのであった。

（2条の2）

農地について所有権や賃借権その他使用及び収益を目的とする権利を有する者は、農地の農業上の適正かつ効率的な利用を確保するようにしなければならない。

農地のほかにも、採草放牧地っていうのがあって、これも売買などにつき制限ありでーす。

〔2〕農地法第３条の許可制度（3条）

農地・採草放牧地について所有権を移転し、または賃借権などの使用・収益を目的とする権利を設定・移転する場合には、当事者が農業委員会の許可を受けなければならない。

農業委員会は、一定の農地面積のある市（区）町村には置かなければならないとされている。

農地や採草放牧地を宅地に転用するとかじゃなくて、農地を農地として売るときは、農業委員会の許可が必要だよ。あと、賃貸借（賃借権）や使用貸借（使用借権・賃料なしの貸し借り）をするときも、許可が必要。

許可を得ない契約は無効となりまーす。違反者は３年以下の懲役または300万円以下の罰金に処せられる場合も!!

プラスα

法人が違反した場合は、その行為者を罰するほか、法人へ１億円以下の罰金が課せられる。

ちなみにね、農地や採草放牧地を競売で取得（落札）する場合も、農地法上の許可（３条・５条）が必要となる。なので、入札にあたり「買受適格証明書」っていうのが必要となるよ。

農地や採草放牧地に抵当権を設定する場合は、耕作者が変わらないので許可は不要ですよね。

そうだね。農地法はなにを気にしているかというと「耕作者が変わると生産力が落ちるんじゃないだろうか」ということ。なので農地法３条の許可の基準の１つに「この人はちゃんと農業ができるか？」というのがあって、その際、世帯員を含めて判断されたりします。

▶農地法３条の許可を受けることができない場合の例

- 農地や採草放牧地のすべてを効率的に利用して耕作や養畜の事業を行うと認められない場合
- 農地所有適格法人*以外の株式会社などが所有権を取得する場合

＊**農地所有適格法人**：農地法３条の許可を受けることができる条件を満たした法人。株式会社の場合、公開会社（株の譲渡ができる会社）は農地所有適格法人にはなれない。

プラスα

農地所有適格法人以外の株式会社でも、農地の賃貸借だったら許可が出る場合あり。

あ、そうそう、農地法３条の許可が不要となる例外もありますよね。次の場合がそうです。

▶農地法3条の許可が不要となる場合（主なもの）

① 権利を取得する者が、国や都道府県である場合
② 土地収用法による収用、民事調停法による農事調停による場合
③ 遺産分割等（相続、遺贈）による場合　など

③の遺産分割等で権利が移転する場合、農地法3条の許可はいらないんだけど、「遅滞なく、農業委員会に届け出てね」という別規定（3条の3）があるよ。

遺産分割等で誰が権利者になったかを農業委員会が把握したいため、だそうですね。

届出を受けた農業委員会は、その農地や採草放牧地が適正かつ効率的な利用が図られないおそれがあると認めるときは「所有権の移転などのあっせんその他の措置を講ずる」ことになる。

ちゃんと農業をやれそうな人に任せようっていうことですね。

〔3〕農地法4条の許可制度（4条）

農地を農地以外のものにする者は、都道府県知事等（都道府県知事か指定市町村であれば市町村長）の許可を受けなければならない。

いわゆる自己転用といわれるもので、自己所有の農地を転用して家を建てるなどの場合です。権利移動はないよ。

なぜか採草放牧地の自己転用はフリーなんですね。対象外。農地だけ。

指定市町村は、農業上の効率的かつ総合的な利用の確保に関する施策の実施状況を勘案して、農林水産大臣が定める。

許可を得ないで農地を農地以外のものに転用した場合、都道府県知事等から原状回復命令を受ける場合あり。違反者は3年以下の懲役または300万円以下の罰金に処せられる場合も。

プラスα

3条の許可の場合とおなじく、法人が違反した場合は、その行為者を罰するほか、法人へ1億円以下の罰金が課せられる。

続きまして、農地法4条の許可が不要となる例外ですね。

▶農地法4条の許可が不要となる場合（主なもの）

① 市街化区域内の農地を、あらかじめ農業委員会に届け出て転用する場合
② 国や都道府県等（都道府県または指定市町村）が転用する場合＊
③ 土地収用法などにより収用した農地を転用する場合
④ 2アール未満の農地を農業用施設に転用する場合
⑤ 市町村が、道路・堤防・河川などの施設に転用する場合 など

＊国や都道府県等が転用する場合の取り扱い

- 道路、農業用用排水施設などへの転用 ➔ 許可不要。
- 学校・病院などへの転用 ➔ 知事等との協議成立で許可があったものとみなす。

試験対策として、とくに大事なのが、市街化区域の農地転用。あらかじめ農業委員会に届け出れば許可不要となるよ。ラクでカンタン。

重要！

「市街化区域の農地を農地として売買」などの場合は第3条の許可が必要。市街化区域であったとしても届出で足りるという制度はない。

なんてったって市街化区域ですからねー。農地じゃないほうが、むしろいいのかも。

あくまでも市街化区域でのお話で、市街化調整区域の農地を農地以外のものに転用するんだったらもちろん許可を受けなければならぬ。

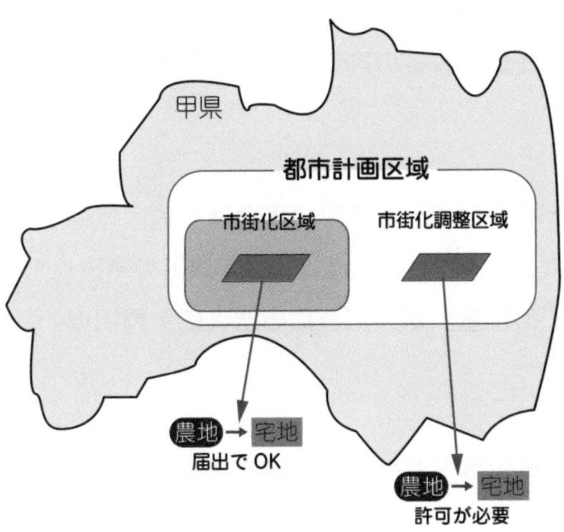

〔4〕農地法５条の許可制度（5条）

農地を農地以外のもの（採草放牧地を採草放牧地以外のもの）にするため、所有権を移転し、または賃借権などの使用・収益を目的とする権利を設定・移転する場合には、当事者が、都道府県知事等（都道府県知事か指定市町村であれば市町村長）の許可を受けなければならない。

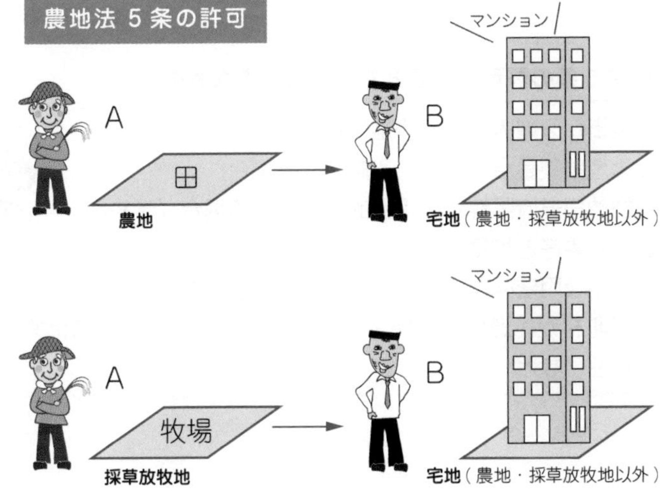

農地や採草放牧地を転用目的で売るとか貸すとか、そんな場合は農地法５条の許可を受けなければならないよ。

念のためですが!!
農地法５条の許可は採草放牧地も対象となる。

３条の場合とおなじく、無許可の場合は契約は無効となりまーす。あと罰則もいっしょ。３年以下の懲役・300万円以下の罰金。法人だったら法人に１億円以下の罰金。

あと、都道府県知事等から原状回復命令を受ける場合あり!!

そうそう、試験でよく出てくるのが「一時使用」。一時的に転用するなんていうふうに出てきても、農地法の４条か５条の許可が必要となりまーす。

ここがポイント!!
農地法の許可を考える場合、「３条」と「４条、５条」とに分けて整理しておくとわかりやすい。転用系は市街化区域だと届出でOK。

つづきまして、許可不要の例外です。やっぱり市街化区域だったら農業委員会への届出でオッケーなのだ。

▶農地法５条の許可が不要となる場合（主なもの）

① 市街化区域内にある農地（採草放牧地）を、あらかじめ農業委員会に届け出て転用する場合
② 国や都道府県等が転用目的で取得する場合（学校などは知事等と協議）
③ 土地収用法などにより収用し、転用する場合
④ 市町村が、道路・堤防・河川などの施設に転用するために取得する場合　など

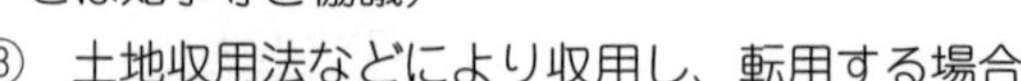

〔5〕農地・採草放牧地が賃貸借されている場合（16条～18条）

農地法は、農地や採草放牧地を借りている人たちを保護しています。あとで民法や借地借家法を勉強したとき、このあたりを思い出してもらえればと。

とりあえず、ざっとながめておきましょー。

賃借権の対抗力

農地・採草放牧地の賃貸借は、その登記がなくても、農地・採草放牧地の引渡しがあったときは、その後に農地・採草放牧地について所有権などを取得した者に対し対抗できる。

農地を賃借している人は、土地の登記簿に賃借権の登記をしてもらってなくても、農地の引渡しを受けていれば、新しくその農地の所有者になった人に賃借権を主張できるというお話です。

新しい所有者がなんかいってきても、借りている農地で農業を続けることができるわけですねー。

賃貸借の更新

期間の定めがある農地・採草放牧地の賃貸借で、当事者が期間満了の１年前から６ヶ月前までの間に、相手方に対して更新をしない旨の通知をしなかったときは、従前の賃貸借と同一の条件で、さらに賃貸借をしたものとみなす。

期間満了の１年前から半年前までの間に、なにも言ってこなければ、賃貸借は更新という扱いです。

「ギリギリになって更新しない」はダメなんですねー。あらかじめ決着をつけておくわけですね。

解約の制限

農地・採草放牧地の賃貸借の当事者は、原則として、都道府県知事の許可を受けなければ、賃貸借の解除（合意による解約も含む）をしてはならない。

これはすごい（笑）。知事の許可を受けなければ解除できない。

合意による解約も許可制なんですねー。「合意があれば解約できる」っていうのがふつうなんですけど。

コラム

「再建築不可」物件は買わないでね

建築基準法の「道路と敷地の関係」の接道義務のところでやりましたけど、そもそも建築物の敷地は道路に2m以上接していなければなりません。

接道義務を満たしていない物件、平気で売ってます（笑）。もちろんそんな再建築不可物件、メチャ安いですけど（爆）。

のちほどPart3 その他法令など「景品表示法」で取り上げますけど、接道義務に違反している場合は「再建築不可・建築不可」という表示がなきゃダメ。

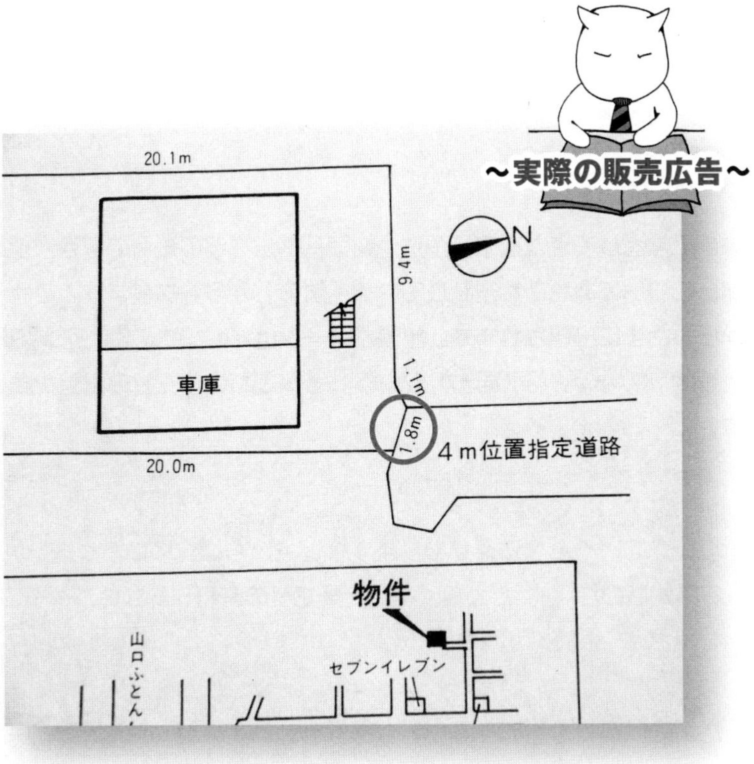

～実際の販売広告～

3 Section その他の法令上の制限

★★★

概要 1 都道府県知事の許可以外を押さえろ!!

いままで学習してきた都市計画法や建築基準法などの法令のほか、土地の利用などについてあれこれ規制している「法令」が多数あります。これらの法令からもたまに出題されます。出題パターンは「○○法の○○区域で○○するときは、○○の許可（届出）がいる」というもので、その正誤を問うものです。

たしかにいろんな法律がありますけど、いちばん多いパターンは「都道府県知事の許可」。だから、都道府県知事の許可じゃないパターンのほうを押さえておくのがベター。

たまに試験でも出てくることがあるとはいえ、ぜんぶ覚えるのもたいへんですもんね。

国立公園だったら環境大臣の許可、生産緑地地区だったら市町村長の許可。そんなところかな。

河川や海岸、港湾などの「水」関係は、各管理者ですね。

そうそう。そんな感じ。以下、まとめて記載しておきます。

〔1〕 自然公園法

<table>
<tr><td rowspan="2">国立公園</td><td>特別保護地区
特別地域
海域公園地区内</td><td>環境大臣の許可</td></tr>
<tr><td>普通地域</td><td>環境大臣への届出</td></tr>
<tr><td rowspan="2">国定公園</td><td>特別保護地区
特別地域
海域公園地区内</td><td>都道府県知事の許可</td></tr>
<tr><td>普通地域</td><td>都道府県知事への届出</td></tr>
<tr><td colspan="3">①工作物の新築・改築・増築、②鉱物や土石の採取、③広告物の掲出・設置など</td></tr>
</table>

〔2〕都市緑地法

<table>
<tr><td>特別緑地保全地区</td><td>都道府県知事等の許可</td></tr>
<tr><td>緑地保全地域</td><td>都道府県知事等への届出</td></tr>
<tr><td colspan="2">①建築物や工作物の新築・改築・増築、②宅地の造成、土地の開墾、土石や鉱物の採取などの土地の形質の変更、③木竹の伐採、④水面の埋立て・干拓　など</td></tr>
</table>

〔3〕地すべり等防止法

地すべり防止区域	都道府県知事の許可
①地下水を誘致・停滞させる行為で地下水を増加させるもの、地下水の排除を阻害する行為 ②地表水を放流・停滞させる行為その他地表水のしん透を助長する行為など	

ぼた山崩壊防止区域	都道府県知事の許可
①立竹木の伐採・樹根の採取、②木材の滑下・地引による搬出　など	

〔4〕急傾斜地の崩壊による災害の防止に関する法律

急傾斜地崩壊危険区域	都道府県知事の許可
①水を放流・停滞させる行為その他しん水を助長する行為、②ため池・用水路などの急傾斜地崩壊防止施設以外の施設又は工作物の設置・改造、③土石の採取・集積など	

〔5〕土砂災害警戒区域等における土砂災害防止対策の推進に関する法律

土砂災害特別警戒区域	都道府県知事の許可
都市計画法の開発行為で、予定建築物の用途が制限用途*であるもの（特定開発行為）をしようとする場合	

＊制限用途：自己居住用ではない住宅、社会福祉施設、学校及び医療施設など災害弱者関連施設をいう

〔6〕土壌汚染対策法

要措置区域内	何人も、土地の形質の変更をしてはならない。ただし、以下の例外については、この限りでない。
例　外	①都道府県知事から指示を受けた者が指示措置等として行う行為 ②通常の管理行為、軽易な行為 ③非常災害のために必要な応急措置として行う行為

形質変更時要届出区域内	土地の形質の変更に着する日の 14 日前までに都道府県知事に届け出なければならない。ただし以下の例外についてはこの限りではない。
例　外	①通常の管理行為、軽易な行為その他の行為 ②形質変更時要届出区域が指定された際既に着手していた行為 ③非常災害のために必要な応急措置として行う行為

〔7〕公有地の拡大の推進に関する法律

都市計画施設の区域	都道府県知事（市長）への届出
土地を有償で譲渡しようとする場合	

〔8〕森林法

地域森林計画の対象となっている民有林（保安林などを除く）	都道府県知事の許可*
開発行為（土石または樹根の採掘、開墾その他の土地の形質を変更する行為で、一定規模を超えるもの）	

*立木の伐採をしようとする場合は、市町村長への届出

保安林、保安施設地区内	都道府県知事の許可
①立木の伐採、②立木の損傷、③家畜の放牧、④下草・落葉・落枝の採取など	

〔9〕道路法

道路を使用（占有）	道路管理者の許可
①電柱・電線・変圧塔・郵便差出箱・公衆電話所・広告塔等の工作物の設置 ②水管・下水道管・ガス管等の物件の設置 ③鉄道・軌道・歩廊・地下街等の施設の設置　など	

<table>
<tr><td>道路予定区域</td><td>道路管理者*の許可</td></tr>
<tr><td colspan="2">①土地の形質の変更、②工作物の新築・改築・増築・大修繕、③物件の付加増置</td></tr>
</table>

＊道路管理者：国道⇒国土交通大臣、都道府県など、都道府県道⇒都道府県など、市町村道⇒市町村

〔10〕河川法

<table>
<tr><td>河川区域、河川保全区域、河川予定地</td><td>河川管理者*の許可</td></tr>
<tr><td colspan="2">①土地の掘削・盛土・切土などの土地の形状を変更する行為、②工作物の新築・改築など</td></tr>
</table>

＊河川管理者：国土交通大臣、都道府県知事、市町村長など

〔11〕海岸法

<table>
<tr><td>海岸保全区域</td><td>海岸管理者*の許可</td></tr>
<tr><td colspan="2">①土石・砂の採取、②土地の掘削・盛土・切土　など</td></tr>
</table>

＊海岸管理者：都道府県知事、市町村長など

〔12〕港湾法

<table>
<tr><td>港湾区域、港湾隣接地域</td><td>港湾管理者*の許可</td></tr>
<tr><td colspan="2">①港湾区域内の水域・公共空地の占有、②港湾区域・公共空地における土砂の採取、③港湾の開発・利用・保全に著しく影響を与えるおそれがある一定の行為</td></tr>
</table>

＊港湾管理者：港湾局、地方公共団体

〔13〕文化財保護法

<table>
<tr><td>重要文化財、史跡名勝天然記念物</td><td>文化庁長官の許可</td></tr>
<tr><td colspan="2">現状変更、保存に影響を及ぼす行為</td></tr>
</table>

Part
3

権利関係 -1

「契約の締結・内容の自由」の原則の下、誰とどんな契約をしても自由です。反面、法的な責任も発生します。しかし、成年者であっても泥酔状態（意思能力がない状態）でした契約は無効となります。また、未成年者や認知症の高齢者などの弱者が相手方の言うがままに契約してしまった場合、取り消すことができます。

ステキなお買物

・・・に注意しましょう

Section 1

権利関係ってなに？

1 権利関係で出題される法律

概要

権利関係で出題される法律は、民法（10問）、借地借家法（2問）、区分所有法（1問）、不動産登記法（1問）の14問です。まずはその不動産に対し「誰がどんな権利をもっているのか」が起点となります。その不動産の権利をめぐるトラブルがあったとき法的にどう解決するかというような話が続きます。

〔1〕とどのつまりは所有権をめぐる物語

不動産を取引するときは「まずその不動産の権利を持っている人は誰だ」からはじまるよね。登記で確認してみよう。

不動産の権利（物権）の代表が所有権ですね。

Aが甲土地を所有している。Aは所有権に基づき甲土地を自由に使用･収益･処分をすることができる。

使用：使う、使わない

収益：賃貸して収益をあげる

処分：抵当権を設定してカネを借りる、売却する

所有権が誰に帰属しているかはもちろんだけど、所有権を邪魔する抵当権とか地上権、不動産賃借権とかが登記されているかどうかも確認しておいたほうがいいよね。

ですね。その不動産の登記事項証明書を取り寄せて調べることになります。

〔2〕契約するから債権・債務が発生するのだ

債権

債務者などの特定の人に、代金の支払いや不動産の引渡しなどを要求することができる権利。

所有権の移転や抵当権の設定などを「物権の設定及び移転」っていうんだけど、「当事者の意思表示のみによって、その効力を生ずる」というのが民法のスタンス。

意思表示で所有権を移転させたとしても、実際に物を引き渡さないとダメですよね。

どういう契約で引き渡そうか。贈与契約、売買契約、交換契約があるよね。

売買契約が成立したとすると、法的な責任として、売主は不動産を引き渡さなければならないし、買主は代金を支払わないといけないしね。

債権債務で説明すると、売主は代金債権を有しているけど引渡債務を負う。買主は反対に、代金債務を負うけど引渡債権を持つと。まさに取引だね。

〔3〕契約の成立（522条）

次に契約なんだけど、契約は契約内容を示してその締結を申し入れる意思表示（申込み）に対して、相手方が承諾したときに成立するよ。契約書とかハンコとかはいらない。で、ひとたび契約が成立したからには、その内容を守らなければならない。

プラスα

契約の成立には、法令に特別の定めがある場合を除き、書面の作成その他の方式を具備することを要しない。

※原則として、承諾の期間を定めてした申込みは撤回することができない。

マンションの売買契約だったら、売主業者は契約で定められた日に引き渡さなければならないし、買主も代金を払わないとね。代金を払ったんだけど引渡しがない、なんてことになると大騒動です。

そういうのを「売主の債務不履行」といって、つまり売主側の契約違反。ぼやぼやしていると、損害賠償を請求されたり、訴えられて強制執行されたりしちゃう。つまり法的責任を負うというわけだ。

プラスα

契約のなかには、意思表示の合致だけでなく、目的物の引渡しを成立要件としているものもある。意思表示だけで成立する契約類型を諾成契約といい、物の引渡しを要件とする類型を要物契約という。

ちなみに、「何人も、法令に特別の定めがある場合を除き、契約するかどうかを自由に決定することができる」ですよね。どんな内容で契約するかなんですけど、当事者間で自由に決めていいんですよね。

重要！
公の秩序または善良の風俗（公序良俗）に反する法律行為は、無効とする。

そう。そして契約の当事者は、法令の制限内において、契約の内容を自由に決定することができる。これを「契約の締結及び内容の自由」といったりするよ。当事者間で「それでいい」っていうんだったら、いくらで売ろうが買おうが、どっちかに不利な条項があろうがなかろうが、自己の判断力と自己の責任において、どうぞご自由に。

重要！
法律行為とは、契約のほか「取消し」や「遺言」などの法律的な効果が生じる行為をいう。

念のためですが!!
公序良俗に反する契約は無効であって、「取り消すことができる」ではないことに注意(P.490参照)。

そういえば宅建業法で、悪質な売主業者から一般消費者を守るため、「契約の締結及び内容の自由」を調整してましたけどね（笑）。

ではなぜ、民法が「契約の締結及び内容の自由」を認めているかというと、誰もがみな、ちゃんとした意思能力を持つオトナだということを前提としているからなんだよね。なので民法ではこんなふうに規定している。

重要！
「意思能力」とは、その法律行為をすることの意味を理解する能力をいう。

意思能力（3条の2）
法律行為の当事者が意思表示をした時に意思能力を有しなかったときは、その法律行為は、無効とする。

オトナはオトナなんだけど、たとえば泥酔してて、まったく意思能力がない状態で契約しちゃったときはどうなるんでしょ。

泥酔しててまったく意思能力がない状態でしちゃった契約などは無効となる。つまり契約の拘束力は否定。契約はしていないということ。債権債務も発生しない。

「ワタシは契約したときに意思能力がなかった(意思無能力者だった)」っていうのを立証するのって、もしかしてけっこうたいへんかも。

ね、どうやって立証するんだろうね（笑）。とはいえ、世の中には、「意思能力はない」とは言い切れないけど「意思能力が完全ではない人たち」もいるよね。彼らを無造作に「契約の締結及び内容の自由」の海に放り込んでおくのも、ちょっと気の毒。

重要！

意思無能力者の行為は「無効」。制限行為能力者の行為は「取り消すことができる」となっている。

未成年者とか、加齢や病気で判断力が衰えつつある方々とか、ですよね。

プラスα

制限行為能力者として、「未成年者」「成年被後見人」「被保佐人」「被補助人」の４種類がある。

そうだね。彼らは、たとえばマンションの売買契約を締結したとしても、それがどんな結果をもたらすのか、よくわかっていないかもね。なので、そんな彼らを取引自由の世界観から保護していこうというお話を、これからしてみたいと思う。制限行為能力者制度だよ。

〔4〕…と、その前に、宇宙人と取引できますか？

契約するにあたり意思能力があるとかないとか、そういったこともたしかに問題となるものの、でも、その前に、いちばんだいじなことは、「そもそも、どういった生き物や組織を、取引社会での人として扱うか」ということ。

ひとこと

ボウフラが人を刺すよな蚊になるまでは泥水飲み飲み浮き沈み。都々逸。

…といいますと？

たとえば、チンパンジーと売買契約をすることができるか？

できないです。生き物だけど「人」じゃないです（笑）。

もちろんイヌやネコもね。この「人」として扱うという概念を「権利能力」と表現していて、そもそも「権利能力」がないと、意思能力がどうしたこうしたは、まったく意味をなさない。

ちなみに

人は産まれたときから権利能力があるということを、民法では「私権の享有は、出生に始まる」として規定している（3条【権利能力】）。

ニンゲンでよかった（笑）。

あなたはネコでしょ（笑）。で、ちなみにいつから権利能力があるかというと、産まれたとき。成人してからっていうふうに勘違いしている人もいるけど。赤ん坊でも、もちろん不動産の所有者になれる。

念のためですが!!

そのむかしの奴隷制度。そのときの社会は奴隷に権利能力を認めていなかった。

あと、組織っていうと、会社などの法人のことですよね。

そう。でさ、たとえばさ、人類より知能指数が高い宇宙人が日本にやってきて、マンションを買いたいと言ったら、どうする？

売ります（笑）。でも現行の民法上では、宇宙人には権利能力が認められないからムリですね。

マドルスルーっていう言葉は知ってるかい。これも元気になれる魔法の言葉さ。

2
Section

制限行為能力者制度

ちょっと待ったー、
未成年者との取引。
親の同意書はあるのかな？

★★★

1 制限行為能力者制度

制限行為能力者には未成年者、成年被後見人、被保佐人、被補助人の４タイプがあります。彼らを保護する方法は２つ。まず保護者を付け、保護者が彼らの契約をサポートします。そして、彼らが単独でした契約などの行為は原則として取り消すことができるとしました。なお、能力に応じて、「単独でできる行為＝取り消せない行為」が少しずつ異なります。

制限行為能力者	どんな人か	保護者
①未成年者	18 歳未満の者	親権者・未成年後見人（こうけんにん）（法定代理人）
②成年被後見人（せいねんひこうけんにん）	精神上の障害により事理を弁識する能力（判断力）を欠く常況にある者で、後見開始の審判を受けた者	成年後見人（せいねんこうけんにん）（法定代理人）

③被保佐人	精神上の障害により事理を弁識する能力（判断力）が著しく不十分な者で、保佐開始の審判を受けた者	保佐人
④被補助人	精神上の障害により事理を弁識する能力（判断力）が不十分な者で、補助開始の審判を受けた者	補助人

〔1〕「無効」と「取消し」のちがいについて

意思無能力者が行った行為 …▶ 無　効

制限行為能力者が行った行為 …▶ 取り消すことができる

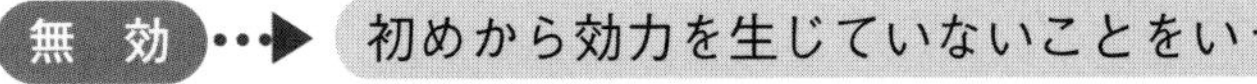

無　効 …▶ 初めから効力を生じていないことをいう

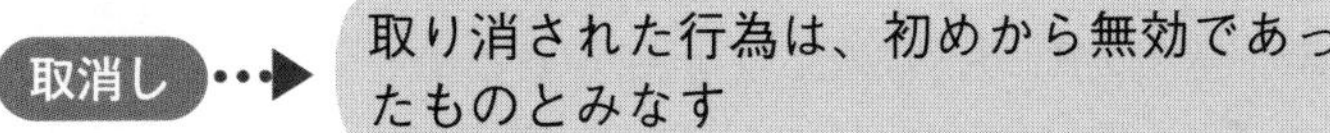

取消し …▶ 取り消された行為は、初めから無効であったものとみなす

さっきは「無効」という言葉が出てきたけど、こんどは「取り消すことができる」という言葉が出てきます。「無効」と「取消し」はどうちがうでしょーか。

制限行為能力者の行為は無効ではないことに注意。

「取消し」は、取り消せば初めにさかのぼって効力なし。取り消さなければ、いつしか取消権も時効消滅しちゃって、確定的に有効になる（P.410 参照）。

そうだね。無効は、取り消すもなにも、初めから効力なしと扱う。

「取り消すことができる」のほうが弾力的ですね。有利だと思えば取り消さないで続行。不利だったら取り消して責任なし。なんかいい感じじゃないですかぁー。

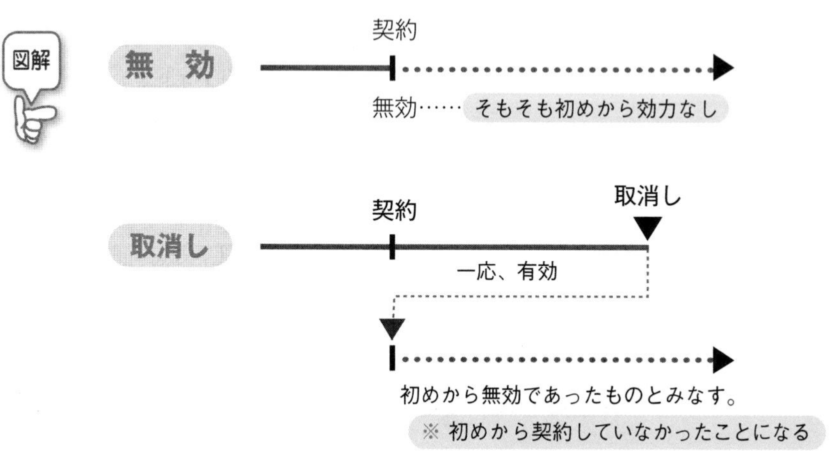

〔2〕未成年者との取引

未成年後見人は、親権者がいない場合に選任される。複数でもよく、法人がなることもできる。

まず未成年者からみていこう。未成年者とは 18 歳未満の者で、保護者として法定代理人（親権者・未成年後見人）が付されるよ。

法定代理人には、同意権・代理権・取消権・追認権が認められてまーす。

▶**未成年者の法律行為**（5条）

原　則	未成年者が法律行為をするには、その法定代理人の同意を得なければならない。法定代理人の同意を得ないでした法律行為は、取り消すことができる。

重 要！

法律行為とは、契約のほか「取消し」や「遺言」などの法律的な効果が生じる行為をいう。

例　外	以下の行為は、未成年者が単独で行える（取り消せない）。 ①　単に権利を得る、または義務を免れる行為 （例：物をもらう、借金をなしにしてもらう） ②　法定代理人が処分を許した財産の処分行為 （例：旅費、学費を使う） ③　法定代理人から許可された営業に関する行為 （例：法定代理人から許可を受けて行う宅建業に関する営業）

未成年者が法定代理人の同意なく行った契約は取り消すことができるよ。未成年者本人のほか、法定代理人も取り消せる。

未成年者がした契約でも、法定代理人の同意を得て行った場合は取り消せなくなるんですよね。

あと、取り消すことができる場合でも、法定代理人が追認した場合は、もう取り消せなくなるよ。

▶**成年者と扱われる未成年者**（6条）

営業の許可	法定代理人から営業の許可を受けた未成年者は、その営業に関しては、成年者と同一の能力を有する。

この未成年者は成年者扱いなので、法定代理人の同意だのなんだのは不要だよ。

宅建業法の免許の基準（P.063 参照）のところで登場してましたねー。どうぞみなさん、見直しておいてくださいね。

プラスα

親権者や未成年後見人は未成年者に代わって（代理して）法律行為ができる。法律上の代理権が認められているため、法定代理人と呼ばれたりもする。

ちなみに!!

現実社会では、取引相手が学生などの未成年者だった場合、「法定代理人の同意書」を用意している。

重 要!

追認すると、契約は初めから有効だったと確定する。追認のときから有効となるのではないことに注意。

〔3〕成年被後見人との取引

成年被後見人とは、精神上の障害で事理を弁識する能力を欠く常況にある者で、家庭裁判所の審判を受けた者をいうよ。保護者として成年後見人が付されます。

成年後見人の権限は3つ。代理権・取消権・追認権でーす。

▶成年被後見人の法律行為（9条）

原　則	成年被後見人の法律行為は、取り消すことができる。
例　外	日用品の購入その他日常生活に関する行為については単独で行える（取り消せない）。

日用品の購入などは別として、基本的に、保護者である成年後見人が、成年被後見人をすべて代理して法律行為をするという感じだね。

未成年者の場合と異なり「同意を得て」というのがないですもんね。

そうだね。単独でした行為はもちろんのこと、成年後見人の同意を得ての行為だったとしても、取消しの対象となるよ。本人のほか成年後見人も取り消せる。

追認権もあるので、成年被後見人が単独で行った行為でも追認すれば有効ですね。取り消せなくなります。

プラスα

本人や配偶者、四親等内の親族などの請求に基づき家庭裁判所が審判する。審判を受けた者が成年被後見人となる。段取り的には、被保佐人・被補助人の場合もおなじ。

重要！

能力を回復したとしても、審判の取消しを受けるまでは成年被後見人として扱われる。被保佐人・被補助人の場合もおなじ。

プラスα

成年後見人は複数でもよく、法人でもなることができる。

重要！

未成年者の場合と異なり、贈与契約（物をもらう）なども、単独で行えば取消しの対象となる。

〔4〕被保佐人との取引

こんどは被保佐人なんだけど、精神上の障害により事理を弁識する能力が著しく不十分である者で、家庭裁判所の審判を受けた者だよ。保護者として保佐人が付されます。

被保佐人は、改正前は準禁治産者という名称だった。成年被後見人は禁治産者であった。

保佐人の権限は、同意権・取消権・追認権の３つ。でも、代理権が認められている場合もありまーす。

保佐人に代理権を与える旨の審判があった場合、例外的に代理権ももつ。

被保佐人の場合、成年被後見人の場合とは異なり、ある程度の判断力があるため、単独でできる行為のほうが多いよ。

被保佐人は単独で取引できる行為（取り消せない行為）のほうが多い。

「保佐人の同意を要する行為」のみ、ご本人のみで判断すると大損害を被るおそれがあるので、保佐人の同意という形でフォローしてあげてね、ということになってます。

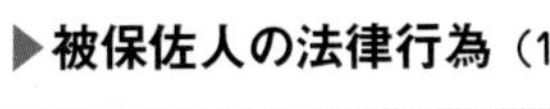

▶被保佐人の法律行為（13条）

原　則	被保佐人が「保佐人の同意を要する行為」をするには、その保佐人の同意を得なければならない。保佐人の同意を得ないでした保佐人の同意を要する行為は、取り消すことができる。
例　外	以下の行為は、被保佐人が単独で行える（取り消せない）。 ①　保佐人の同意を要する行為以外の行為 ②　日用品の購入その他日常生活に関する行為

▶保佐人の同意を要する行為

① 元本を領収し、または利用すること（利息を生じる元本の返還を受けたり、元本として貸したりすること）
② 借財または保証をすること
③ 不動産（土地、建物）やその他の重要な財産に関する権利の得喪（得たり手放したりすること）を目的とする行為
④ 訴訟行為（例：原告となって訴える）をすること
⑤ 他人に物を贈与したり、和解契約、仲裁契約をすること
⑥ 相続の承認や相続を放棄すること、または遺産の分割をすること
⑦ 贈与の申込みを拒絶し、遺贈を放棄し、負担付贈与の申込みを承諾し、または負担付遺贈を承認すること
⑧ 新築、改築、増築または大修繕をすること
⑨ 建物３年、土地５年（短期賃貸借）を超える期間の賃貸借をすること
⑩ 上記①～⑨の行為を制限行為能力者の法定代理人としてすること（P.425 参照）

〔５〕被補助人との取引

最後に被補助人。精神上の障害により事理を弁識する能力が不十分である者で、家庭裁判所から補助開始の審判を受けた者。保護者として補助人が付されます。

いままでのパターンとちがって、補助開始の審判を申し立てるときに、「同意権・取消権・追認権」か「代理権」の付与を求める手続きをとることとされてます。

補助人は、審判で付与された特定の行為について「同意権」や「取消権」をもつということになる。初めから当然に「同意権」などがあるわけじゃないんだよね。

補助開始の審判は、本人や配偶者、四親等内の親族などの請求に基づくが、本人以外の者の請求による場合には、本人の同意がなければならない。成年被後見人・被保佐人にはないパターン。

補助人の同意を得て助けてもらう法律行為は、被保佐人の「保佐人の同意を要する行為」のなかから選ぶということになってます。チョイス制です。

▶被補助人の法律行為（17条）

原　則	被補助人が特定の行為（同意権・取消権の対象となる行為）をするには、その補助人の同意を得なければならない。補助人の同意を得ないでした特定の行為（同意権・取消権の対象となる行為）は、取り消すことができる。
例　外	以下の行為は、被補助人が単独で行える（取り消せない）。 ①　特定の行為（同意権・取消権の対象となる行為）以外の行為 ②　日用品の購入その他日常生活に関する行為

▶特定の行為（同意権・取消権の対象となる行為）

被保佐人が単独では行えない「保佐人の同意を要する行為」の範囲内で、家庭裁判所が補助人の同意を要すると審判した行為

〔6〕制限行為能力者の相手方の催告権など

制限行為能力者が単独でした行為は、原則として取り消すことができるから、取引をした相手方は不安定な立場になるよね。

取り消すかどうかの主導権は、制限行為能力者側が握っているんですもんね。

そこで、制限行為能力者と取引をした相手側に催告権を認めて、取り消すのか、追認するのかをはっきりさせて、取引に決着をつけることができるようになっています。

▶方法

制限行為能力者と取引をした相手側は、1ヶ月以上の期間を定めて、追認するかどうかを確答すべき旨の催告をすることができる。

▶確答がない場合の措置（20条）

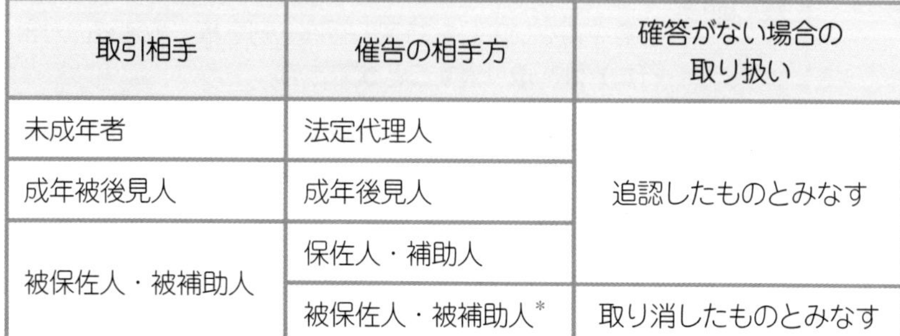

取引相手	催告の相手方	確答がない場合の取り扱い
未成年者	法定代理人	追認したものとみなす
成年被後見人	成年後見人	
被保佐人・被補助人	保佐人・補助人	
	被保佐人・被補助人*	取り消したものとみなす

＊取引相手が被保佐人・被補助人の場合、彼らに対しても、保佐人・補助人の追認を得るべき旨の催告をすることができる。がしかし、この期間内に彼らから追認を得た旨の通知がない場合、取り消したものとみなされる。

そのほか、次ページみたいなことも。

「居住用不動産の処分」については家裁の許可ですね。

▶法定代理人らの居住用不動産の処分についての制限について

成年後見人、保佐人または補助人は、本人に代わって、その居住用の建物や敷地について、売買、賃貸、抵当権の設定などをするには、家庭裁判所の許可を受けなければならない。許可を受けずに売買などをしても無効となる。

▶制限行為能力者側に取消権を行使された場合のまとめ

① 契約をしたときにさかのぼって無効とされる。
② 制限行為能力者側が物の返還義務を負う場合、現に利益を受けている限度（例：使いっぱなしの状態）で返還すればよい。
③ 制限行為能力者側の取消しは、善意（事情を知らない）の第三者にも対抗できる。
例：未成年者Aが単独でＢに土地を売却した。Bは土地を善意のＣに転売し登記も済ませた。がしかし、Aが未成年を理由にＡＢ間の売買契約を取り消すことができ、Cにも「土地を返せ」ということができる。

★★★

2 ザンネンながら取消しができなくなる場合

制限行為能力者が単独でした行為は、いままで見てきたとおり、原則として取り消すことができますが、取り消せなくなる場合があります。制限行為能力者が詐術を用いたとき・法定追認となる場合・取消権が時効で消滅した場合です。

〔1〕詐術。だましのテクニック

制限行為能力者が行為能力者であることを信じさせるため詐術（同意を得たと欺く場合も含む）を用いたときは、その行為を取り消すことができない。

〔2〕法定追認となる場合

制限行為能力者の各保護者が次のような行為をしたときは、追認したものとみなされちゃいます。

追認する意思がなければ、そんな行為はしないですもんね。

▶法定追認事項

①全部または一部の履行	例　目的物の引渡しや代金の支払いなど
②履行の請求	例　保護者が代金の請求をする
③更改	例　代金債務を借金に改める
④担保の供与	例　代金債務に保証人をたてる
⑤取り消すことができる行為によって取得した権利の全部または一部の譲渡	例　未成年者が取得してきた土地を転売する
⑥強制執行	例　代金債務を回収するため強制執行の手続きをとる

〔3〕取消権の時効消滅

取消権は、追認することができる時から5年、または行為の時から20年経過すると、消滅する。

取消権が消滅しちゃえば、取り消せなくなるよ。

どちらか早くきた時点で消滅ですね。

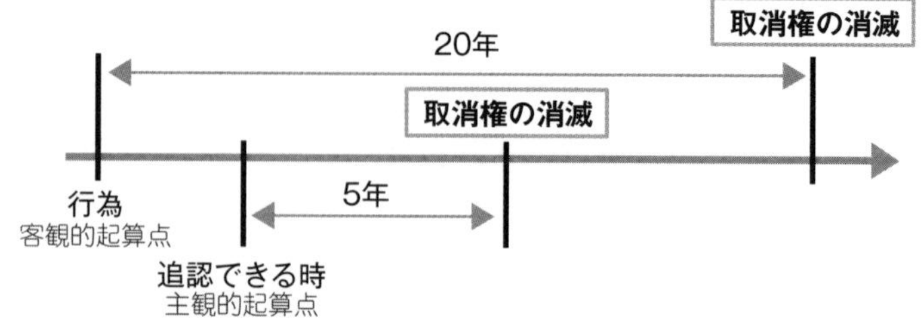

Part 3

権利関係 -2

契約は相手方との意思表示の合致により成立です。が、意思と表示が一致していない場合、その行為の取消しや無効を主張することができます。また、信頼できる誰かを代理人として、自分の代わりに契約してきてもらうこともできます。ところが代理人だというから信じて契約したものの、代理人ではなかった場合などの取り扱いを学習していきます。

ステキな財産かくし

お金返してよ
ヤバイ 財産をかくそう
ゲッ!!
土地

Section 1 意思表示。その言葉ホント？

★★★

1 意思と表示が合致していないとき

概要

契約は申込と承諾という意思表示の合致により成立し、ひとたび契約が成立すると法的な責任が発生します。「意思（内心の思い）」がちゃんとあって、それにふさわしい「表示（相手に伝える）」だったらいいのですが、不純な動機や思い違い、詐欺などで意思と表示が一致していないときがあります。5つのパターンにつき、その取り扱いをみていきます。

図解

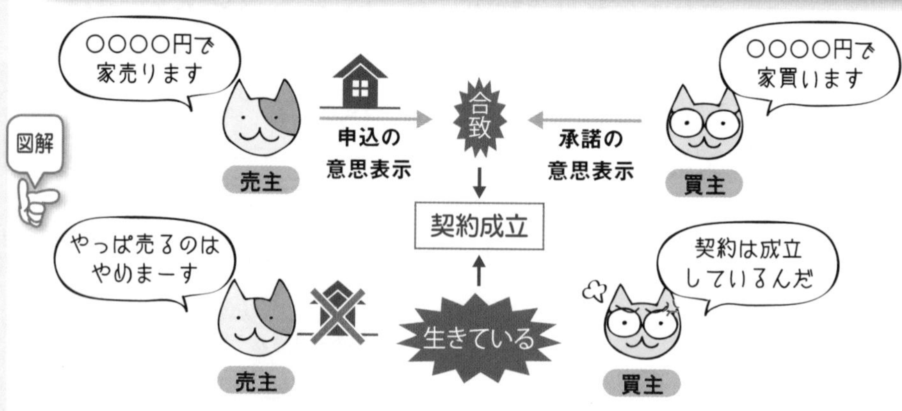

〔１〕 心裡留保（しんりりゅうほ）（93条）

心裡留保とは、表意者（意思表示をした本人）が真意でないこと（ウソや冗談）を知っていながらする意思表示をいう。	
原　則	意思表示は、表意者がその真意でないことを知ってしたときであっても、そのために効力を妨げられない（有効と扱う）。
例　外	相手方が心裡留保であることを知り（悪意）、または知ることができた（善意だけど過失あり）ときは、無効となる。
第三者	意思表示の無効は、善意の第三者に対抗できない。

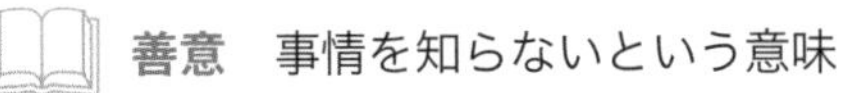

善意　事情を知らないという意味

悪意　事情を知っているという意味

まぎらわしいことを言った本人を保護する必要はないよね。有効となれば法的な責任が発生します。

さらに、意思表示が無効となる場合でも善意の第三者には対抗できませーん。

後で学習する「錯誤」「詐欺」「強迫」とは異なり、第三者は「善意」だったら保護されるよ。

「無過失」までは要求されていないんですね。

ちなみに!!

「相手方が心裡留保であることを知ることができた」かどうかが争点となろうか。

心裡留保

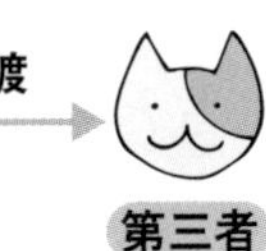

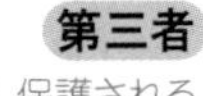

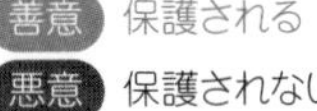

〔2〕虚偽表示（94条）

虚偽表示とは、相手方と通謀（共謀）してするでっちあげの意思表示をいう。債権者の差押え（強制執行）を免れるため、相手方としめしあわせて自分の不動産を相手に移す（相手名義にしておく）などの行為が該当する。

原　則	相手方と通じてした虚偽の意思表示は、無効とする。
例　外	意思表示の無効は、善意の第三者に対抗することができない。

虚偽表示は有効だ、なんていうルールだったら、全国各地の債務者は一斉に財産隠し・仮装譲渡に精を出す（笑）。

債権者からの財産隠しというような場面を想定。通常は債権者らを欺く目的で行うことが多い。「通謀虚偽表示」という場合もある。

虚偽表示をした当事者間では無効なんですけど、善意の第三者がいた場合は無効を主張できないんですね。

そうそう。善意の第三者は最強。仮装譲渡を引き受けた方が、自分名義であることをいいことに土地を転売しちゃった、なんていう場合だね。

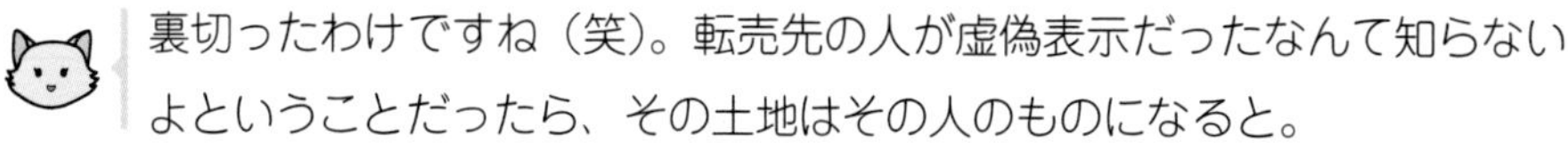

裏切ったわけですね（笑）。転売先の人が虚偽表示だったなんて知らないよということだったら、その土地はその人のものになると。

そのとおり。元々の所有者は所有権を主張できない。土地を返せとは言えなくなるよ。

心裡留保のときとおんなじで、第三者は「無過失」までは要求されていないんですね。

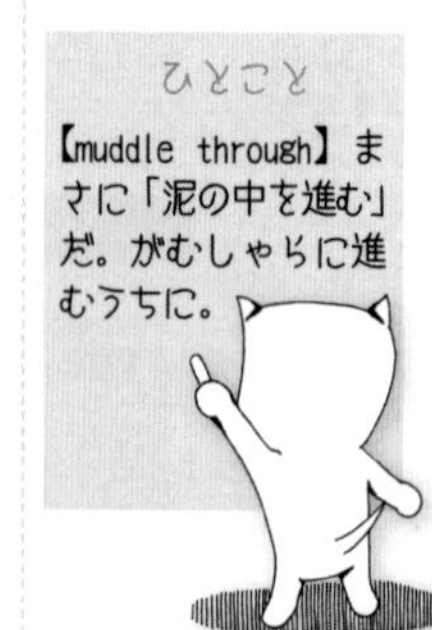

✎仮装譲渡（通謀虚偽表示）

▶**判例によると…**

＊第三者は善意であればよく、自己名義の登記がなくても、無過失でなくてもよい。
＊目的物が第三者からさらに転得者に移っている場合、転得者が善意だったら保護される。
＊第三者が善意であれば、転得者が悪意の場合でも保護される。第三者が善意の段階で転得者の保護が確定する。

〔3〕錯誤（95条）

▶原則

錯誤とは、本人の勘違いや思い違いで本心とは異なる意思表示をいう。本人（表意者）は勘違いに気づいていなかった。		
原則	意思表示は、次の①②に掲げる錯誤に基づくものであって、その錯誤が法律行為の目的及び取引上の社会通念に照らして重要なものであるときは、取り消すことができる。	
	①表示の錯誤	意思表示に対応する意思を欠く錯誤。
	②動機の錯誤	表示者が法律行為の基礎とした事項についてのその認識が真実に反する錯誤。
		動機の錯誤による意思表示の取消しは、その事情が「法律行為の基礎とされていること」が表示されていたときに限り、することができる。

「①表示の錯誤」は書き間違いとか言い間違いのたぐい。「②動機の錯誤」は「契約する動機」が間違っていたという場合だね。

「表示していたとき」には、黙示的に表示されていた場合も含む。

「②動機の錯誤」の場合、相手方はその人（表意者）の動機なんてわからないですよね。

そうそう。だから「こういう認識で契約します」と「表示をしていたときに限り」としているわけだ。

✎ 錯誤

取消し

ひとこと

解決策が見つからない中、泥の中をもがくように突き進んでいるうちに。

あと、「錯誤」による意思表示だったとしても、表意者に「重大な過失」があったときの取り扱いも定められていますね。

そうそう。そういったときは取り消せないんだけど、相手方の状況によっては、なお取り消すことができるよ。

▶重大な過失によるものである場合（例外）

例外	錯誤が表意者の重大な過失によるものであった場合は、以下の①②に掲げる場合を除き、意思表示の取消しをすることができない。	
	相手方	① 相手方が表意者に錯誤があることを知り、または重大な過失によって知らなかったとき。 ② 相手方が表意者と同一の錯誤に陥っていたとき。

表意者に重大な過失があっても、相手方が錯誤を知っているときや、相手方も重大な過失で知らなかったなんていうときは、錯誤による取消しオッケー。

あと、相手方もおんなじ錯誤だったというのも、なんか笑えます（笑）。

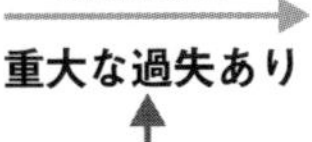

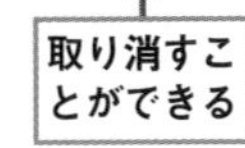

最後に、第三者の取り扱い。保護される第三者は「善意無過失」となっているよ。

プラスα

「重大な過失」とは、通常払うべき注意をはなはだしく欠くこと。ふつうだったらするはずの注意すらしていないこと。なお、「軽過失（注意はしていたんだけど、少し見落としがあった）」、「無過失（まったく過失がない）」という言葉もある。

ひとこと
泥まみれで悪戦苦闘しているうちにいつの間にか解決策にたどり着く。

▶保護される第三者（例外）

例外	錯誤による意思表示の取消しは、善意でかつ過失がない第三者には対抗できない。

心裡留保や虚偽表示のときの第三者は「善意」だけで保護されていましたけど、錯誤の場合は「善意でかつ過失がない」となっていますね。無過失まで要求しています。

心裡留保や虚偽表示のときと比べれば悪気はないわけだから、「第三者の保護」にちょっと差をつけたそうだ。

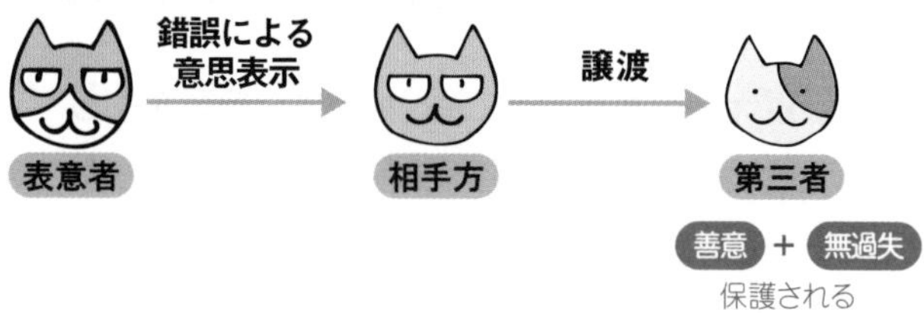

〔4〕詐欺（96条）

<table>
<tr><td colspan="3">詐欺による意思表示とは、他人からだまされてしてしまった意思表示をいう。</td></tr>
<tr><td>原則</td><td colspan="2">詐欺による意思表示は取り消すことができる。</td></tr>
<tr><td rowspan="2">例外</td><td>相手方</td><td>相手方に対する意思表示について第三者が詐欺を行った場合においては、相手方がその事実を知り、または知ることができたときに限り、その意思表示を取り消すことができる。</td></tr>
<tr><td>第三者</td><td>詐欺による意思表示の取消しは、善意でかつ過失がない第三者に対抗することができない。</td></tr>
</table>

詐欺による意思表示は、そりゃやっぱり取り消すことができるんだけど、第三者から詐欺を受けた場合、相手方が「詐欺なんて知りません」ということだと、ザンネンながら取り消せない。

無効とはしていないことに注意。詐欺による意思表示だったとしても、取り消さない限り有効。

知らなくても「知ることができたとき」だったら、取消しのチャンスあり !!!

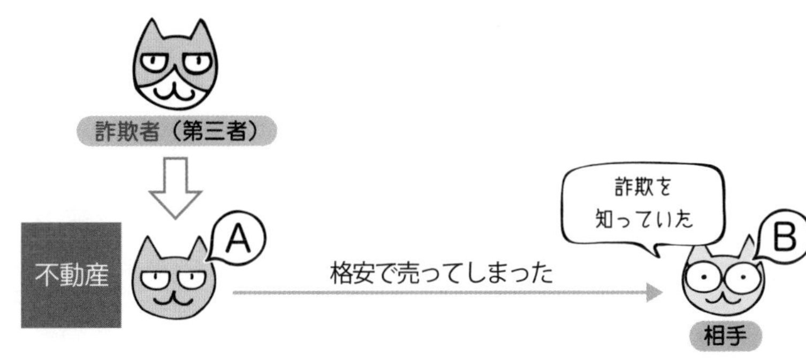

相手方Bが、Aが詐欺にあったことを知っているので、Aは、取消しを主張することができる。

次に「保護される第三者」なんだけど、第三者が善意無過失だったら、ザンネンながら意思表示の取消しを対抗することができない。

あ、錯誤のときとおんなじで、保護される第三者に「無過失」までを要求してますね。詐欺による意思表示だから心裡留保や虚偽表示と比べれば悪気はないということかしら。

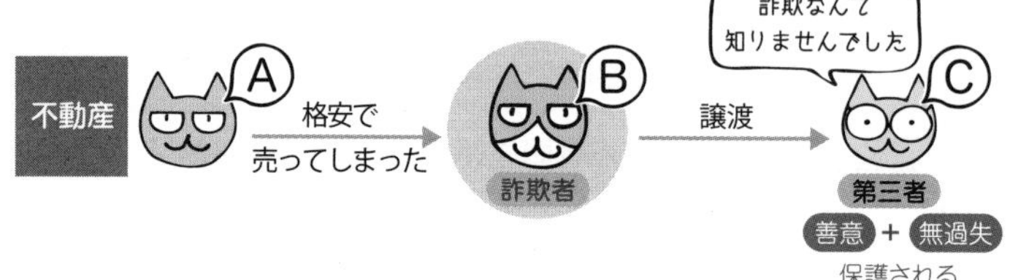

Aは、善意・無過失の第三者Cに対しては詐欺を理由とする取消しを主張することができない。

ひとこと

せっかくだから泥まみれをむしろ楽しんで自分なりのシアワセ方程式を。

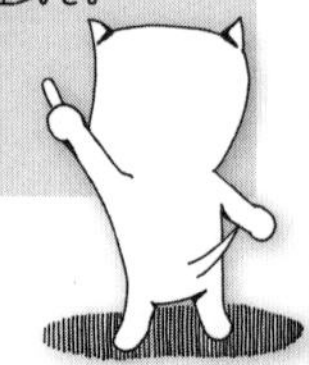

〔5〕強迫（96条）

強迫による意思表示とは、他人におどされてしてしまった意思表示をいう。	
原　則	強迫による意思表示は取り消すことができる。
例　外	なし。誰に対しても意思表示を取り消すことができる。

害悪を示して他人を畏怖させ、この畏怖によってする意思表示が強迫による意思表示だよ。

強迫の場合も詐欺と同様、「取り消すことができる」のであり、取り消さない限り有効。

強迫による場合、詐欺のときと異なり、相手方や第三者が善意だとしても取り消すことができるんですね。

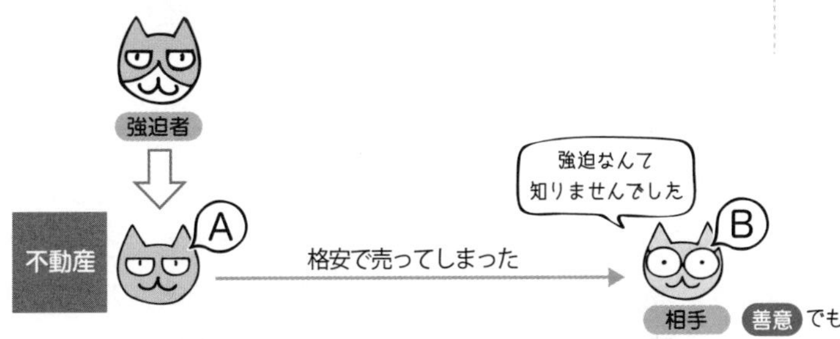

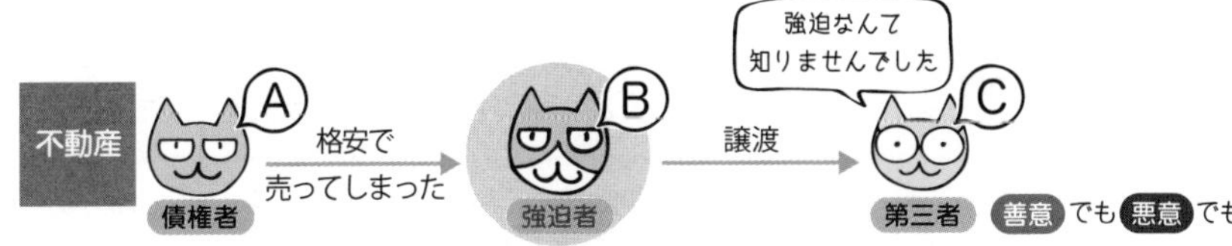

2
Section

代理制度。基本的なしくみ

★★★

1 代理のしくみ

代理とは、代理人という他人が行った行為の効果を本人に帰属させる制度です。「マンションの売却を代理人に頼んで売却してきてもらう」というようなイメージです。売買契約（意思表示）は代理人と相手方との間で行われるものの、本人と買主との間で直に契約したという扱いになります。売主となるのは本人で、物件を引き渡す債務を負い、代金債権を取得します。

〔１〕代理行為の要件及び効果（99条、100条）

要件・効果	代理人がその権限内において本人のためにすることを示してした意思表示は、本人に対して直接にその効力を生じる。
本人のためであることを示さない場合	代理人が本人のためにすることを示さないでした意思表示は、自己のためにするものとみなす。
	ただし、相手方が、代理人が本人のためにすることを知り、または知ることができたときは、本人に対して直接にその効力を生じる。

まず代理権があること（笑）。代理権がないのに代理行為をすると、あとで取り上げますけど、無権代理行為となって、ややこしくなる。

顕名しなかった場合でも、相手方が代理人であると知っていた（知ることができた）場合は有効な代理行為となる。

有効な代理行為＝代理権がある＋権限内＋顕名ですね。あと権限の定めのない代理人は、①保存行為・②利用行為（性質を変えない範囲）・③改良行為（性質を変えない範囲）の３つができます。

①保存行為…家屋の修繕など（現状維持）
②利用行為…建物を賃貸して賃料を得る（収益を図る）
③改良行為…家屋に造作する。下水道を引く（価値を増加させる）

〔2〕代理人が詐欺を受けた場合など（代理行為の瑕疵）（101条、120条）

① 代理行為から生じる取消権などは本人に帰属する。
② 取消権などの発生の有無は、代理人を基準に考える。

代理の効果は、代理人に帰属するんじゃなくて本人に帰属するから、詐欺などの取消権も本人に帰属するよ。

逆に「代理人が詐欺をした」というような場合は、本人の善悪を問わず取消しなどはできない。相手方から取消権を行使される場合あり。

代理人が詐欺や強迫を受けたかどうか、代理人の意思表示に錯誤があったかどうか。やっぱり本人じゃなくて代理人がどうだったかで考えるんですね。

〔3〕代理人の行為能力（102条）

原　則	制限行為能力者が代理人としてした行為は、行為能力の制限によっては取り消すことはできない。
例　外	制限行為能力者が他の制限行為能力者の法定代理人としてした行為については、この限りではない。

まず、代理には「法定代理」と「任意代理」があるのだ。

法定代理

未成年者の親権者や成年後見人など。法律の規定（一定の手続き）により特定の者が代理人になる制度。本人が代理人を選択するわけじゃない。

任意代理

本人が代理人を選択し、契約によって代理権を与える。委任による代理人というふうにいったりもする。

任意代理の場合、未成年者などの制限行為能力者を代理人とすることもできるけど、「未成年者だから」という理由では取り消せないんですね。

そりゃそうでしょ。代理人として選んだ本人が悪いワケだ（笑）。

でも、制限行為能力者が法定代理人だった場合は、そうもいかないと。

本人のために「取り消すことができる」としておかないとね。

例	未成年者の少女Aの法定代理人である父Bが、制限行為能力者である場合。

念のためですが!!
Bが被保佐人の場合、Aの法定代理人としてする行為については保佐人の同意が必要となる（P.405参照）。

〔4〕代理権の濫用（107条）

代理人が自己または第三者の利益を図る目的で代理権の範囲内の行為をした場合において、相手方がその目的を知り、または知ることができたときは、その行為は、代理権を有しない者がした行為とみなす。

ひどい代理人ですね。「代理権の範囲内の行為」だとしても「代理権の濫用」となる場合は、正式な代理行為とはしないということですね。

そうだね。「代理権を有しない者がした行為とみなす」ということだから、無権代理行為として扱うことになる。

〔5〕自己契約及び双方代理等（108条）

原　則	同一行為の法律行為について、相手方の代理人として、または当事者双方の代理人としてした行為は、代理権を有しない者がした行為とみなす。
例　外	ただし、債務の履行及び本人があらかじめ許諾した行為については、この限りではない。

当たり前なんだけど、売主の代理人が買主となる（自己契約）とか、双方の代理人となる（双方代理）なんてことになると、フェアな取引とは言えなくなるよね。

ちなみに!!

債務の履行の例として「不動産の移転登記手続きにつき、売主・買主の双方を代理する」などがある。

代理人は依頼者（本人）の利益がベストとなるように活動しなければなりませんもんね。

なのでそのような場合は「代理権を有しない者がした行為とみなす」ということだから、無権代理行為として扱うことになる。

でも「本人があらかじめ許諾した行為」のほか「債務の履行」だったら、やっちゃっていいんですね。有効な代理行為となります。

〔6〕代理権の消滅（111条）

代理権は、以下の事由によって消滅する。	
本　人	本人の死亡
代理人	代理人の死亡・代理人が破産手続開始の決定を受けた・代理人が後見開始の審判を受けた（成年被後見人となった）

※委任による代理人は、上記のほか、委任の終了によって消滅する。

本人や代理人が死亡した場合、代理権は消滅。相続人が承継するなんてことはないです。

「代理人が破産した」ときも終了なんですね。あとでまた表見代理の例で登場しまーす。

★★★

2 復代理制度

代理人が、さらに代理人を選任することを復代理といいます。しかし、代理の本質は「あなただから」という信頼関係にあるため、任意代理ではおいそれと復代理人を選任できるようにはなっていません。なお、復代理人はあくまでも本人の代理人であり、代理人の代理という位置づけではありません。

〔1〕任意代理人による復代理人の選任（104条）

スッキリ条文

委任による代理人は、本人の許諾を得たとき、またはやむを得ない事由があるときでなければ、復代理人を選任することはできない。

任意代理人は、原則として復代理人を選任できません。復代理人を選任できるのは、本人の許諾か、やむを得ない事由があるとき。まぁそりゃそうだよね。

かっこよくいうと「自己執行原則」だそうです。まぁそりゃそうです（笑）。

〔2〕法定代理人による復代理人の選任（105条）

法定代理人は、自己の責任で復代理人を選任することができる。この場合において、やむを得ない事由があるときは、本人に対してその選任及び監督についての責任のみを負う。

法定代理人の場合、本人の許諾がなくても自分が全責任を負うということで復代理人を選任できる。

やむを得ない事由があるときは、責任が軽減されていますね。

「選任及び監督についての責任」と言っているから、不適任なヤツを選んでしまってトラブったという場合のみ、尻拭いをしないとね。

〔3〕復代理人の権限等（106条）

スッキリ条文

① 復代理人は、その権限内の行為について、本人を代表する。

② 復代理人は、本人及び第三者に対して、その権限の範囲内において、代理人と同一の権利を有し、義務を負う。

復代理人はあくまでも、本人の代理人というポジションだよ。

代理権の範囲も「その（代理人の）権限の範囲内」とされていますね。なので、元の代理人の代理権が消滅すれば、復代理人の代理権も消滅で〜す。

図解

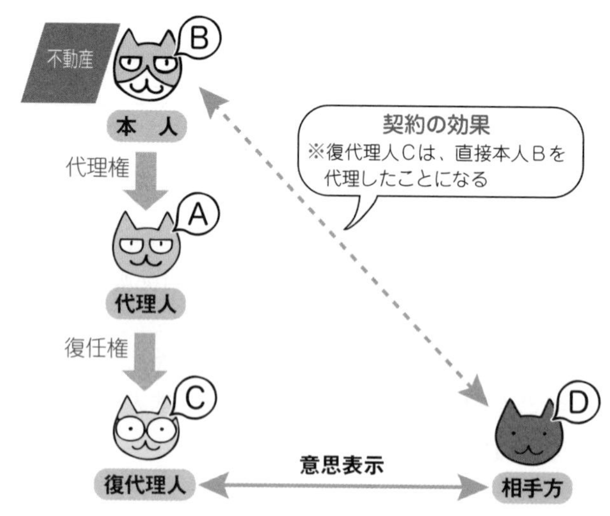

★★★

3 無権代理と表見代理

無権代理とは、代理権がないのに代理人と称して代理行為を行うことで、当然のことながら本人には効力は及びません。が、しかし、無権代理ではあるものの、相手方からすると代理権があるかのように見え、本人にも責任がある場合は「表見代理」となり、有効な代理行為となります。

〔1〕無権代理（113条）

① 代理権を有しない者が他人の代理人としてした契約は、本人が、その追認をしなければ、本人に対して効力を生じない。

② 追認またはその拒絶は、相手方に対してしなければ、その相手方に対抗することができない。ただし、相手方がその事実を知ったときは、この限りではない。

無権代理行為なんだけど、本人の追認があれば、契約のときにさかのぼって有効な代理行為となるよ。

無権代理の相手方にしてみれば、追認があるかどうかで、その後の動きも変わってきますよね。

無権代理 1

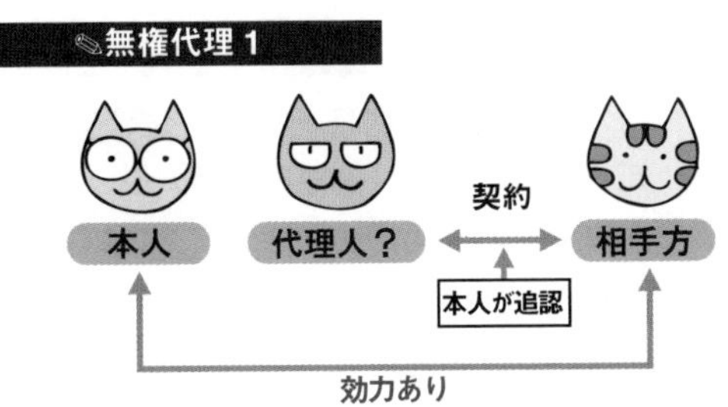

〔2〕無権代理の相手方の催告権（114条）

① 無権代理があった場合において、相手方は、本人に対し、相当の期間を定めて、その期間内に追認するかどうかを確答すべき旨の催告をすることができる。
② 本人がその期間内に確答しないときは、追認を拒絶したものとみなす。

かくして本人は、無権代理行為を追認するのか、拒絶するのか。追認を拒絶すれば代理行為は無効と確定するけど。

催告を受けた本人が、催告を無視して確答しないと、追認拒絶となります。

ちなみにこの「催告」は、相手方が無権代理につき悪意の場合でもすることができるよ。

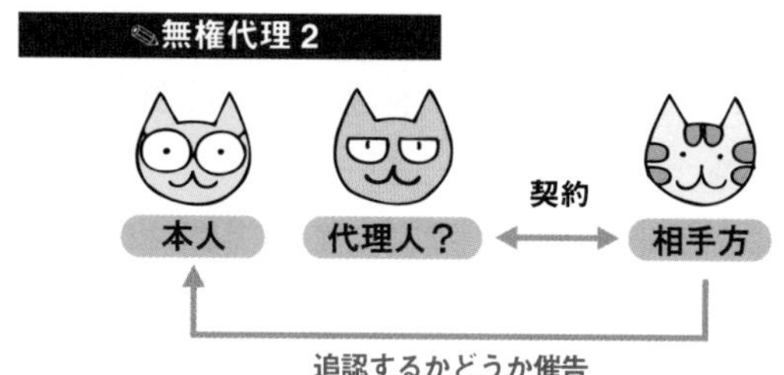

〔3〕無権代理の相手方の取消権（115条）

原　則	代理権を有しない者がした契約は、本人が追認をしない間は、相手方が取り消すことができる。
例　外	ただし、契約の時において代理権を有しないことを相手方が知っていたとき（悪意のとき）は、この限りではない。

相手方にしてみれば、本人が追認するか否か、じれったい。なので本人が追認する前だったら取り消せちゃう。

取消権は無権代理につき善意のときだけ認められています。

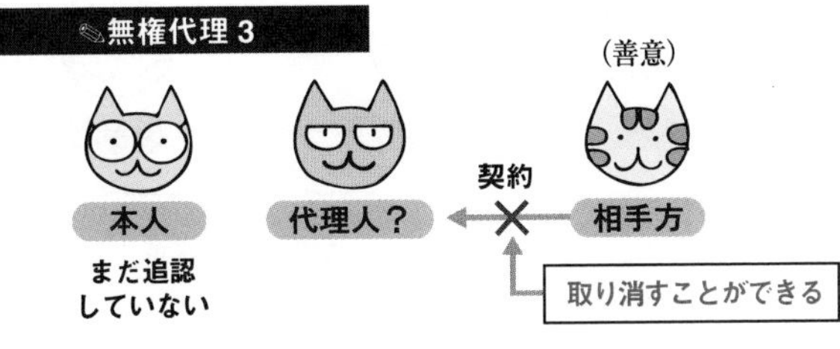

〔4〕無権代理人の責任 (117条)

原　則	他人の代理人として契約をした者は、自己の代理権を証明したとき、または本人の追認を得たときを除き、相手方の選択に従い、相手方に対して履行または損害賠償の責任を負う。
例　外	以下の場合は、責任を負わない。 ① 他人の代理人として契約をした者が代理権を有しないことを相手方が知っていたとき。 ② 他人の代理人として契約をした者が代理権を有しないことを相手方が過失によって知らなかったとき。ただし、他人の代理人として契約をした者が自己に代理権がないことを知っていたときは、この限りではない(責任を負う)。 ③ 他人の代理人として契約をした者が行為能力の制限を受けていたとき。

「相手方に対して履行または損害賠償の責任を負う」とあるけど「相手方の選択に従い」というのがきついかな。

相手方が無権代理につき善意無過失だったら、無権代理人に責任を追求できるんですね。

ちなみに、「無権代理人が代理権を有しないこと」を過失によって知らなかった（無過失ではない）ときであっても、「無権代理人自身が自己に代理権がないことを知っていた」ときは、無権代理人としての責任を負うよ。

✎無権代理 4

〔5〕表見代理（109条、110条、112条）

表見代理とは、完全な代理権がない場合でも、相手方にしてみれば代理権があるかのように見えちゃうケース。さらに本人にも責任があってね。こういった場合は有効な代理行為として、本人に責任を負わせちゃいます。

表見代理が成立するパターンでも、無権代理として処理してもよい。

表見代理には３パターンあります。

このパターン以外で、たとえば「印鑑を盗み出して委任状を偽造した」なんていう場合は、相手が善意無過失であったとしても表見代理は成立しないよ。

無権代理と表見代理の関係

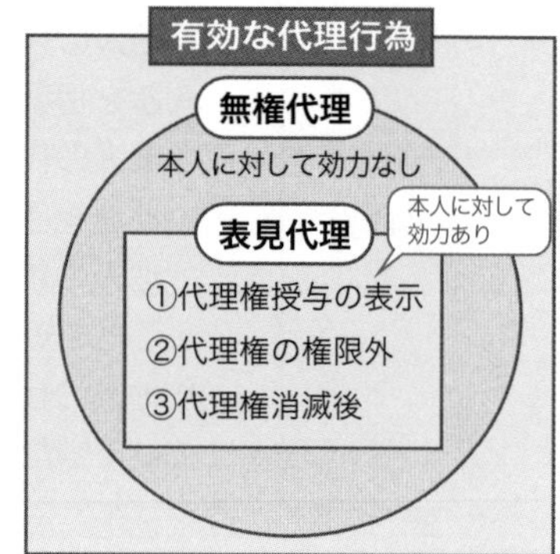

▶代理権授与の表示による表見代理等

原　則	第三者に対して他人に代理権を与えた旨を表示した者は、その代理権の範囲内においてその他人が第三者との間にした行為について、その責任を負う。
例　外	ただし、第三者が、その他人が代理権を与えられていないことを知り、または過失により知らなかったときは、この限りではない。
範囲外	本人がこの表見代理の責任を負うべき場合において、その他人が第三者との間でその代理権の範囲外の行為をしたときは、第三者がその行為についてその他人の代理権があると信ずべき正当な理由があるときに限り、その行為についての責任を負う。

実際には代理権は与えていないのに、代理権を与えたように見える状況を本人が放置しているような場合だね。

そういう状況を放置していた本人が責任をとる、ですね。気をつけなくちゃ。

▶権限外の行為の表見代理

代理人が権限外の行為を第三者との間にした場合において、第三者が代理人の権限があると信ずべき正当な理由があるときは、本人はその責任を負う。

与えられた代理権の範囲を超えて代理行為をした場合とか。

抵当権設定の代理権だったのに、売却しちゃったような場合ですね。

▶代理権消滅後の表見代理等

原　則	他人に代理権を与えた者は、代理権の消滅後にその代理権の範囲内においてその他人が第三者との間でした行為について、代理権の消滅の事実を知らなかった第三者に対してその責任を負う。
例　外	ただし、第三者が過失によってその事実を知らなかったときは、この限りではない。
範囲外	本人がこの表見代理の責任を負うべき場合において、その他人が第三者との間でその代理権の範囲外の行為をしたときは、第三者がその行為についてその他人の代理権があると信ずべき正当な理由があるときに限り、その行為についての責任を負う。

すでに代理権が消滅しているのにもかかわらず、代理行為をしたようなケースだね。

代理人が破産した後にも代理行為を続けたような場合かしら。

Part3 1 権利関係　Part3 2 権利関係　Part3 3 権利関係　Part3 4 権利関係　Part3 5 権利関係　Part3 6 権利関係　Part3 7 権利関係

コラム

量が質を生む。そして直感で行け!!

そもそも宅建士の試験は「法律」の試験だから、そりゃやっぱり専門用語とか、独特の言い回しが出てくる。

それから「30日以内に届け出よ」とか「1,000㎡未満は許可不要」だとか、「しなければならない」なのか「することができる」なのか、まぁそんなことも出題される。

試験当日、限られた時間内で、実際の試験問題をちゃんと読んで意味を理解したうえで（つまり読解力が要求される）、アタマに蓄えた知識のどれかに当てはめて、すばやく正解を導き出す（スピードも要求される）。

…と書くとけっこうたいへんな感じがするけど（笑）。

じゃあどうすりゃいいかといえば、もうこれ、「量が質を生む」と覚悟を決めて反復練習（あえて練習と言おう!!）をしておくしかない。

どれくらい練習をすればいいかというと、どこの受験予備校でも言ってることなんだけど、「テキストは３回読む・問題集は５回解く」かな。

それくらい練習しておくと、読解力もアップするだろうし、数字的な知識もアタマに入ってくるだろうし。

もちろんスピードもアップ。

そうなってくると、試験問題を見たときに、直感的に答えが見えてくる。

そこまで行けば、ほらそこに、宅建士合格の女神が微笑んでいるよ。

Part 3

権利関係 -3

たとえば、金銭債権を持つ債権者は債務者に金銭の支払いを請求できます。そんな債権があったとしても、長期間なにも請求しなければ消滅時効で債権は消滅です。なお、弁済や相殺をすることにより債権を消滅させることもできます。また、債権を他人や会社に譲渡することもできます。この場合、債権を譲り受けた者が新債権者となります。

ステキな消滅時効

・・・に注意しましょう

1
Section

債権とは。債権があるから債権者

1 債権とは（復習）

概要

はじめに、債権の消滅として「消滅時効」と「弁済や相殺など」を、その後に「債権譲渡」を取り上げていきます。いずれにしてもテーマは「債権」となりますので、まず、債権とはなんだったのか、ここでかんたんに復習しておきましょう。

〔1〕安易な契約があなたを追いつめる

債権とは、「特定の人」に対し、「○○して！」と要求できる権利である。主に契約することにより発生。だから安易に“契約”しないほうがよい。

相手に「○○をして」と要求できるほうが『債権者』。その反対側の立場で「○○しなければならない」という義務を負っているほうが『債務者』。

AがBに対して債権を持つ

AはBに対して、
○○をして、
と要求できる

BはAに対して、
○○しなければ
ならない

事例

A所有の建物につき、Aを売主、Bを買主とする売買契約が成立した。さて問題。債権者は誰で、債務者は誰でしょう？

【答え：双方とも債権者・債務者になります。】

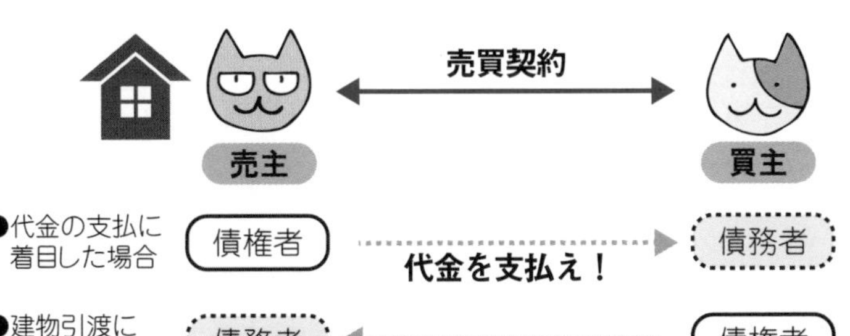

ただし、注意しなければいけないことは、この「債権」というのは、あくまでも債務者に「契約どおりのことをして」という「行為」を要求できる権利だということ。自分自身でその要求している行為を実現（具現化）してはいけない。

事例

AはBに100万円貸した。ところがBは約束の日に返済しない。調査してみるとBの家には現金100万円があった。さて問題。債権者Aは、Bの家から現金100万円を勝手に持ち出してくることができるでしょうか？

【答え：できません。自力救済は禁止です。】

〔2〕債権の内容を実現させるには？

当事者間で争いがあって、民事訴訟になり勝訴し、債権が公的に認められたとします。そうしたら自動的に、債務者が支払ってくれるのでしょうか？

払ってくれない場合もありまーす。

そんなときは、自力救済はダメだから（笑）、国家にヘルプを求めましょう。裁判によって存在が公的に認められた権利は、国家権力によりその内容を強制的に実現してもらえるよ。

そのための手続きを定めているのが「民事執行法」でしたっけ？

そうそう。相手方の財産を差し押さえて強制競売。強制執行を免れるために財産隠しなどを図ろうとする連中には、民事保全法を使って、「仮差押え」とか「仮処分」をしておこう!!

「仮差押え」と「仮処分」は、時効の完成猶予となる事由です（P.442）。たとえば消滅時効が完成すべき時が到来しても「仮差押え」や「仮処分」をしておくと、時効の完成が6ヶ月間先延ばしになります。

プラスα

宅建士試験では民事執行法や民事保全法は出題されませんけど、競売不動産などに興味があるのであれば、ちょこっとだけ勉強しておくことをおすすめします。

プラスα

「仮差押え」
金銭債権の執行を保全するために、債務者の財産の処分に一定の制約を加える裁判所の決定をいう。
例：不動産の仮差押え、預金債権の仮差押え

プラスα

「仮処分」
金銭債権以外の権利を保全するためのもの。相手方の何らかの行為を禁止する保全処分。
例：不動産の占有の移転を禁止、不動産の売買などを禁止

ひとこと

押し付けられると反発する。心理的リアクタンス。だから自発せよ。

2 Section 消滅時効。債権が消滅するとき

消滅時効でサヨウナラ。
時の経過で債権は
消えてなくなる場合あり。

祝・時効!!

★★★

1 時の流れで債権は消える

概要

時の経過で債務がチャラになる消滅時効のことを「究極の法魔術」と表現している人もいます。債権が消滅すれば、もう金銭を返済する必要はありません。一方、債権者側は消滅時効を完成させないために「時効の完成猶予及び更新」を行うことができます。

〔1〕時効の援用・効力・時効の利益の放棄（144条～146条）

要チェック

援　用	時効は、当事者（消滅時効にあっては、保証人、物上保証人、第三取得者その他権利の消滅について正当な利益を有する者を含む）が援用しなければ、裁判所はこれによって裁判をすることができない。
効　力	時効の効力は、その起算日にさかのぼる。
放　棄	時効の利益は、あらかじめ放棄することができない。

時効の援用とは、時効制度を利用することを相手方に伝えること。当事者が騒ぎ立てないと、裁判も始まらないよ。

たとえば相手方からの請求に対し「弁済日の翌日から5年経過し消滅時効は完成しているので支払わない」という意思を表明するとかですね。騒ぎが始まります（笑）。

重要！

保証人
…P.480 参照
物上保証人
…P.543 参照
第三取得者
…P.549 参照

で、時効が完成した場合、初めから債権債務はなかったということになる。

あと、債権者が債務者に圧力をかけて、借用書に「私は消滅時効を主張しません（利益の放棄）」と書かせても無効になるんですよね。

そうそう。時効完成前に利益を放棄させることはできないよー。

〔2〕債権等の消滅時効（166条、167条）

▶債権の消滅時効

債権は、次に掲げる場合には、時効によって消滅する。	
主観的起算点	債権者が権利を行使することができることを知った時から5年間行使しないとき。
客観的起算点	権利を行使することができる時から10年間行使しないとき。

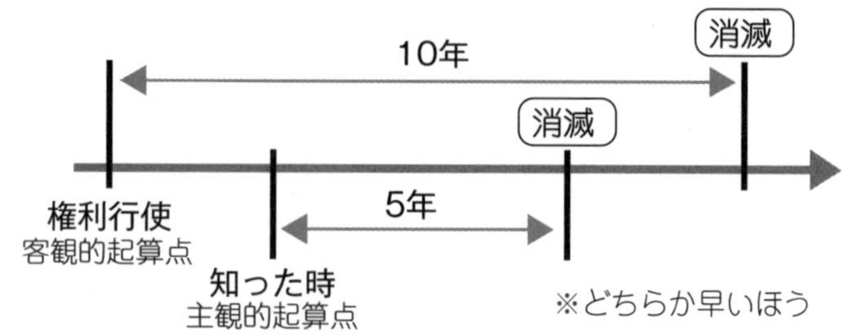

▶「債権または所有権以外の財産権」の消滅時効

「債権または所有権以外の財産権」は、権利を行使することができる時から20年間行使しないときは、時効によって消滅する。

「債権または所有権以外の財産権」には、地上権（建物などを所有するため他人の土地を使用することができる権利）とか永小作権（他人の土地で耕作などをする権利）などがあるよ（P.526参照）。

念のためですけど「所有権」は消滅時効で消滅しません。

▶人の生命または身体の侵害による損害賠償請求権の消滅時効

人の生命または身体の侵害による損害賠償請求権の消滅時効についての「客観的起算」の適用については、20年間とする。

〔3〕裁判上の請求等による時効の完成猶予及び更新（147条）

完成猶予	次に掲げる事由がある場合には、その事由が終了する（確定判決などで権利が確定することなくその事由が終了した場合にあっては、その終了の時から6ヶ月を経過する）までの間は時効は完成しない。 ①裁判上の請求 ②支払督促 ③和解・調停 ④破産手続参加・再生手続参加・更生手続参加
更　新	確定判決などで権利が確定したときは、時効は①～④の事由が終了した時から新たにその進行を始める。

時効の完成猶予

時効が完成すべき時が到来しても、時効の完成が先延ばしになること

時効の更新

時効期間の経過が無意味なものとなり、新たに時効が進行すること

裁判上の請求などの事由の終了まで、つまり裁判手続きをしている期間は時効の完成が猶予され、その後に確定判決などで権利が確定したら、時効は更新。

また時効は進行しちゃうんですね。

裁判上の請求等のほか、「強制執行等」の場合も時効の完成猶予及び更新となるよ。

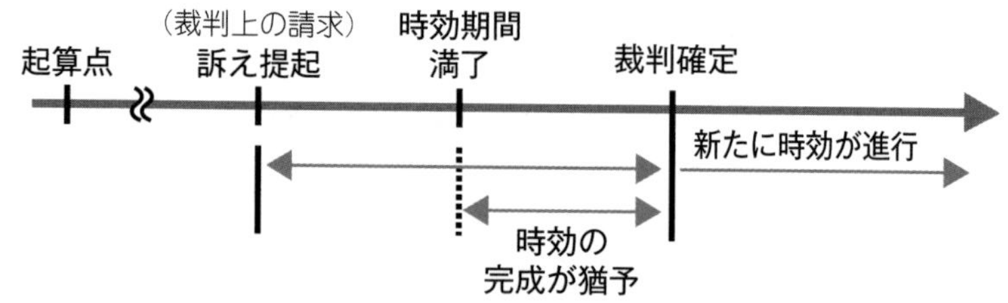

〔4〕強制執行等による時効の完成猶予及び更新（148条）

完成猶予	強制執行・競売などの事由が生じた場合、その事由が終了する（申立ての取下げなどでその事由が終了した場合にあっては、その終了の時から６ヶ月を経過する）までの間は時効は完成しない。
更　　新	時効は強制執行・競売などの事由が終了した時から新たにその進行を始める。ただし、申立ての取下げなどによってその事由が終了した場合は、この限りではない。

〔5〕仮差押え等・催告による時効の完成猶予（149条、150条）

仮差押え 仮処分	仮差押え・仮処分の事由があれば、その事由が終了した時から６ヶ月を経過するまでの間は、時効は、完成しない。
催　　告	催告があったときは、その時から６ヶ月を経過するまでの間は、時効は、完成しない。 **催告の例：**内容証明郵便などにより、裁判外で返済を請求する。

仮差押えとか催告（裁判外での請求）の場合は、時効の完成猶予のみですね。

とりあえず進行を止めておこうということだね。その後に、裁判上の請求とかで権利が確定することになるだろうし。

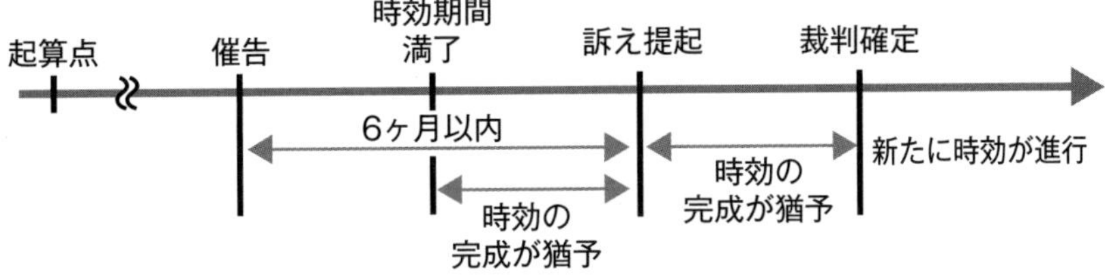

〔6〕協議を行う旨の合意による時効の完成猶予（151条）

権利についての協議を行う旨の合意が書面（または電磁的記録）でされたときは、次に掲げる時のいずれか早い時期までの間は、時効は、完成しない。

① その合意があった時から1年を経過した時

② その合意において当事者が協議を行う期間（1年に満たないものに限る）を定めたときは、その期間を経過した時

③ 当事者の一方から相手方に対して協議の続行を拒絶する旨の通知が書面（電磁的記録）でされたときは、その通知の時から6ヶ月を経過した時

「協議を行う旨の合意による時効の完成猶予」というのもあるんですね。

そうそう。協議を行っている期間中は時効は完成しないよ。

ポイントは、単に協議をしているだけじゃダメで、協議を行う旨の「合意」が書面（電磁的記録）でされていることが要件となるということですね。

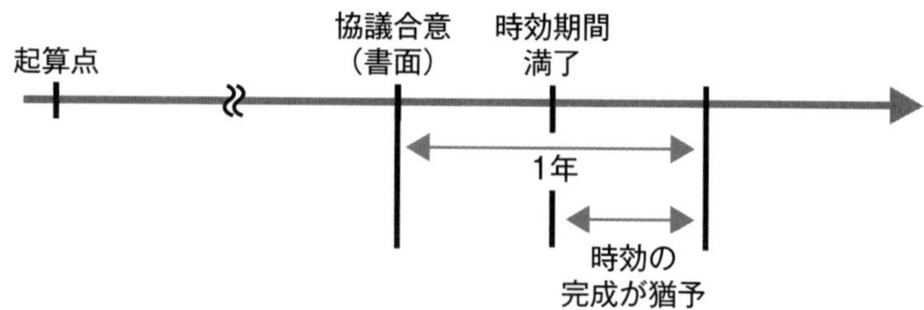

※ 当事者が裁判所を介さずに紛争解決に向けて協議をしている間は時効は完成しない。

〔7〕その他「時効の完成猶予」の事由（159条、160条、161条）

夫 婦 間	夫婦の一方が他の一方に対して有する権利については、婚姻の解消の時から６ヶ月を経過するまでの間は、時効は、完成しない。
相続財産	相続財産に関しては、相続人が確定した時、管理人が選任された時または破産手続開始があった時から６ヶ月を経過するまでの間は、時効は、完成しない。
天 災 等	時効の期間の満了の時に当たり、天災その他避けることのできない事変のため「裁判上の請求等」「強制執行等」の手続きを行うことができない時は、その障害が消滅した日から３ヶ月を経過するまでの間は、時効は完成しない。

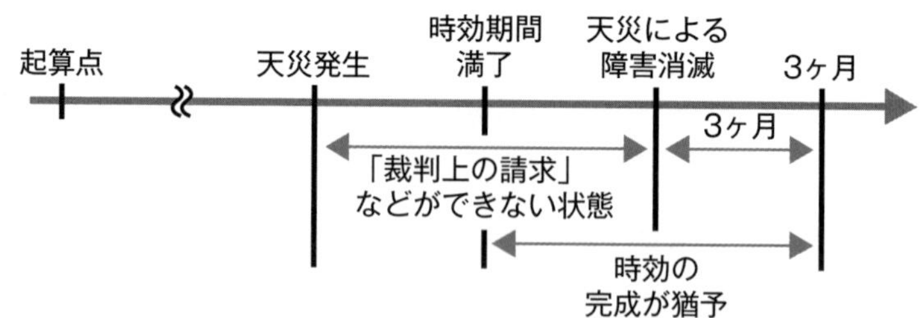

〔8〕承認による時効の更新（152条）

時効は、権利の承認があったときは、その時から新たにその進行を始める。

債務者が「承認」しちゃえば、それ一発で時効は更新となるよ。

裁判手続きなどの時間がないとき、債務者を呼び出して「承認」させちゃう。そうしたら時効は更新。債権者にしてみれば、これがいちばん手っ取り早いかも。

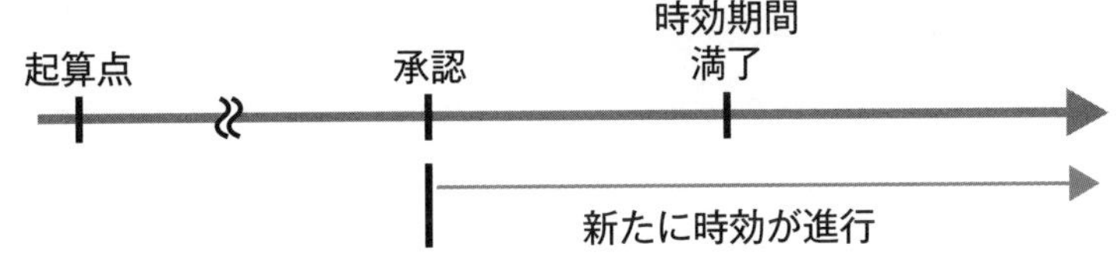

3 Section 弁済・相殺・免除・混同など

★★★

1 弁済。ちゃんと債権を消滅させる方法

代金を払うとか物を引き渡すというように、債権の内容を実現する（契約どおりのことをする）ことを弁済といい、弁済により債権は消滅します。なお債権者の同意があれば、たとえば金銭に代えて不動産を引き渡しとするような代物弁済も可能です。

〔1〕弁済（473条）

債務者が債権者に対して債務の弁済をしたときは、その債権は、消滅する。

債務の弁済は、第三者もすることができるよ。

「第三者の弁済」といったりします。

〔2〕第三者の弁済（474条）

▶債務者の意思に反する場合

① 弁済をするについて正当な利益を有する者でない第三者は、債務者の意思に反して弁済をすることができない。
② ただし、債務者の意思に反することを債権者が知らなかったときは、この限りではない。

「弁済するについて正当な利益を有する者（第三者）」とは、物上保証人（P.543）や保証人（P.480）など、債務者が弁済をしなければ自分が債権者から強制執行を受ける可能性がある者などをいうよ。

あと、後順位抵当権者（P.546）や借地上の建物の賃借人（P.553）なども含まれるんですよね。

そうそう。あ、それから、単に親や兄弟だというだけでは「弁済するについて正当な利益を有する者」とは言えないな。

「正当な利益を有する者でない第三者」、つまり無関係な第三者は、債務者の意思に反して弁済することはできないんですね。

そりゃそうでしょ。でも「債務者の意思に反する」ということを知らない債権者に弁済しちゃって債権者がうっかり受領しちゃったら、それはそれでオッケー。

有効な弁済（債権は消滅）となっちゃうんですね。

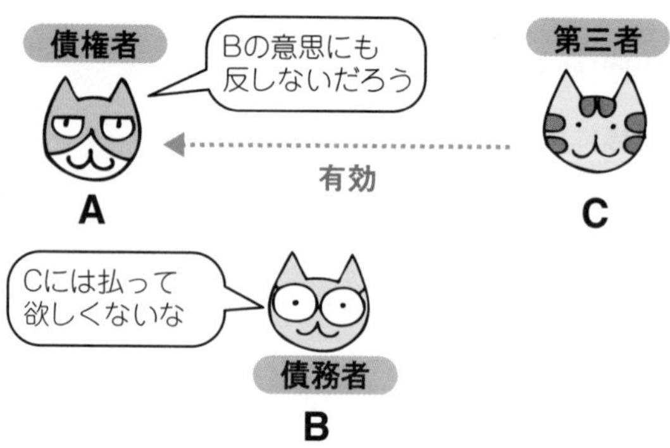

▶**債権者の意思に反する場合**

① 弁済をするについて正当な利益を有する者でない第三者は、債権者の意思に反して弁済をすることができない。
② ただし、その第三者が債務者の委託を受けて弁済をする場合において、そのことを債権者が知っていたときは、この限りではない。

こちらは、債権者が「見知らぬ無関係な第三者からは受け取らない」とか言っている場合だよね。

無関係な第三者からの弁済が債務者の意思に反しない場合でも、債権者は受領を拒絶できるんですね。

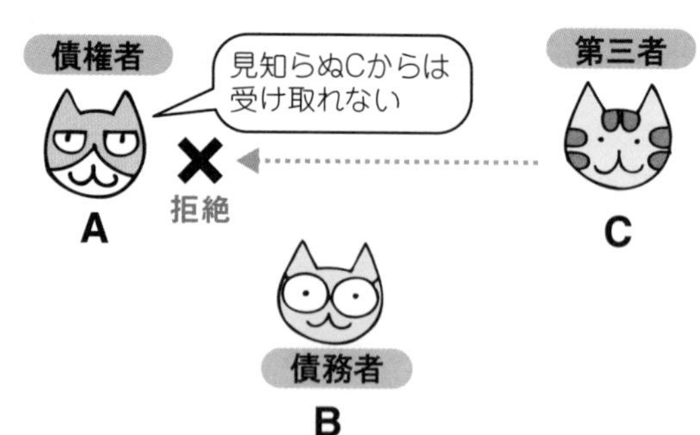

▶**第三者の弁済の禁止・制限**

第三者の弁済については、以下の場合は適用しない（弁済は無効となる）。
① その債務の性質が第三者の弁済を許さないとき
② 当事者が第三者の弁済を禁止または制限する旨の意思表示をしたとき

〔3〕受領権者としての外観を有する者に対する弁済（478条、479条）

① 受領権者以外の者であって取引上の社会通念に照らして受領権者としての外観を有するものに対してした弁済は、その弁済をした者が善意であり、かつ、過失がなかったときに限り、その効力を有する。
② ①の場合を除き、受領権者以外の者に対する弁済は、債権者がこれによって利益を受けた限度においてのみ、その効力を有する。

そりゃもちろん、弁済は債権者などの受領権者にすべきなんだけど、受領権者以外の者への弁済でも有効となる場合があるよ。

受領権者
①債権者
②法令の規定や当事者の意思表示によって弁済を受領する権限を付与された第三者

弁済者が善意無過失の場合ですね。

〔4〕代物弁済・その他「弁済」をめぐるあれこれ（482条〜489条）

▶代物弁済

弁済をすることができる者（弁済者）が、債権者との間で、債務者の負担した給付に代えて他の給付をすることにより債務を消滅させる旨の契約をした場合において、その弁済者が当該他の給付をしたときは、その給付は、弁済と同一の効力を有する。

▶弁済の場所及び時間

場　所	別段の意思表示がないときは、特定物の引渡しは債権発生の時にその物が存在した場所において、その他の弁済は債権者の現在の住所において、それぞれしなければならない。
時　間	法令または慣習により取引時間の定めがあるときは、その取引時間内に限り、弁済をし、または弁済の請求をすることができる。

▶弁済の費用など

費　　用	・弁済の費用について別段の意思表示がないときは、その費用は、債務者の負担とする。 ・ただし、債権者が住所の移転などによって弁済の費用を増加させたときは、その増加額は、債権者の負担とする。
受取証書	弁済をする者は、弁済と引換えに、弁済を受領する者に対して受取証書の交付を請求することができる。
債権証書	債権に関する証書がある場合において、弁済をした者が全部の弁済をしたときは、その証書の返還を請求することができる。
充当の順序	・債務者が元本のほか利息及び費用を支払うべき場合において、弁済をする者がその債務の全部を消滅させるのに足りない給付をしたときは、これを順次に費用、利息、元本に充当しなければならない。 ・当事者間で弁済の充当の順序に関する合意があるときは、その順序に従い、その弁済を充当する。

〔5〕弁済の提供（492条、493条）

効　果	債務者は、弁済の提供の時から、債務を履行しないことによって生ずべき責任を免れる。	
方　法	原　則	弁済の提供は、債務の本旨に従って現実にしなければならない（現実の提供）。
	例　外	ただし、債権者があらかじめその受領を拒み、または債務の履行について債権者の行為を要するときは、弁済の準備をしたことを通知してその受領を催告すれば足りる（口頭の提供）。

「おカネを持参しろ」とか「物をもってこい」というので持っていったのに、債権者が受け取らないとかね。

うざいですね（笑）。

なので、実際に弁済はできなかったとしても「あとはアンタ次第だよ」と「弁済の提供（やるべきことはやった）」を現実にしたのであれば、免責される。

債権者があらかじめ受領を拒んでいるというような場合は、口頭の提供でもオッケーです。

〔6〕弁済の目的物の供託（494条）

弁済者は、次に掲げる場合には、債権者のために弁済の目的物を供託することができる。この場合においては、弁済者が供託した時に、その債権は、消滅する。
① 弁済の提供をした場合において、債権者がその受領を拒んだとき。
② 債権者が弁済を受領することができないとき。

①②のほか「弁済者が債権者を確知できないとき（弁済者に過失があるときを除く）」も供託することができるよ。

ちなみに供託は「債務の履行地の供託所」にしなければなりませ〜ん。

〔7〕弁済による代位（499条）

債務者のために弁済をした者は、債権者に代位する。

たとえば保証人が債権者に弁済すると、債務者に「代わりに支払った分を返せ」といえる。これを求償権というんだけど、この求償権を確実なものにするため、弁済した第三者が債権者の立場になり代わる。そんな制度だよ。

債務者にしてみれば、債権者が代わったっていう感じになるのかしら。

★★★

2 弁済にかわるもの。相殺という方法もある

弁済以外にも債権を消滅させる方法があります。その方法として民法に規定されているのは、相殺、更改、免除、混同です。それらの基本的なしくみを確認していきましょう。

〔1〕相殺という方法（505条～511条）

▶相殺の要件等

２人が互いに同種の債権（例：金銭債権）を負担する場合において、双方の債権が弁済期にあるときは、各債務者は、その対当額について相殺によってその債務を免れることができる。

ＡとＢが互いに100万円の債権を有する場合に、一方の意思表示より、互いの債権を消滅させることができる。

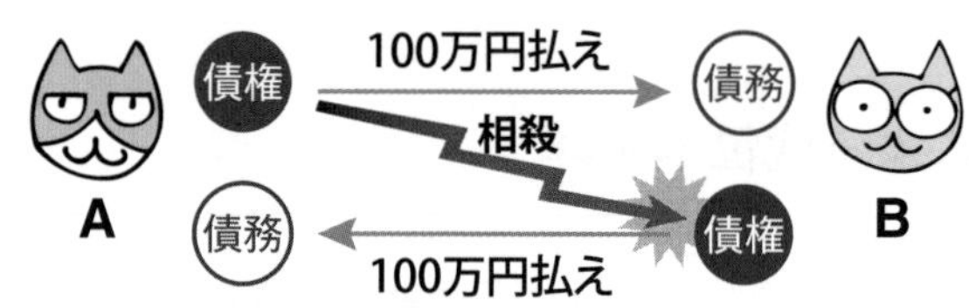

Ａが相殺する場合には、Ａの債権を自働債権、相手方Ｂの債権を受働債権というよ。

「双方の債権が弁済期にあること」が相殺の条件なんですけど、「自働債権の弁済期が到来すれば（先に払ってもらえる状態になっていれば）相殺することができる」という判例もありますよね。

そうそう。先に払ってもらえるほうに主導権があるんだよ。相手からおカネを払ってもらいたいんだったら相殺しないで受け取ればいいし、後で払うのが面倒だったらこの時点で相殺しちゃえばいいし。

以下、相殺をめぐるあれこれです。

▶時効により消滅した債権を自働債権とする相殺

時効によって消滅した債権がその消滅以前に相殺に適するようになっていた場合には、その債権者は、相殺をすることができる。

自分の債権が時効で消滅しちゃっても、その消滅以前に相殺に適するようになっていた場合には、その債権を使って相殺できちゃうんですね。

そうそう。あと、不法行為等によって生じた債権については、こんな規定も。

▶不法行為等により生じた債権を受働債権とする相殺の禁止

次に掲げる債務の債務者は、相殺をもって債権者に対抗することができない。
① 悪意（積極的に他人を害する意思）による不法行為に基づく損害賠償の債務
② 人の生命または身体の侵害による損害賠償の債務

おカネを返さない債務者に、意図的に損害を加えた債権者。債権者は被害者に損害賠償の債務を負うけど、債権者が、自分の債権を自働債権として、相手方の損害賠償債権と相殺。これってひどいでしょ。

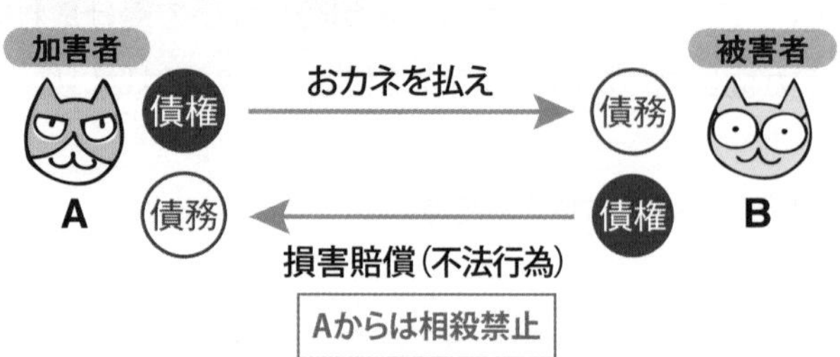

最低な債権者（加害者）ですね（怒）。そんな相殺は禁止です。

加害者となる債権者からの相殺は禁止だけど、判例によると、被害者側からの相殺はオッケーだそうです。「損害賠償しなくていいから、借金はチャラにして」みたいな。不法行為については P.606 にて。

▶差押えを受けた債権を受働債権とする相殺の禁止

差押えを受けた債権の第三債務者は、差押え後に取得した債権による相殺をもって差押債権者に対抗することはできないが、差押え前に取得した債権による相殺をもって対抗することができる。

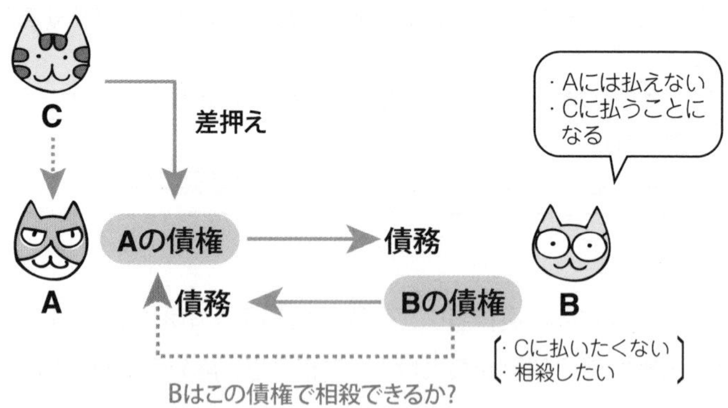

Cの差押え前に取得していた	→	相殺できる
Cの差押え後に取得した	→	相殺できない

〔2〕更改、免除、混同でも債権は消滅!!（513条〜520条）

▶更改

当事者が従前の債務に代えて、新たな債務であって次に掲げるものを発生させる契約をしたときは、従前の債務は、更改によって消滅する。
① 従前の給付の内容について重要な変更をするもの
② 従前の債務者が第三者と交替するもの
③ 従前の債権者が第三者と交替するもの

▶免除

債権者が債務者に対して債務を免除する意思を表示したときは、その債権は消滅する。

▶混同

債権及び債務が同一人に帰属したときは、その債権は消滅する。

「借金チャラにしてあげるよ」が免除だね。

「債務者である子が債権者である父を相続した」というようなことも混同ですね。

4 Section 債権譲渡。債権は譲渡できる

★★★

1 債権は売買することができる

概要

債権は他人に譲渡できます。通常の売買とおなじく、元の債権者と新債権者との契約で可能です。その際、債務者の関与はありませんので、債権譲渡があり、新しい債権者が「今日から自分が債権者だ」といってきても、債務者にしてみれば「知らない人」なので戸惑いがあるかもしれません。そこで、債権譲渡があったことを債務者に対抗するには、元の債権者からの通知などが必要となります。

〔1〕債権の譲渡性（466条）

▶債権は譲渡できる

要チェック

① 債権は、譲り渡すことができる。ただし、その性質がこれを許さないときは、この限りではない。
② 当事者が債権の譲渡を禁止し、または制限する旨の意思表示（譲渡制限の意思表示）をしたときであっても、債権の譲渡はその効力を妨げられない。

▶将来債権も譲渡できる（466条の6）

① 債権の譲渡は、その意思表示の時に債権が現に発生していることを要しない。
② 債権が譲渡された場合において、その意思表示の時に債権が現に発生していないときは、譲受人は、発生した債権を当然に取得する。

✎債権譲渡とは

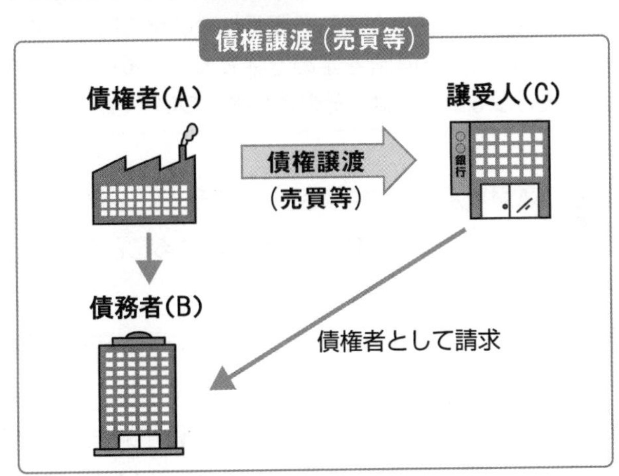

債権者Aの債務者Bに対する債権（将来債権でもOK）について、ＡＣ間の売買などにより、その債権をCに移転すること。

なぜ債権譲渡をするかというと、たとえば、自社の債権、それがまだ弁済期が到来していない債権（例：売掛債権）だとしても、その債権を譲渡して資金化する。

かっこよくいうと「資金調達手法のひとつ」ですね。譲渡制限の意思表示（譲渡制限特約）が付されていたとしても譲渡できちゃう。素敵です。

債権譲渡があれば、元の債権者だった「譲渡人」は債権者の地位からはずれ、「譲受人」が債権者として扱われるよ。

〔2〕「譲渡制限の意思表示」に基づく履行の拒絶（466条）

▶債務者の履行拒絶

> ①　債権の譲渡があった場合、譲渡制限の意思表示がされたことを知り、または重大な過失によって知らなかった譲受人その他の第三者に対しては、債務者は、その債務の履行を拒むことができ、かつ、譲渡人に対する弁済その他の債務を消滅させる事由をもってその第三者に対抗することができる。
> ②　①の規定は、債務者が債務を履行しない場合において、譲受人その他の第三者が相当の期間を定めて譲渡人への履行の催告をし、その期間内に履行がないときは、その債務者については、適用しない。

「譲渡制限の意思表示」につき譲受人が悪意または重過失によって知らなかった場合だったら、債務者は履行を拒絶することができるよ。

元の債権者（譲渡人）へ弁済してたりしたら、それを主張できるんですね。

で、債務者が履行をしない場合に、悪意または重過失によって知らなかった譲受人が相当の期間を定めて債務者に対し「じゃあ譲渡人に履行してよ」と催告したとしましょう。

でも債務者がその期間内に履行をしないとしたら…。

そうです。債務者は、もはや譲受人からの履行請求を拒むことができない。

▶譲渡制限の意思表示がされた債権の差押え（466条の4）

> 上記の「債務者の履行拒絶」の規定は、譲渡制限の意思表示がされた債権に対する強制執行をした差押債権者に対しては、適用しない。

「譲渡制限の意思表示」が付いている債権でも、第三者はそれを差押えて、

転付命令の申立てを行うことができるよ。

差し押さえられた債権（転付債権）が差押債権者（転付債権者）に移転するわけですね。

そうそう。この場合、債務者は差押債権者への履行を拒むことはできないよ。

〔3〕「譲渡制限の意思表示がされた金銭債権」に係る債務者の供託（466条の2）

▶債務者の供託権

供　託	債務者は、譲渡制限の意思表示がされた金銭の給付を目的とする債権（金銭債権）が譲渡されたときは、その債権の全額に相当する金銭を債務の履行地の供託所に供託することができる。
通　知	上記の規定により供託した債務者は、遅滞なく、譲渡人及び譲受人に供託の通知をしなければならない。
還　付	債務者が供託した金銭は、譲受人に限り、還付を請求することができる。

「いったい誰に弁済すればいいんだよ」と面倒くさくなった債務者は、譲受人が善意であれ悪意であれ、ちゃっちゃと供託しちゃいましょう。

ちなみに「債務の履行地の供託所」なんですけど、債務の履行地を「債権者（譲受人）の現在の住所」としている場合でも、債務者保護の観点から、譲渡人（元の債権者）の現在の住所を管轄する供託所にも供託してよいとしています。

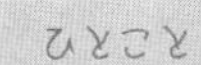

時間がない人・お金がない人。「時間」と「お金」は「自分」で作るものという認識で。

▶譲受人の供託請求権

譲渡制限特約付きの金銭債権が譲渡された場合において、譲渡人について破産手続開始の決定があったときは、譲受人は、譲渡制限の意思表示がされたことを知り、または重大な過失によって知らなかったときであっても、債務者にその債権の全額に相当する金銭を債務の履行地の供託所に供託させることができる。

譲渡人が破産だってさ。やばいじゃん。となると譲受人はおたおたしてられないので、「悪意または重過失によって知らなかった譲受人」に履行するのしないのとウダウダしている債務者に「さっさと供託しろ」と一喝。

譲受人から供託請求された債務者は、破産管財人に対して弁済しないでくださーい。そして供託したら、遅滞なく、譲渡人及び譲受人に通知しなければなりませーん。

供託された金銭債権は、譲受人に限り、還付請求することができる。はいこれで一件落着。

〔4〕債権の譲渡の対抗要件（467条）

① 債権の譲渡（現に発生していない債権の譲渡を含む。）は、譲渡人が債務者に通知をし、または債務者が承諾をしなければ、債務者その他の第三者に対抗することができない。

② 通知または承諾は、確定日付のある証書によってしなければ、債務者以外の第三者に対抗することができない。

債権の譲渡があっても、それを譲渡人が債務者に「通知」をするか、または債務者から債権譲渡の「承諾」を得るか、そのどっちかがないと、

債権の譲渡をしたということを、債務者やその他の第三者には主張できないわけだ。

そもそも論ですね（笑）。債権譲渡があったとしても、債務者への通知か債務者からの承諾がないうちは、債務者は元の債権者（譲渡人）に弁済すればよいと。

念のためだけど「債務者への通知」は譲渡人からじゃなきゃダメだよ。譲受人が「オレが債権者だ」と通知しても「アンタ誰？」となる（笑）。

譲渡人から譲受人が「債務者への通知」を行う代理権が授与され、その代理権に基づいての「通知」だったらいいわけですね。譲渡人がしたことになると。

でさ、おなじ債権が二重譲渡されたときは、ちょっと面倒だね。

債権を譲り受けた人が２人いて、さぁどっちが新債権者なのでしょうか。

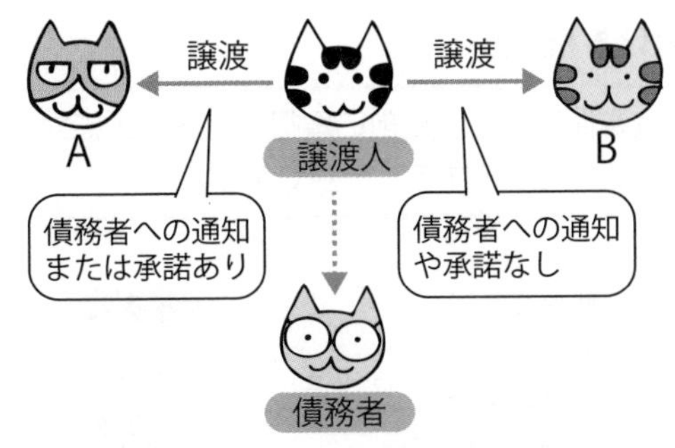

・Aは自らが新債権者であることを債務者に主張することができる。
・AがB（債務者その他の第三者）に主張するためには「確定日付のある証書」が必要。

▶**確定日付のある証書**

債務者への通知を郵便で行う場合	内容証明郵便を利用

債務者の承諾書に確定日付を押す場合	公証人役場で日付を押印

※債務者への通知がいずれも確定日付のある証書によるものであった場合、日付の先後ではなく、どっちが先に到達したかで決する。

〔5〕その他あれこれ（468条、469条）

▶債権譲渡における債務者の抗弁

債務者は、対抗要件具備時までに譲渡人に対して生じた事由をもって譲受人に対抗できる。

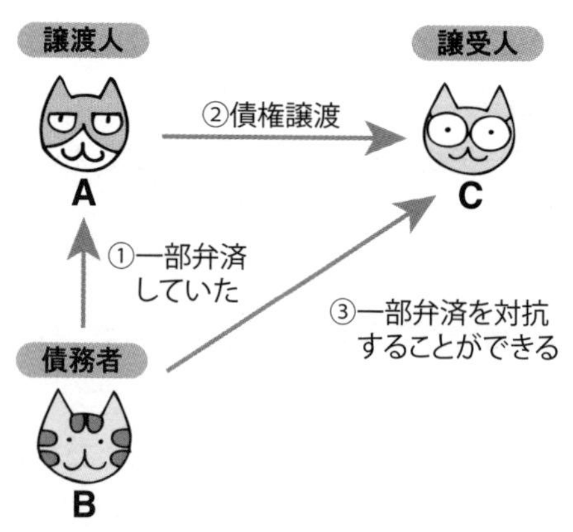

▶債権譲渡における相殺権

債務者は、対抗要件具備時より前に取得した譲渡人に対する債権による相殺をもって譲受人に対抗することができる。

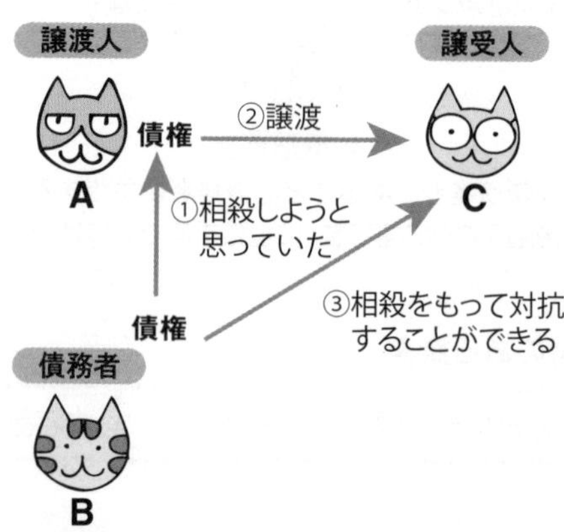

Part 3

権利関係 -4

約束どおりに債務を履行しないことを「債務不履行」といい、債権者から損害賠償を請求されたりします。また、連帯責任の「連帯」という言葉を使った「連帯債務」というしくみがあり、この場合、連帯債務者のひとりが自分の負担分を履行したとしても、債務全額につき責任を負ったままです。保証制度でも「連帯保証」というものがあります。

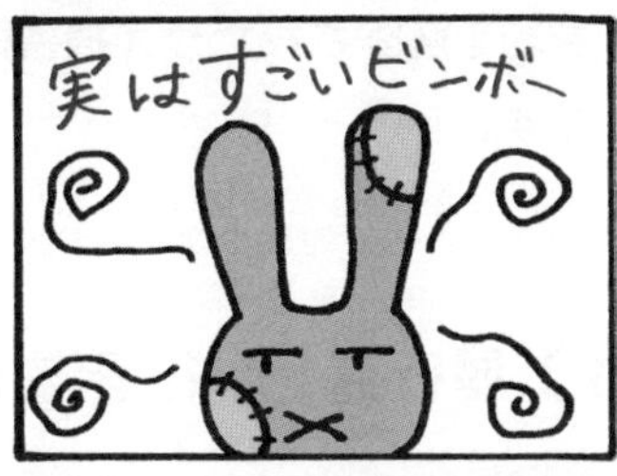

1 Section 債務不履行。債務者の責任

★★★

1 債務不履行の責任は重い

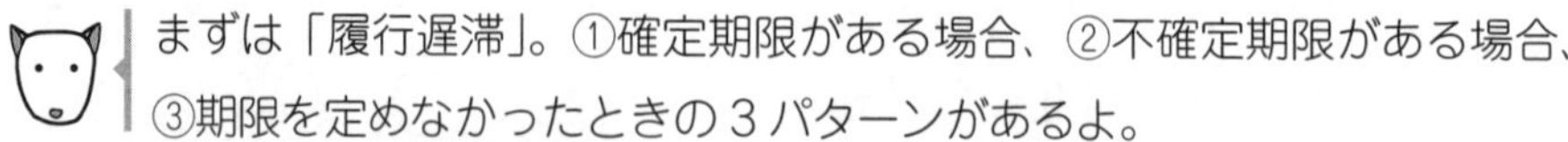

債務不履行とは契約違反のことで、自分に責任のある理由で、債務者が契約内容を履行しないことをいいます。契約違反があった場合、相手方から契約を解除されたうえ損害賠償を請求されたり、履行の強制を受けたりします。

〔1〕履行期と履行遅滞（412条）

まずは「履行遅滞」。①確定期限がある場合、②不確定期限がある場合、③期限を定めなかったときの３パターンがあるよ。

ちなみに、履行がまったくできなくなっちゃう場合は「履行不能」というふうにいいます。ではまず、履行遅滞から。

▶履行遅滞の責任

①確定期限	債務の履行について確定期限があるときは、債務者は、その期限が到来した時から遅滞の責任を負う。
②不確定期限	債務の履行について不確定期限があるときは、債務者は、その期限の到来した後に履行の請求を受けた時またはその期限が到来したことを知った時のいずれか早い時から遅滞の責任を負う。
③定めなし	債務の履行について期限を定めなかったときは、債務者は、履行の請求を受けた時から遅滞の責任を負う。

不確定期限だったときは、期限の到来した後に債権者から「履行しろ」と言われたら「あ、そっすね」というノリで債務者は履行せねばならぬ。

「自分で期限が到来したことを知った時」とどっちか早い時から遅滞の責任となりまーす。

〔2〕履行不能（412条の2）

① 債務の履行が契約その他の債務の発生原因及び取引上の社会通念に照らして不能であるときは、債権者は、その債務の履行を請求することができない。

② 契約に基づく債務の履行がその契約の成立の時に不能であったことは、債務不履行による損害賠償（P.468）の規定により、その履行の不能によって生じた損害の賠償を請求することを妨げない。

債務の履行がふつうに考えて不可能であるときは、いくら債権者だとしても「履行しろ」とは請求できない。なので債権者は損害賠償を請求することになる。

契約締結時にすでに不能だったという場合でも、その履行の不能によって生じた損害があれば損害賠償の請求も可能となります。

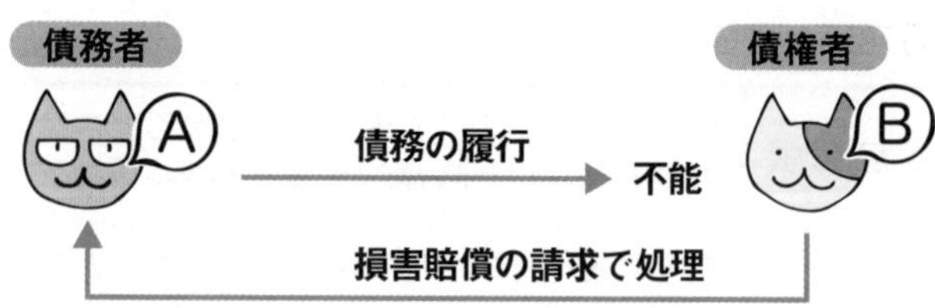

〔3〕受領遅滞（413条）

① 債権者が債務の履行を拒み、または受けることができない場合において、その債務の目的が特定物の引渡しであるときは、債務者は、履行の提供をした時からその引渡しをするまで、自己の財産におけるのと同一の注意をもって、その物を保存すれば足りる。

② 債権者が債務の履行を受けることを拒み、または受けることができないことによって、その履行の費用が増加したときは、その増加額は、債権者の負担とする。

特定物の引渡しっていうんだから、そりゃ債権者側の協力がないとね。「ご査収くださいますようお願い申し上げます」だね。

債権者に引き渡すまでの保管義務は「自己の財産におけるのと同一の注意」でよいとなっていますね。

一生懸命やってくれという意味合いの「善良な管理者としての注意義務」より軽い感じでオッケーです。

〔4〕履行遅滞中または受領遅滞中の履行不能と帰責事由（413条の2）

① 債務者がその債務について遅滞の責任を負っている間に当事者双方の責めに帰することのできない事由によってその債務の履行が不能となったときは、その履行の不能は、債務者の責めに帰すべき事由とみなす。

② 債権者が債務の履行を受けることを拒み、または受けることができない場合において、履行の提供があった時以降に当事者双方の責めに帰することのできない事由によってその債務の履行が不能となったときは、その履行の不能は、債権者の責めに帰すべき事由とみなす。

債務者が履行遅滞中、または債権者が受領遅滞中に、地震だ台風だという不可抗力的な事由で債務の履行が不能となった場合、さてどうしましょう。

債務者の履行遅滞中だったら債務者の、債権者が受領遅滞中だったら債権者の責任ということにしまーす。

〔5〕履行の強制（414条）

① 債務者が任意に債務の履行をしないときは、債権者は、民事執行法などの規定に従い、直接強制、代替執行、間接強制その他の方法による履行の強制を裁判所に請求することができる。ただし、債務の性質がこれを許さないときは、この限りではない。

② 債権者は、履行の強制とあわせて損害賠償を妨げない。

▶履行の強制（3パターン）

直接強制	例：執行官が金銭を差し押さえて債権者に交付する。
代替執行	例：他の業者に発注し、修理代金を執行官が取り立てる。
間接強制	例：「期限までに立ち退かないときは1日10万円払え」と命じる。

〔6〕債務不履行による損害賠償（415条～420条）

▶債権者の損害賠償の請求

原　則	債務者がその債務の本旨に従った履行をしないとき、または債務の履行が不能であるときは、債権者は、これによって生じた損害の賠償を請求することができる。
例　外	ただし、その債務の不履行が契約その他の債務の発生原因及び取引上の社会通念に照らして債務者の責めに帰することができない事由によるものであるときは、この限りではない。

債務者が債務を履行しないとか、履行不能だったとか、そんなときは債権者は損害賠償を請求しちゃいましょう。

でも「債務者の責めに帰することができない事由によるものであるとき」は債務者は免責されまーす。

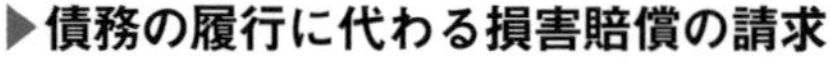

▶債務の履行に代わる損害賠償の請求

債権者は、次に掲げるときは、債務の履行に代わる損害賠償の請求をすることができる。

① 債務の履行が不能であるとき
② 債務者がその債務の履行を拒絶する意思を明確に表示したとき
③ 債務が契約によって生じたものである場合において、その契約が解除され、または債務の不履行による契約の解除権が発生したとき

「債務を履行しろ」といったところで当の債務者が「ぜったいに履行しない」と言ってたら、まぁ、どうしようもないよね。

なので、「債務の履行」を諦めて損害賠償の請求ですね。

あと、契約が合意解除されたり債務不履行で解除されたりした場合もね。契約自体が解除されたので債務の履行もへったくれもない。なので、この場合も損害賠償の請求。

契約の解除＋損害賠償というパターンになりますね。

▶損害賠償の範囲

① 債務の不履行に対する損害賠償の請求は、これによって通常生ずべき損害の賠償をさせることをその目的とする。
② 特別の事情によって生じた損害であっても、当事者がその事情を予見すべきであったときは、債権者は、その賠償を請求することができる。

通常生ずべき損害の賠償はいいとして、「特別の事情」を予見すべきであったかどうか。

自分が債務不履行をすれば、債権者にそのような損害が生じることが債務者にわかっていたかどうか、ですね。

債権者にしてみれば、考えつくすべての損害まで賠償させたいところだけどね（笑）。

▶中間利息の控除

① 将来において取得すべき利益についての損害賠償の額を定める場合において、その利益を取得すべき時までの利息相当額を控除するときは、その損害賠償の請求権が生じた時点における法定利率により、これをする。
② 将来において負担すべき費用についての損害賠償の額を定める場合において、その費用を負担すべき時までの利息相当額を控除するときも同様とする。

※不法行為（P.608）による損害賠償についても同様とする。

「中間利息の控除」が登場するシーンとして、たとえば5年後に期限が来る1,000万円の債権を現時点で債務者が弁済しちゃおう、なんていう場合かな。

債権者が1,000万円を受け取ると、本来の「5年後」まで、たとえば債権者はそのおカネを運用して利益を得ちゃうこともできますもんね。

なので利息相当額を控除して払おう、みたいな話になる。

損害賠償の額を定めるときも中間利息の控除という考え方になるんですね。

たとえば誰かが事故で亡くなって、その被害者の相続人が加害者に対して損害賠償を請求するとき（不法行為による損害賠償）とかだね。

亡くなった方が「稼いだはずの収入」から、予想される「生活費」を控除した金額の賠償の請求となりますよね。いわゆる「逸失利益の賠償」です。

なので計算方法としては、「稼いだはずの収入」－「生活費（3割程度）」－「法定利率による中間利息の控除」＝「逸失利益としての賠償額」となるかな。

▶過失相殺

債務の不履行、またはこれによる損害の発生、もしくは拡大に関して債権者に過失があったときは、裁判所はこれを考慮して、損害賠償の責任及びその額を定める。

▶金銭債務の特則

① 金銭の給付を目的とする債務の不履行については、その損害賠償の額は、債務者が遅滞の責任を負った最初の時点における法定利率（年３％・変動性）によって定める。ただし、約定利率が法定利率を超えるときは、約定利率による。
② 損害賠償を請求するにあたり、債権者は、損害の証明をすることを要しない。
③ 債務者は、不可抗力をもって抗弁とすることができない。

たとえば借金の支払いが遅れたことにより発生するのが、ここでいう損害賠償。遅延損害金だね。この特則の適用により、支払いが遅れたというだけで、債権者は損害賠償の請求が可能だ。さらに損害の証明も不要。

プラスα
法定利率（3％）は3年を「1期」として「1期」ごとに見直される（市中の金利動向にあわせての変動金利となる）。

原則は、法定利率で計算しますけど、「年12.5％の割合で遅延損害金を支払う」という約定だったら、そっちで計算ですね。

▶賠償額の予定

① 当事者は、債務の不履行について損害賠償の額を予定することができる。
② 賠償額の予定は、履行の請求または解除権の行使を妨げない。
③ 違約金は、賠償額の予定と推定する。

損害賠償の額を予定したら、それで処理。

宅建業者が売主で、宅建業者以外が買主となる売買契約だと「代金の20％まで」という制約がありましたよね？（P.134参照）

2 Section 連帯債務。いつまでも債務者!?

連帯債務者は自分の
負担部分だけの支払いでは
免責されないのだ!!

★★★

1 1人じゃないってステキなこと?

概要

連帯債務とは、1人の債権者に対して複数の債務者がいて、その債務者たちは、全員で債権の全額について責任を負うというものです。たとえば「ABCの3人が宅建業者から家を買い、代金600万円は連帯債務とする」とした場合、ABCはそれぞれ売主業者に対し600万円についての支払い責任を負います。一方、売主業者は誰に対しても600万円の支払いを請求できます。

誰でもいいから
600万円払わんかい!

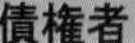

債権者

連帯債務

A・B・Cに家を
600万円で売った

内々で決めた負担額

A 200万円

B 200万円

C 200万円

ABCのうち誰かに支払い能力がなくても、債権者は、支払い能力がある人から全額を回収すればよい。

*連帯債務者の内々で決めた負担部分(200万円ずつとするなどの負担割合。特に定めがなければ平等)は、債権者には主張できない。

〔1〕連帯債務者に対する履行の請求（436条）

債務の目的が性質上可分である場合において、法令の規定または当事者の意思表示によって数人が連帯して債務を負担するときは、債権者は、その連帯債務者の１人に対し、または同時にもしくは順次に全ての連帯債務者に対し、全部または一部の履行を請求することができる。

「カネを払う」という金銭債務は、ふつうだったら可分（頭割り）で債務者ごとに処理すればいいんだけど、それをわざわざ「当事者の意思表示」で連帯債務にするというわけだね。

連帯債務となると、債務が全額弁済されるまでは、みんなが債務者。で、１人の債務者が内々で決めた負担部分を払ったとしても、まだまだ債務者。

とにかく、どういう割合でもいいから、どういう形でもいいから全額払えと。債権者は確実に全額を回収しやすくなるよね。

〔2〕連帯債務者の１人についての法律行為の無効等（437条）

連帯債務者の１人について法律行為の無効または取消しの原因があっても、他の連帯債務者の債務は、その効力を妨げられない。

オレは間違って（錯誤で）連帯債務者になったから取消しだー !!!

と、そんなことがあっても残りのみなさんは連帯債務者のままでーす。

〔3〕連帯債務者の１人との更改（438条）

連帯債務者の１人と債権者との間に更改があったときは、債権は、全ての連帯債務者の利益のために消滅する。

「従前の債務」に代えて新たな債務として「不動産を引き渡す」と変更したような場合だね。

更改したのであれば、債権は消滅します。連帯債務関係は終了です。

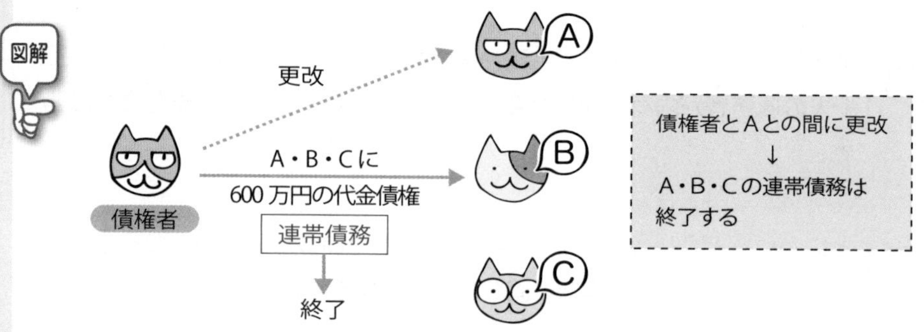

〔4〕連帯債務者の１人による相殺等（439条）

① 連帯債務者の１人が債権者に対して債権を有する場合において、その連帯債務者が相殺を援用したときは、債権は、全ての連帯債務者の利益のために消滅する。

② その反対債権を有する連帯債務者が相殺を援用しない間は、その連帯債務者の負担部分の限度において、他の連帯債務者は、債権者に対して債務の履行を拒むことができる。

誰か反対債権をもってないか～!!　相殺してくれ～!!

反対債権を有する連帯債務者が相殺を援用しない間、「彼の負担部分は払いません」と債務の履行を拒むことができまーす。

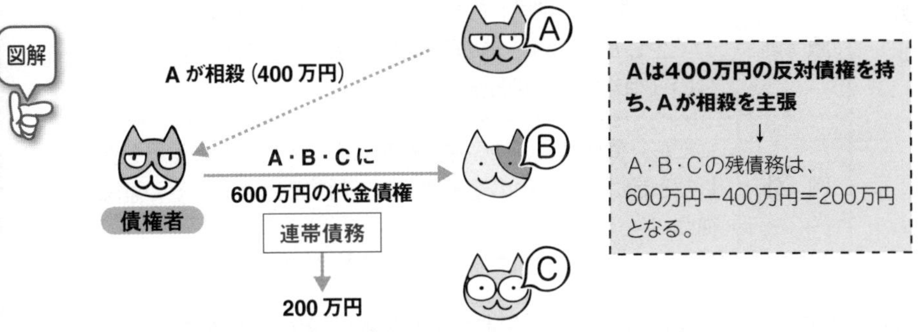

＊Aが相殺を援用しない間は、BとCは、Aの負担部分（200 万円）の支払いを拒むことができる。

〔5〕連帯債務者の１人との間の混同（440条）

連帯債務者の１人と債権者との間に混同があったときは、その連帯債務者は、弁済をしたものとみなす。

債権と債務が同一人に帰属したら、債権は消滅。混同だね。

その連帯債務者が弁済したとみなすということだから、他の連帯債務者に求償することになりますね。

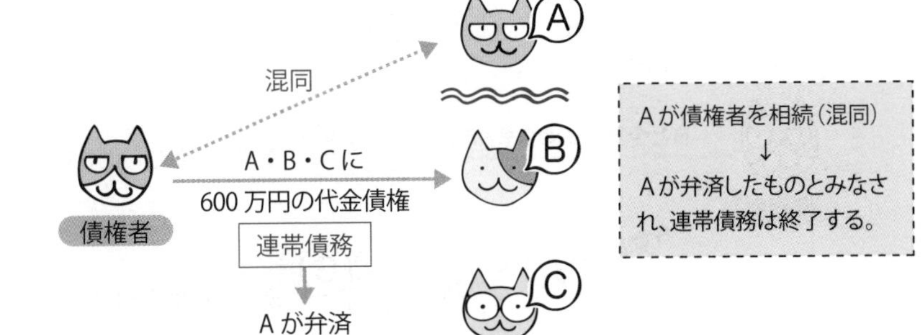

※混同の原因としては、相続のほか債権譲渡などがある。Aが弁済したという扱いになり、BCに「200 万円ずつ払え」と求償することができる。

〔6〕相対的効力の原則（441条）

原　則	「更改・相殺・混同」の場合を除き、連帯債務者の１人について生じた事由は、他の連帯債務者に対してその効力を生じない（相対的効力の原則）。
例　外	ただし、債権者及び他の連帯債務者の１人が別段の意思を表示したときは、当該他の連帯債務者に対する効力は、その意思に従う。

「更改・相殺・混同」は「絶対的効力（事由）」といったりすることもあります。これらは連帯債務者全員に効力が及ぶ（影響がある）けど、それ以外は、個々に考えるということですね。「相対的効力の原則」といったりします。

たとえば「請求」で考えてみると、債権者がAに請求したとしても、BやCには請求したことにはならないということだね。

でも債権者とBとの間で「Aに対して履行の請求をした場合には、Bに対しても履行の請求をしたことにする」と合意をした場合は話は別と。Bはその意思に従うことになるんですね。

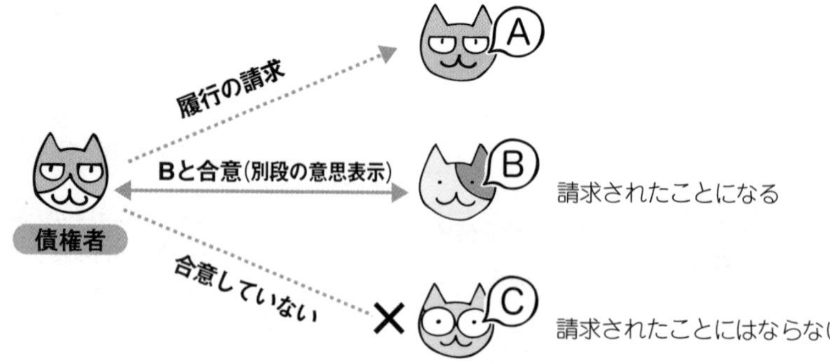

〔7〕連帯債務者間の求償権（442条）

連帯債務者の１人が弁済をし、その他自己の財産をもって共同の免責を得たときは、その連帯債務者は、その免責を得た額が自己の負担部分を超えるかどうかにかかわらず、他の連帯債務者に対し、その免責を得るために支出した財産の額のうち各自の負担部分に応じた額の求償権を有する。

連帯債務者の１人が弁済した場合、他の連帯債務者に負担部分に応じた額を求償できるよ。

たとえば、Aが600万円のうち300万円を弁済したら、BとCに100万円ずつの求償ですね。利息とか費用も支払っていたらそれも求償できます。

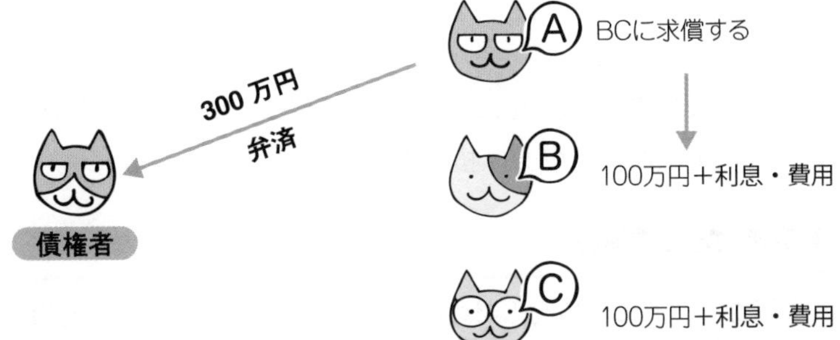

※弁済その他免責があった日以降の法定利息及び避けることのできなかった費用その他の損害についても、負担部分に応じて請求できる。

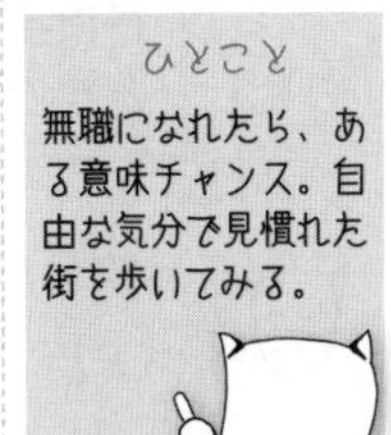

〔8〕通知を怠った連帯債務者の求償の制限（443条）

▶事前通知と求償権

① 他の連帯債務者があることを知りながら、連帯債務者の１人が共同の免責を得ることを他の連帯債務者に通知しないで弁済をし、その他自己の財産をもって共同の免責を得た場合において、他の連帯債務者は、債権者に対抗することができる事由を有していたときは、その負担部分について、その事由をもってその免責を得た連帯債務者に対抗することができる。
② この場合において、相殺をもってその免責を得た連帯債務者に対抗したときは、その連帯債務者は、債権者に対し、相殺によって消滅すべきであった債務の履行を請求することができる。

他の連帯債務者がいるんだったら、弁済とかする前に一声かければいいのにね。

他の連帯債務者が「えー払ってたのに～」みたいな。「負担部分を払って」といわれてもね。その分は払いませんと。

▶事後通知と求償権

弁済をし、その他自己の財産をもって共同の免責を得た連帯債務者が、他の連帯債務者があることを知りながらその免責を得たことを他の連帯債務者に通知することを怠ったため、他の連帯債務者が善意で弁済その他自己の財産をもって免責を得るための行為をしたときは、当該他の連帯債務者は、その免責を得るための行為を有効であったものとみなすことができる。

弁済したんだったら、やっぱり「他の連帯債務者」にも一声かけてほしいよね。

「ワタシも支払っちゃったじゃない」というトラブル発生～!!!!

〔9〕連帯債務者の1人との間の免除等と求償権（445条）

連帯債務者の1人に対して免除がされ、または連帯債務者の1人のために時効が完成した場合においても、他の連帯債務者は、その1人の連帯債務者に対し、求償権を行使することができる。

Bが債権者から「免除」されたらどうなるかというと、免除されたBは連帯債務者から抜けることになる。

消滅時効が完成したという場合もおなじですね。

となると、残りの連帯債務者AとCは債権者から連帯債務の全部の履行を請求され、で、Aが弁済をしたとしよう。

Aは「免除だ」「時効完成だ」というBにも求償できるわけですね。

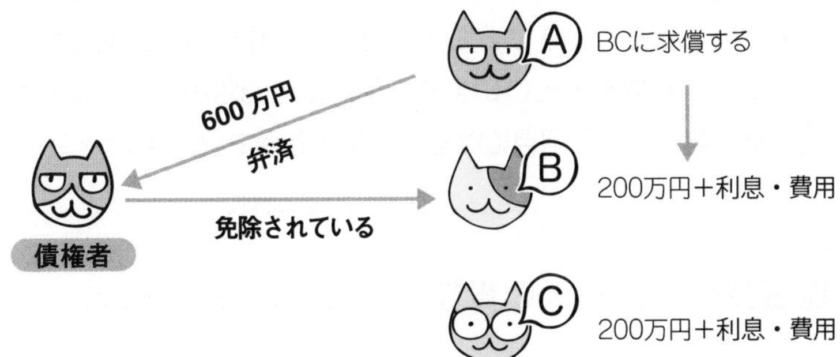

Section 3

保証債務。保証人はこんな目に!!

★★★

1 なるな保証人!

概要

保証契約とは、たとえば、銀行から住宅ローンの融資を受けたAが弁済できなくなったときに、保証人Bが代わりに弁済するということを、銀行とBが契約することをいいます。この場合、Aの住宅ローンを主たる債務といい、Aを主たる債務者といいます。保証には通常の保証と、それよりも保証人が重い責任を負う羽目になる連帯保証とがあります。

〔1〕保証契約・保証人の責任等（446条～448条、465条の6）

▶**保証人の責任等**

① 保証人は、主たる債務者がその債務を履行しないときに、その履行する責任を負う。
② 保証契約は、書面（電磁的記録）でしなければ、その効力を生じない。

保証契約は、債権者と保証人の間で結ぶよ。むかしは口約束でもよかったんだけどね。

昨今トラブル激増のため、保証契約は書面（電磁的記録）でしなければならなくなりました。

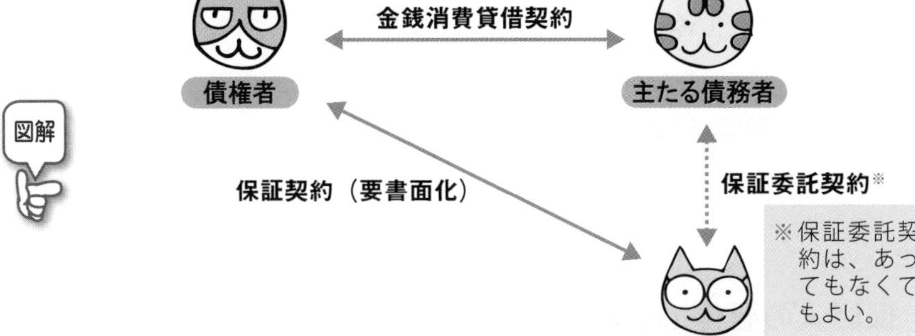

注：事業資金としての貸金等債務を主たる債務とする保証契約は、その契約の締結に先立ち、その締結の日前１ヶ月以内に作成された公正証書で保証人になろうとする者が保証債務を履行する意思を表示していなければ、その効力を生じない。

▶保証債務の範囲

①　保証債務は、主たる債務に関する利息、違約金、損害賠償その他その債務に従たるすべてのものを包含する。
②　保証人は、その保証債務についてのみ、違約金または損害賠償の額を約定することができる。

「保証債務についてのみ、損害賠償の額を約定」なんだけど「私の保証が遅れたら、○○円を損害賠償として支払います」とか。

保証債務は保証債務で、主たる債務とは別の債務という考え方なんですよね。

▶保証人の負担

① 保証人の負担が債務の目的または態様において主たる債務より重いときは、これを主たる債務の限度に減縮する。
② 主たる債務の目的または態様が保証契約の締結後に加重されたときであっても、保証人の負担は加重されない。

「200万円の保証契約」だといわれていたのに、「あれ、なんで800万円なの～!!」みたいな。

保証契約の後に「加重」なんてひどい話ですもんね。

〔2〕保証人の要件（450条）

要　件	債務者が保証人を立てる義務を負う場合には、その保証人は次の要件を具備する者でなければならない。 ① 行為能力者であること ② 弁済をする資力を有すること
変　更	保証人が「②弁済をする資力」を欠くに至ったときは、債権者は、要件を具備する者をもってこれに代えることを請求することができる。

※これらの規定は、債権者が保証人を指名した場合には、適用しない。

保証人なんだから、そりゃやっぱり「弁済の資力」がモノをいう。

保証人が成年被後見人などの制限行為能力者になっちゃったときは「代えてくれ」という請求はできないんですね。成年後見人や保佐人がつくからだいじょうぶだと。

〔3〕催告の抗弁・検索の抗弁（452条～454条）

▶催告の抗弁

①　債権者が保証人に債務の履行を請求したときは、保証人は、まず主たる債務者に催告すべき旨を請求できる。
②　ただし、主たる債務者が破産手続開始の決定を受けたとき、またはその行方が知れないときは、この限りではない。

▶検索の抗弁

債権者が主たる債務者に催告をした後であっても、保証人が主たる債務者に弁済をする資力があり、かつ、執行が容易であることを証明したときは、債権者は、まず主たる債務者の財産に対して執行をしなければならない。

▶連帯保証の場合

保証人は、主たる債務者と連帯して債務を負担したときは、催告の抗弁と検索の抗弁をする権利を有しない。

保証人は、主たる債務者が履行しないときにだけ、代わって履行する責任を負うんだけど、でも、あくまでも「控え」の立場。

そんなこともあって、債権者から履行の請求を受けたとき、「まず主たる債務者に催告してくれ」と。いわゆる催告の抗弁権ですね。

債権者が催告したのに主たる債務者が履行しないとしても「主たる債務者は履行できるはず。強制執行もかんたんだから、まずやってみて」と。

いわゆる検索の抗弁権ですね。「それでもダメだったら保証人に請求してね」となります。

ところが、保証が「連帯保証」だったらかなりやばい。連帯保証人は、催告の抗弁や検索の抗弁ができないのだ。

たとえ主たる債務者に弁済をする資力があったとしても、検索の抗弁権を行使することができないんですね（汗）。

金銭消費貸借契約

債権者に対し、催告の抗弁権や検索の抗弁権を有する

共同保証の場合（456条）
数人の保証人がある場合には、それらの保証人が各別の行為により債務を負担したときであっても、それぞれに等しい割合で義務を負う。なお数人の保証人が連帯保証人であるときはそれぞれが全額弁済の義務を負う。

※連帯保証人には「催告の抗弁権」「検索の抗弁権」なし。

〔4〕主たる債務者について生じた事由の効力（457条）

① 主たる債務者に対する履行の請求その他の事由による時効の完成猶予及び更新は、保証人に対しても、その効力を生ずる。
② 保証人は、主たる債務者が主張することができる抗弁をもって債権者に対抗することができる。
③ 主たる債務者が債権者に対して、相殺権、取消権または解除権を有するときは、これらの権利の行使によって主たる債務者がその債務を免れるべき限度において、保証人は、債権者に対して債務の履行を拒むことができる。

たとえば、主たる債務者が債務の承認をして消滅時効が更新したときは、保証債務の消滅時効も更新となる。

「主たる債務者が主張できる抗弁」とは、消滅時効の援用とかですかね。あとは債務者が反対債権をもっている場合、保証人はその反対債権で相殺できちゃったりしまーす。

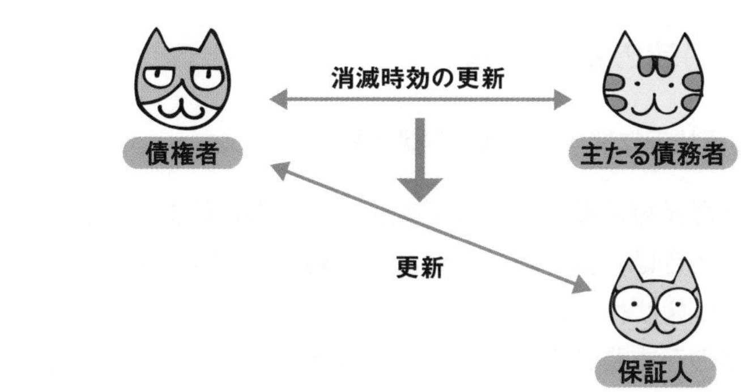

〔5〕連帯保証人について生じた事由の効力（458条）

スッキリ条文

更改、相殺、混同、相対的効力の例外の規定は、主たる債務者と連帯して債務を負担する保証人について生じた事由について準用する。

保証債務のうち「連帯保証」には、「連帯債務」のほうの規定をいくつか準用しているよ。

「相対的効力の例外の規定」というと、たとえば連帯保証人に対しての別段の意思表示のある履行の請求とかですね。主たる債務者には効力は生じないんですけど「別段の意思表示」があればその意思に従う（請求したことになる）ですね（P.476 参照）。

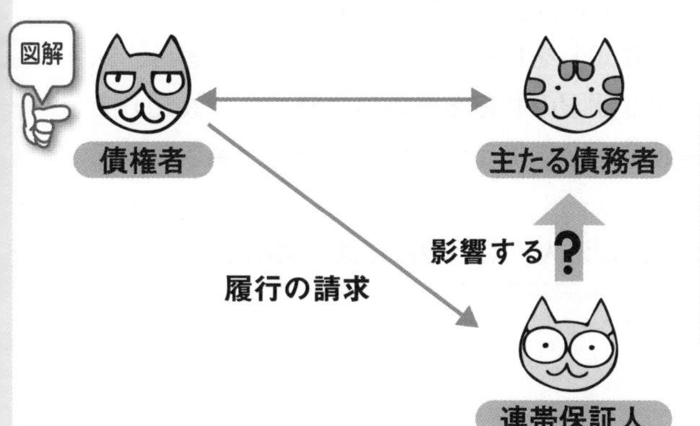

原則：主たる債務者には効力は生じない
例外：別段の意思表示があれば、それに従う

〔6〕債権者の情報の提供義務

▶主たる債務の履行状況に関する情報の提供義務（458条の2）

保証人が主たる債務者の委託を受けて保証をした場合において、保証人の請求があったときは、債権者は、保証人に対し、遅滞なく、以下に関する情報を提供しなければならない。

① 主たる債務の元本及び主たる債務に関する利息、違約金、損害賠償その他その債務に従たる全てのものについての不履行の有無

② これらの残額及びそのうち弁済期が到来しているものの額

「委託を受けた保証人（個人・法人）」とは、頼まれて保証人になった人なワケで、保証人にしてみれば主たる債務の履行状況がどうなっているのか、そりゃ気になるよね。

「主たる債務者による債務不履行があるかどうか（遅延利息の発生のおそれ）」とか「未払いの各債務の残額」ですね。

▶主たる債務者が期限の利益を喪失した場合における情報の提供義務（458条の3）

① 主たる債務者が期限の利益を有する場合において、その利益を喪失したときは、債権者は、保証人に対し、その利益の喪失を知った時から2ヶ月以内に、その旨の通知をしなければならない。

② 債権者が2ヶ月以内に「通知」をしなかったときは、債権者は、保証人に対し、主たる債務者が期限の利益を喪失した時から「通知」を現にするまでに生じた遅延損害金に係る保証債務の履行を請求することができない。

③ 上記①②の規定は、保証人が法人である場合には、適用しない。

主たる債務者が月々の支払いを遅滞したりしていると「期限の利益」を喪失する。つまり、残金全額の一括返済を求められる。

となると保証人にも多大な影響があるわけですね。生活が破綻しちゃう!!

そうなんだよね。なのでこちらは請求がなくとも「通知」をすると。ちなみにこの通知義務の規定は、個人が保証人となっている場合だけね。

保証人が法人の場合には、いきなり生活の破綻とはならないからですかね（笑）。

〔7〕委託を受けた保証人の求償権

▶保証人の求償権（459条）

保証人が主たる債務者の委託を受けて保証をした場合において、主たる債務者に代わって弁済その他自己の財産をもって債務を消滅させる行為（債務の消滅行為）をしたときは、その保証人は、主たる債務者に対し、そのために支出した財産の額（その財産の額がその債務の消滅行為によって消滅した主たる債務の額を超える場合にあっては、その消滅した額）の求償権を有する。

当たり前だけど、保証人が債務の消滅行為をしたときは、支出した額を主たる債務者に求償できるよ。

ただし、支出した額が主たる債務の額を上回るときは、主たる債務の額が限度となります。

Part3 1 権利関係
Part3 2 権利関係
Part3 3 権利関係
Part3 4 権利関係
Part3 5 権利関係
Part3 6 権利関係
Part3 7 権利関係

▶保証人が弁済期前に弁済等をした場合の求償権（459条の2）

保証人が主たる債務の弁済期前に債務の消滅行為をしたときは、その保証人は、主たる債務者に対し、主たる債務者がその当時利益を受けた限度において求償権を有する。この場合において、主たる債務者が債務の消滅行為の日以前に相殺の原因を有していたことを主張するときは、保証人は、債権者に対し、その相殺によって消滅すべきであった債務の履行を請求することができる。

保証人が期限前に債権の消滅行為をした場合だね。でも主たる債務者が「相殺できたのに」というようなことを言っている。求償できない雰囲気。

なので保証人は、債権者に「債務の履行」を請求することができます。

▶通知を怠った保証人の求償の制限等（463条）

保証人が主たる債務者の委託を受けて保証をした場合において、主たる債務者にあらかじめ通知しないで債務の消滅行為をしたときは、主たる債務者は、債権者に対抗することができた事由をもってその保証人に対抗することができる。この場合において、相殺をもってその保証人に対抗したときは、その保証人は、債権者に対し、相殺によって消滅すべきであった債務の履行を請求することができる。

主たる債務者にしてみれば「あらかじめ通知をしてよ」ということなんだよね。

この場合も保証人は、債権者に「相殺によって消滅すべきであった債務の履行」を請求することができます。

Part 3

権利関係 -5

同時履行の抗弁権というものがあり、相手方が履行するまでは、自分も履行しないことができます。次に「契約の解除」をみていきます。いったん成立した契約は解除原因（法定解除）や解除権がなければ解除できません。また、売買契約では手付けと売主の担保責任を。それから、他人の労力を利用する契約として請負・委任も学習していきます。

Section 1

契約総論。全般的な取り決め

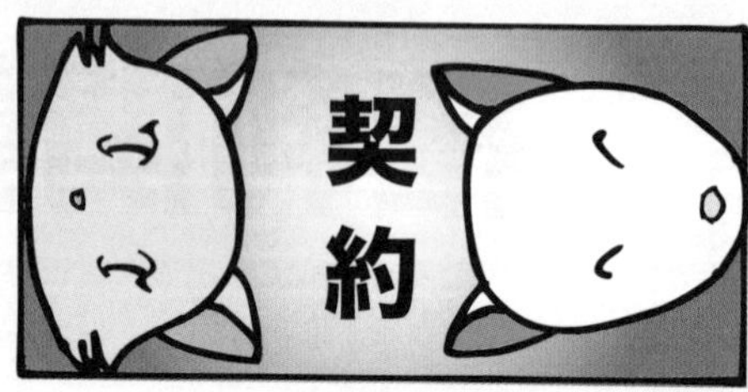

★★★

1 契約の効力

世の中には売買契約や賃貸借契約など、典型的な契約として民法で用意しているもののほか、契約の締結及び内容の自由の原則に基づき、さまざまな内容の契約が存在しています。ここでは、そんな契約の全般的なしくみを取り上げていきます。

〔1〕契約の締結及び内容の自由（521条）

大前提として、契約の締結及び内容の自由というのがあったでしょ。覚えているかな。

人が契約を結ぶときに、公序良俗に反しない限り、誰とどんな契約をしてもいいというものですよね。

公序良俗とは、「公の秩序または善良の風俗」の略称。公序良俗に反する法律行為（契約など）は無効となる。

〔2〕契約の分類

契約はいろいろな観点から分類できるよー。たとえば売買契約だったら、典型契約・有償契約・双務契約・諾成(だくせい)契約。

あまりこういう見方はしないので、けっこう新鮮かも（笑）。

念のためですが!!

双務契約というものだけ、なじんでおけばいいでしょう。

▶典型契約と非典型契約

典型契約	民法に定めがある契約を典型契約という。売買、賃貸借など13種類ある。
非典型契約	典型契約のどれにもあてはまらない契約。契約自由の原則に基づき、人はさまざまな契約を結ぶので、世の中的にはこちらが多い。

▶民法上の典型契約

- 所有権の移転系 → 贈与、売買、交換
- 貸借系 → 消費貸借（例：借金）、使用貸借（賃料なし）、賃貸借（賃料あり）
- 他人の労務を利用 → 請負、委任、雇用、寄託
- その他 → 組合、終身定期金、和解

▶有償契約と無償契約

有償契約	当事者双方が、互いに経済的な損失（出費）をする契約。たとえば、賃料ありの「賃貸借」はこちら。
無償契約	当事者の一方のみが経済的な損失をする契約。賃料なしの「使用貸借」だとこちら。

▶双務契約と片務契約

双務契約	当事者双方が、互いに対価的関係に立つ債務を負担する契約。賃貸借や売買などはこちら。双務契約のほうが圧倒的に多い。
片務契約	当事者の一方が、債務を負担する契約。

▶諾成契約と要物契約

諾成契約	当事者の意思表示の合致だけで成立する契約。世の中の契約は、ほぼこちら。
要物契約	当事者の合意のほかに、現実に物の引渡しなど（給付）があることによって成立する契約。

〔3〕同時履行の抗弁権（533条）

原　則	双務契約の当事者の一方は、相手方がその債務の履行（債務の履行に代わる損害賠償の債務の履行を含む）を提供するまでは、自己の債務の履行を拒むことができる。
例　外	ただし、相手方の債務が弁済期にないときは、この限りではない。

相手がやらないんだったら、自分もやらないというノリですね。同時履行の抗弁権があれば、履行を拒んでも債務不履行にはならないよ。

ＡＢ間でＡ所有地をＢに売却する契約が成立し、その引渡し日と代金の支払いの日を８月31日とした。当日、なんとＡは、登記や引渡しをするまえに代金の支払いをしてほしいといってきた。

図解

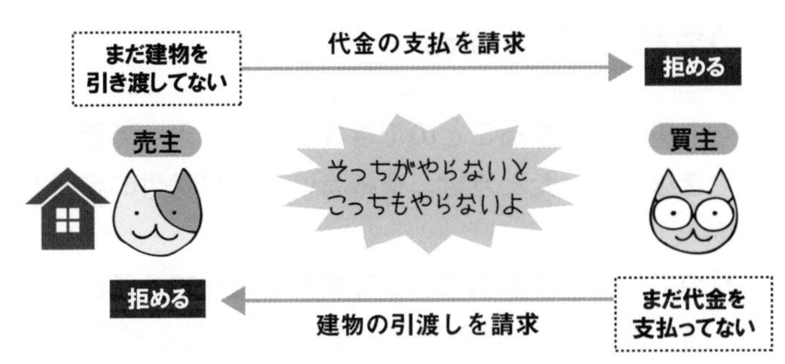

代金の支払い日になっても、Bは払わないほうがいいですね。危険だわ。Bが払っても、Aは登記の移転をしないかもしれないし、Aがもっと悪質だったらおなじ土地を第三者に売って逃げちゃうかもしれませんしね。

念のためですが!!
同時履行の抗弁権は、まさに双務契約ならではのお話ですね。

売買の場合でいうと、売買契約が解除されたときも同時履行の関係に立つよ（P.499）。契約が無効・取消しとなった場合の双方の返還義務もおなじ。

例	土地の売買契約の解除（原状回復義務）
「買主の土地の返還・売主への登記移転義務」と「売主の代金返還」	

▶判例などによると…

◆ 同時履行の関係とはならないもの
- ・造作買取請求権（借地借家法）に基づく代金支払いと、建物の引渡し義務（P.599参照）。
- ・敷金返還請求権に基づく敷金返還と、建物の明渡し（P.574参照）。

〔4〕債務者の危険負担等（536条）

① 当事者双方の責めに帰することのできない事由によって債務を履行することができなくなったときは、債権者は、反対給付の履行を拒むことができる。
② 債権者の責めに帰すべき事由によって債務を履行することができなくなったときは、債権者は、反対給付の履行を拒むことができない。

建物の売買契約の後、大地震により建物が滅失したため売主（債務者）は建物を引き渡せなくなったとかだね。

買主（債権者）は代金の支払いを拒むことができまぁーす。

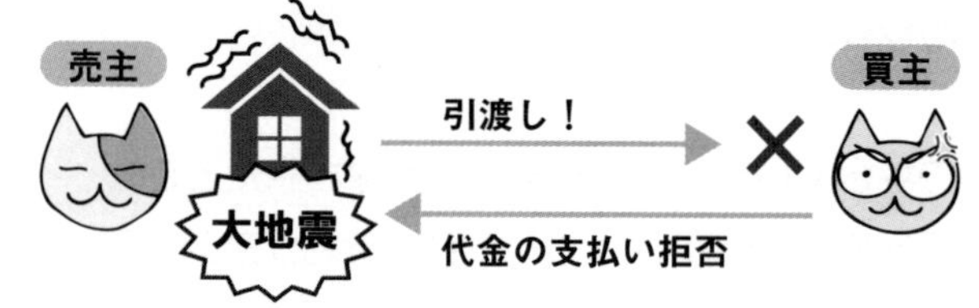

〔5〕停止条件と解除条件（127条～134条）

契約には条件を付けることができるよ。条件には「停止条件」と「解除条件」の２つがあります。

停止条件	例：1,500万円以上でマンションが売れたら、この土地を買う。
解除条件	例：住宅ローンの融資が不成立になったら、売買契約は解除。

停止条件が成就すれば、契約は成立。なので停止条件付き売買などの場合、まだ契約の効力は生じていないんですよね。一方、解除条件はその反対で、契約の効力は生じているんだけど、条件が成就したら、契約は解除。そんな感じです。

以下、「条件」についてのあれこれです。ご参考まで。

▶条件の成否未定の間における相手方の利益の侵害の禁止

条件付法律行為の各当事者は、条件の成否が未定である間は、条件が成就した場合にその法律行為から生ずべき相手方の利益を害することができない。

▶条件の成否未定の間における権利の処分等

条件の成否が未定である間における当事者の権利義務は、一般の規定に従い、処分をし、相続し、もしくは保存し、またはそのために担保を供することができる。

▶条件成就の妨害等

① 条件が成就することによって不利益を受ける当事者が故意にその条件の成就を妨げたときは、相手方は、その条件が成就したものとみなすことができる。
② 条件が成就することによって利益を受ける当事者が不正にその条件を成就させたときは、相手方は、その条件が成就しなかったものとみなすことができる。

▶既成条件

① 条件が法律行為の時に既に成就していた場合において、その条件が停止条件であるときはその法律行為は無条件とし、その条件が解除条件であるときはその法律行為は無効とする。
② 条件が成就しないことが法律行為の時に既に確定していた場合において、その条件が停止条件であるときはその法律行為は無効とし、その条件が解除条件であるときはその法律行為は無条件となる。

▶随時条件

停止条件付法律行為は、その条件が単に債務者の意思のみに係るときは、無効とする。

2
Section

契約の解除とは。解除権

★★★

1 一方的に契約を破棄することができるか?

そもそも「解除権」がないと契約は解除できません。どちらかが一方的に契約を破棄した場合、相手方に対し債務不履行責任を負うことになります。解除権はどんなときに発生するのかというと「法律で定められている場合」と「契約で定められた場合」で、それぞれ「法定解除権」「約定解除権」と呼ばれます。

法定解除権	債務不履行の際など、法律の定めにしたがってする解除を法定解除といい、その場合の解除権を法定解除権という。
約定解除権	契約をする段階で、債務不履行などの事由がなくても解除することができるとする当事者の契約（特約）によるもの。

＊契約は、当事者の合意によっても解除（合意解除）できる。

〔1〕契約を解除しよう（540条）

▶解除権の行使

① 当事者の一方が解除権を有するときは、その解除は、相手方に対する意思表示によってする。
② 解除の意思表示は、撤回することができない。

解除権による解除の場合、相手方の同意や承諾は不要だよ。

約定解除権の例として、解約手付がある。買主は手付を放棄することにより契約を解除できる。

解除は一方的な意思表示でOKです。でも、撤回はできませ〜ん!!!

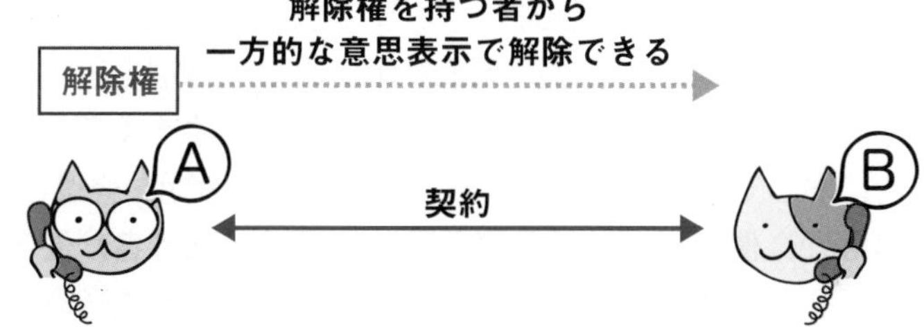

〔2〕催告による解除（541条）

原　則	当事者の一方がその債務を履行しない場合において、相手方が相当の期間を定めてその履行を催告し、その期間内に履行がないときは、相手方は、契約の解除をすることができる。
例　外	ただし、その期間を経過した時における債務の不履行がその契約及び取引上の社会通念に照らして軽微であるときは、この限りではない。

いきなり「契約の解除」ではなくて、まずは「やってくれよ」と催告してみる。そのうえで契約の解除という局面になるわけだね。

解除できるかどうかは、債務の不履行の軽微性が基準となるんですね。

解除ができないようだったら、しょうがないから損害賠償の請求で満足しよう。

〔3〕催告によらない解除（542条）

次に掲げる場合には、債権者は、催告をすることなく、直ちに契約の解除（一部の解除）をすることができる。

① 債務の全部（一部）の履行が不能であること
② 債務者がその債務の全部（一部）の履行を拒絶する意思を明確に表示したとき
③ 債務の一部の履行が不能である場合または債務者がその債務の一部の履行を拒絶する意思を明確に表示した場合において、残存する部分のみでは契約をした目的を達することができないとき
④ 契約の性質または当事者の意思表示により、特定の日時または一定の期間内に履行しなければ契約をした目的を達することができない場合において、債務者が履行をしないでその時期を経過したとき
⑤ そのほか、債務者がその債務の履行をせず、債権者が催告をしても契約をした目的を達するのに足りる履行がされる見込みがないことが明らかなとき

「催告」してもしょうがない状況だね。

いずれも、契約の目的は達成できませーん。

〔4〕債権者の責めに帰すべき事由による場合（543条）

債務の不履行が債権者の責めに帰すべき事由によるものであるときは、債権者は契約の解除をすることができない。

債権者のほうに責任があって、相手方が債務不履行状態となっていると。

そしたらやっぱり、債権者は解除できないですよね。

〔5〕解除の効果・原状回復義務（545条、546条）

原状回復	原　　則	当事者の一方がその解除権を行使したときは、各当事者は、その相手方を原状に復させる義務を負う。
	例　　外	ただし、第三者の権利を害することはできない。
返　　還	金　　銭	原状回復において金銭を返還するときは、その受領時からの利息を付さなければならない。
	金銭以外	金銭以外の物を返還するときは、その受領の時以後に生じた果実をも返還しなければならない。
損害賠償	解除権の行使は、損害賠償の請求を妨げない。	

契約が解除となれば、それぞれに原状回復義務。解除の際の原状回復義務は、同時履行の関係（P.493参照）となるよ。

土地の売買だったら、買主は「土地の返還」と「売主への登記移転」で、売主は「代金の返還」ですね。

たとえば、原状回復で土地を返還する場合、返還までに駐車場として利益を上げていたなんていう場合は、その利益（果実）も返さなくちゃね。

金銭の返還だったら受領時からの利息ですね。

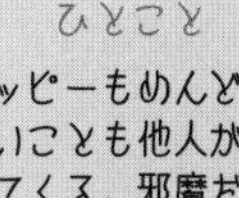

▶解除と第三者との関係

例	A所有の土地をAがBに売却し、さらにBがCに転売した後、AがBの債務不履行を理由にAB間の売買契約を解除した場合、AはCから土地を取り戻せるかどうか。

民法では「解除は、第三者の権利を害することはできない」という規定ですけど、判例では、Cの善意悪意にかかわらず、Cが登記をしているかどうかで判断するとしているよ。

Cが登記をしていれば、Aは土地を取り戻せません。登記をしていなければ取り戻せまーす。

重要！

解除以前に買主が第三者に転売していた場合、そもそもの売買契約が解除されれば、第三者は権利を失うというのが本来の形なのであろうが、そうはしていない。

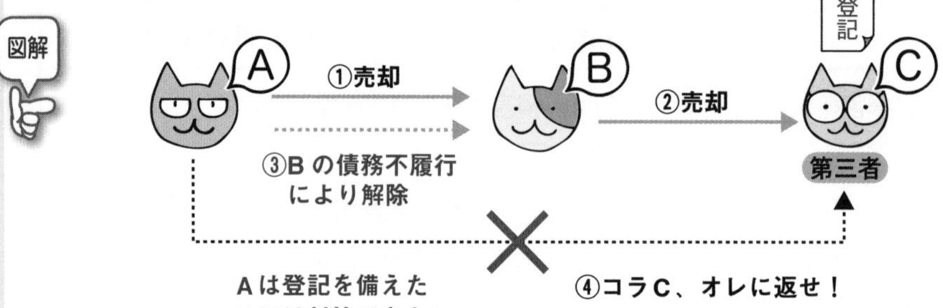

〔6〕解除権の不可分性・解除権の消滅

▶解除権の不可分性（544条）

①　当事者の一方が数人ある場合には、契約の解除は、その全員からまたはその全員に対してのみ、することができる。

②　解除権が当事者のうちの１人について消滅したときは、他の者についても消滅する。

▶解除権の消滅（547条、548条）

①　解除権の行使について期間の定めがないときは、相手方は、解除権を有する者に対し相当の期間を定めて、その期間内に解除するかどうかを確答すべき旨の催告をすることができる。この場合において、その期間内に解除の通知を受けないときは、解除権は、消滅する。

②　解除権を有する者が故意・過失によって契約の目的物を損傷したなどのときは、解除権は、消滅する。

Section 3

売買契約。売主の責任など

★★★

1 手付を使って解除をするには

概要

これから売買契約を学習していきます。主な内容は「手付」と「売主の担保責任」で、まずは「手付」を取り上げます。売買契約の際に買主が手付を売主に交付した場合、買主は手付を放棄することで、売主は手付の倍額を現実に提供することによって、契約を解除することができます。

〔1〕手付はなんのために授受されるのか？（557条）

① 買主が売主に手付を交付したときは、買主はその手付を放棄し、売主はその倍額を現実に提供して、契約の解除をすることができる。ただし、相手方が契約の履行に着手した後は、この限りではない。

② 手付による解除があった場合、当事者は損害賠償の請求をすることはできない。

手付なんだけど、契約の拘束力を強めるとともに、いざとなったら解除できちゃう手段ともなるんだよね。約定解除権の１つです。

「相手方が契約の履行に着手するまで」というのがポイントですね。判例によると、買主が履行に着手（中間金の支払いなど）しちゃってても、売主がまだだったら、手付の放棄で解除できるとなってまーす。

手付での解除の場合、お互い手付の額だけで我慢して、損害賠償はやめましょう、ということにもなっているね。

ちなみに売主から手付倍返しで解除する場合、実際に手付の倍額を買主に渡す準備をするというような現実の提供が必要となります。単に「倍返ししますね」という意思表示だけではダメだそうです。

プラスα

手付は契約と同時に交付される場合が多いが、契約締結後の交付でもよい。

重 要！

解約手付のほか「証約手付（解約できない）」などとするものの交付に際して特に定めがなければ「解約手付」と推定する。

念のためですが!!

宅建業法上、売主が宅建業者で買主が宅建業者ではない場合、手付の額は代金の20％までとしなければならない（P.137）。

手付 100 万円を放棄

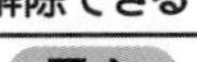

売主　　　　　　　　　　買主

解約手付　100 万円

手付の倍額 200 万円を現実に提供

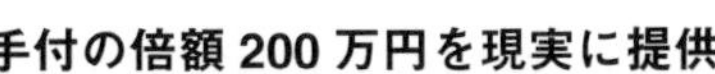

解除できる

※いつまで解除できる？→ 相手方が履行に着手するまで。

★★★

2 売買の効力

売買契約が締結された場合、まず売主は、買主に対し対抗要件（登記）を備えさせる義務を負います。また、売買の目的物の品質などに問題があった場合、売主は買主からの①履行の追完の請求・②代金の減額の請求・③損害賠償の請求・④契約の解除に応じなければなりません。これら売主が負うべき責任のことを「担保責任」といいます。

〔1〕権利移転の対抗要件に係る売主の義務（560条）

売主は、買主に対し、登記、登録その他の売買の目的である権利の移転についての対抗要件を備えさせる義務を負う。

不動産を売った売主は、買主に対抗要件を備えさせなければならないと。

登記ですね。買主名義の所有権移転登記をしてくださーい。

〔2〕他人の権利の売買における売主の義務（561条）

他人の権利（権利の一部が他人に属する場合におけるその権利の一部を含む）を売買の目的としたときは、売主は、その権利を取得して買主に移転する義務を負う。

他人が所有している土地を売ったような場合だね。

そんな売主は、その他人から権利を取得して買主に移転しなければなりません。

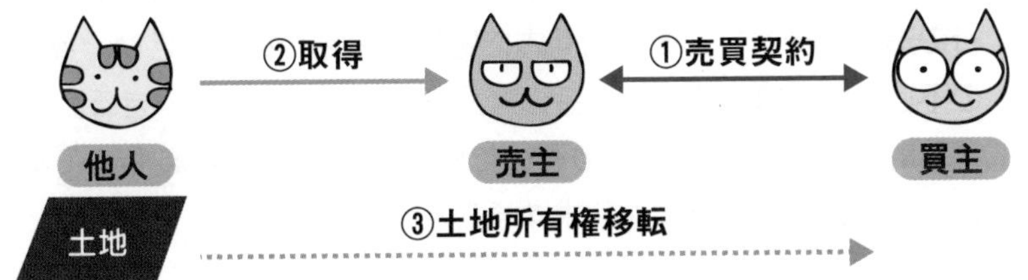

〔3〕買主の追完請求権（562条）

① 引き渡された目的物が種類、品質または数量に関して契約の内容に適合しないものであるときは、買主は、売主に対し、目的物の修補、代替物の引渡しまたは不足分の引渡しによる履行の追完を請求することができる。
② ただし、売主は、買主に不相当な負担を課するものではないときは、買主が請求した方法と異なる方法による履行の追完をすることができる。
③ 目的物の不適合が買主の責めに帰すべき事由によるものであるときは、買主は履行の追完を請求することができない。

直してくれとか、代えてくれとか。買主は売主に履行の追完を請求できるよ。

買主の「修補してくれ」という請求に対し、売主は「修補ではなくて新品を渡します」みたいなこともできます。

〔4〕買主の代金減額請求権（563条）

① 目的物に不適合があった場合において、買主が相当の期間を定めて履行の追完を催告し、その期間内に履行の追完がないときは、買主は、その不適合の程度に応じて代金の減額を請求することができる。
② 目的物の不適合が買主の責めに帰すべき事由によるものであるときは、買主は代金の減額を請求することができない。

買主が履行の追完を催告しても、売主がチンタラしているんだったら、代金の減額を請求しちゃいましょう。

代金減額請求権を行使するには、まずは履行の追完を催告することになっているんですけど、次の場合は「催告」なしで代金の減額を請求できまーす。

▶催告なしで代金の減額が請求できる場合

① 履行の追完が不能であるとき
② 売主が履行の追完を拒絶する意思を明確に表示したとき
③ 契約の性質または当事者の意思表示により、特定の日時または一定の期間内に履行しなければ契約をした目的を達することができない場合において、売主が履行の追完をしないでその時期を経過したとき
④ そのほか、買主が催告をしても履行の追完を受ける見込みがないことが明らかであるとき

〔5〕買主の損害賠償請求権及び解除権の行使（564条）

「買主の追完請求権」「買主の代金減額請求権」のほか、買主は、売主の債務不履行として「損害賠償の請求」及び「解除権の行使」を妨げない。

引き渡された目的物が契約の内容に適合しない場合、買主は損害賠償の請求ができるよ。あと、履行の追完を催告してもダメだったら解除もオッケー。

損害賠償の請求については、「売主の責めに帰することができない事由」による場合は請求できません（P.468 参照）。契約の解除については、売主の帰責事由は問われません。

〔6〕移転した権利が契約内容に適合しない場合における売主の担保責任（565条）

売主が買主に移転した権利が契約内容に適合しないものである場合（権利の一部が他人に属する場合においてその権利の一部を移転できないときを含む）、買主は、履行の追完の請求、代金の減額の請求、損害賠償の請求及び契約の解除をすることができる。

「話が違う（契約内容に適合しない）」場合だね。たとえば買った土地に「借地権（P.576 参照）」が設定されていて「買ったはいいが使えないじゃん」とか、あとは「抵当権（P.543 参照）が設定されているままじゃん」とか。

買った土地の一部が他人の土地で、そこの所有権の移転ができないとかもですね。

買主は「履行の追完の請求」とかで、売主になんとかしてもらわないとね。

〔7〕目的物の種類または品質に関する担保責任の期間の制限（566条）

原　則	売主が種類または品質に関して契約の内容に適合しない目的物を買主に引き渡した場合において、買主がその不適合を知った時から１年以内にその旨を売主に通知しないときは、買主は、その不適合を理由として、履行の追完の請求、代金の減額の請求、損害賠償の請求及び契約の解除をすることができない。
例　外	ただし、売主が引渡しの時にその不適合を知り、または重大な過失によって知らなかったときは、この限りではない。

不適合を知った買主はさっさと通知してくださいね、ということ。売主にしてみれば、目的物を引渡したら「あー終わった」と思っているワケだしね。

なので買主の権利行使は「不適合を知った時から１年以内」なんですね。

で、よく読んでみると「目的物が種類、品質または数量に関して」じゃないんだよね。「数量」が入っていないでしょ。

買ったときに「足りない」って、ふつうはすぐわかりますからね。

〔8〕目的物の滅失等についての危険の移転（567条）

① 売主が買主に目的物を引き渡した場合において、その引渡しがあった時以降にその目的物が当事者双方の責めに帰することのできない事由によって滅失し、または損傷したときは、買主は、その滅失または損傷を理由として、履行の追完の請求、代金の減額の請求、損害賠償の請求及び契約の解除をすることができない。

② この場合において、買主は代金の支払を拒むことができない。

「建物を買主に引渡したあとに地震とかで壊れちゃった」とかだね。

しかたがないですよね。代金の支払いも拒めません。

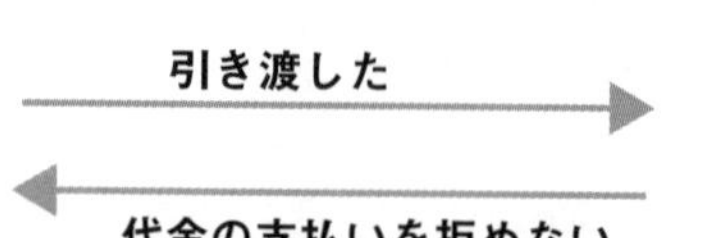

ちなみに「買主が引渡しを拒んでいるうちに大地震で」みたいなときの取り扱いは次のとおり。

▶買主が履行を受けることを拒んでいた場合

売主が契約の内容に適合する目的物をもって、その引渡しの債務の履行を提供したのにもかかわらず、買主がその履行を受けることを拒み、または受けることができない場合において、その履行の提供があった時以後に当事者双方の責めに帰することができない事由によってその目的物が滅失し、または損傷したときも、買主は、その滅失または損傷を理由として、履行の追完の請求、代金の減額の請求、損害賠償の請求及び契約の解除をすることができない。

〔9〕抵当権等がある場合の買主による費用の償還請求（570条）

買い受けた不動産について契約の内容に適合しない先取特権、質権または抵当権が存していた場合において、買主が費用を支出してその不動産の所有権を保存したときは、買主は、売主に対し、その費用の償還を請求することができる。

抵当権や先取特権、質権（P.527 参照）が存する不動産。そのまま買いたい？

イヤです（笑）。競売されちゃうかも～。なんとかしてよ売主さん。

で、売主がなんとかしないので買主が代わりに弁済して抵当権を消滅させたりしたんだったら、その費用はもちろん売主に請求できるよ。

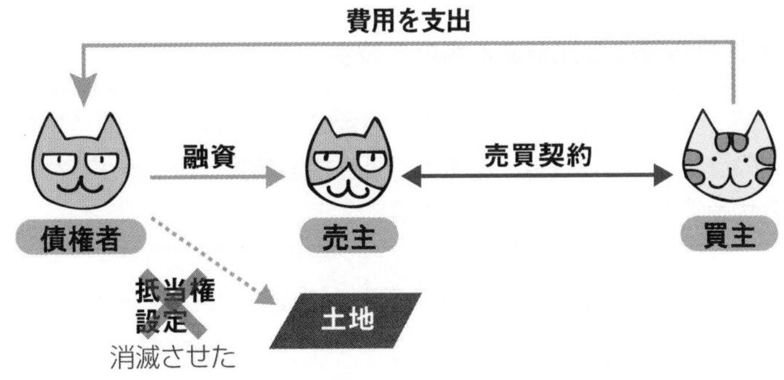

〔10〕担保責任を負わない旨の特約（572条）

売主は、「買主の追完請求権には応じない」「移転した権利が契約内容に適合しなくても責任は負わない」などの「担保責任を負わない旨の特約」をしたときであっても、以下の場合には、その責任を免れることができない。

① 知りながら告げなかった事実

② 自ら第三者のために設定しまたは第三者に譲り渡した権利

「返品には応じません」とか「代金減額・損害賠償には応じません」という特約自体はオッケーなんですけどね。

そうそう。でも卑怯な売主は担保責任を免れないのだ。

〔11〕代金支払拒絶権（576条、577条）

▶権利を取得できないおそれがある買主

原　則	売買の目的について権利を主張する者があることその他の事由により、買主がその買い受けた権利の全部・一部を取得することができず、または失うおそれがあるときは、買主は、その危険の程度に応じて、代金の全部または一部の支払いを拒むことができる。
例　外	ただし、売主が相当の担保を供したときは、この限りではない。

▶抵当権等の登記がある場合の買主

買い受けた不動産について契約内容に適合しない抵当権（先取特権・質権）の登記があるときは、買主は、抵当権消滅請求の手続が終わるまで、その代金の支払を拒むことができる。

あとでややこしい事態になることが想定されるケースだね。危ないので買主は代金を払わないでおこう。

抵当権消滅請求については P.549 をご参照くださーい。

で、この場合、売主は、買主に対し、遅滞なく抵当権消滅請求をすべき旨を請求することができるよ。

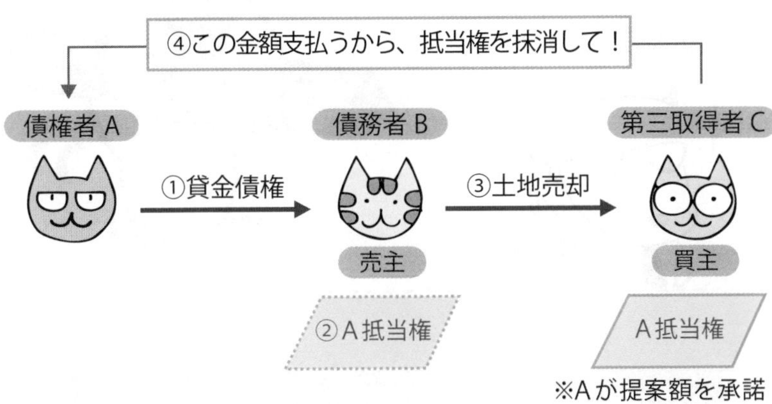

▶**抵当権消滅請求の段取り**

書　面	抵当権消滅請求は、書面を送付することにより行わなければならない。
時　期	競売による差押えの効力が発生する前までに行わなければならない。
回　避	債権者が抵当権消滅請求を回避するには、書面の送付を受けた後２ヶ月以内に抵当権を実行して競売の申立てをしなければならない。
	２ヶ月以内に申立てがない場合、抵当権消滅請求を承諾したものとみなす。
不　可	主たる債務者や保証人（承継人も含む）は、抵当権消滅請求をすることはできない。

4 Section 請負契約。請負人の責任など

注文住宅に不具合が
あった場合、請負人は
修繕義務を負うことに。

★★★

1 注文住宅を建ててもらおう!!

概要

請負は、他人の労務を利用する契約で、当事者の一方がある仕事を完成する（例：建物を建てる）ことを約し、相手方がその仕事の結果に対してその報酬を支払うことを約することによって効力が生じます。仕事を依頼するほうを注文者、仕事を受けるほうを請負人といいます。

図解

仕事の完成後の引渡し（引渡義務）と報酬支払義務は
同時履行の関係となる。

〔1〕注文者が受ける利益の割合に応じた報酬（634条）

次に掲げる場合において、請負人が既にした仕事の結果のうち可分な部分の給付によって注文者が利益を受けるときは、その部分を仕事の完成とみなし、請負人は、注文者が受ける利益の割合に応じて報酬を請求することができる。
① 注文者の責めに帰することができない事由によって仕事を完成することができなくなったとき
② 請負が仕事の完成前に解除されたとき

仕事が中途で終わってしまったとき、請負人は注文者に、それまでの手間賃（報酬）を請求できるよ。

「仕事の結果のうち可分な部分の給付によって注文者が利益を受けるとき」ですね。

仕事を完成することができなくなったのが、注文者のせいじゃないときでもね。

〔2〕請負人の担保責任の制限（636条）

原　則	請負人が種類または品質に関して契約の内容に適合しない仕事の目的物を注文者に引き渡した時（その引渡しを要しない場合にあっては、仕事が終了した時に仕事の目的物が契約の内容に適合しないとき）は、注文者は、注文者の供した材料または注文者の与えた指図によって生じた不適合を理由として、履行の追完の請求、報酬の減額の請求、損害賠償の請求及び契約の解除をすることができない。
例　外	ただし、請負人がその材料または指図が不適当であることを知りながら告げていなかったときは、この限りではない。

その仕事の失敗（不適合）は、注文者のせいだもんね。

でも「このままだと失敗する」と請負人がわかっていたんだったら、担保責任ありなんですね。

〔3〕目的物の種類または品質に関する担保責任の期間の制限（637条）

原　則	請負人が担保責任を負う場合において、注文者がその不適合を知った時から1年以内にその旨を請負人に通知しないときは、注文者は、その不適合を理由として、履行の追完の請求、報酬の減額の請求、損害賠償の請求及び契約の解除をすることができない。
例　外	仕事の目的物を注文者に引き渡した時（その引渡しを要しない場合にあっては、仕事が終了した時）において、請負人が不適合を知り、または重大な過失によって知らなかったときは、1年以内に通知がなかったとしても、担保責任を負う。

不適合を知った注文者はさっさと通知してくださいよね、ということ。

売買のときとおんなじですね。

〔4〕注文者による解除権（641条）

請負人が仕事を完成しない間は、注文者は、いつでも損害を賠償して契約の解除をすることができる。

注文者が、もはや目的物を必要としなくなったという場合だね。仕事を完成してもらっても（目的物の引渡しを受けても）、虚しい。

「いつでも」とありますので、注文者は損害賠償をすれば、合理的な理由がなかったとしても解除できます。

〔5〕注文者についての破産手続の開始による解除（642条）

原　則	注文者が破産手続開始の決定を受けたときは、請負人または破産管財人は、契約の解除をすることができる。
例　外	ただし、請負人による契約の解除については、仕事を完成した後は、することができない。

請負人の仕事の完成との引換えでの報酬だから、注文者が破産したら、請負人は報酬をもらえない可能性が高いもんね。

なので請負人は、仕事が完成しない間だったら請負契約を解除できるんですね。

請負人は、すでにした仕事の報酬などについては、破産財団の配当に加入することができるよ。

ひとこと

「ちょっとお願い」と頼み上手になって時間を作る。そのスキマ時間で合格をめざす。

5
Section

委任契約。受任者の責任など

特約なければ無報酬。
それでも受任者は
善管注意義務を負うことに。

★★★

1 委任は信頼関係がベースなのだ!!

概要

委任は、請負とおなじく他人の労務を利用する契約で、当事者の一方が法律行為をすることを相手方に委託し、相手方がこれを承諾することによって効力が生じます。委託するほうを委任者、委託されるほうを受任者といいます。「AがBに自己所有のマンションの売却を委託する（あわせて代理権も授与する)」などが代表例です。なお、法律行為でない事務（例：媒介行為）を委託する場合を「準委任」といい、委任の規定が準用されます。

〔1〕受任者の義務等（644条～647条）

▶善管注意義務

スッキリ条文

受任者は、委任の本旨に従い、善良な管理者の注意をもって、委任事務を処理する義務を負う。

「AがBに自己所有のマンションの売却を委託する」という例で考えると、AはBを信頼して「任せよう」としているわけで、一方のBもそれに応えて「引き受けよう」ということだから、受任者Bは細心の注意義務をもって仕事に当たらねばならぬ。

そういった高度な注意義務のことを「善良な管理者の注意義務」といいまーす。

委任は原則として無償（報酬なし）なんだけど、受任者は善管注意義務を負うよ。

プラスα

ちなみに、ごく一般的な注意のことを「自己のため（自己の財産）にするのと同一の注意」という。

▶**復受任者の選任等**

① 受任者は、委任者の許諾を得たとき、またはやむを得ない事由があるときでなければ、復受任者を選任することができない。
② 代理権を付与する委任において、受任者が代理権を有する復受任者を選任したときは、復受任者は、委任者に対して、その権限内の範囲内において、受任者と同一の権利を有し、義務を負う。

重要！

受任者が受け取った金銭を使ってしまった（消費した）場合は、消費した日以後の利息を支払うとともに、損害があればその賠償もしなければならない。

基本的に、委任者の自己執行原則。勝手に復受任者を選ぶことはできないよ。

復代理のところとおんなじ趣旨でーす（P.427 参照）。

▶**報告義務**

① 受任者は、委任者の請求があるときは、いつでも委任事務の処理の状況を報告しなければならない。
② 受任者は、委任事務が終了した後は、遅滞なく、その経過及び結果を報告しなければならない。

ひとこと

言葉が現実を作り出す。予言の自己成就効果だ。最大限に使おう。

▶**受取物の引渡義務**

① 受任者は、事務処理をするに当たって、受領した金銭その他の物を委任者に引き渡さなければならない。その物から生じた果実（例：不動産賃貸料など）も同様とする。
② 受任者は、委任事務を処理した結果、委任者のために自己の名義で権利を取得した場合には、その権利を委任者に移転しなければならない。

委任の場合、だいたいは代理権の授与を伴うから、代理のしくみとして直接本人が権利を取得するからいいんだけどね（P.422 参照）。

代理権を授与していない場合は、受任者名義で各種権利を取得することになるからあとで引渡しね。そんな感じですね。

〔2〕受任者の権利（648条～650条）

▶**報酬請求権**

受任者は、特約がなければ、委任者に対して報酬を請求することができない（原則無償）。また、委任事務を履行した後でなければ請求できない。

原則無償というのがすごいでしょ（笑）。

さっきもでてきましたけど、無償であっても善管注意義務です。割にあうのかしら（笑）。

念のためですが!!
報酬は後払いとなることに注意。

▶**委任が中途で終了した場合の報酬請求権**

受任者は、次に掲げる場合には、既にした履行の割合に応じて報酬を請求することができる。
① 委任者の責めに帰することのできない事由によって委任事務の履行をすることができなくなったとき
② 委任が履行の中途で終了したとき

委任事務の履行ができなくなったとしても、受任者はそれまでの手間賃（報酬）を委任者に請求できるよ。

注文者のせいじゃないとしてもですね。請負契約の報酬のところにもありましたね（P.513 参照）。

▶成果等に対する報酬

委任事務の履行により得られる成果に対して報酬を支払うことを約した場合において、その成果が引渡しを要するときは、報酬は、その成果の引渡しと同時に、支払わなければならない。

委任には「事務処理の労力に対して報酬を支払う」とする型と、請負に似た感じになるけど「委任事務の履行としての成果に対して報酬を支払う」とする型とがあるよ。

成果引渡し型のときは、成果引渡しと報酬の支払いは同時となるんですね。

▶費用前払請求権・費用償還請求権

① 委任事務を処理するのに必要な費用を受任者が請求したときは、委任者は、その費用の前払いをしなければならない。

② 受任者が事務処理のために必要な費用を支出したときは、委任者に対し、その費用と支出した日以後の利息の償還を請求することができる。

〔3〕委任の解除（651条）

① 委任は、各当事者がいつでもその解除をすることができる。
② 委任を解除した者は、次に掲げる場合には、相手方の損害を賠償しなければならない。ただし、やむを得ない事由があったときは、この限りではない。
(1) 相手方に不利な時期に委任を解除したとき
(2) 委任者が受任者の利益（専ら報酬を得ることによるものを除く）をも目的とする委任を解除したとき

委任は、当事者の「任せよう・引き受けよう」という気持ちをベースにした信頼で成り立つものなので、まぁ、いつでも解除できるとはしている。委任の解除の効果は、当たり前だけど将来に向かってのみ。さかのぼらない。

でも場合によっては、解除した側が「相手方の損害を賠償」ですね。でも、たとえば「相手方に不利な時期」だったとしても「やむを得ない事由」があるんだったら損害賠償なしでいいと。

上記②（2）の「受任者の利益をも目的とする委任」については以下。

単に「報酬の特約がある委任」ということじゃないのですね。

「受任者（A社）の利益をも目的とする委任」の例

A社に債務を負っているB社が、B社の経営をA社の代表者に委任した。A社は、B社の経営再建を図ることで自己の債権回収を促進することができる（A社の利益をも目的）。

問　題　**B社は委任契約を解除できるか？**

原　則	解除できるが損害賠償をしなければならない。
例　外	やむを得ない事由がある場合は、損害賠償をすることなく解除できる。

〔4〕委任の終了（653条～655条）

▶委任の終了事由

委任は、次に掲げる事由によって終了する。

① 委任者または受任者の死亡
② 委任者または受任者が破産手続開始の決定を受けたこと
③ 受任者が後見開始の審判を受けたこと（成年被後見人となった）

▶委任の終了後の処分

委任が終了した場合において、急迫の事情があるときは、受任者（その相続人・法定代理人）は、委任者（その相続人・法定代理人）が委任事務を処理することができるに至るまで、必要な処分をしなければならない。

受任者側には、「委任終了後の善処義務」というのがあるよ。

受任者はともかく、受任者の相続人らは本来の委任とは無関係な立場だから、果たして委任事務処理を成し遂げることなんてできるのでしょうか(笑)。

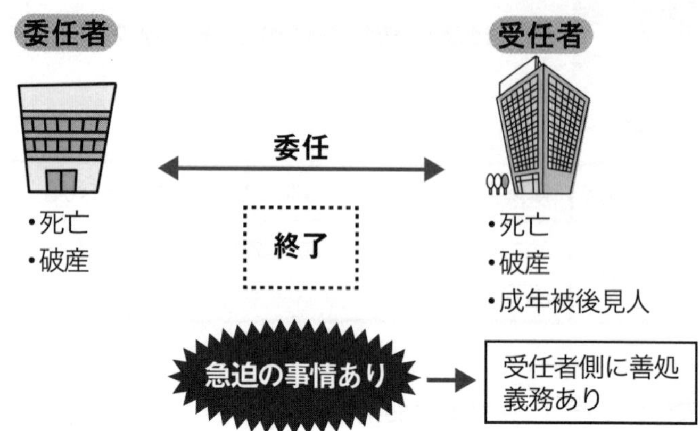

▶**委任の終了の対抗要件**

委任の終了事由は、これを相手方に通知したとき、または相手方がこれを知っていたときでなければ、これをもってその相手方に対抗することができない。

委任の終了を知らない受任者が仕事を続けちゃったり、委任者が知らないのに、受任者側で事務処理を途中でやめちゃったり。

信頼関係をベースにしている委任なんだから、そういったことがないよう、お互い、連絡はきちんとしましょうね。

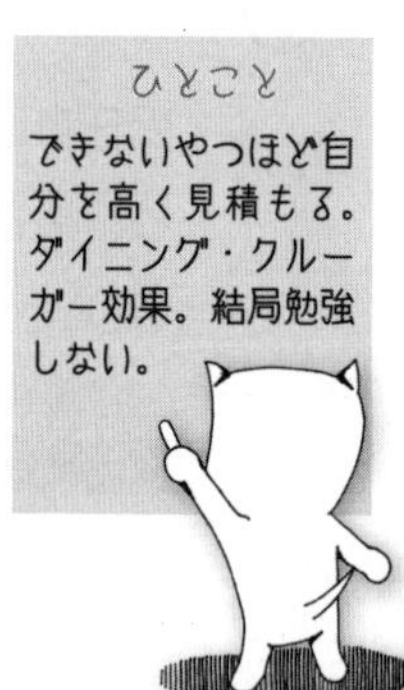

Part 3

権利関係 -6

不動産の所有権を主張するには「登記」が必要で、これを「対抗要件を備える」といいます。二重売買があったような場合、先に登記したほうが主張できます。また所有権をはじめ、民法上の「物権」の種類とその内容をみていきましょう。次に取得時効です。自分の土地ではなかったとしても、長期間占有していれば所有権を取得できます。

Section 1

物権変動の対抗要件。それは登記

たとえば不動産の
二重譲渡があった場合、
先に登記をした方が勝つ。

★★★

1 物権の変動と対抗要件

今回のテーマは、所有権が代表例となる物権です。民法上の物権（物を排他的に支配する権利）にはどのようなものがあるのか、また、所有権の移転などの物権の変動があった場合、その登記をしておけば自己の権利を対抗できます。この「対抗要件としての登記」にまつわる「第三者」の考察も深めます。

〔1〕物権と債権

物　権	物に対する権利。所有権、地上権、地役権、抵当権など。誰に対しても主張できる。
債　権	特定の人に対して特定の行為を請求できる権利。特定の人にしか対抗できない。

たとえば土地の所有者だったら、誰に対しても「ここはウチの土地だ」「勝手に使うな」と言えるでしょ。こういうのが物権。登記があれば対抗できる。

重 要！

「一定の物を直接支配する権利」という言い方もある。

債権っていうと「代金を払ってください」とかなんですけど、そんなことを言えるのは、債務者などの特定の人に対してのみですもんね。

〔2〕この不動産の権利者は誰なのか？（176条、177条）

① 物権の設定及び移転（物権の変動）は、当事者の意思表示のみによって、その効力を生じる。

② 不動産に関する物権の得喪及び変更（物権の変動）は、不動産登記法などの法律の定めるところに従い、その登記をしなければ、第三者に対抗することができない。

重 要！

意思表示による物権変動のほか、相続や取得時効などにより所有権を取得したなどの場合でも、登記がなければ対抗できない。

所有権の移転とか抵当権の設定自体は、当事者間での意思表示、つまり、口約束でいいんだけど、当事者以外の第三者に権利を主張するには登記をしておかないとね。

ちなみに、不動産では登記、動産では引渡しが対抗要件となります。

念のためだけど、当事者間では登記不要で対抗できる。なお、相続人は当事者として扱われるよ（判例）。

例	ＡＢ間で不動産の売買契約締結後、売主Ａが死亡し、Ｃが相続した場合、Ｂは登記不要でＣに所有権を主張できる。

〔３〕民法上の物権

占有権	物を現実に持っている（支配している）と占有権が成立。

＊占有を正当とする権利を本権といい、代表例が所有権。本権がなくても占有権は成立するので、本当の所有者といえども私的暴力による奪還はダメ。所有権に基づく返還請求というような訴えによって奪還せざるを得ない。

所有権	所有者は、法令の制限内において、自由にその所有物を使用（例：家を建てて住む）、収益（例：賃料を得る）及び処分（例：売却する）をする権利を有する。

▶用益物権（他人の土地を使う権利）

地上権	建物などの工作物や竹木を所有するため、他人の土地を使用することができる権利。
永小作権	永小作人は、小作料を支払って他人の土地において耕作または養畜をする権利を有する。
地役権	設定行為で定めた目的に従って、他人の土地を自己の便益のために使用する権利。利用する側の土地を要役地、利用される側の土地を承役地という。
入会権	各地方の慣習による用益物権。

▶地役権について

承役地を通行する通行地役権のほか引水地役権や電線地役権、または要役地の眺望や日照を確保するための眺望・日照地役権などもある。

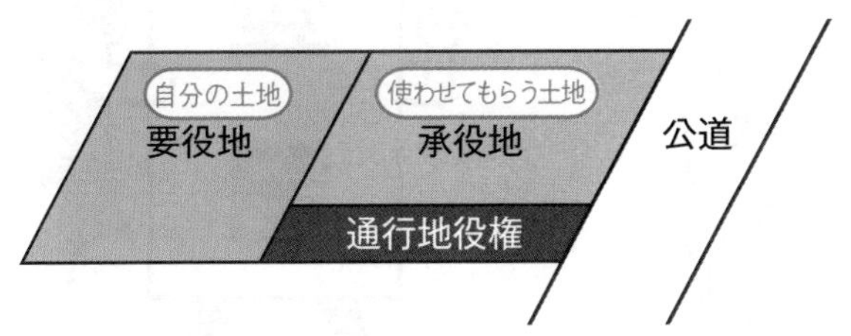

▶担保物権（債権の回収を確実にするための権利）

留置権	たとえば修理代金をもらうまで、他人の所有物を返さないで手元に留置できる権利。法定担保物権。
先取特権	法律で定められた一定の債権を有する者が、債務者の財産から優先弁済を受けることができる（先取りして回収することができる）権利。法定担保物権。
質権	債権者が債権の担保として債務者や第三者から受け取った物を、弁済を受けるまで手元に留置し、弁済がない場合はその質物から優先的に回収できる権利。約定担保物権。
抵当権	質権と異なり、債務者または第三者が担保として提供した不動産を、いままでどおり債務者や第三者に使用させながら、弁済がない場合はその抵当不動産から優先的に回収できる権利。約定担保物権。

＊法定担保物権：法律の規定により自動的に成立する担保物権
＊約定担保物権：当事者の約定（契約）により成立する担保物権

2 Section 登記がなければ対抗できない第三者

★★★

1 この場合、所有者は誰だ??

概要

不動産の二重譲渡があった場合、先に登記を備えたほうが所有権を主張することができます。ここでは、二重譲渡と似た関係になるいくつかの場面で、「登記（対抗要件）」の具体例をみていきましょう。

▶不動産の二重譲渡があった場合

例	Aが自己所有地をBにもCにも売却した。この場合、Bの売買契約が先に行われていたとしても、Cが先に登記をすれば、CはBに所有権を対抗（主張）できる。

先に売買契約していても
Cに対して所有権を主張できない。

所有権を
主張できる。

重要！

二重譲渡であったとしても、それぞれの契約自体は有効となる。

Cは所有権を主張できるからいいとして、売主Aと買主Bとの関係はどうなるでしょうか？

登記がないBは、Cには所有権を主張できないが、売主A（当事者）に対しては主張できる。

土地を渡せないんだからAの債務不履行（履行不能）となりますね。なのでBは、契約の解除や損害賠償の請求をすることができまーす。

不動産の二重売買があった場合、早く登記をしたほうが勝ち。売買契約の日付とかは関係なし。CがＡＢ間の売買契約を知っていた（悪意）としても関係ない。登記の有無で決まる。

▶取消後に現れた第三者（二重譲渡と似た関係）

例	Aが自己所有地をBに売却し登記も移転したが、AはBの詐欺を理由にＡＢ間の売買契約を取り消した（登記をA名義に戻していない）。その後、BがCに土地を売却した。

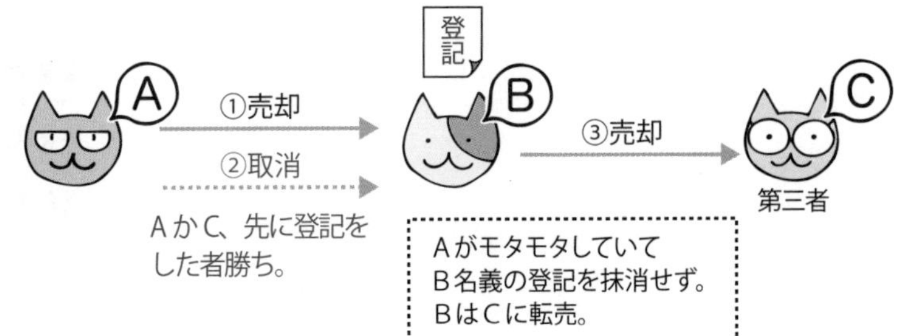

ややこしいですが（笑）。この場合、ＡかＣか、どちらか先に登記を備えたほうが所有権を主張できます（判例）。Ｂを起点に「ＢがＡにもＣにも譲渡した」というふうに置き換えてみて考えよう、ということ。

Ａが自己名義に登記を戻す前にＣが登記しちゃえば、ＣはＡに所有権を対抗できます。ザンネンながらＡは所有権を主張できません。

重要！
詐欺による場合のほか、強迫や制限行為能力を理由とする取消しの場合もおなじ。

参考	取消前に転売された場合の取り扱い。
	ＡがＢ自己所有の土地をＢに売却し、その後ＢがＣに転売したが、ＡはＡＢ間の売買契約を取り消した。この場合、ＡはＣに所有権を主張できる。Ａ名義の登記がなくてもよい。 ＊錯誤、詐欺による取消しの場合は、善意・無過失の第三者に対抗できない。

ひとこと
尊敬する人がいる。コントラスト効果。実物以上によく見える。いいなりになると危険。

▶売買契約の解除の場合

例	Aが自己所有の土地をBに売却したが、Bが代金を払わないのでAは売買契約を解除した（登記をA名義に戻していない）。その後、BがCに土地を売却した。

そういえば、解除後に現れた第三者C。この場合AかCか、どちらか先に登記を備えたほうが所有権を主張できます。

Cの善意・悪意は問わない。

解除の場合は、解除前の第三者が登記していると負けますよね（P.500参照）。

例	Aが自己所有の土地をBに売却し、その後BがCに転売したが、Bが代金を払わないので、Aは売買契約を解除した。この場合、Cが登記をしているのであれば、Aは解除を対抗できない（土地を取り戻せない）。

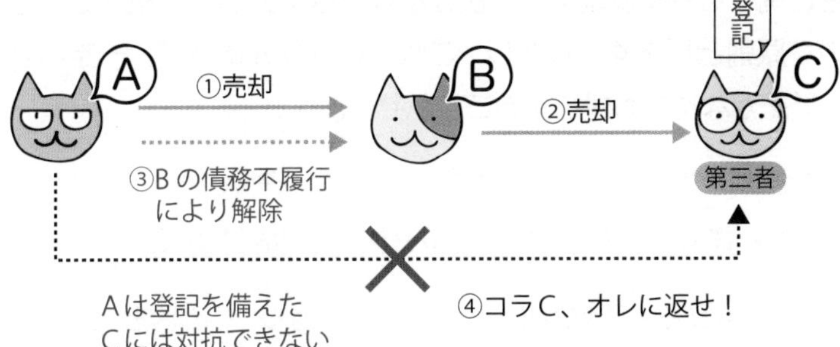

3 Section 登記がなくても対抗できる場合

★★★

1 自己名義の登記がなくても所有権主張!!

概要

不動産に関する物権変動は、登記がなければ第三者に対抗することができないのを原則とします。しかし、これには例外があって、一定の者に対しては、登記がなくても対抗することができます。

〔1〕詐欺・強迫によって登記の申請を妨げた者

例	AからA所有地を買い受けたBに対し、Cが詐欺·強迫を行って、Bの登記申請を妨げた場合、Bは登記がなくても、Cに対し所有権を対抗できる。

〔2〕他人のために登記の申請をする義務がある者

例	AからA所有地を買い受けたBが、登記手続をCに委任したところ、CがC名義で登記をした場合、Bは登記がなくても、Cに対し所有権を対抗できる。

〔3〕不法占拠者・不法行為者

例	AからA所有地を買い受けたBは、その土地を不法に占拠しているCに対し、登記がなくても所有権を対抗できる。

〔4〕無権利者

例	AからA所有地を買い受けたBは、その土地を「無権利者のCから買った」と言っているDに対し、登記がなくても所有権を対抗できる。

〔5〕背信的悪意者

背信的悪意者とは、二重売買の買主のうち、第1買主を困らせるために売買した第2買主をいう。このような悪質な意図を持つ者に対しては、第1買主は登記がなくても所有権を対抗することができる。

例	AからA所有地を買い受けていたB（第1買主）がいまだに未登記であることに乗じ、Bに法外な値段で売りつける目的で、Aをそそのかし、Aからその土地を購入して登記をしたC（第2買主）は背信的悪意者となる。 Bは登記がなくても、Cに対し所有権を対抗することができる。

第2買主	第1買主に対しては？
単なる悪意	登記があれば第1買主に対抗できる。
背信的悪意者	登記があっても保護されない。 第1買主には対抗できない。

①売却

②Bが未登記の間に邪悪な意図をもって移転登記

背信的悪意者

Bは登記がなくても所有権を主張できる。

4 Section 取得時効。占有により時効完成

★★★

1 取得時効の完成と対抗要件

概要

自分の土地ではなかったとしても、自分の所有物だと思って長い期間にわたって占有している（自主占有といいます）と、時効により所有権を取得できます。取得時効という制度は、不動産を譲り受けたものの、なんらかの事情で自己名義に登記できなかった人を救済する方法ともいわれています。

〔1〕所有権の取得時効（162条）

要チェック

原　則	20年間、所有の意思をもって、平穏に、かつ、公然と他人の物を占有した者は、その所有権を取得する。
例　外	10年間、所有の意思をもって、平穏に、かつ、公然と他人の物を占有した者は、その占有の開始の時に善意であり、かつ、過失がなかったときは、その所有権を取得する。

プラスα

所有権のほか、地上権や地役権なども取得時効の対象となる。

占有のはじめに善意（自分の物だと信じる）・無過失（信じることに過失がない）が立証できれば10年の占有で取得時効だよ。

善意が立証できないとか、無過失が立証できないというと、20年の占有ですね。15年くらいの占有だと微妙な問題となりそうです。

あとだいじなのが「所有の意思をもった占有」かどうか。他人の所有物であることを前提とした賃借人などの「所有の意思のない占有」では、取得時効は完成しないよ。

賃借人は、たとえ賃料を払っていなくても、何年借りてても、時効により所有権を取得することはできませーん。

民法上、占有者は、所有の意思をもって、善意に、かつ、公然と占有するものと推定される(第186条)。なので、あとは「無過失」さえ立証できれば10年の占有でオッケー。

国有地であっても時効取得は認められる。国有地を知りながらの占有だと20年、知らずに占有していれば10年。それではがんばって占有しよう。

自主占有	所有の意思のある占有（例：売買契約の買主）
他主占有	所有の意思のない占有（例：賃貸借契約の賃借人）

〔2〕誰が占有？　親の占有も引き継げる？

▶代理占有

占有は、代理人（例：賃借人）によるものでもよい。

例	Aが他人の土地について、善意無過失で5年間占有したのち、Bに賃借した。この場合、Bがあと5年間占有すれば、Aの取得時効は完成となる。

▶**占有の承継**

① 占有期間は、自分の占有期間のほか、前の占有者の占有期間も通算して主張できる。
② この場合、前の占有者の善意か悪意かも引き継ぐ。

例	Aが他人の土地について、善意無過失で8年間占有したのち、Bに譲渡した。この場合、Bが悪意であったとしても2年間の占有で取得時効は完成となる。

〔3〕取得時効と登記の関係（対抗要件）

次のページのケースだと時効が完成した後に登場したCだけが対抗関係になるよ。

先に登記をした人の勝ちですね。

(1) 元所有者（A）との関係（当事者の関係）

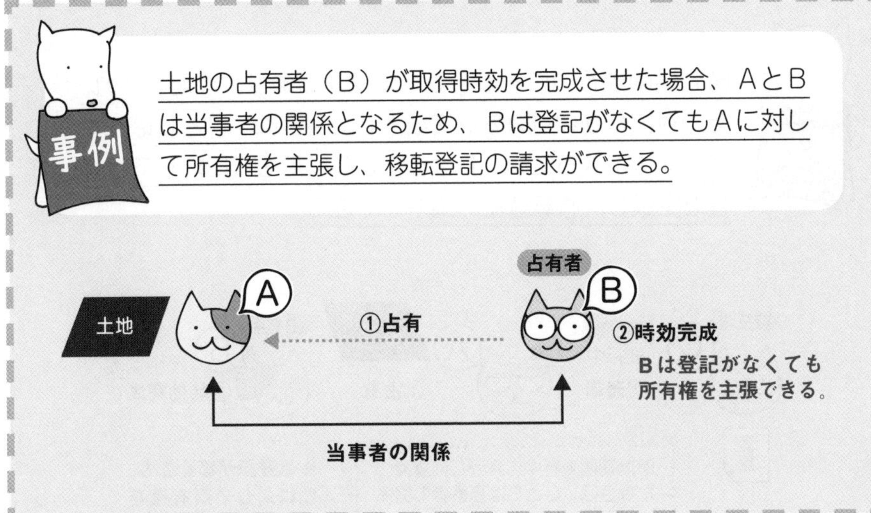

(2) 時効が完成した後に現れたCとの関係（対抗関係）

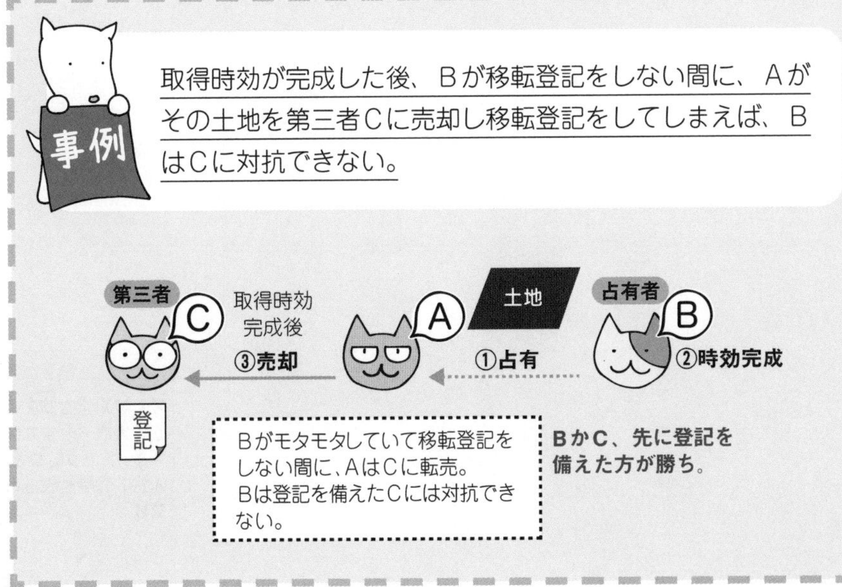

(3) 時効期間進行中に所有者となったCとの関係（当事者の関係）

時効期間進行中にAからCへの譲渡があり、登記もされ、その後にBが取得時効を完成させた場合は、CとBは当事者の関係となるため、Bは登記がなくてもCに対して所有権を主張し、移転登記の請求ができる。

時効期間進行中にAがCに譲渡した場合は、CとBは当事者の関係となる。 → **Bは登記がなくても、Cに対して所有権を主張できる。**

ひとこと

どんどんまちがえよう。失敗も貯まれば資産。チカラになる。人生も受験勉強もおなじ。

Part

3

権利関係 -7

住宅ローンを借りる場合に設定されるのが抵当権です。抵当権のしくみ、抵当権消滅請求、法定地上権、土地と建物の一括競売などを要チェック。次に賃貸借。売買契約と並んでポピュラーな契約形態です。賃借人が必要費・有益費を支出した場合の取り扱い、登記による不動産賃借権の対抗力、転貸借と賃貸人との関係などをよく理解しておきましょう。

1 Section

抵当権とは。そのしくみと内容

★★★

1 担保物権。抵当権とその仲間たち

担保物権には、抵当権のほか、留置権、先取特権、質権があります。これらの担保物権に共通する性質として、①付従性、②随伴性、③不可分性、④物上代位性があります。また、担保物権の効力として、①優先弁済的効力、②留置的効力があります。

〔1〕担保物権の性質

①付従性	担保物権は、被担保債権が成立しなければ、成立しない。被担保債権が消滅すれば、担保物権も消滅する。
②随伴性	被担保債権が譲渡されると、担保物権もこれに伴って移転する。
③不可分性	被担保債権の全額が弁済されるまで、目的物全部に担保物権を行使できる。

④物上代位性	担保物権（留置権を除く）は、その目的物が売却による代金や、滅失・損傷による損害賠償金（例：火災保険金）などに形が変わった場合でも、その効力が及ぶ。
	ただし、物上代位をするには、代金や保険金などが債務者に支払われる前に「差押え」をしなければならない。

図解

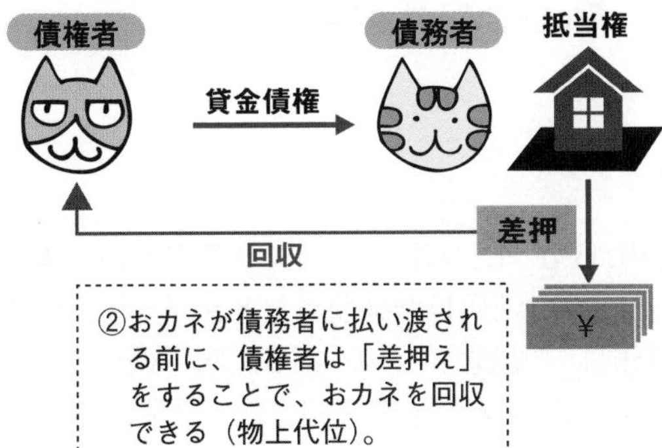

①「借金のカタ」にしていた不動産がおカネに変わった。

〔2〕担保物権の効力

①優先弁済的効力	担保物権（留置権を除く）を持つ者は、債務の弁済が受けられないとき、目的物を競売などで換価し、他の債権者に先立ってその金銭から弁済を受けることができる。
②留置的効力	留置権・質権を持つ者は、債務者に心理的圧迫を加えて弁済を促すため、担保物権の目的物を手元に留置することができる。

留置権には優先弁済的効力がないので、物上代位性も認められない。

抵当権以外の担保物権についてはP.527参照。

優先弁済的効力がステキ。たとえば、抵当権を設定してお金を貸した債権者（抵当権者）と無担保の債権者がいて、いざ債務者がパンクした場合、抵当権者は抵当権を設定した不動産を競売して、その代金から優先回収。

無担保の債権者は、優先的に回収されちゃったあとの、いわば食べ残しがあれば、そこから回収ですね。

ちなみに!!
無担保での金銭融資は、たいてい利率が高い。

ちなみに抵当権などの担保物権がなかったとしたら、「債権者平等の原則」で債権は処理されちゃいます。債権者は債権の種類や発生時期、額などにかかわりなしに平等に扱われ、債権額に応じた配当を受けることになります。

▶債権者平等の原則

例	Aが200万円、Bが100万円、Cが300万円という債権額で、債務者の財産が300万円しかなかったとき、ABCの債権は「債権者平等の原則」で処理され、A：100万円・B：50万円・C：150万円の配当にとどまる。なお、Cが抵当権を有していた場合、300万円全額を優先的に回収できる。

▶担保物権の性質・効力（一覧まとめ）

	法定担保物権		約定担保物権	
	留置権	先取特権	質　権	抵当権
付従性	○	○	○	○
随伴性	○	○	○	○
不可分性	○	○	○	○
物上代位性	×	○	○	○
優先弁済的効力	×	○	○	○
留置的効力	○	×	○	×

＊法定担保物権：法律の規定により自動的に成立する担保物権
＊約定担保物権：当事者の約定（契約）により成立する担保物権

★★★

2 抵当権の内容

概要

抵当権は設定契約により生じる担保物権で、債務が弁済されないときは抵当権者（債権者）は抵当権を設定した不動産を競売してその代金から優先的に弁済を受けることができます。質権と異なり、抵当権は占有を移さない担保物権であるため、抵当権設定者はそのまま不動産を使う（住む）ことができます。

〔1〕抵当権の設定・抵当権の目的

要チェック

抵当権の設定	抵当権は契約により成立（約定担保物権）。書面による必要はない。不動産の引渡しも不要（占有は移さない）。
	抵当権を第三者に対抗するには登記が必要。なお、登記がなくても当事者間であれば効力は認められる。
抵当権の目的	抵当権は不動産（土地・建物）に設定する。また、地上権・永小作権にも設定することができる。
物上保証人	抵当権は、債務者以外の第三者の不動産（例：父親名義の土地）にも設定することができる。この場合の第三者を「物上保証人」という。

図解

▶物上保証人

抵当権者に占有を移さないから、抵当権設定者は抵当不動産を使うことができる。だから更地に抵当権を設定している場合だったら、そこに家を建てることもオッケー。

プラスα

同一の債権を担保するため、いくつかの不動産に抵当権を設定することもできる。これを「共同抵当」という。

とはいいましても、いくらなんでも「通常の利用方法を逸脱して目的物を損傷する行為」はやっちゃダメです。そんな場合、抵当権者に妨害排除請求権（やめろ!! ということ）が認められています。

〔2〕抵当権の効力の及ぶ範囲（370条、371条）

土地や建物に抵当権を設定した場合、抵当権の効力はどこまで及ぶか。つまり、競売となったときどこまで売却できちゃうかという話なんだけど、まず、土地と建物は別々、それぞれ独立した不動産だということを理解しておいてもらいたい。

念のためですが!!

抵当権の効力の及ぶ範囲は、抵当権を設定した不動産についての所有権が及ぶ範囲とだいたい一致する。

土地に抵当権を設定した場合、その土地の上の建物には抵当権の効力は及ばないということですね。建物に抵当権を設定した場合もおなじ。土地は競売できません。

そうそう。でね、もう１つ問題となるのは、たとえば建物に抵当権を設定した場合、概念としてどこまでをその建物とするか、みたいな。次に、「用語」をまとめておきます。

ひとこと

周囲の人の判断に委ね、みんなに無難に合わせることを社会的認証という。脱却したい。

不可一体物	雨戸や壁紙、増築部分など、抵当不動産に付け加えられて、もはや不動産の一部となった物。抵当権の効力が及ぶ。
従　物	畳や庭石、シャンデリアなど、取り外して持ち出そうと思えば持ち出せそうな物。抵当権設定時にあった従物には抵当権の効力が及ぶ（判例）。
従たる権利（借地権）	借地上の建物に抵当権を設定した場合、借地権がなければ建物を所有できないため、その借地権（従たる権利という）にも抵当権の効力が及ぶ（判例）。
果　実	果実とは不動産から生じる収益をいい、天然果実（ミカンやリンゴなど）と法定果実（賃料など）がある。果実には原則として抵当権の効力は及ばないが、債務不履行があった後に生じた果実には抵当権の効力が及ぶ（回収できる）。

〔3〕抵当権で回収できる利息は最後の２年（375条）

抵当権者は、利息などの定期金を請求する権利を有するときは、その満期となった最後の２年分についてのみ、その抵当権を行使することができる。

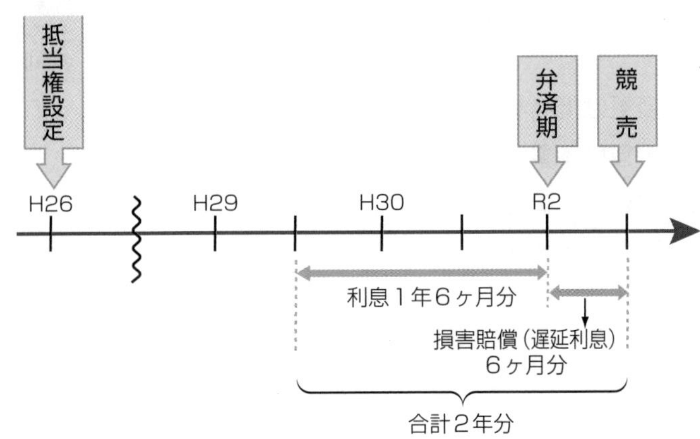

抵当権を実行（競売）しても、元本のほか利息も丸ごと回収できるかというと、どうもそうではないらしい（笑）。

この規定は、後順位の抵当権者や一般の債権者の取り分を残しておくためのものなので、他の債権者がいなければ、利息もぜんぶ丸ごと競売代金から弁済を受けることができまーす。

〔4〕抵当権の順位と順位の変更（373条、374条）

① 同一の不動産について数個の抵当権が設定されたときは、その抵当権の順位は、登記の前後による。

② 抵当権の順位は、各抵当権者の合意によって変更することができる。ただし、利害関係を有する者があるときは、その承諾を得なければならない。

③ 抵当権の順位の変更は、その登記がなければ、その効力を生じない。

いわゆる一番抵当、二番抵当と呼ばれるもので、優先弁済の順序はこれら抵当権の登記の順序になるよ。一番抵当がガッポリ回収して、その次に二番抵当、三番抵当・・・（以下省略）。

順位の変更は抵当権者の合意でオッケー。抵当権設定者の合意は不要です。ただし、順位変更は登記しておかないと、順位を変更したことにはなりませんのでご注意ください。

プラスα

先順位の抵当権が弁済などで消滅すると、次順位の抵当権の順位が繰り上がる。「順位昇進の原則」という。

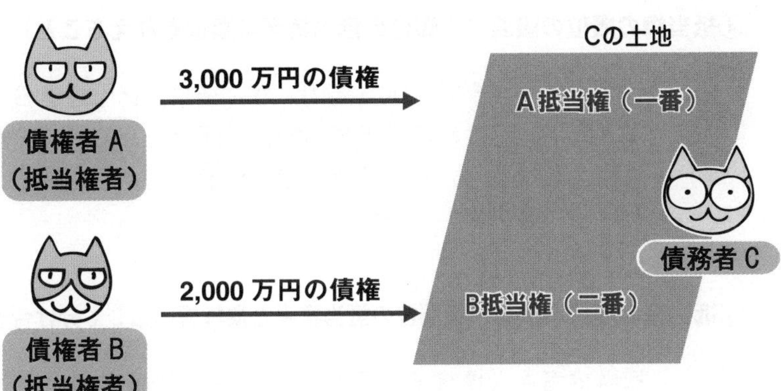

〔5〕抵当権の処分（376条）

「抵当権の処分」とは、以下の５パターンをいいます。

ちょっとめんどくさいので、余裕があるときにでも。

①転抵当（抵当権を担保に入れること）

例	抵当権者ＡがＢから融資を受けるために、自己の抵当権を担保として差し出す。

②抵当権の譲渡（無担保債権者に優先権を与えること）

例	抵当権者Ａ（債権300万円）が、無担保債権者Ｂ（債権700万円）のために抵当権を譲渡。Ａの優先弁済額（300万円）がＢに割り当てられる。

③抵当権の放棄（無担保債権者と債権額に応じて分け合うこと）

例	抵当権者Ａ（債権300万円）が、無担保債権者Ｂ（債権700万円）のために抵当権を放棄。Ａの優先弁済権（300万円）を分け合う。Ａは90万円、Ｂは210万円の優先弁済となる。

④抵当権の順位の譲渡（後順位の抵当権者に順位を与えること）

例	抵当権者A（債権 1,000 万円）が、後順位抵当権者B（債権 300 万円）のために抵当権の順位を譲渡。Aの順位で優先弁済額（300 万円）がBに割り当てられる。Aには残り（700 万円）が割り当てられる。

⑤抵当権の順位の放棄（後順位の抵当権者と債権額に応じて分け合うこと）

例	抵当権者A（債権 300 万円）が、後順位抵当権者B（債権 700 万円）のために抵当権の順位を譲渡。Aの順位で優先弁済額（300 万円）を分け合う。Aは 90 万円、Bは 210 万円優先弁済となる。

★★☆

3 抵当不動産を買った第三者。運命やいかに!!

概要

抵当権設定者から抵当不動産を買い受けた人のことを「第三取得者」といいます。しかし、抵当権がついたままですので、債務者の債務不履行が生じれば抵当権が実行（競売）され、第三取得者は不動産の所有権を失います。そのようなリスクを回避するため、「代価弁済」「抵当権消滅請求」という手段が用意されています。ちなみに、素人は抵当不動産を買わないこと。

〔1〕代価弁済（378条）

スッキリ条文

抵当不動産について所有権または地上権を買い受けた第三者が、抵当権者の請求に応じてその抵当権者にその代価を弁済したときは、抵当権は、その第三者のために消滅する。

抵当権者のほうから「抵当不動産の売買代金を払え」と要求してきた場合だね。抵当不動産の売主にではなく、債権者に弁済すると、抵当権は消滅。

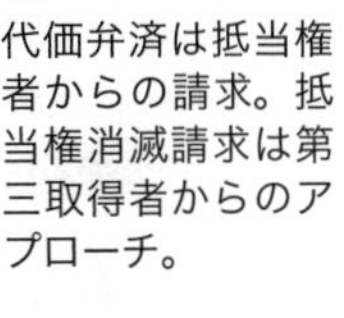

代価弁済は抵当権者からの請求。抵当権消滅請求は第三取得者からのアプローチ。

抵当権者の債権額が8,000万円で、抵当不動産の売価が6,000万円というような場合でも、6,000万円の支払いで抵当権は消滅です。

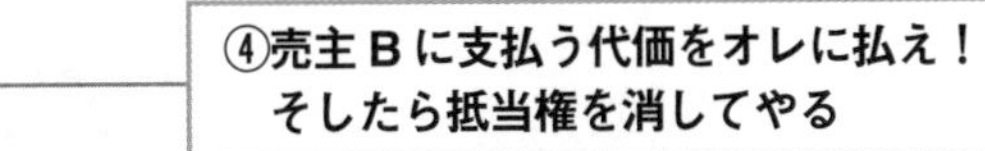

〔2〕抵当権消滅請求 (379条〜384条)

抵当不動産の第三取得者は、抵当権者に抵当権消滅請求（一定額の支払いをもって抵当権を消滅させる旨の請求）をすることができる。

代価弁済は抵当権者からのアプローチだったけど、抵当権消滅請求は、「債権者さんよ、この金額（代価や、提案した一定額）で抵当権を消滅させな」というノリ。第三取得者からのアプローチ。「どうせ競売したって高値じゃ売れないんだからよ」と。

念のためですが!!

抵当権消滅請求をすることができるのは、抵当不動産について所有権を「取得」した者となる。

きっとかなり低い額を提案するんでしょうね…。

④この金額支払うから、抵当権を抹消して！

債権者 A

①貸金債権

債務者 B

売主

②A抵当権

③土地売却

第三取得者 C

買主

A抵当権

※A が提案額を承諾し C が支払えば、抵当権は消滅。

▶**抵当権消滅請求の段取り**

書　面	抵当権消滅請求は、書面を送付することにより行わなければならない。
時　期	競売による差押えの効力が発生する前までに行わなければならない。
回　避	債権者が抵当権消滅請求を回避するには、書面の送付を受けた後２ヶ月以内に抵当権を実行して競売の申立てをしなければならない。
	２ヶ月以内に申立てがない場合、抵当権消滅請求を承諾したものとみなす。
不　可	主たる債務者・保証人及びこれらの者の承継人は、抵当権消滅請求をすることはできない。

「代価弁済」や「抵当権消滅請求」のほか、シンプルに第三取得者が「弁済するについて正当な利益を有する第三者」として債務者にかわって弁済しちゃうというのもアリ。ま、この場合は債務全額の弁済となるけど（P.449 参照）。

誰でも競売の際の買受人（落札者）にはなれるため、第三取得者のほか、物上保証人も競売に参加できる。ただし、債務者は競売には参加できないとされている（民事執行法）。

ディスカウントはなしですね（笑）。あと、抵当権消滅請求がうまくいかずに競売になっちゃっても、第三取得者は競売に参加できます。入札して落札。どうしても入手したければ、そんな方法もあります。

★★★

4　法定地上権が成立する場合・一括競売ができる場合

概要

土地と建物はそれぞれ独立した不動産であるため、たとえばAさんの土地付き一戸建て住宅の土地または建物だけに抵当権を設定することもできます。しかし競売の結果、土地と建物が別々の所有者となってしまうため、法定地上権という制度でそのできごとを解決しています。なお、抵当権を更地に設定した後、建物の建築があった場合は、土地と建物を一括して競売できます。

〔1〕土地と建物の所有者が別々。法定地上権で解決（388条）

次の①～④のすべての要件に該当する場合で、抵当権が実行（競売）されたときは、建物のために地上権が設定されたものとみなす（法定地上権の成立）。なお、地代は当事者の請求により裁判所が決める。

① 抵当権設定時に、土地の上に建物（登記の有無を問わない）が存在していること。
② 抵当権設定時に、土地と建物の所有者が同一であること。
③ 土地・建物のどちらか一方、または両方に抵当権が設定されたこと。
④ 競売の結果、土地・建物の所有者がそれぞれ別々になったこと。

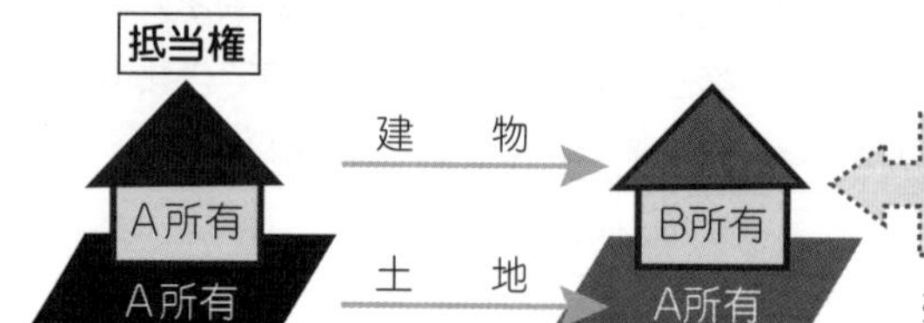

Bのために地上権が
自動的に成立（法定地上権）

※Bは、地上権に基づいて、Aの土地の上に建物を所有できる。

はじめに土地の上に建物が建ってて、競売の結果、土地と建物の所有者が別々の人になっちゃったという局面だね。

建物を保護するために「法定地上権」ですね。なお、「建物が建っていない更地に抵当権を設定したあと、その更地の上に建物を建築した」という場面では法定地上権は成立しません。次の一括競売ということになります。

同一の土地にいくつかの抵当権が設定されている場合、法定地上権が成立するか否かは、一番抵当権を設定したときの状況による（判例）。

〔2〕一括競売。抵当地上の建物も競売しちゃう（389条）

① 抵当権の設定後に抵当地に建物が築造されたときは、抵当権者は、土地とともに建物を競売することができる。
② 一括競売の場合の優先権は、土地の代価についてのみ行使することができる（抵当権者は、土地の代価からのみ優先弁済を受けることができる）。

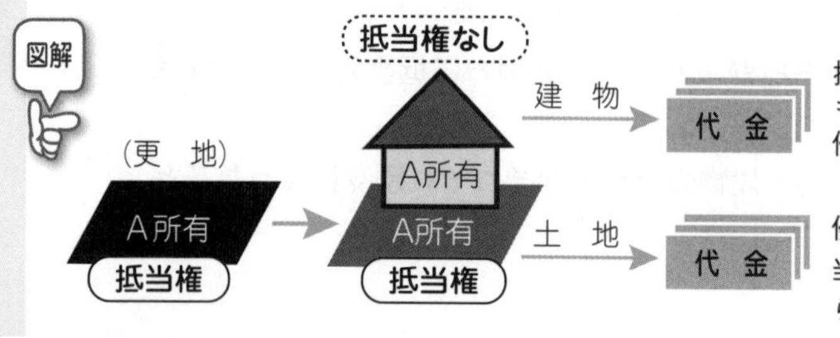

抵当権を設定していない建物も一緒に競売できる。ただし、優先弁済は受けられない。

優先弁済が受けられるのは抵当権を設定した土地の代価からのみ。

抵当権設定時には建物がなかったという場面だね。抵当権設定時は更地だったんだけど、抵当権設定者がその土地に建物を建てた。この場合は一括競売されちゃうよ。

「更地に抵当権を設定した後に建物を建てた」というケースでは、法定地上権は成立しない。

一括競売は義務じゃないので、土地のみを強引に競売することもできるそうです。その場合は建物は取り壊しかしら。時間も費用もかかりそう。

★★★

5　抵当権と賃貸借。借家が競売されちゃったら?

抵当権の設定と賃貸借のどちらが先か。早いほうが勝ちです。たとえば建物を賃借して住んでいたとしても、その建物に抵当権が先に設定されていたとしたら、競売の際、賃借権は消滅します。賃貸借契約が先だったら、競売後も賃借権は残ります。

〔1〕抵当権設定後の賃貸借（387条）

原　則	抵当権設定後の不動産を賃借した者は、その賃貸借の期間の長短を問わず、抵当権者に賃借権を対抗することができない。
例　外	登記をした賃貸借は、その登記前に登記をした抵当権者を有するすべての者が同意をし、かつ、その同意の登記があるときは、その同意をした抵当権者に対抗することができる。

抵当権設定後の賃貸借は、しょせんは競売されるまでの命なんだけど、場合によっては、賃借人は競売後も使い続けることができるんだね。

重要！
登記がない賃貸借は、どのみち対抗できない。

登記をした賃貸借については、またのちほど、賃貸借のところで学習しまーす。

〔2〕抵当建物使用者の明渡しの猶予（395条）

抵当権者に対抗することができない賃貸借により、競売手続の開始前から抵当権の目的となっている建物の使用・収益をする者（抵当建物使用者）は、その建物の競売における買受人の買受けの時から6ヶ月を経過するまでは、その建物を買受人に引き渡すことを要しない。

建物に設定された抵当権が実行（競売）されちゃうと、抵当権設定後の賃借人は出て行かなきゃいけないんだけど、6ヶ月間は待ってね、という規定。その間にお引っ越しの準備をしましょー。

プラスα
抵当建物使用者は、買受人（建物の落札者）に「使用したことの対価」を支払う。一定期間内に支払わない場合、明け渡さなければならない。

なお、この規定により保護されるのは建物の賃借人です。土地の賃貸借には、この規定は適用されません。

ひとこと
たまには1人で過ごす。すると友だちが欲しくなる。その気分を味わうことでリフレッシュ。

参考	根抵当権について

根抵当権とは、たとえば金融機関との間で「3,000万円（極度額）の範囲内で繰り返し金銭を融資します」というような、一定の範囲内の不特定の債権につき極度額を上限として担保する抵当権です。

例	
	4月10日　400万円融資　（債権①）
	5月10日　600万円融資　（債権②）
	5月30日　400万円弁済　（債権①消滅）
	6月　6日　1,000万円融資（債権③）

この時点で1,600万円の借り入れ（債権②と③）。極度額が3,000万円だから、あと1,400万円は借入枠あり。

こういった取引をふつうの抵当権でカバーしようとすると、債権①で抵当権①設定、債権②で抵当権②設定、債権①の弁済で抵当権①の消滅、債権③で抵当権設定と、手続が煩雑でめまぐるしく、とても不便です。

実際として、住宅ローンはふつうの抵当権で、一定の融資枠の範囲での事業資金の融資だったら根抵当権で、となっているケースが多いようです。

Section 2

先取特権と質権というのもある

たとえば給料債権に
先取特権あり。未払い分を
優先的に回収できるよ。

★★★

1 あまり聞き慣れないとは思いますが…

先取特権とは、法律で定める一定の債権を有する者に認められるもので、債務者の一定の財産から他の債権者に優先して弁済を受けることができます。質権は、抵当権とは異なり、債権の担保として債務者や第三者から引渡しを受けた物を留置し、弁済がなければその目的物から優先弁済を受けることができます。

〔1〕先取特権の特徴

先取特権はどんなときに認められているかというと、たとえば未払いの給料債権とか。勤務先が倒産しちゃって給料をもらっていないというあなた。あなたには先取特権が認められています。

先取特権は法定担保物権なので、一定の要件が満たされれば自動的に発生する。

巨額の債権を持っている他の債権者に優先して、まず自分の給料分を優先回収。債権者平等の原則で処理されちゃったら、給料なんてスズメの涙にもならないかも。

ちなみに!!
雇用関係の先取特権（民法308条）というものがある。

▶不動産の先取特権の例（325条～328条）

サクッと

①不動産保存の先取特権	例 修理代などの保存費。その不動産から回収。
②不動産工事の先取特権	例 工事費用の債権者。その不動産から回収。
③不動産売買の先取特権	例 売買代金の債権者。その不動産から回収。

〔2〕質権の特徴

質権は約定担保物権。債権者（質権者）と質権設定者との合意で発生。

質屋さんのイメージだね。質権設定者から質物を取り上げて（手元に留置して）「払わないと返さないぞ」とプレッシャーをかける。

念のためですが!!
抵当権では、「目的物の引渡し」は効力発生の要件とはなっていない。

不動産にも質権を設定できますけど、質権者が物件を管理しなきゃいけないので、ちょっとめんどうかしら。抵当権のほうが便利ですね。

質権者が物件を管理するということだから、不動産質権は「目的物の引渡し」が効力の発生要件となるよ。抵当権とはそのへんが異なります。

▶不動産に質権を設定した場合の取り扱い（356条～360条）

① 不動産質権者は、質権の目的である不動産の用法に従い、使用・収益する（例：賃料を得る）ことができる。

② 不動産質権者は、原則として、債権の利息を請求することができない（使用・収益による利益を代わりに得る）。

③ 不動産質権の存続期間は、10年を超えることができない。

3 Section

他人の財産を借りる契約

★★★

1 消費貸借・使用貸借・賃貸借

概要

他人から財産を借りる契約は３つあります。消費貸借・使用貸借・賃貸借です。一定期間後に他人に財産を返すことになりますが、返し方は2つに分けられます。まず借りた物そのものを返す「使用貸借・賃貸借」と、借りた物（例：１万円札）そのものではなく同種同等の物を返す「消費貸借」です。このうち、使用貸借と賃貸借を取り上げてみます。

〔1〕使用貸借とは（593条）

スッキリ条文

使用貸借とは、当事者の一方がある物を引き渡すことを約し、相手方がその受け取った物について無償で使用・収益をして契約が終了したときに返還をすることを約することによって、その効力を生ずる。

「家賃を払って借家に住む」みたいなのが賃貸借。「賃料なしで借りて住む」というパターンだと使用貸借。

賃料がない無償の使用貸借は、賃貸借と比べて、法的保護が薄くなっています。

〔2〕使用貸借をめぐるあれこれ（593条の2～598条）

▶借用物受取り前の貸主による解除

貸主は、借主が借用物を受け取るまで、契約の解除をすることができる。ただし、書面による使用貸借については、この限りではない。

▶借主による使用・収益

① 借主は、契約またはその目的物の性質によって定まった用法に従い、その物の使用・収益をしなければならない。
② 借主は、貸主の承諾を得なければ、第三者に借用物の使用・収益をさせることができない。
③ 借主が上記①②の規定に違反して使用・収益をしたときは、貸主は、契約を解除することができる。

▶借用物の費用の負担

借主は、借用物の通常の必要費を負担する。

▶期間満了等による使用貸借の終了

期間あり	当事者が使用貸借の期間を定めたときは、使用貸借は、その期間が満了することによって終了する。
期間なし	当事者が使用貸借の期間を定めなかった場合において、使用・収益の目的を定めたときは、使用貸借は、借主がその目的に従い使用・収益を終えることによって終了する。
借主死亡	使用貸借は、借主の死亡により終了する（相続しない）。

▶**使用貸借の解除**

① 当事者が使用貸借の期間を定めなかった場合、貸主は、借主が使用・収益をするのに足りる期間を経過したときは、契約を解除することができる。
② 当事者が使用貸借の期間並びに使用・収益の目的を定めなかったときは、貸主は、いつでも契約の解除をすることができる。
③ 借主は、いつでも契約の解除をすることができる。

★★★

2 賃貸借契約とは

売買などとの大きなちがいは、信頼関係に基づいた契約形態であるということです。自分の大切な財産なのだから「この人だったら大丈夫であろう」と思える人に貸したいのが人情です。賃貸借契約により貸主になるほうを賃貸人、借主になるほうを賃借人といいます。

〔1〕賃貸借・賃貸借の存続期間（601条、604条）

▶**賃貸借**

賃貸借は、当事者の一方がある物の使用・収益を相手方にさせることを約し、相手方がこれに対してその賃料を支払うこと及び引渡しを受けた物を契約が終了したときに返還することを約することによって、その効力を生ずる。

▶**賃貸借の存続期間**

① 賃貸借の存続期間は、50年を超えることができない。契約でこれより長い期間を定めたときであっても、その期間は、50年とする。
② 賃貸借の存続期間は、更新することができる。ただし、その期間は、更新の時から50年を超えることができない。

民法では、賃貸借の存続期間は50年までとしているよ。

借地借家法（P.577、P.594参照）では別の取り扱いとなってます。借地借家法では賃貸借の期間につき上限は設けられていません。

〔2〕不動産賃借権の対抗力（605条）

不動産の賃貸借は、これを登記したときは、その不動産について物権を取得した者その他の第三者に対抗することができる。

土地や建物を賃借している場合、土地の登記簿や建物の登記簿に賃借権を登記することができるんだけどさ、賃貸人に協力義務がないのでなかなか登記できない。

農地・採草放牧地の賃借権も、農地・採草放牧地の引渡しがあれば対抗力あり。

なので借地借家法で、賃借権の登記以外の方法（借地：建物登記、借家：引渡し）による対抗力を認めてまーす。のちほどまた（P.581、P.598参照）。

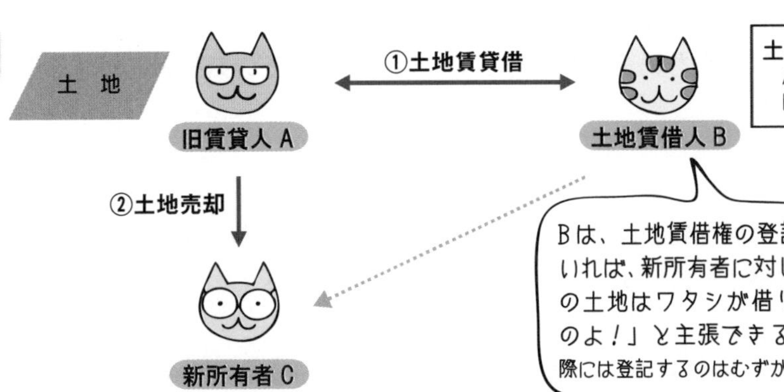

〔3〕不動産の賃貸人たる地位の移転（605条の2）

① 不動産の賃貸借の登記・借地借家法などの規定による賃貸借の対抗力を備えた場合において、その不動産が譲渡されたときは、その不動産の賃貸人たる地位は、その譲受人に移転する。
② 賃貸人たる地位の移転は、賃貸物である不動産について所有権の移転の登記をしなければ、賃借人に対抗することができない。

賃貸不動産が譲渡された場合、譲受人が、「こんどはオレが賃貸人だ」と賃借人に言えるわけだね。

そのためには、譲受人は所有権の移転登記が必要でーす。

〔4〕不動産の賃借人による妨害の停止の請求等（605条の4）

不動産の賃借人は、対抗要件を備えた場合においては、以下の請求をすることができる。
① その不動産の占有を第三者が妨害しているときは、その第三者に対する妨害の停止の請求
② その不動産を第三者が占有しているときは、その第三者に対する返還の請求

たとえば建物の賃借人が、妨害の停止を請求したり、第三者に対する返還の請求をしたり。

かっこよくいうと、不動産賃借権に基づく「妨害排除請求権」「返還請求権」ですね。

〔5〕賃貸人による修繕等（607条）

① 賃貸人は、賃貸物の使用・収益に必要な修繕をする義務を負う。ただし、賃借人の責めに帰すべき事由によってその修繕が必要となったときは、この限りではない。

② 賃貸人が賃貸物の保存に必要な行為をしようとするときは、賃借人は、これを拒むことができない。

賃貸人はね、賃料をとって貸すんだから、ちゃんとしたものを貸さないとね。なので修繕義務あり。

賃借人は賃貸人の保存に必要な行為を拒むことができないものの、その行為が長期にわたったりすると困りますよね。なので、こんな規定も用意されています。

▶賃借人の意思に反する修繕

賃貸人が賃借人の意思に反して保存行為をしようとする場合において、そのために賃借人が賃借をした目的を達することができなくなるときは、賃借人は、契約を解除することができる。

〔6〕賃借人による修繕（607条の2）

賃借物の修繕が必要である場合において、次に掲げるときは、賃借人は、その修繕をすることができる。

① 賃借人が賃貸人に修繕が必要である旨を通知し、または賃貸人がその旨を知ったにもかかわらず、賃貸人が相当の期間内に必要な修繕をしないとき

② 急迫の事情があるとき

もともとは他人（貸主）の不動産だからね。勝手には修繕できないんだけど。

でも、しかたがない場合は修繕できます。

〔7〕賃借人による費用の償還請求（608条）

必要費	賃借人は、賃借物について賃貸人の負担に属する必要費を支出したときは、直ちにその償還を請求することができる。
有益費	賃借人が賃借物について有益費を支出したときは、賃貸人は、賃貸借の終了の時に、その価値が現存する場合に限り、支出額または増価額を償還しなければならない（賃貸人がどちらかを選択できる）。
	裁判所は、賃貸人の請求により、その償還について相当の期限を許与することができる。

〔8〕賃借物の一部滅失等による賃料の減額等（611条）

賃借物の一部が滅失その他の事由により使用・収益をすることができなくなった場合。	
減　額	滅失が賃借人の責めに帰することができない事由によるものであるときは、賃料は、その使用・収益をすることができなくなった部分の割合に応じて減額される。
解　除	残存する部分のみでは賃借人が賃借をした目的を達することができないときは、賃借人は、契約を解除することができる。

「減額」のほうは「賃借人の責めに帰することができない事由」というのが入っているね。

「解除」のほうには入っていません。

なので、賃借人の責めに帰すべき事由による場合であっても、賃貸借契約の目的を達することができないときは、賃借人は契約の解除をすることができるよ。

借りている意味がないですもんね。

〔9〕賃料の支払時期、賃借人の通知義務 (614条、615条)

支払時期	賃料は、建物・宅地については毎月末に支払わなければならない（原則）。
通知義務	賃借物が修繕を要し、または賃借物について権利を主張する者があるときは、賃借人は、遅滞なくその旨を賃貸人に通知しなければならない。ただし、賃貸人が既にこれを知っているときは、この限りではない。

★★★

3 賃借権の譲渡・賃借物の転貸

概要

賃貸借は賃貸人と賃借人の信頼関係をベースにしてるので、信頼関係を裏切るような無断転貸などは許されません。ただし、背信的行為にあたらない転貸などについてはこの限りではなかったりします。また、転貸があったときの賃借料・転借料はどのような関係になるのかも押さえておきましょう。

〔1〕賃借権の譲渡及び転貸の制限（612条）

① 賃借人は、賃貸人の承諾を得なければ、その賃借権を譲り渡し、または賃借物を転貸することができない。
② 賃借人が上記の規定に違反して第三者に賃借物の使用・収益をさせたときは、賃貸人は、契約を解除することができる。

「賃借権の譲渡」と「賃借物の転貸」を、ちょこっとまとめておきましょう。

賃借権を譲渡しちゃうと、元の賃借人は無関係になるんですね。

賃借権の譲渡	賃借人が「賃借権」自体を他人に売却するなどで譲渡してしまうこと。譲渡後の賃借人（だった者）は無関係となる。
賃借物の転貸	いわゆる「また貸し」のこと。賃借人が「転貸人」となり、「転借人」が登場する。元々の賃貸借関係も残る。

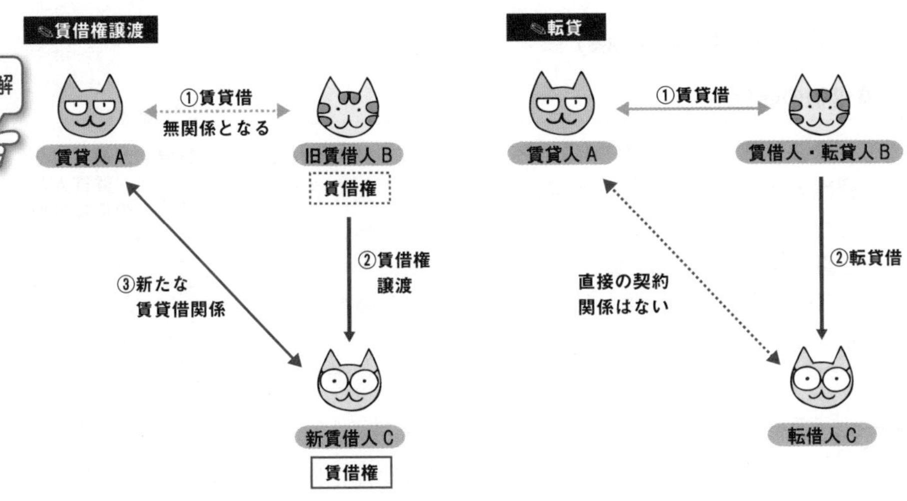

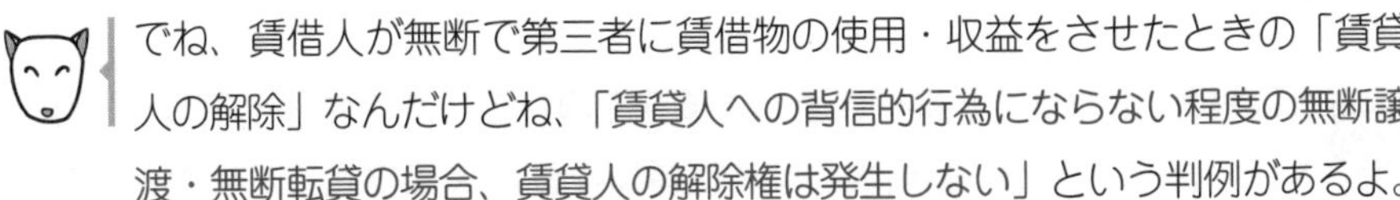
でね、賃借人が無断で第三者に賃借物の使用・収益をさせたときの「賃貸人の解除」なんだけどね、「賃貸人への背信的行為にならない程度の無断譲渡・無断転貸の場合、賃貸人の解除権は発生しない」という判例があるよ。

「背信的行為」にあたるかどうかは、諸事情を総合的に考慮しての判断となります。

〔2〕転貸の効果（613条）

▶賃借物の転貸

> ① 賃借人が適法に賃借物の転貸をしたときは、転借人は、賃貸人と賃借人との間の賃貸借に基づく賃借人の債務の範囲を限度として、賃貸人に対して転貸借に基づく債務を直接履行する義務を負う。
> ② この場合においては、賃料の前払をもって賃貸人に対抗することができない。

転貸借があったとしても、賃貸人と賃借人の賃貸借契約関係は残る。賃貸人は賃借人・転借人のいずれに対しても賃料の支払いを請求することができる。

「賃借物の転貸」の場合なんだけど「賃貸人」と「転借人」は直接契約していないから債権・債務の関係にはないんだけど、転借人が賃貸人から賃料を請求されたら払わなければならないのだ。

「賃貸人に対して転貸借に基づく債務を直接履行する義務を負う」となっていますもんね。転借人がすでに賃料を転貸人に支払っていたとしても対抗できないなんて、なんか気の毒。

だね。転借人が支払う金額なんだけど「賃貸人と賃借人との間の賃貸借に基づく賃借人の債務の範囲を限度」としているよ。

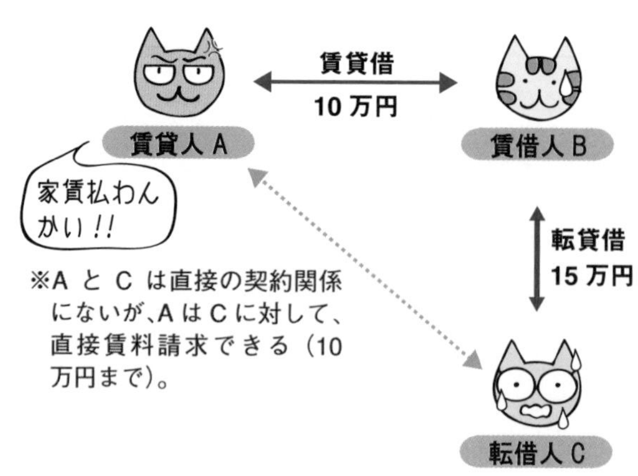

※AとCは直接の契約関係にないが、AはCに対して、直接賃料請求できる（10万円まで）。

ひとこと

求められる人・求められない人。それがはっきりしちゃうのが世の中・会社。

▶**転貸借の終了**

原 則	賃借人が適法に賃借物を転貸した場合には、賃貸人は、賃借人との間の賃貸借を合意により解除したことをもって転借人に対抗することができない。
例 外	ただし、その解除の当時、賃貸人が賃借人の債務不履行による解除権を有していたときはこの限りではない。

「賃貸借が解除」となったら、さて、転貸借の運命やいかに。

「賃貸借が合意解除」された場合は「転借人に対抗することができない」となっていますので、転借人はそのまま、転貸借の期間満了まで賃借物を利用し続けることができるんですね。

そうだね。でも「賃借人の債務不履行」で解除だ、という場合は、転貸借も終わりだよ。

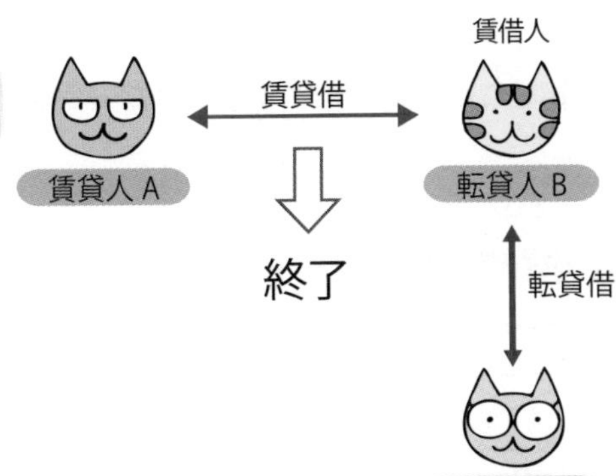

■AB間の賃貸借が合意解除により終了
転貸借は当然には終了しない。AはCに対して、「解除したから出て行け!」とは言えない。
■AB間の賃貸借が債務不履行により終了
転貸借も終了。AはCに対して「出て行け!」と言える。

★★★

4 賃貸借の終了

売買などとは異なり、賃貸借では「終了」という概念があります。どのような場合に終了するのか、期間の定めのある賃貸借の場合の更新、終了した場合の賃借人の原状回復義務などを理解しておきましょう。

〔1〕賃借物の全部滅失等による賃貸借の終了（616条の2）

賃借物の全部が滅失その他の事由により使用・収益をすることができなくなった場合には、賃貸借は、これによって終了する。

賃借物の全部が滅失とかだもんね。賃貸借は当然に終了。まぁそりゃそうだ。

一部滅失で借りている意味がなくなったときは「解除することができる」でしたね。

〔2〕期間の定めのない賃貸借の解約の申入れ（617条）

当事者が賃貸借の期間を定めなかったときは、各当事者はいつでも解約の申入れをすることができる。	
土　地	土地の賃貸借の場合は「1年」を経過することによって終了する。
建　物	建物の賃貸借の場合は「3ヶ月」を経過することによって終了する。

「期間の定めのない賃貸借」は、「毎日が更新日」みたいな感じになるよ。

なので、いつでも「さよならしませんか（解約の申入れ）」ができるんですね。

〔3〕期間の定めのある賃貸借の解約をする権利の留保（618条）

当事者が賃貸借の期間を定めた場合であっても、その一方または双方がその期間内に解約する権利を留保したときは、上記〔2〕の規定を準用する。

期間の定めのある賃貸借は、原則として中途での解約はできません。

解約権留保特約があれば、中途でも解約の申入れができまーす。

〔4〕賃貸借の更新の推定等（619条）

賃貸借の期間が満了した後、賃借人（転借人も含む）が賃借物の使用・収益を継続する場合において、賃貸人がこれを知りながら異議を述べないときは、従前の賃貸借と同一の条件で更に賃貸借をしたものと推定する。

図々しいヤツが勝つ、みたいな。

この場合「条件」はおなじですけど「期間」については、期間の定めがないものとなるので、当事者はいつでも解約の申入れをすることができます。

〔5〕賃貸借の解除の効力（620条）

賃貸借の解除をした場合には、その解除は、将来に向かってのみその効力を生じる。この場合においては、損害賠償の請求を妨げない。

〔6〕賃借人の原状回復義務（621条）

原　則	賃借人は、賃借物を受け取った後にこれに生じた損傷（通常の使用・収益によって生じた賃借物の損耗並びに賃借物の経年変化を除く）がある場合において、賃貸借が終了したときは、その損傷を原状に復する義務を負う。
例　外	ただし、その損傷が賃借人の責めに帰することができない事由によるものであるときは、この限りではない。

「通常の使用・収益によって生じた賃借物の損耗」と「賃借物の経年変化」は原状回復の対象とはされていないよ。

あと、けっこう派手な損傷があったとしても「賃借人の責めに帰することができない事由」でのことだったら原状回復義務はありませ〜ん。

〔7〕賃貸借終了後の収去義務など（622条）

▶期間満了による終了

当事者が賃貸借の期間を定めたときは、賃貸借は、その期間が満了することによって終了する。

▶借主による収去等

収去義務	原　則	借主は、賃借物を受け取った後にこれに附属させた物がある場合において、賃貸借が終了したときは、その附属させた物を収去する義務を負う。
	例　外	ただし、賃借物から分離することができない物または分離するのに過分の費用を要する物についてはこの限りではない。
収去権	借主は、賃借物を受け取った後にこれに附属させた物を収去することができる。	

▶**損害賠償及び費用の償還についての時期**

① 契約の本旨に反する使用・収益によって生じた損害の賠償及び借主が支出した費用の償還は、貸主が返還を受けた時から１年以内に請求しなければならない。
② 上記の「損害賠償の請求権」については、貸主が返還を受けた時から１年を経過するまでの間は、時効は、完成しない。

★★★

5 敷金

敷金とは、いかなる名目を問わず、賃料債務その他の賃貸借に基づいて生ずる賃借人の賃貸人に対する金銭の給付を目的とする債務を担保する目的で、賃借人が賃貸人に交付する金銭をいいます。賃貸人は賃貸借の終了などのとき、賃借人の未払い賃料・損害賠償などの額を控除した残額を賃借人に返還しなければなりません。

〔１〕敷金の返還など（622条の2）

▶**敷金の返還・返還金額**

賃貸人は、敷金を受け取っている場合において、以下のときは、賃借人に対し、その受け取った敷金の額から賃貸借に基づいて生じた賃借人の賃貸人に対する金銭の給付を目的とする債務の額を控除した残額を返還しなければならない。
① 賃貸借が終了し、かつ、賃貸物の返還を受けたとき
② 賃借人が適法に賃借権を譲り渡したとき

Part3 1 権利関係
Part3 2 権利関係
Part3 3 権利関係
Part3 4 権利関係
Part3 5 権利関係
Part3 6 権利関係
Part3 7 権利関係

賃貸借の終了や賃借権の譲渡。つまり賃貸人と賃借人という関係が終わったときに、敷金（控除した額があればその残額）の返還となる。

ちなみに、敷金の返還と賃借物の返還は同時履行の関係とはなりません。当たり前ですけど、賃借人の賃借物の返還が先履行でーす。

▶敷金の充当（賃借人が債務を履行しない場合）

賃貸人は、賃借人が賃貸借に基づいて生じた金銭の給付を目的とする債務を履行しないときは、敷金をその債務の弁済に充てることができる。この場合において、賃借人は、賃貸人に対し、敷金をその債務の弁済に充てることを請求することができない。

賃借人が未払い賃料や損害賠償債務を履行しない場合だね。賃貸人はその敷金を債務の弁済に充てることができる。

賃借人のほうから「充当しろ～」という請求はできません!!

罰を受けるという緊張感がやる気を高める。不合格が最大の罰。ヤーキーズ・ドットソンの法則。

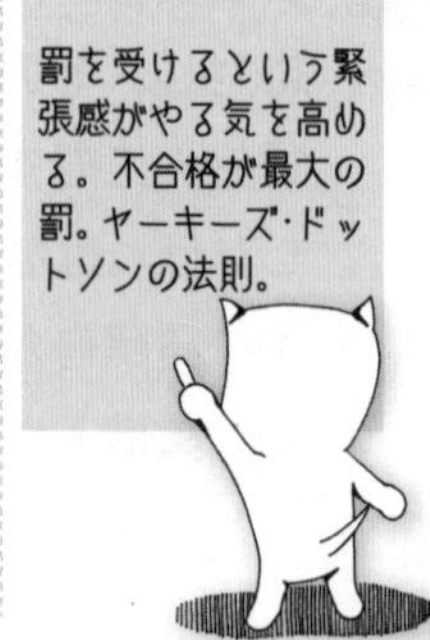

Part 3

権利関係 -8

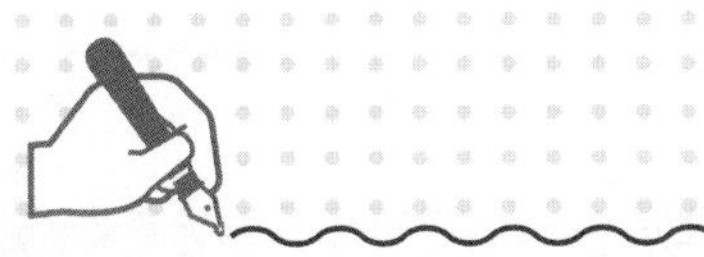

借地借家法の借地関係（借地権）を学習します。借地権の存続期間、更新と正当事由制度、建物登記による対抗力をはじめ、裁判所の後見的介入のしくみなど、借地権者を保護していく規定の数々に注目してください。また、更新のない借地権である「定期借地権」については、その３種類の要件や内容の相違点を明確にしておきたいところです。

1
Section

借地権とは。借地借家法（借地関係）

★★★

1 借地権とは・借地権の存続期間と更新

概要

借地借家法は、借地関係（借地権）と借家関係（建物賃貸借・借家権）とに分けられます。まず、借地関係（借地権）から取り組んでみましょう。借地借家法は借地権に適用されます。土地の賃貸借でも借地権にならない場合（例：資材置き場、駐車場）には、借地借家法は適用されません。

〔1〕借地権とは（2条）

語句

借地権	建物所有を目的とする土地の賃借権または地上権をいう。
借地権者	借地権を有する者（他人の土地に自分の建物を建てる側）。
借地権設定者	借地権者に対して借地権を設定している者（土地の所有者側）。

※建物所有を目的とする土地の賃借権で、借地権者が設定しているものを「転借地権」という。

土地の賃借権でも借地権になるのは、建物所有を目的としている場合だけだよ。あと、賃貸借じゃなくて使用貸借の場合も借地権にはならない。

「建物所有を目的とせず資材置き場として土地を賃貸する」というような場合は借地権とはならないため、借地借家法の適用はない。

借地権（転借地権）になれば、借地借家法で手厚く保護されまーす。

〔2〕借地権の存続期間（3条、4条）

借地権の存続期間は30年とする。契約でこれより長い期間を定めたときは、その期間とする。

※借地権者に不利な特約は無効

最低でも30年だね。期間の定めをしなかったら30年。これより短い期間を定めたとしても30年。長ければオッケー。

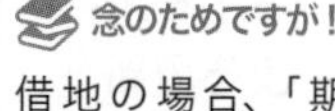

借地の場合、「期間の定めのない借地権」は存在しない。期間30年と法定される。

民法上の賃貸借だと「50年を超えてはならない」というのがありましたけど。

続いて更新。更新の期間については、こんな規定です。最低でも20年、そして10年。

最初の更新は20年	これより長い期間を定めたときは、その期間とする。
それ以降の更新は10年	

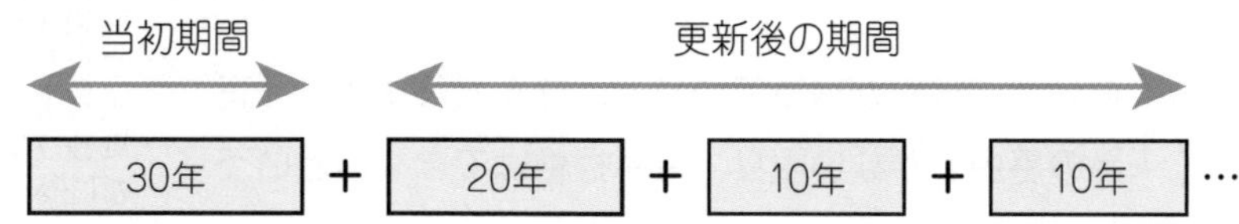

〔3〕更新の手続 (5条、6条)

借地権が期間満了となって、借地権者と借地権設定者との間で「合意による更新」がなされれば、問題なし。円満です。ところが、貸主側が「貸したくない」と思っていても、更新となってしまう場合あり。

重要!

法定更新は、借地上に建物が残っている場合だけ。建物がなければ法定更新はできない。

これがウワサの「法定更新」ですね!!

請求による更新	借地権の存続期間が満了した後、借地権者が契約の更新を請求したときは、建物がある場合に限り、従前と同一の条件で、契約を更新したものとみなす。
使用継続による更新	借地権の存続期間が満了した後、借地権者が土地の使用を継続するときも、建物がある場合に限り契約を更新したものとみなす。
ただし、借地権設定者が、更新請求や使用継続につき、遅滞なく「正当の事由」をもって異議を述べたときは更新されない。	

※借地権者に不利な特約は無効

▶正当の事由(①〜③を総合的に考慮して決定される)

①借地権設定者と借地権者が土地の使用を必要とする事情。
②借地に関する従前の経過及び土地の利用状況。
③借地権設定者が、土地の明渡しの条件として、または土地の明渡しと引換えに財産上の給付(立退料など)をする旨の申出をした場合における、その申出。

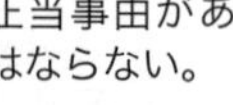

念のためですが!!

単に立退料の支払いのみをもって、正当事由があるとはならない。

ちなみに!!

この「正当の事由」制度は、戦時中の昭和16年に創設された。いわゆる戦時立法であり、戦後70年、いまだに残っている。

借地上に建物が残っていると、なんと貸主側は「正当の事由」がない限り、更新拒絶はできないということになる。

正当の事由がなければ、異議を述べることすらできないんですね。

〔4〕借地上の建物の再築（7条、8条）

▶更新前の滅失

借地権の（当初の）存続期間が満了する前に建物の滅失（取壊しを含む）があっても、借地権は消滅しないんだよね。なので借地権者は新たに建物を建てることができるよ。「再築の自由」があります。

当初の期間内であれば、借地権者に「再築の自由」があるが、更新後の期間になると一転し、「再築の自由」がなくなる。

借地権者が残存期間を超えて存続すべき建物を築造したときは、その築造につき借地権設定者の承諾がある場合に限り、借地権は「承諾があった日」または「建物が築造された日」のいずれか早い日から20年間存続する。

※借地権者に不利な特約は無効

残り5年くらいで、立派な建物を建てちゃってもいいんですね。

その場合、借地権設定者の承諾があれば、存続期間は20年間延長だね。承諾がない場合は、当初の期間満了でいちおうおしまいで、更新するか否かの局面となる。

借地権の残存期間の方が長いときや、当事者がこれより長い期間を定めたときは、その期間となります。

ひとこと

単純接触効果。触れれば触れるほど好きになる。受験勉強もおなじだ。

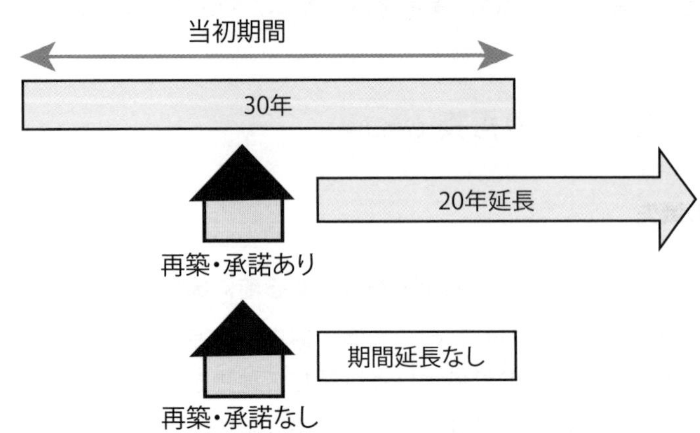

▶**更新後の滅失**

① 契約の更新後に建物の滅失があった場合において、借地権者が借地権設定者の承諾を得ないで残存期間を超えて存続すべき建物を築造したときは、借地権設定者は、土地賃貸借の解約の申入れ（地上権であれば、その地上権の消滅請求）をすることができる。

② 借地権は、解約の申入れがあった日から３ヶ月を経過すると消滅する。

③ 借地権者は、土地賃貸借の解約（地上権であれば、その地上権の放棄）の申入れをすることができる。

更新後の滅失でも、再築につき借地権設定者の承諾があれば、借地権は20年間延長になるのはおなじなんだけど、承諾なしに再築した場合は、終わりになる。「再築の自由」はない。

プラスα

再築につきやむを得ない事情があるときは、裁判所は、「借地権設定者の承諾に代わる許可」を出すことができる。

更新後になると、こんどは一転、借地権設定者（貸主側）に有利なんですね。

借地権者としても、再築につき承諾を得る見込みがなく、このまま借地していても意味がないときは、（再築前に）解約の申入れができるよ。

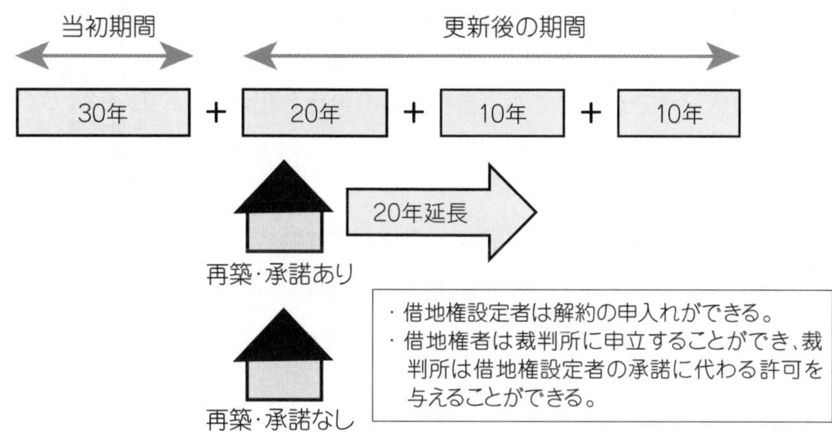

★★★

2　借地権の効力

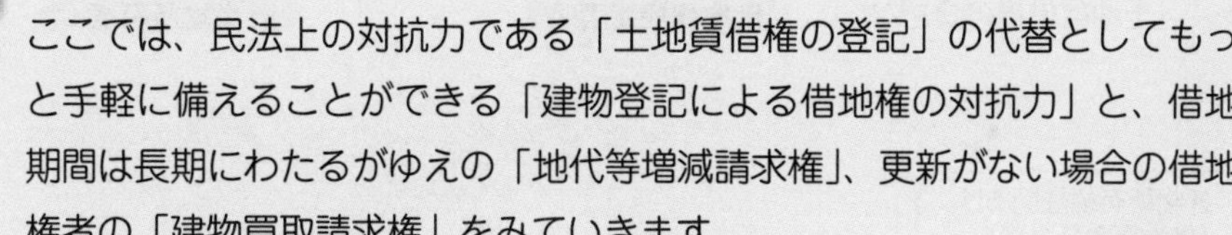

概要

ここでは、民法上の対抗力である「土地賃借権の登記」の代替としてもっと手軽に備えることができる「建物登記による借地権の対抗力」と、借地期間は長期にわたるがゆえの「地代等増減請求権」、更新がない場合の借地権者の「建物買取請求権」をみていきます。

〔１〕借地権の対抗力（10条）

スッキリ条文

① 借地権者は、その登記がなくても、土地の上に借地権者名義で登記されている建物を所有するときは、借地権を第三者に対抗することができる。

② 建物の滅失があっても、借地権者が、「その建物を特定するために必要な事項」「その滅失があった日」「建物を新たに築造する旨」を土地の上の見やすい場所に掲示すれば、２年間は借地権を対抗することができる。

※借地権者に不利な特約は無効

土地の売買があっても、借地権を対抗する方法がある。破ることはできない。土地の登記簿に土地賃借権の登記ができなくても、自己名義の建物登記があればオッケー。対抗できます。

建物の登記につき、「氏をおなじくする長男名義」だと対抗力はないという判例あり。

掲示による対抗力は暫定的なものなんですね。建物滅失から2年を経過する前に建物を再築し、かつ、建物登記をしなければ、対抗力を失います。

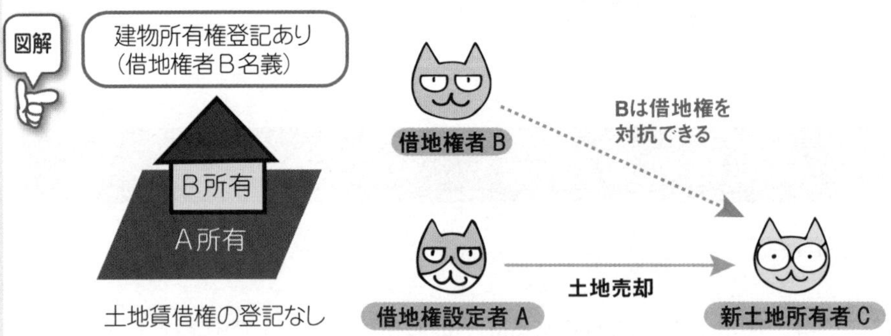

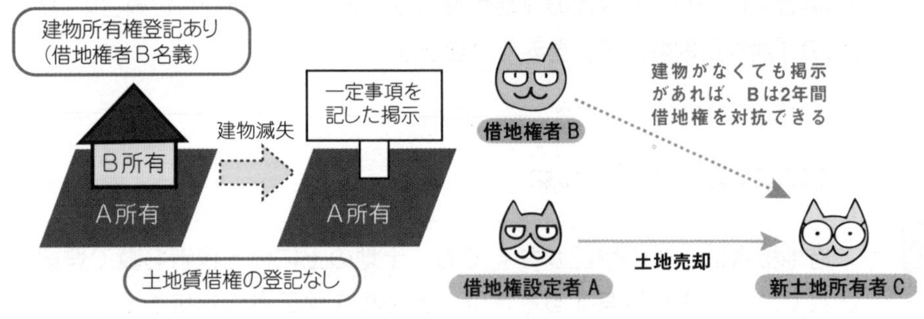

〔2〕地代等増減請求権（11条）

借地期間は長期に及ぶため、土地の価格の上昇や低下、経済事情の変動などで、地代または土地の借賃（地代等）が不相当となることもあるよね。なので増減請求権が認められてるよ。

契約条件にかかわらず、将来に向かっての増減の請求が認められている。過去にさかのぼっての増減請求ではない。

ただし、「一定期間増額しない」という特約があれば増額請求はできませーん。

▶増額につき協議が調わないとき

増額請求を受けた者（借地権者側）は、増額を相当とする裁判が確定するまでは、相当と認める額の地代等を支払うことをもって足りる。

▶減額につき協議が調わないとき

減額請求を受けた者（借地権設定者側）は、減額を相当とする裁判が確定するまでは、相当と認める額の地代等の支払いを請求することができる。

裁判確定後に精算します。不足額の支払いや超過額の返還につき、年１割の利息を付すことになっています。

地代等増減請求の訴えを提起する前に、まず調停を申立てなければならない。調停前置主義という。

地代等増減請求

地代等の増減請求

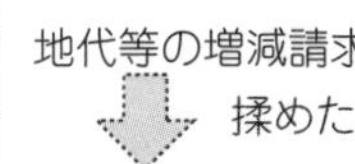

調停の申立

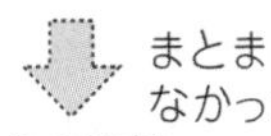

訴えの提起
（調停前置主義）

〔3〕建物買取請求権（13条）

借地権の存続期間が満了した場合において、契約の更新がないときは、借地権者は、借地権設定者に対し、建物を時価で買い取るべきことを請求することができる。

※借地権者・転借地権者に不利な特約は無効

プラスα

建物買取請求権が行使されると、借地権設定者の意思に無関係で、売買契約が成立する。

借地権設定者が、正当の事由をもって異議を述べて、やっと更新を拒絶できたとする。そしたら借地権者から建物買取請求権を行使されちゃうこともある。

なんだか、かわいそうな気も…。ちなみに、借地権者が借賃を払わないなどの債務不履行で解除された場合には、建物買取請求権は認められません。

図解

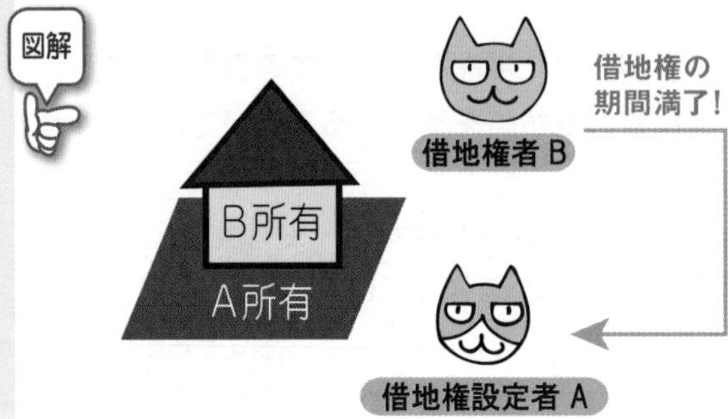

借地権者Bは、Aに対し建物の買取を請求できる。

ひとこと

やるべきことをちゃんとやっているから自分は大丈夫。安心して人生を楽しもう。

★★★

3 借地条件の変更・増改築の許可

借地契約を締結する際、当事者間でどのような条件（特約）をつけようと原則として自由です。しかし、借地契約は長期間にわたるため、その条件が原状とマッチしなくなる場合もあります。当事者間の合意での条件変更がベストですが、合意がないときは、裁判所が間に入って調整します。

〔1〕借地条件の変更（17条）

たとえば「借地上の建物は木造に限る」などの条件（建物の種類、構造、規模または用途の制限）を定めていても、法令による規制の変更や付近の土地の利用状況の変化により、その条件が現在の状況にあわなくなることもあるよね。

いちばんいいのは、当事者の協議での条件変更なんでしょうけど、協議が調わないこともありますよね。そんなときは裁判所に申し立てましょう。

借地条件の変更は、借地権者側だけでなく、借地権設定者（土地所有者側）からも申し立てることができる。

借地条件の変更につき当事者間で協議が調わないときは、裁判所は、当事者の申立てにより、その借地条件を変更することができる。

※借地権者・転借地権者に不利な特約は無効

〔2〕増改築の許可（17条）

あとね、増改築を制限する旨の借地条件がある場合もおなじ。

増改築につき当事者間で協議が調わないときは、裁判所は、借地権者の申立てにより、その増改築についての借地権設定者の承諾に代わる許可を与えることができる。

※借地権者・転借地権者に不利な特約は無効（**17条**）

「借地条件の変更」は当事者の申立て、増改築の許可については借地権者の申立て。微妙にそのへんがちがうんですね。

★★☆

4 借地上の建物の売却

借地権者が借地上の建物を譲渡するにあたり、あわせて借地権の譲渡・転貸が必要になってきます。借地権が土地賃借権である場合、その譲渡・転貸には賃貸人（借地権設定者）の承諾が必要です。承諾が得られないときは、裁判所が承諾に代わる許可を出します。

〔1〕裁判所の許可・第三者の建物買取請求権（14条、19条、20条、21条）

借地権者が借地上の建物を第三者に譲渡しようとする場合において、とくに借地権設定者に不利となるおそれがないにもかかわらず、借地権設定者が賃借権の譲渡・転貸を承諾しないときは、裁判所は、借地権者の申立てにより、借地権設定者の承諾に代わる許可を与えることができる。

※借地権者・転借地権者に不利な特約は無効

借地上の建物の譲渡前で、借地権設定者が承諾しそうにないときは、代わりに許可をもらっちゃいましょう。

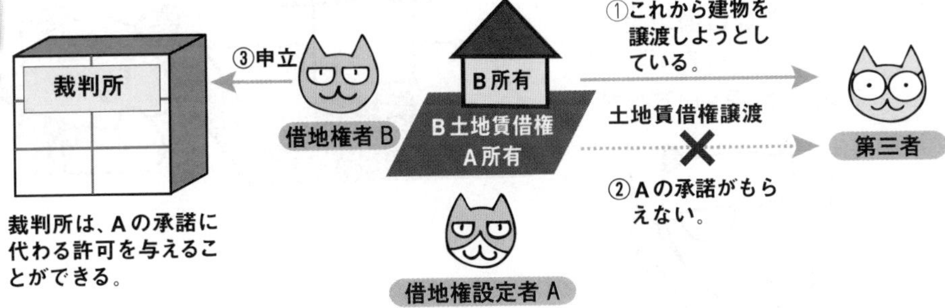

借地権者が借地上の建物を第三者に譲渡しちゃった後だったら、こちら。

第三者が借地上の建物を取得した場合において、借地権設定者が賃借権の譲渡・転貸を承諾しないときは、第三者は、借地権設定者に対し、建物を時価で買い取るべきことを請求できる。

※借地権者・転借地権者に不利な特約は無効

第三者が借地上の建物を競売で落札した場合は、こちら。

第三者が借地上の建物を競売により取得した場合において、とくに借地権設定者に不利となるおそれがないにもかかわらず、借地権設定者が賃借権の譲渡を承諾しないときは、裁判所は、第三者の申立て（建物の代金を払った後2ヶ月以内に限る）により、借地権設定者の承諾に代わる許可を与えることができる。

2 Section 定期借地権。3種あり

★★★

1 定期借地権は3種類

定期借地権とは、いままでみてきた普通借地権とは異なり、当初で定められた期間（定期）で借地関係は終了し、更新がない借地権をいいます。半永久的に返ってこない普通借地権に比べれば土地所有者側も貸しやすく、借りる側にも権利金が安いなどのメリットもあります。定期借地権は３種類あります。

〔1〕（一般）定期借地権（22条）

存続期間を 50 年以上として借地権を設定する場合、次の①～③の特約をすることができる。特約は、公正証書による等書面によりしなければならない。

① 契約の更新がない。
② 建物築造（再築）による期間の延長がない。
③ 契約の更新がなくても建物の買取請求をしない。

世間で定期借地権といったらこれ。「契約の更新がない」などを特約して書面化する。公正証書が望ましいんだろうけど、書面だったらなんでもよいです。また、建物の用途は限定なし。居住用でも事業用でもよい。

念のためですが!!
「公正証書による等書面」といっているので、書面だったらなんでもよい。

「契約自体を書面化しろ」とはいってないんですね。あくまでも、特約を書面化。書面化していなければ特約したことにならず、普通借地権という扱いになります。

図解

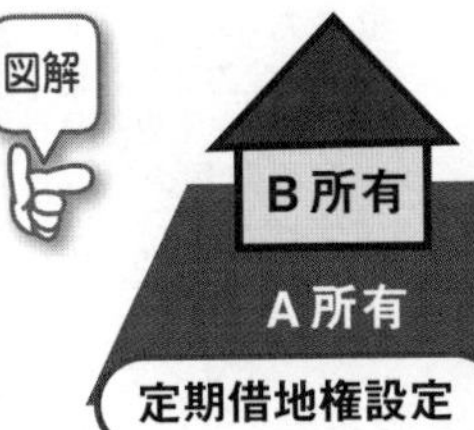

〔2〕事業用定期借地権（23条）

① 専ら事業の用に供する建物（居住用を除く）の所有を目的とし、かつ、存続期間を30年以上50年未満として借地権を設定する場合においては、契約の更新及び建物の築造による存続期間の延長がなく、建物の買取りの請求をしないこととする旨を定めることができる。

② 専ら事業の用に供する建物の所有を目的とし、かつ、存続期間を10年以上30年未満として借地権を設定する場合には、普通借地権の存続期間、更新、再築による期間延長、建物買取請求権などの規定は適用しない。

③ 事業用定期借地権の設定を目的とする契約は、公正証書によってしなければならない。

事業用建物のときのみ設定できる定期借地権。建物が居住用である場合、それが事業用の賃貸マンションだとしても、この事業用定期借地権は設定できない。

存続期間が10年～30年未満で設定できるのは、この事業用定期借地権だけですね。存続期間と事業用建物の所有を目的とする旨を定めれば、自動的に事業用定期借地権となります。

重要！
存続期間を50年以上とするのであれば、一般定期借地権で足りる。

存続期間を30年以上とすると、普通借地権も設定することができるから、更新がない旨などを特約で定める。この特約があるかないかで、事業用定期借地権か普通借地権かを区別してください、ということなんだろうね。

ひとこと
訪れた小さなチャンス。全力で取り組む。すると不思議なことに突然のビッグチャンス。

あと、この事業用定期借地権の契約は、契約自体を公正証書で行うこと。そうじゃないと普通借地権扱い。

〔3〕建物譲渡特約付借地権（24条）

借地権を設定する場合においては、借地権を消滅させるため、借地権設定後30年以上経過した日に、借地権の目的である土地の上の建物を借地権設定者に相当の対価で譲渡する旨を定めることができる。

「30年経過後に、借地権設定者が、あなたが建てた借地上の建物を買い取ります」ということを借地権を設定する際に定める。

借地権設定者が建物を買い取れば、借地権は混同により消滅ですね。借地権者にしてみれば「昨日までは私のお家。でも今日からは他人のお家」というニュアンス。ちょっとさびしいかも。

借地権消滅後、建物を使用している借地権者や建物の賃借人が「引き続き住みたい」という場合もあるでしょう。なのでこんな規定も用意されてます。

建物の所有権を移転させる時期は、借地権設定後30年以上であればいつでもよい。契約で定めることになる。時期を確定させておくこともできるし、不確定のままにしておいて「借地権設定者の意思表示による」でもよい。

借地権者や建物の賃借人が請求したときは、その請求の時に、期間の定めのない建物賃貸借がされたものとみなす。

なお、この特約なんですけど、書面化する必要はないそうです。「将来ワタシが買います」ということを登記（仮登記）しておくことになるからでしょう。

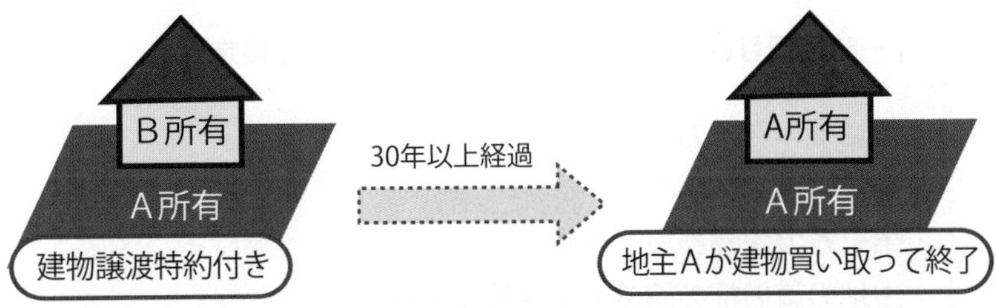

例	Bは40歳で借地して自宅を建てた。 70歳になったら、地主Aが建物を買取って借地は終了。 このとき、Bはそのまま借家人として建物に住み続けることもできる。

▶定期借地権まとめ

	期　間	用　途	書　面
（一般）定期借地権	50年以上	制限なし	特約を書面化
事業用定期借地権	10年以上 50年未満	事業用限定 （居住用不可）	公正証書で契約
建物譲渡特約付借地権	30年以上	制限なし	特約は書面でなくてもよい

〔4〕一時使用目的の借地権について（25条）

博覧会用や工事用の仮設建築物を建てるために借地するなんていう場合に、やれ期間は30年だのなんだのとなるとかえって面倒。そういった場合は「一時使用目的の借地権」を使ってみましょう。

重要！
借地借家法が全面的に適用されないわけではない。

「一時使用目的の借地権」には、借地借家法の一部が、たとえば「借地権の対抗力」や「地代増減請求権」などの適用にとどまります。存続期間や更新請求などは適用されません。

▶「一時使用目的の借地権」でも適用される主な規定

- 借地権の対抗力
- 地代等増減請求権
- 第三者の建物買取請求権
- 土地の賃借権の譲渡または転貸の許可
- 建物競売等の場合における土地賃借権の譲渡・転貸の許可

ひとこと
「幸運が訪れた人」を観察。その裏に努力と行動。訪れたのではなく引き寄せた。

Part 3

権利関係 -9

借地借家法の借家関係（建物の賃貸借）を学習します。建物賃貸借の法定更新、引渡しによる対抗力、造作買取請求権など。また、更新のない「定期建物賃貸借」も重要です。そのしくみをはじめ、定期建物賃貸借契約をする場合の段取りをしっかり理解しておきましょう。最後に不法行為を取り上げます。加害者は損害賠償をしなければなりません。

1
Section

建物の賃貸借
借地借家法（借家関係）

家を賃貸する＝借地借家法（借家関係）の適用となり厚い保護あり。

★★★

1 建物の賃貸借には借地借家法!!

概要

借地借家法の借家関係に関する規定は、建物の賃貸借（一時使用を除く）に適用されます。建物の賃借人を保護する規定として、存続期間と契約更新、建物の賃貸借の対抗要件などがあり、賃借人に不利となる特約は無効となります。なお賃貸借ではなく、使用貸借には、借地借家法の適用はありません。

〔1〕建物賃貸借の存続期間と契約更新（26条～29条）

スッキリ条文

① 期間を1年未満とする建物の賃貸借は、期間の定めのない建物の賃貸借とみなす。

② 民法の「賃貸借の存続期間は50年を超えることはできない」とする規定は、建物の賃貸借については適用しない。

※建物の賃借人に不利な特約は無効

定期建物賃貸借（定期借家）の場合は別として、建物賃貸借の存続期間は、１年以上であれば当事者間で自由に決めることができるよ。上限もないし。期間 50 年以上の建物賃貸借でもオッケー。

ちなみに!!
実務上、居住用の賃貸物件では、契約期間を２年とすることが多いようである。なお、契約期間を１年未満とした場合には、期間の定めのない契約となる。

期間を定めなくてもいいんですね。借地の場合だったら 30 年と法定されちゃいましたけど、借家だとそういう規定ではないみたい。

続いて建物賃貸借の更新。期間が満了したあとに「合意による更新」がなされれば、問題なし。円満です。

ところが、貸主側が「貸したくない」と思っていても、「法定更新」というパターンですね（笑）。

そうそう。「期間の定めがある場合」と「定めがない場合」とにわけて更新という局面を考えてみよう。

▶**期間の定めがある場合の法定更新**

当事者が期間満了の１年前から６ヶ月前までの間に相手方に対して「更新をしない旨の通知」または「条件変更をしなければ更新をしない旨の通知」をしなかったときは、従前の契約と同一の条件で、契約を更新したものとみなす。ただし、その期間は、定めがないものとする。

※建物の賃借人に不利な特約は無効

期間満了の６ヶ月前には、更新が決まるということだね。もっとも更新拒絶などの通知をしたときは別だけど。でもね、建物の賃貸人からの更新拒絶などの通知は、正当の事由がなければできない。

ということは、事実上、貸主からは更新拒絶などの通知ができないということですね。

重要！
建物の賃借人からの更新拒絶の通知には、正当な事由は不要。

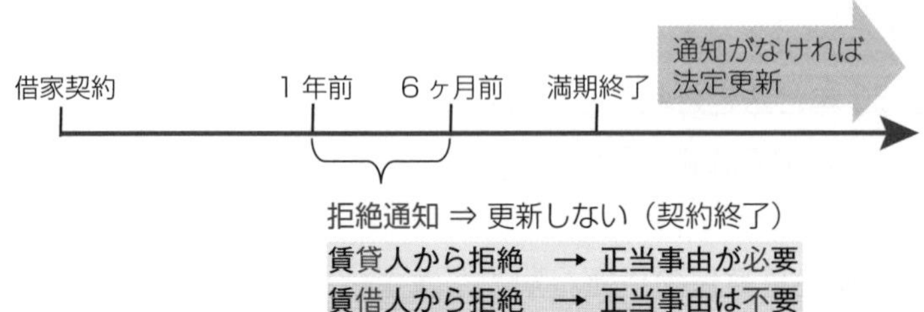

▶正当の事由（①〜③を総合的に考慮して決定される）

① 建物の賃貸人及び賃借人が建物の使用を必要とする事情。
② 建物の賃貸借に関する従前の経過、建物の利用状況及び建物の現況。
③ 建物の賃貸人が、建物の明渡しの条件としてまたは建物の引渡しと引換えに財産上の給付（立退料などの支払い）をする旨の申出をした場合における、その申出。

さらに、「使用継続による法定更新」というのもあるよ。

更新拒絶の通知があった場合でも、建物の賃貸借の期間が満了した後、建物の賃借人が使用を継続する場合において、建物の賃貸人が遅滞なく異議を述べなかったときも、契約を更新したものとみなす。

▶期間の定めがない場合

期間の定めがない建物の賃貸借の場合、当事者が解約の申入れをしなければ終了しないよ。でも、毎日いつでも、解約の申入れをすることはできるけどね。

解約の申入れの要件なんですけど、やっぱりこれも、建物の賃貸人と賃借人とでちがってきます。

賃貸人からの申入れ	正当の事由が必要。申入れの日から6ヶ月を経過することによって終了。
賃借人からの申入れ	正当の事由は不要。申入れの日から3ヶ月を経過することによって終了（民法の規定による）。

解約の申入れで建物の賃貸借が終了しても、賃借人の使用継続につき賃貸人が遅滞なく異議を述べなければ、契約を更新したものとみなされちゃいます。

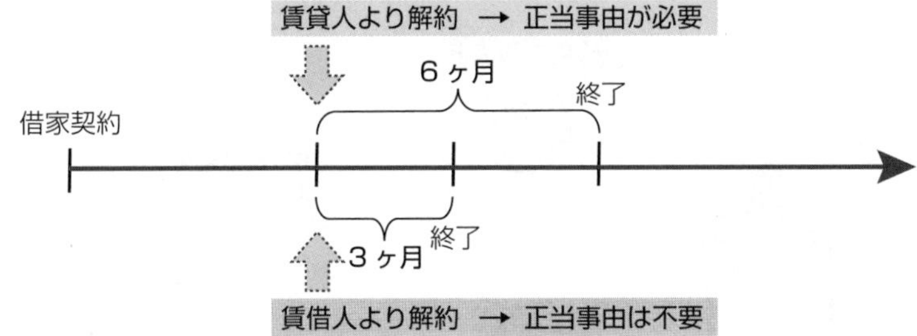

★★★

2　建物賃貸借の効力

ここでは、「建物賃貸借の対抗力」「借賃増減請求権」「造作買取請求権」「借地上の建物の賃借人の保護」などをみていきます。いずれも建物の賃借人を保護するための規定です。

〔1〕建物賃貸借の対抗力（31条）

建物の賃借人は、その登記がなくても、建物の引渡しがあったときは、その後その建物について物権を取得した者に対し、その効力を生ずる（賃借権を第三者に対抗することができる）。

※建物の賃借人・転借人に不利な特約は無効

建物賃貸借の対抗要件である「引渡し（居住）」は、代理占有（例：転借人の居住）でもよい。

建物賃貸借の登記がなくても、建物の引渡しを受けていればオッケー。建物の賃借権を対抗できます。

これで建物の所有者が変わってもこわくないです。売買は賃貸借を破らない!!

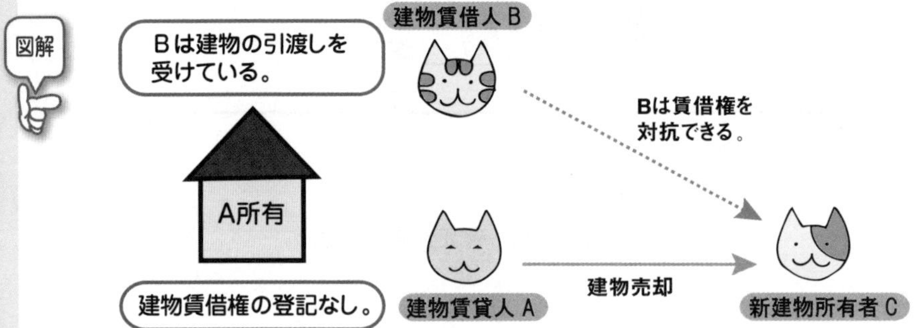

〔2〕借賃増減請求権（32条）

定期建物賃貸借の場合、借賃増減請求権を特約で排除することができる。「定期建物賃貸借の期間中は減額請求できない」ということも可能。

借地権のところにもあったでしょ、おんなじようなのが。不動産の価格の上昇や低下、経済事情の変動などで、借賃が不相当となった際の、借賃増減請求権。

ただし、「一定期間増額しない」という特約があれば増額請求はできませーん。

▶**増額につき協議が調わないとき**

増額請求を受けた者（賃借人側）は、増額を正当とする裁判が確定するまでは、相当と認める額の建物の借賃を支払うことをもって足りる。

▶**減額につき協議が調わないとき**

減額請求を受けた者（賃貸人側）は、減額を正当とする裁判が確定するまでは、相当と認める額の建物の借賃の支払いを請求することができる。

裁判確定後に清算。不足額の支払いや超過額の返還につき、年１割の利息を付してね。

〔３〕造作買取請求権（33条）

「建物の賃貸人の同意を得て建物に付加した造作」または「賃貸人から買い取った造作」がある場合には、建物の賃借人（転借人も含む）は、建物の賃貸借が期間の満了または解約の申入れによって終了するときに、建物の賃貸人に対し、その造作を時価で買い取るべきことを請求できる。

造作とは建物に取り付けた物のうち、取り外しが可能な物をいうよ。畳や建具、エアコンや照明設備などだね。

この造作買取請求権は特約で排除することができるんですよね。

そうそう。「特約で排除」していたほうが、じつはお互い、なにかと便利だったりする。賃貸人側にしても、造作買取請求権がなければ造作を認めやすいし、店舗などの賃貸借だと、賃借人側も造作して収益を上げたほうがいいだろうし。

転貸借されているときは、転借人にも造作買取請求権が認められていまぁーす。

〔4〕建物賃貸借終了の場合における転借人の保護（34条）

これはね、建物の転貸借がされている場合において、元々の建物の賃貸借が「期間の満了」または「解約の申入れ」によって終了するときの取り扱い。

建物の賃貸借の終了を転借人に対抗できるかどうか、ですね。こんな規定になってまーす。

① 建物の賃貸人は、建物の転借人にその旨の通知をしなければ、その終了を建物の転借人に対抗できない。
② 建物の賃貸人が通知をしたときは、建物の転貸借は、その通知された日から6ヶ月を経過することによって終了する。

※建物の賃借人・転借人に不利な特約は無効

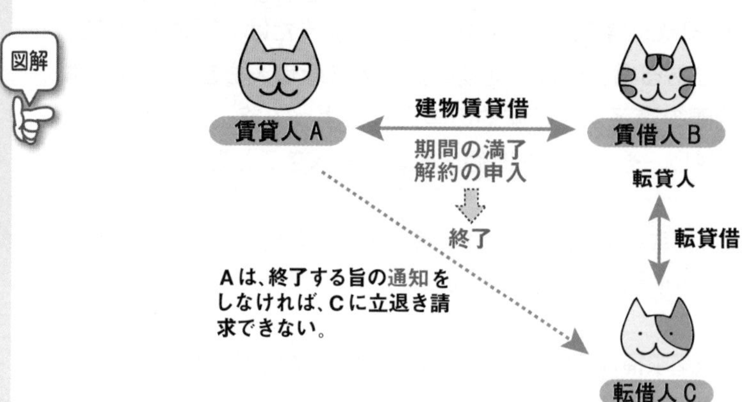

〔5〕借地上の建物の賃借人の保護（35条）

これはね、借地上の建物を借りている場合のお話。借地権の存続期間が満了となったら、建物の賃借人は土地を明け渡さなきゃいけないでしょ。

となると、建物の賃借人は退去となるんですけど、でも、急にそんなこと言われても。ということでこんな規定があります。

建物の賃借人が、借地権の存続期間が満了することを、その1年前までに知らなかった場合に限り、裁判所は、建物の賃借人の請求により、建物の賃借人がこれを知った日から1年を超えない範囲において、土地の明渡しにつき相当の期限を許与することができる。

※建物の賃借人・転借人に不利な特約は無効

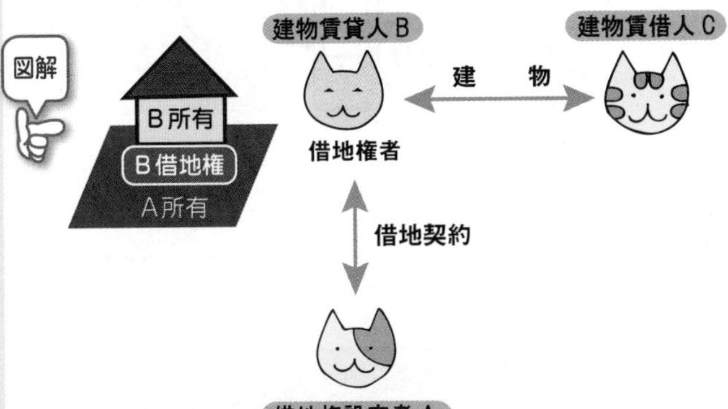

借地権の満了で土地を明け渡し（建物退去・取壊し）
Cは1年前までに知らなかった。
裁判所は、Cの請求により、土地の明渡しにつき、相当の期限を許与できる（最大1年）。

〔6〕居住用建物の賃貸借の承継（36条）

居住用建物の賃借人が相続人なしに死亡した場合において、その当時婚姻または縁組の届出はしていないが、建物の賃借人と事実上夫婦または養親子の関係にあった同居者があるときは、その同居者は、建物の賃借人の権利義務を承継する。

「相続人ではない」という人が建物の賃借権を承継できちゃうという規定です。相続人がいれば、建物の賃借権はそっちに相続されちゃいますけど。

「相続人はだれもいないけど、私には心の家族がいた」という場面ですね。

でも、強制すべき話でもないため「同居者が、相続人なしに死亡したことを知った日から1ヶ月以内に、建物の賃貸人に対し、反対の（賃借権は承継しない旨の）意思表示をしたときは、賃借人の権利義務は承継しない」となってます。

念のためですが!!
この規定は居住用建物の賃貸借の場合のみに適用。店舗などの賃貸借には適用なし。

2 Section

定期建物賃貸借（定期借家）もあるよ!!

★★★

1 更新がない建物賃貸借

概要

法定更新が排除される建物賃貸借です。正当事由の有無に関係なく賃貸借は終了し、賃貸人に目的物が返還されます。「定期建物賃貸借」と「取壊し予定の建物賃貸借」の2種があります。また、借地借家法の規定が一切適用されない「一時使用の建物賃貸借」も触れておきます。

〔1〕定期建物賃貸借（38条）

契　約	公正証書による書面等によって契約するときに限り、更新がないこととする旨を定めることができる。期間は1年未満でも50年超でもよい。
賃貸人の説明義務	建物の賃貸人は、あらかじめ建物の賃借人に対し、建物の賃貸借は更新がなく、期間満了によって終了することについて、その旨を記載した書面を交付して説明※しなければならない。

※テレビ会議等（ICT）を用いての説明でもよい。
※重要事項説明とあわせての実施（宅建士が代理）でもよい。

賃貸人の通知義務	期間が１年以上の定期建物賃貸借の場合、建物の賃貸人は、期間満了の１年前から６ヶ月前までの間（通知期間）に、建物の賃借人に対し、期間満了により建物の賃貸借が終了する旨を通知しなければ、その終了を賃借人に対抗することができない。
	通知期間の経過後に、建物の賃貸人が建物の賃借人に通知したときは、その通知の日から６ヶ月を経過したときに、その終了を対抗することができる。

※建物の賃借人に不利な特約は無効

定期建物賃貸借をするときは、契約の更新がない旨の特約だけでなく、契約全体を書面でする必要があるよ。公正証書が望ましいんだろうけど、書面だったらなんでもよいです。

「賃貸借は終わりますよ通知」を所定の期間内にしなかった場合、あらためて通知できるが、通知後６ヶ月間は立ち退いてもらえない。

賃貸人はなにかと忙しいですね。契約前の「事前の説明」やら通知期間内での「賃貸借は終わりますよ通知」とか。

●賃貸借の終了

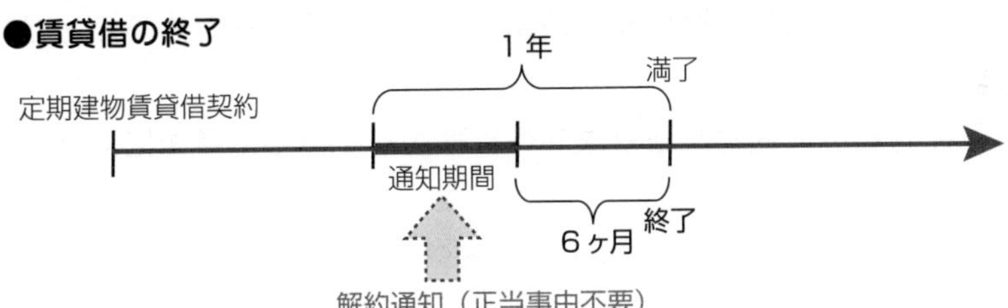

●解約通知が遅れた場合

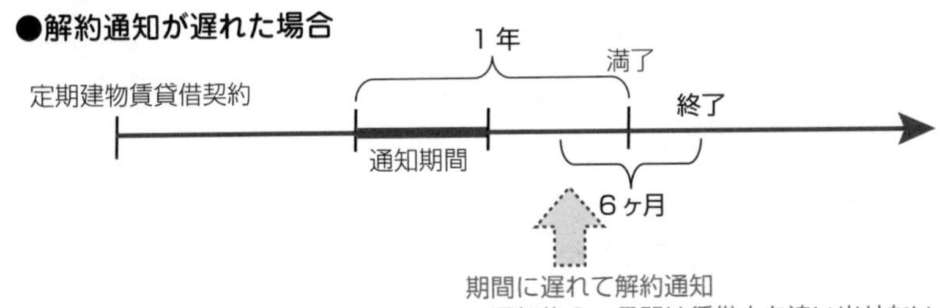

あとね、定期建物賃貸借だけにある規定なんだけど、賃借人の中途解約権。

① 床面積200㎡未満の居住用建物の賃貸借の場合、転勤、療養、親族の介護その他のやむを得ない事情により、建物の賃借人が建物を自己の生活の本拠として使用することが困難となったときは、建物の賃借人は、建物の賃貸借の解約を申し入れることができる。

② 建物の賃貸借は、解約の申入れの日から１ヶ月を経過することによって終了する。

※建物の賃借人に不利な特約は無効

床面積が200㎡以上の物件や居住用でない建物の場合だと、この解約権はないんですね。

〔2〕取壊し予定の建物賃貸借（39条）

① 法令または契約により、一定期間を経過した後に建物を取り壊すべきことが明らかな場合において、建物の賃貸借をするときは、建物を取り壊すこととなる時に建物賃貸借が終了する旨を定めることができる。

② この特約は、建物を取り壊すべき事由を記載した書面によってしなければならない。

たとえば、都市計画法（都市計画）で、２年後に取壊しが決まっている建物について、せめてその取壊しまで建物を人に貸して収益をあげたい、なんていうときに使えるね。

重要！
単に建物の所有者が取り壊そうと思っているだけでは、この賃貸借をすることはできない。

特約の書面化が必要ですね。

〔3〕一時使用目的の建物賃貸借（40条）

借地借家法の借家関係の規定は、一時使用のために建物の賃貸借をしたことが明らかな場合には適用しない。

一時使用目的の場合だと、借地借家法の規定は一切適用されないということだね。

となると、民法の規定で処理ですね。

借地の場合だと、一時使用目的であったとしても、対抗要件などの規定の適用はあった。でも借家の場合だと、とにかく、借地借家法の規定は適用なしです。

ひとこと

キリの悪いところで勉強を中断する。次が気になる。ツァイガルニク効果。うまく活用。

Section 3 不法行為。被害者に損害賠償を

話は変わって、民法の不法行為。
故意・過失により損害を与えたら。

★★★

1 そこに故意・過失が存在するか

概要

不法行為とは、故意（わざと）または過失（不注意）によって、他人の利益を侵害し損害を与えることをいいます。加害者は被害者に損害賠償をしなければなりません。また特殊な不法行為として、「使用者責任」「土地工作物責任」などがあります。

〔1〕不法行為の成立要件（709条）

故意または過失によって他人の権利または法律上保護される利益を侵害した者は、これによって生じた損害を賠償する責任を負う。

たとえば物を壊したとかケガをさせたような場合、それが不法行為となるんだったら損害賠償をしなければならないよね。

「名誉を侵害した」などの場合も不法行為となり、精神的損害につき、損害賠償責任が発生。「名誉」は個人だけでなく、法人にも認められる。

不法行為となるかならないかは「故意または過失があった」かどうかですね。あとは責任能力かしら。

▶不法行為の成立要件

① 加害者に故意または過失があること。
② 加害者に責任能力があること。
③ 加害者の行為に違法性があること（他人の権利または法律上保護される利益を侵害すること）。
④ 被害者に損害が発生していること。
⑤ 加害者の行為と損害の間に因果関係があること。

それと、加害者の行為に違法性があるかどうか。加害行為で損害を与えたとしても「正当防衛」や「緊急避難」が成立する場合は「違法性がない」となって、不法行為とはならないよ。

▶正当防衛

例	Aは、Bの暴力（他人の不法行為）から自分の身を守るためにやむを得ず反撃（加害行為）し、Bにケガを負わせた。BはAに対して損害賠償を請求することはできない。

▶緊急避難

例	Aは、他人の物（例：Bの飼い犬）から生じた急迫の危難（例：襲われた）を避けるためにその物を損傷した。BはAに対して損害賠償を請求することはできない。

以下、不法行為についてまとめてみました。

▶不法行為の立証責任

「加害者に故意または過失があること」「損害が発生したこと」「加害行為と損害の間に因果関係があること」の立証責任は被害者が負う。

▶損害賠償の方法

① 不法行為に基づく損害賠償は、原則として、金銭を支払うことにより行う。
② 被害者に過失があるときは、裁判所は、これを考慮して、損害賠償の額を定めることができる。

※損害賠償の額を定める場合には「中間利息の控除」も行われる（P.470 参照）。

プラスα

他人の生命を侵害した者は、被害者の父母や配偶者、子に対して、彼らの財産権が侵害されなかったとしても、その損害を賠償しなければならない。

▶損害賠償の請求権

胎　児	胎児は、損害賠償の請求については、すでに生まれたものとみなす。
消滅時効	不法行為に基づく損害賠償請求権は次のいずれかの期間が経過したときは、時効によって消滅する。 ①被害者または法定代理人が、損害及び加害者を知った時から３年※。 ②不法行為の時から 20 年。

※人の生命または身体を害する不法行為による損害賠償請求権の消滅時効については「3 年」ではなく「5 年」となる。

プラスα

たとえば胎児の父親が殺害された場合、父親殺害の時点では胎児だったとしても子として扱われ、加害者に対する損害賠償請求権を獲得する。

▶損害賠償債務の履行遅滞

不法行為に基づく損害賠償債務は、損害の発生と同時に履行遅滞となる。

★★★

2　特殊な不法行為

被害者の救済（損害の補填）をより確実にするため、「使用者責任」「注文者責任」「土地工作物責任」「共同不法行為」などがあります。それぞれの類型と特徴を理解しておきましょう。

〔1〕使用者責任（715条）

ある事業のために他人を使用する者は、被用者がその事業の執行について第三者に加えた損害を賠償する責任を負う。

使用者責任が成立する場合、被害者は、使用者・被用者のどちらに対しても損害賠償の全額を請求できるよ。

使用者が損害を賠償した場合、被用者に（信義則上相当と認められる限度で※）求償することができまーす。

※業務上のリスクをすべて従業員が負うというのも酷であり、またそもそも資力も乏しいと思われるため。

ここがポイント!!

従業者の選任・監督について相当の注意をしていたとき（それでも損害を避けることができなかったとき）は、使用者は責任を免れる。

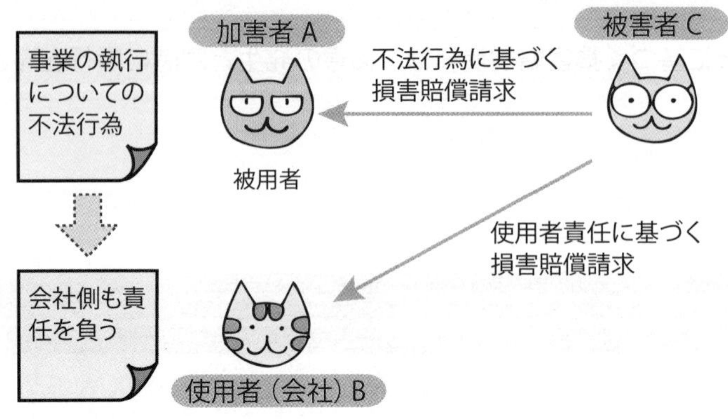

〔2〕注文者の責任（716条）

注文者は、請負人がその仕事について第三者に加えた損害を賠償する責任を負わない。ただし、注文または指図について注文者に過失があったときは賠償責任を負う。

〔3〕土地工作物責任（717条）

① 土地の工作物の設置または保存に瑕疵（不具合・不良）があることによって他人に損害を生じたときは、その工作物の占有者は、被害者に対して、その損害を賠償する責任を負う。

② 占有者が損害の発生を防止するため必要な注意をしていたときは、所有者が、その損害を賠償しなければならない。

求償権	損害の原因について他に責任を負う者があるときは、占有者・所有者は、その者に対して求償権を行使することができる。

「設置の瑕疵」とは、当初から存在していたであろう瑕疵を、「保存の瑕疵」とは管理不十分で発生したであろう瑕疵をいう。そんな瑕疵があったので、壁がはがれて通行人がケガをした、というような局面です。

まず第一に責任を負うのは「占有者」だから、実際に住んでいる人、借家人かもしれないですけど。ちゃんと注意をしていたとして免責されれば、次に所有者。

この「所有者の責任」となるとけっこうたいへんで、所有者は無過失責任を負うことになります。一切のいい訳ができない。とにかく損害賠償責任を負う。

一段落してから、その瑕疵の原因は「建設会社の手抜き工事にあった」なんていうことになると、損害賠償をした占有者や所有者は、建設会社に求償できるんですね。

ここがポイント!!

土地工作物とは、土地の上に人工的に設置された物をいい、建物や塀などが代表例であるが、鉄道や電柱なども含まれる。また、竹木の栽植・支持に瑕疵がある場合についても準用される。

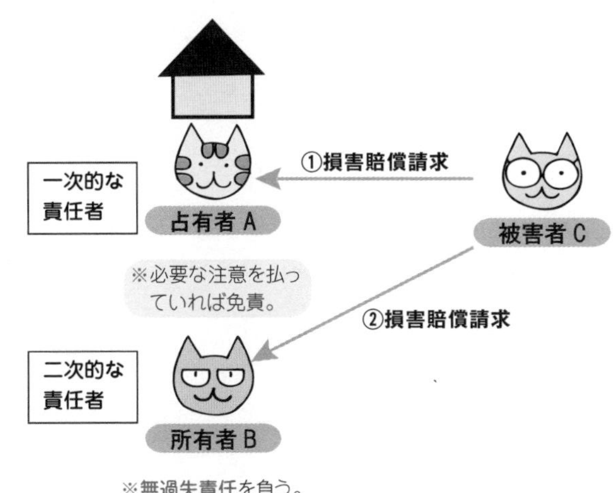

〔4〕共同不法行為（719条）

数人が共同の不法行為によって他人に損害を与えたときは、各自が連帯して損害賠償責任を負う。

何人かで共同して不法行為をやらかした場合、その加害の割合にかかわらず、連帯債務と似た形で損害を賠償しなければならないよ。

被害者は、いずれの加害者に対しても、損害賠償の全額を請求できまーす。

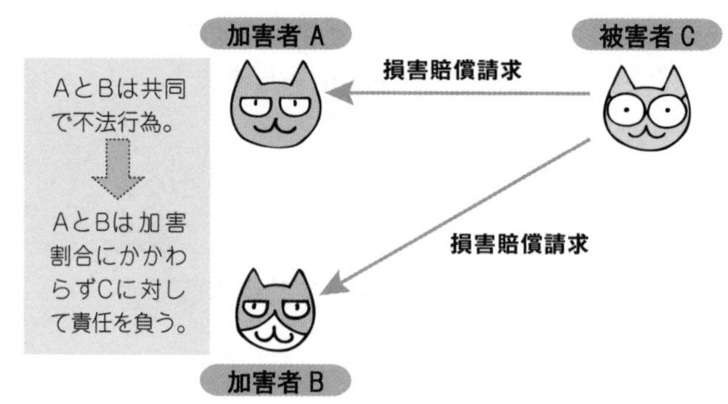

ひとこと

自分の性格や行動パターンを把握する。自分で自分を整える。自分を敵に回さないこと。

Part 3

権利関係 -10

今回は「共有」と「相続」です。いずれも「他人との関係性」という点で共通しています。他人と不動産を共有している場合、共有物の管理行為や変更行為はどうしたらいいのか。持分の譲渡は自由にできるのかなど。相続については、まず誰が相続人になるのか、法定相続分はどうなっているのか、遺言があった場合の取り扱いなどが重要です。

1
Section

共有とは。共有持分とは

★★★

1 あなたは他人と共有できますか？

概要

今回は共有です。物を単独で所有している場合、その物に対する使用・収益・処分は思うがまま。しかし共有（何人かで物を共同所有）となると、物の支配は衝突します。法的には不安定な状態ですので、「なるべく共有関係は解消させよう」というのが民法のスタンスです。

〔1〕共有持分（249条、250条）

① 各共有者は、共有物の全部について、その持分に応じた使用をすることができる。

② 共有物を使用する共有者は、別段の合意がある場合を除き、他の共有者に対し、自己の持分を超える使用の対価を償還する義務を負う。

③ 共有者は、善良な管理者の注意をもって、共有物の使用をしなければならない。

④ 各共有者の持分は、相等しいものと推定する。

共有者が持分を売却するのは自由なんだよね。他の共有者の同意とかは不要。

持分を譲り受けた人が、こんどは新しく共有者になりますね。

次に「使用」なんだけど、「持分に応じた使用」とあるので、全部を使えるけど使用頻度については制限されるよ、ということ。

実際にどう使うかは、協議して決めてくださーい。

〔2〕共有物の変更 (251条)

① 各共有者は、他の共有者の同意を得なければ、共有物に変更（その形状又は効用の著しい変更を伴わないものを除く。）を加えることができない。

② 共有者が他の共有者を知ることができず、又はその所在を知ることができないときは、裁判所は、共有者の請求により、当該他の共有者以外の他の共有者の同意を得て共有物に変更を加えることができる旨の裁判をすることができる。

共有者と共有物の関係を考える場合、共有物の変更・管理・保存の３分類で理解しておくといいよ。

まずは変更ですね。他の共有者の全員の同意が必要となります。

「その形状又は効用の著しい変更を伴わないもの（軽微変更）を除く」となっているね。つまり重大変更だ。

軽微変更だったら「過半数」でだいじょうぶです。

〔3〕共有物の管理（252条）

① 共有物の管理に関する事項（共有物に重大な変更を加えるものを除く）は、各共有者の持分の価格に従い、その過半数で決する。

② 裁判所は、次の (1)(2) のときは、(1)(2) に規定する他の共有者以外の共有者の請求により、当該他の共有者以外の共有者の持分の価格に従い、その過半数で共有物の管理に関する事項を決することができる旨の裁判をすることができる。

(1) 共有者が他の共有者を知ることができず、又はその所在を知ることができないとき。

(2) 共有者が他の共有者に対し相当の期間を定めて共有物の管理に関する事項を決することについて賛否を明らかにすべき旨を催告した場合において、当該他の共有者がその期間内に賛否を明らかにしないとき

③ ①②の規定による決定が、共有者間の決定に基づいて共有物を使用する共有者に特別の影響を及ぼすべきときは、その承諾を得なければならない。

④ 共有者は、①～③の規定により、共有物に、以下の賃借権その他の使用及び収益を目的とする権利（賃借権等）を設定することができる。

(1) 樹木の栽植又は伐採を目的とする山林の賃借権等で 10 年を超えないもの

(2) 上記の山林の賃借権等以外の土地の賃借権等で５年を超えないもの

(3) 建物の賃借権等で３年を超えないもの

⑤ 各共有者は、①～④の規定にかかわらず、保存行為をすることができる。

共有物の変更・管理・保存の３分類をまとめてみるとこんな感じだね。

管理となる軽微変更の例として、砂利道のアスファルト舗装とか、建物の屋上の防水とかですね。

行為の種類		要件
変更（軽微以外）		共有者全員の同意
管理	軽微変更	持分の価格の過半数の同意
	管理	
保存		他の共有者の同意は不要

〔4〕共有物の管理者（252条の2）

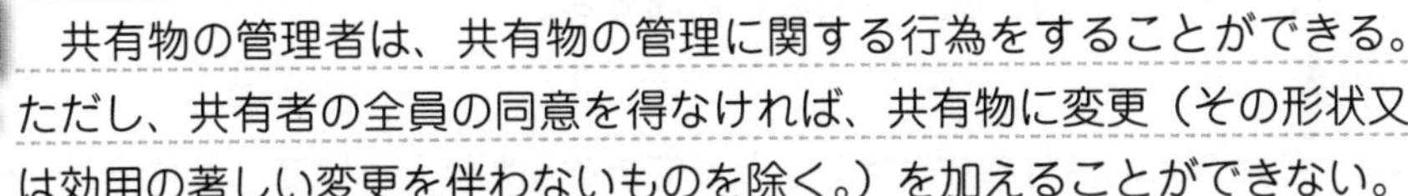

共有物の管理者は、共有物の管理に関する行為をすることができる。ただし、共有者の全員の同意を得なければ、共有物に変更（その形状又は効用の著しい変更を伴わないものを除く。）を加えることができない。

共有物の管理者の選任及び解任は各共有者の持分の価格に従い、その過半数で決することができるよ。

共有物の変更のうち重大変更（その形状又は効用の著しい変更を伴わないものを除く）は、やっぱり共有者の全員の同意を得なければできません。

〔5〕共有物の負担・共有物についての債権（253条、254条）

① 各共有者は、その持分に応じ、管理の費用を支払い、その他共有物に関する負担を負う。
② 共有者が１年以内に上記①の義務を履行しないときは、他の共有者は、相当の償金を支払って、その者の持分を取得することができる。
③ 共有者の１人が共有物について他の共有者に対して有する債権は、その特定承継人に対しても行使することができる。

共有物の管理費用や税金などは、持分に応じて共有者が負担する。で、1年以内に費用負担をしないヤツがいたとする。さぁみんな、どうする？　そいつの持分に見合った価格をそいつに支払って追い出しちまわねえか。

ということで、共有関係は解消の方向に進むのでありました。

〔6〕持分の放棄及び共有者の死亡（255条）

共有者の一人が、その持分を放棄したとき、又は死亡して相続人がないときは、その持分は、他の共有者に帰属する。

各共有者は持分を放棄することができるんだけど、放棄した持分は、他の共有者に帰属するよ。

「所有者のいない不動産は国庫に帰属する」という規定がありますけど、共有しているのが不動産の場合でも、他の所有者に帰属ですね。

相続人がいなくて死亡したときもおんなじだね。

もちろん相続人がいれば、相続人に帰属です。

〔7〕共有物の分割請求（256条、258条、260条）

①　各共有者は、いつでも共有物の分割を請求することができる。ただし５年を超えない範囲内は分割しない旨の契約をすることを妨げない。

②　分割をしない旨の契約は、更新することができる。ただし、その期間は、更新の時から５年を超えることができない。

原則として、共有者には分割請求の自由があります。分割すれば、共有関係はカンペキに解消。

▶裁判による共有物の分割

①　共有物の分割について共有者間に協議が調わないとき、又は協議をすることができないときは、その分割を裁判所に請求することができる。

②　裁判所は、次に掲げる方法により、共有物の分割を命ずることができる。

(1) 共有物の現物を分割する方法

(2) 共有者に債務を負担させて、他の共有者の持分の全部又は一部を取得させる方法

③　②に規定する方法により共有物を分割することができないとき、又は分割によってその価格を著しく減少させるおそれがあるときは、裁判所は、その競売を命ずることができる。

裁判所は、共有物の分割の裁判において、当事者に対して、金銭の支払、物の引渡し、登記義務の履行その他の給付を命ずることができるよ。

▶共有物の分割への参加

①　共有物について権利を有する者及び各共有者の債権者は、自己の費用で、分割に参加することができる。

②　①の分割の参加があったにもかかわらず、その請求をした者を参加させないで分割したときは、その分割は、その請求をした者に対抗することができない。

2 Section 相隣関係。困ったときはお互い様!!

隣あわせの土地所有者同士。
隣地使用や通行が
認められてます。

1 土地は、絶対に誰かの土地と隣接している

概要

相隣関係とは、隣あわせの土地の所有者同士の関係をいいます。土地の利用にあたり、相互に、いわゆる「お隣さん」ゆえの社会的制約があります。お互いにがまんしつつ円満に暮らして行こう。そういうスタンスが要求されます。以下、主なものを掲げておきます。

〔1〕隣地の使用請求（209条）

スッキリ条文

① 土地の所有者は、次に掲げる目的のため必要な範囲内で、隣地を使用することができる。ただし、住家については、その居住者の承諾がなければ、立ち入ることはできない。

（1） 環境またはその付近における障壁、建物その他の工作物の築造、収去又は修繕する

（2） 境界標の調査又は境界に関する測量

(3) 土地の所有者が行わざるを得ない場合での隣地の竹木の枝の切取り

② 隣地を使用する場合には、使用の日時、場所及び方法は、隣地の所有者及び隣地を現に使用している者（隣地使用者）のために損害が最も少ないものを選ばなければならない。

③ 隣地を使用する者は、あらかじめ、その目的、日時、場所及び方法を隣地の所有者及び隣地使用者に通知しなければならない。ただし、あらかじめ通知することが困難なときは、使用を開始した後、遅滞なく、通知することをもって足りる。

④ 土地の所有者が隣地を使用した場合において、隣地の所有者又は隣地使用者が損害を受けたときは、その償金を請求することができる。

〔2〕公道に至るための他の土地の通行権（210条～213条）

① 他の土地に囲まれて公道に通じない土地の所有者は、公道に至るため、その土地を囲んでいる他の土地を通行することができる。

② 通行の場所及び方法は、①の通行権を有する者のため必要であり、かつ、他の土地のために最も損害が少ないものを選ばなければならない。

③ ①による通行権を有する者は、その通行する他の土地の損害に対し償金を支払わなければならない。

④ 分割によって公道に通じない土地が生じたときは、その土地の所有者は、公道に至るため、他の分割者の所有地のみ通行することができる。この場合においては、償金を支払うことを要しない。

●公道に至るための通行権

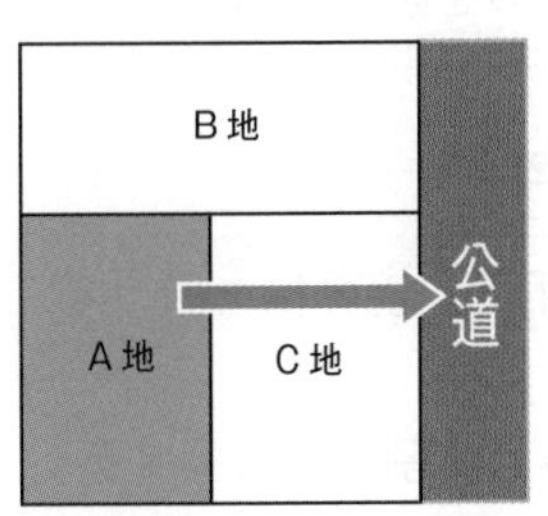

●分割によって生じた袋地の場合

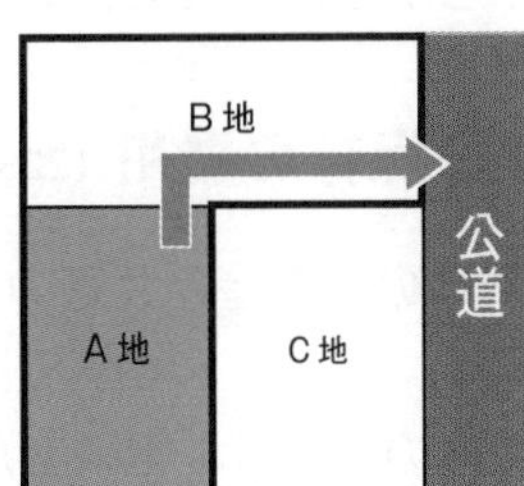

※A地がB地との分割によってできた土地だった場合
➡他の分割者（B地）のみを通行することができる。

〔3〕竹木の枝の切除及び根の切取り（233条）

① 土地の所有者は、隣地の竹木の枝が境界線を越えるときは、その竹木の所有者に、その枝を切除させることができる。

② 竹木が数人の共有に属するときは、各共有者は、その枝を切り取ることができる。

③ ①の場合において、次に掲げるときは、土地の所有者は、その枝を切り取ることができる。

（1）．竹木の所有者に枝を切除するよう催告したにもかかわらず、竹木の所有者が相当の期間内に切除しないとき。

（2）．竹木の所有者を知ることができず、又はその所在を知ることができないとき。

（3）．急迫の事情があるとき。

④ 隣地の竹木の根が境界線を越えるときは、その根を切り取ることができる。

〔4〕境界線付近の建築の制限等（234条～236条）

① 建物を築造するには、境界線から50センチメートル以上の距離を保たなければならない。

② 境界線から1メートル未満の距離において他人の宅地を見通すことのできる窓または縁側（ベランダを含む）を設ける者は、目隠しを付けなければならない。

③ 上記①②と異なる慣習があるときは、その慣習に従う。

〔5〕自然水流に対する妨害の禁止（214条）

土地の所有者は、隣地から水が自然に流れて来るのを妨げてはならない。

〔6〕境界標の設置及び保存の費用（223条、224条）

① 土地の所有者は、隣地の所有者と共同の費用で、境界標を設けることができる。

② 境界標の設置及び保存の費用は、相隣者が等しい割合で負担する。

3 Section 相続。相続人と相続分など

仲良し家族。避けたい„争“続。
そのためには遺言をするという
方法も。

★★★

1 相続。誰が相続人になるか

概要

相続とは、人が死亡したとき、その人の財産（権利・義務）を特定の者に承継させることをいいます。誰が相続人となるか、法定相続分はどういう取り決めになっているか、遺言があった場合の取り扱いなどが、主な項目になります。

〔1〕法定相続人と法定相続分。ワタシは相続人なの？（900条）

誰が相続人となるのか。まずはそれが大問題かな。相続人になれるのは、被相続人の配偶者と血族で、その順位も法律で定まってます。「子」→「直系尊属」→「兄弟姉妹」の順で相続人になります。

「子」が１人でもいれば、直系尊属や兄弟姉妹は相続人にはならないんですよね。

そうそう。それから、もっと強力なのが配偶者。被相続人に配偶者がいれば、配偶者は常に相続人になる。で、「子」→「直系尊属」→「兄弟姉妹」の順番にしたがって、配偶者は彼らとともに相続人になる。

ということで、配偶者と他の相続人がいる場合の組み合わせは以下の３パターンです。

要チェック ●相続人と順位

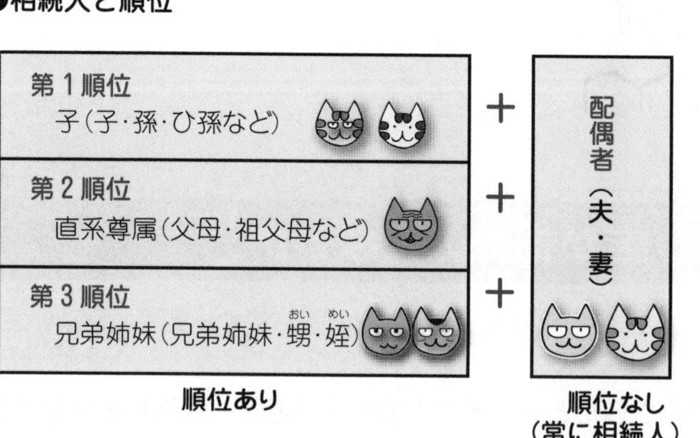

① 子　　　＋配偶者
② 直系尊属＋配偶者
③ 兄弟姉妹＋配偶者

＊配偶者がいない場合、「子」→「直系尊属」→「兄弟姉妹」の順で相続人になる。

＊配偶者しか相続人がいないんだったら、配偶者が全財産を相続。

配偶者と他の相続人がいる場合の法定相続分は、次のとおり。

ちなみに!!

戦前の民法であれば、家制度（財産は家に帰属するという概念）だったので、現代のような「相続」はなかった。家長が亡くなったり隠居した場合、長男が相続する（地位を承継する）。以上でおわり。相続争いなんてものはなかった。その後、戦争に負けたニッポン、昭和22年の日本国憲法の施行に伴い、ついに「家制度」は姿を消し、財産は「私的所有」という概念となり、子が数人いれば平等に相続するということになった。
しかしながら、ご年配の方々のなかには、いまだに「長男単独相続」の考え方が。財産を分けるなんて、この「た・わ・け・も・の」がっ!!
「田（財産）を分けると家が衰退する。なんとおろかなことを」という意味合い。

図解

例：配偶者 ＋ 子の場合

例：配偶者 ＋ 直系尊属の場合

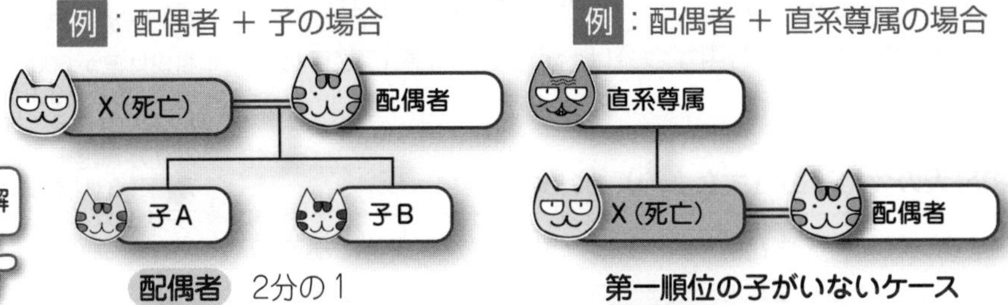

配偶者　2分の1
子　全員で2分の1
※事例の場合だと、AとBは4分の1ずつとなる。

第一順位の子がいないケース
配偶者　3分の2
直系尊属　全員で3分の1

例：配偶者 ＋ 兄弟姉妹の場合

第一順位の子、第二順位の直系尊属がいないケース
配偶者　4分の3
兄弟姉妹　全員で4分の1

父母の一方のみを同じくする兄弟姉妹の相続分は、父母を同じくする兄弟姉妹の相続人の２分の１とする。

〔2〕子及びその代襲者等の相続権（第一順位）（886条、887条）

①　被相続人の子は、相続人となる。
②　被相続人の子が次の（1）～（3）のいずれかに該当する場合には、その者の子がこれを代襲して相続する。
　（1）相続の開始前にすでに死亡しているとき
　（2）相続人の欠格事由に該当しているとき
　（3）廃除されているとき
③　胎児は、相続については、すでに生まれたものとみなす（胎児が死体で産まれたときは、適用しない）。

まず第一順位の「子」がいれば、彼らが相続人。先に子が死んでいたり、欠格・廃除により相続権を失っていたら、その者の子が相続人。以降も代襲あり。

たとえば子が３人いて、相続財産が600万円だったら、3人で200万円ずつ分け合う。そんな感じですね。

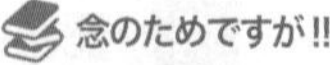

念のためですが!!

相続財産が600万円で、妻と子３人が相続人の場合、妻300万円、子100万円（３人で300万円）となる。

▶**相続人の欠格事由（主なもの）**（891条）

・故意に被相続人または相続について先順位・同順位である者を死亡するに至らせ、または至らせようとしたため刑に処せられた者。
・被相続人の殺害されたことを知って、これを告発せず、または告訴しなかった者。殺害者が自己の配偶者や直系血族であったときは、この限りではない。
・遺言書を偽造・変造・破棄・隠匿した者。

プラスα

子については、嫡出子・非嫡出子（婚姻外の子）の区別はない。年齢や性別、婚姻してるかどうかも関係ない。嫁に行った娘も子である。

▶**推定相続人の廃除**（892条）

遺留分を有する推定相続人（相続が開始した場合に相続人となるべき者）が被相続人に対して虐待をしたり、重大な侮辱を加えたとき、または著しい非行があったときは、被相続人は、その推定相続人の廃除（相続人にさせない）を家庭裁判所に請求することができる。

重要!

相続人の「欠格事由」や「廃除」は一代限りで、その人に子がいれば代襲相続となる。

〔3〕直系尊属（第二順位）及び兄弟姉妹（第三順位）の相続権（889条）

次に掲げる者は、相続人となるべき第一順位の子がない場合には、次に掲げる順序の順位に従って相続人となる。

① 第二順位：被相続人の直系尊属（親等の異なる者の間では、その近い者を先にする）

② 第三順位：被相続人の兄弟姉妹（代襲相続は被相続人からみて甥姪まで・再代襲なし）

〔4〕配偶者の相続権（890条）

被相続人の配偶者は、常に相続人となる。この場合において、他の相続人となるべき者があるときは、その者と同順位とする。

〔5〕相続の効力・遺産分割（896条、898条、899条、907条）

権利義務	相続人は、相続開始の時から、被相続人の財産に属した一切の権利義務を承継する。
共同相続人	①相続人が数人あるときは、相続財産は、その共有に属する。 ②各共同相続人は、その相続分に応じて被相続人の権利義務を承継する。
遺産分割	遺産の分割について、共同相続人間に協議が調わないときは、各共同相続人は、その分割を家庭裁判所に請求することができる。

〔6〕「特別受益者・寄与分」と「特別の寄与」

▶特別受益者（相続人を対象）（903条）

共同相続人中に、被相続人から、遺贈を受け、または婚姻もしくは養子縁組のため、もしくは生計の資本として贈与を受けた者があるときは、被相続人が相続開始の時において有した財産の価額にその贈与の価額を加えたものを相続財産とみなし、算定した相続分の中からその遺贈または贈与の価額を控除した残額をもってその者の相続分とする。

たとえば兄が、生前にまとまったお金を父からもらっていたとする。それを考慮しないで法定相続分で処理をしようとすると、妹が騒いだりする。

「お兄ちゃん、ずるい!!」ですね。兄の法定相続分からその分を差し引いて算定しましょう。

▶寄与分（相続人を対象）（904条の2）

共同相続人中に、被相続人の事業に関する労務の提供または財産上の給付、被相続人の療養看護その他の方法により被相続人の財産の維持または増加について特別の寄与をした者があるときは、被相続人が相続開始の時において有した財産の価額から共同相続人の協議で定めたその者の寄与分を控除したものを相続財産とみなし、法定相続物や遺言により算定した相続分に寄与分を加えた額をもってその者の相続分とする。

さっきの兄（特別受益者）とは反対に、妹が長い間、家業を手伝っていたとか療養介護をしていたとか。

妹の献身のおかげ。「被相続人の財産の維持または増加について特別の寄与」ですね。

その貢献を考慮して、本来の相続分に一定額（共同相続人の協議で定めたその者の寄与分）を上積みさせましょうという制度。

▶特別の寄与（相続人以外を対象）（1050条）

被相続人に対して無償で療養看護その他の労務の提供をしたことにより被相続人の財産の維持または増加について特別の寄与をした被相続人の親族（相続人・相続を放棄した者・相続欠格事由者・被排除者を除く。「特別寄与者」という）は、相続の開始後、相続人に対し、特別寄与者の寄与に応じた額の金銭（特別寄与料）の支払を請求することができる。

これはすばらしい。いまどきな話。「長男の嫁が義父を」みたいなケースだね。「無償で」というのが泣ける。

長男のお嫁さんは親族だけど相続人ではないですもんね。相続人のみなさん、特別寄与料を支払ってあげてくださいね。

（参考）親族の範囲

①六親等内の血族
②配偶者
③三親等内の姻族 ←「長男(一親等)の嫁(姻族)はココに入る」

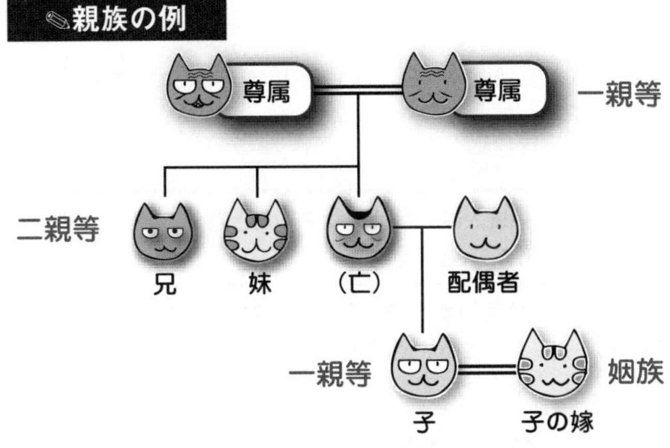

★★★

2 相続の承認・放棄

相続の承認とは相続を受け入れることをいい、放棄とは相続を拒否することをいいます。承認には「単純承認」と「限定承認」があります。相続人は相続の開始があったときは、「単純承認」か「限定承認」または「放棄」のいずれかを選択することができます。

〔1〕相続の承認または放棄をすべき期間（熟慮期間）（915条〜940条）

① 相続人は、自己のために相続の開始があったことを知った時から3ヶ月※以内に、相続について「単純承認」か「限定承認」または「放棄」をしなければならない。

② 相続の「単純承認」か「限定承認」または「放棄」は、相続の開始があったことを知った時から3ヶ月以内であっても、撤回することができない。

※3ヶ月（熟慮期間）は、利害関係人または検察官の請求によって、家庭裁判所において伸長できる。

※相続人が3ヶ月以内に限定承認または相続の放棄をしなかったときは単純承認をしたものとみなされる。

単純承認	相続人は、単純承認をしたときは、無限に被相続人の権利義務を承継する。
限定承認	相続人は、相続によって得た財産の限度においてのみ被相続人の債務や遺贈を弁済すべきことを留保して、相続を承認することができる。
放　棄	相続の放棄をした者は、その相続に関しては、初めから相続人とならなかったものとみなされる。

単純承認をした場合だと、財産よりも借金が多いときはマイナスもいいところ。ヤバイよね。

限定承認は、プラスがあれば相続するけど、マイナスがプラスを超えていたら、その残債務は払わないというパターンですね。とりあえず損はしないと。

ちなみに!!

相続人が長男、次男、長女で、長男が単純承認を強硬に主張している場合、限定承認はできない。次男、長女は単純承認をしたくない（負債を相続したくない）のであれば、相続を放棄するしかない。

▶限定承認の方法

相続人が数人いるときは、限定承認は、共同相続人の全員が共同してのみ、これをすることができる。

相続を放棄をした場合は、はじめっから無関係という扱い。なので、相続を放棄した人に子がいたとしても、代襲相続なんかしないよ。

▶相続の放棄の方式

相続の放棄をしようとする者は、その旨を家庭裁判所に申述しなければならない。

各相続人は個別に相続を放棄することができ、家庭裁判所への申述は、各相続人ごとに行う。

★★★

3　配偶者居住権・配偶者短期居住権

配偶者居住権と配偶者短期居住権は、いずれも配偶者相続人を保護する制度です。「いままで被相続人と暮らしていた建物に引き続き住みたい」として配偶者相続人が居住建物を相続すると、それで法定相続分めいっぱいとなってしまうことが多く、今後の生活資金を確保できない（例：預貯金などを相続できない）こともあります。それについての対策です。

〔1〕配偶者居住権（1028条～1032条）

被相続人の配偶者は、被相続人の財産に属した建物に相続開始の時に居住していた場合において、次のいずれかに該当するときは、その居住していた建物（居住建物）の全部について無償で使用・収益する権利（配偶者居住権）を取得※する。

① 遺産の分割によって配偶者居住権を取得するものとされたとき。

② 配偶者の居住権が遺贈の目的とされたとき。

※家庭裁判所の審判による方法でも、配偶者居住権を取得することができる。
※遺言によっても、配偶者居住権を取得させることができる。

配偶者相続人が居住建物の所有権を相続しない場合でも、配偶者居住権があれば、原則として終身の間、いままでの居住建物に住み続けることができるよ。それも無償でね。

居住建物の所有権を子などが相続したというような場合でも、配偶者相続人は居住建物から追い出されないんですね。さらに使用のほか「収益」してもいいなんてステキ!!

それから、居住用建物の所有者は、配偶者に対し、配偶者居住権の設定の登記を備えさせる義務を負う。これで完璧。「配偶者居住権」は登記により対抗力を有する。

例

被相続人には配偶者相続人と、子が１人いる。被相続人の遺産は居住用建物（5,000 万円）と現預金 5,000 万円であり、配偶者相続人が遺産分割により「配偶者居住権（評価額 2,000 万円とする）」を取得した。

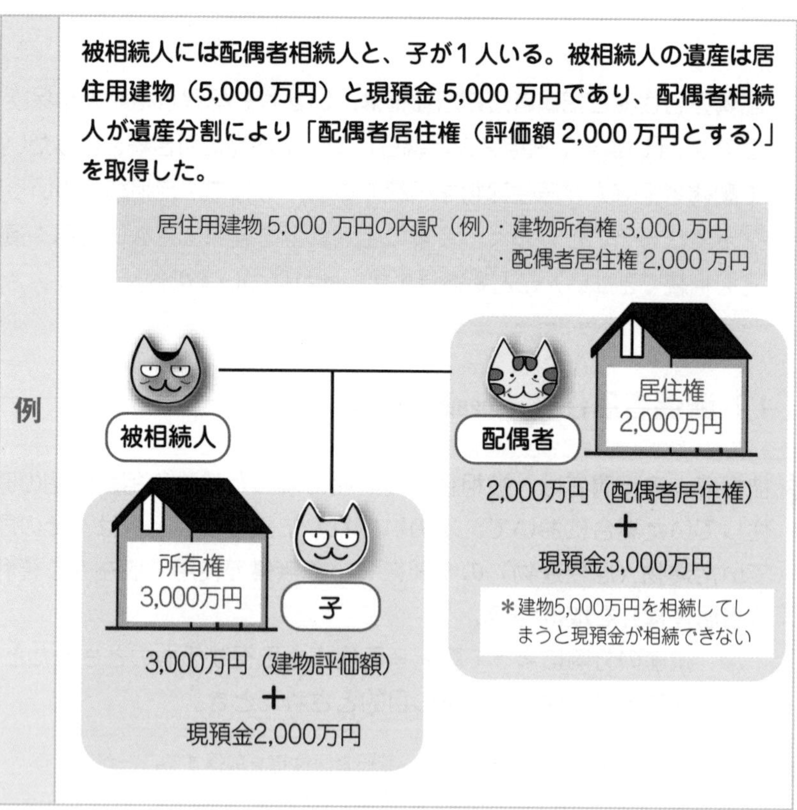

〔2〕配偶者短期居住権（1037条～1039条）

配偶者は、被相続人の財産に属した建物に相続開始の時に無償で居住していた場合には、以下のそれぞれ次に定める日までの間、その居住していた建物（居住用建物）の所有権を相続または遺贈により取得した者に対し、居住用建物について無償で使用する権利（配偶者短期居住権）を有する。

それぞれ下記に定める日までの間	
①　居住建物について配偶者を含む共同相続人で遺産の分割をすべき場合	遺産の分割により居住建物の帰属が確定した日または相続開始の時から６ヶ月を経過する日のいずれか遅い日
②　①以外の場合	①の場合を除くほか、居住用建物取得者は、いつでも配偶者短期居住権の消滅の申入れをすることができ、その申入れの日から６ヶ月を経過する日

「配偶者居住権」を論ずる前に、まず配偶者に「配偶者短期居住権」が認められる。とりあえずこれで居住権を確保。「使用」だけだけどね。「収益」はNG。あと登記もできない。

配偶者が相続開始の時において「配偶者居住権」を取得した場合は、そちらにて。「配偶者短期居住権」は必要ないですもんね。

例	被相続人には配偶者相続人と、子が１人いる。被相続人の遺産は居住建物（5,000 万円）と現預金 5,000 万円であり、居住建物は子が相続することになった。

★★★

4 遺言

概要

被相続人は、遺言で自由に財産を処分することができます。遺言によれば法定相続人ではないものに遺贈することもできます。なお、遺言は、民法に定める方式に従わなければ、することができません。

〔１〕普通の方式による遺言の種類（967条〜975条）

スッキリ条文 遺言は、自筆証書、公正証書または秘密証書によってしなければならない。

プラスα

遺言は「普通の方式」のほか、危急時の際に認められている「特別の方式」によるものがある。

さて、遺言なんだけど、遺言は民法に定める方式に従わなければ効力がないんだよね。

YouTubeに意思をアップしておく、じゃダメですね（笑）。

自筆証書遺言	遺言者が、その全文、日付及び氏名を自書し、これに印を押さなければならない。 ※自筆証書に相続財産の目録を添付する場合には、その目録については、自書することを要しない。この場合において遺言者は、その目録の毎葉に署名し、印を押さなければならない。
公正証書遺言	遺言者が遺言の趣旨を公証人に口授することにより行う。
秘密証書遺言	遺言者が、その証書に署名し、印を押す。その証書を封じ、証書に用いた印章をもってこれに封印する。

遺言についてのあれこれを、以下、まとめておきます。

▶遺言の能力（961条）

15歳に達した者は、遺言をすることができる。

▶遺言の効力の発生時期（985条）

①　遺言は、遺言者の死亡の時からその効力を生ずる。
②　遺言に停止条件を付した場合において、その条件が遺言者の死亡後に成就したときは、遺言は、条件が成就した時からその効力を生ずる。

重要！

遺言は、2人以上の者が同一の証書ですることができない。

プラスα

自筆証書以外の遺言については、作成にあたり証人・立会人が必要となる。
証人・立会人には「未成年者」、「推定相続人・配偶者・直系血族」、「4親等内の親族」などはなることができない。

重要！

「遺言（公正証書遺言を除く）の保管者」または「遺言を発見した相続人」は、相続の開始を知った後、遅滞なく、遺言を家庭裁判所に提出して、検認を請求しなければならない。検認は遺言の存在と形式を検証するためのものであり、検認を受けたからといって「遺言は有効だ」と確定するものでもない。

▶**遺贈の放棄**（986条）

受遺者は、遺言者の死亡後、いつでも、遺贈の放棄をすることができる。

▶**遺言の撤回**（1022条）

遺言者は、いつでも、遺言の方式に従って、その遺言の全部または一部を撤回することができる。

▶**前の遺言と後の遺言との抵触**（1023条）

前の遺言が後の遺言と抵触するときは、その抵触する部分については、後の遺言で前の遺言を撤回したものとみなす。

プラスα

封印のある遺言書は、家庭裁判所において相続人（または代理人）の立ち会いがなければ開封できない。

ひとこと

情報を見て右往左往する側の裏に「情報を送り出す側」がいる。ちょっと待てよが大人。

〔2〕遺言執行者（1006条～1016条）

▶**遺言執行者の指定**

① 遺言者は、遺言で、1人または数人の遺言執行者を指定し、またはその指定を第三者に委託することができる。
② 遺言執行者の指定の委託を受けた者は、遅滞なく、その指定をして、これを相続人に通知しなければならない。
③ 遺言執行者が就職を承諾したときは、直ちにその任務を行わなければならない。
④ 遺言執行者は、その任務を開始したときは、遅滞なく、遺言の内容を相続人に通知しなければならない。

▶**遺言執行者の選任**

遺言執行者がないとき、またはなくなったときは、家庭裁判所は、利害関係人の請求によって、これを選任することができる。

▶相続財産の目録の作成

① 遺言執行者は、遅滞なく、相続財産の目録を作成して、相続人に交付しなければならない。
② 遺言執行者は、相続人の請求があるときは、その立会いをもって相続財産の目録を作成し、または公証人にこれを作成させなければならない。

▶遺言執行者の権利義務

① 遺言執行者は、遺言の内容を実現するため、相続財産の管理その他遺言の執行に必要な一切の行為をする権利義務を有する。
② 遺言執行者がある場合には、遺贈の履行は、遺言執行者のみが行うことができる。

▶遺言執行者の復任権

遺言執行者は、自己の責任で第三者にその任務を行わせることができる。ただし、遺言者がその遺言に別段の意思を表示したときは、その意思に従う。

遺言執行者の責務は「遺言の内容」の実現。そのために「遺言の執行に必要な一切の行為をする権利義務を有する」のでありますっ!!

とはいえ実際の相続人との関係もありますので、任務を開始したときは「通知」をしてあげてくださいね。

★★★

5 遺留分と遺留分侵害額の請求

概要

被相続人は、贈与や遺贈などによって、自由に財産を処分することができます。しかし、それと同時に、被相続人の財産のうちの一定の割合を「遺留分」として、兄弟姉妹を除く相続人（配偶者・子・直系尊属）に承継させる制度もあります。相続人は、遺留分を侵害する財産処分がなされた場合、遺留分侵害額請求権により遺留分を取り戻すことができます。

〔1〕遺留分

▶遺留分の帰属及びその割合（1042条）

スッキリ条文

兄弟姉妹以外の相続人は、遺留分として、遺留分を算定するための財産の価額に、次の割合を乗じた額を受ける。

① 直系尊属のみが相続人である場合：３分の１

② ①以外の場合：２分の１

たとえば、子や配偶者が相続人の場合、遺留分を算定するための財産の価額の２分の１の額が遺留分として認められているよ。

被相続人の兄弟姉妹には遺留分がないことに注意ですね。兄弟姉妹は相続分に不満があっても、遺留分の侵害請求はできません。

▶遺留分の算定（1043条）

遺留分を算定するための財産の価額は、被相続人が相続開始の時において有した財産の価額にその贈与した財産の価額を加えた額から債務の全額を控除した額とする。

▶贈与した財産の算入について（1044条）

① 贈与は、相続開始前の１年間にしたものに限り、遺留分を算定するための財産の価額を算入する。当事者双方が遺留分権利者に損害を加えることを知って贈与をしたときは、１年前の日より前にしたものについても、同様とする。

② 相続人に対する贈与についての①の規定の適用については、「１年」とあるのは「10 年」と、「価額」とあるのは「価額（婚姻もしくは養子縁組のためまたは生計の資本として受けた贈与の価額に限る)」とする。

▶遺留分侵害額の請求（1046条）

遺留分権利者及びその承継人は、受遺者または受贈者に対し、遺留分侵害額に相当する金銭の支払を請求することができる。

「オレの遺留分を満たすまで金銭を払え」というのが遺留分侵害額の請求だね。なお、実際に遺留分侵害額の請求をするかどうかは遺留分権利者の自由。

アニキとちがって、オレは遺留分侵害額の請求はしないよ、なんていう感じですね。

そうそう。ちなみに、遺留分侵害額の請求をしないヤツがいたからといって、他の人の遺留分が増えるというものではないです。念のため。

ちなみに、受遺者とは遺言で遺贈を受けた人のこと。受贈者とは贈与を受けた人のことです。

プラスα

遺留分侵害額の請求は、訴えを提起しなくても、内容証明郵便などによる意思表示だけでもすることができる。

重 要!

遺留分に関する規定に違反した遺言でも、遺言自体は無効とはならない。

Xが死亡し、遺留分を算定するための財産の価額が240万円だった。Xには配偶者Yとの間に子A、Bがいる。

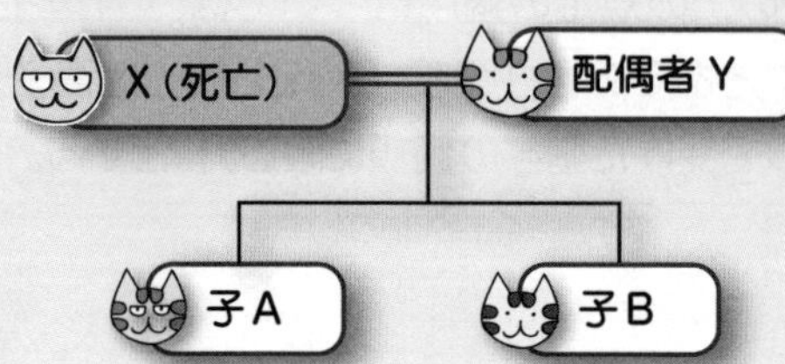

子や配偶者がいる場合の遺留分

遺留分権利者全体（Y・A・B）で240万円の半額（120万円）が遺留分として認められる。

①法定相続分：配偶者Y：120万円、子A：60万円、子B：60万円

②遺留分　　：配偶者Y：60万円、子A：30万円、子B：30万円

Xが、遺言によってPに240万円のうち200万円を遺贈していた場合はどうなるか？
この場合のYの相続分は20万円となる。となるとYは「アタシの相続分が足りない（＝遺留分60万円。侵害額40万円）じゃないのっ」と激情にかられて「ちょっとP姫、あんた、アタシの遺留分侵害額（差額の40万円）、返しなさいよ」と請求することができる。

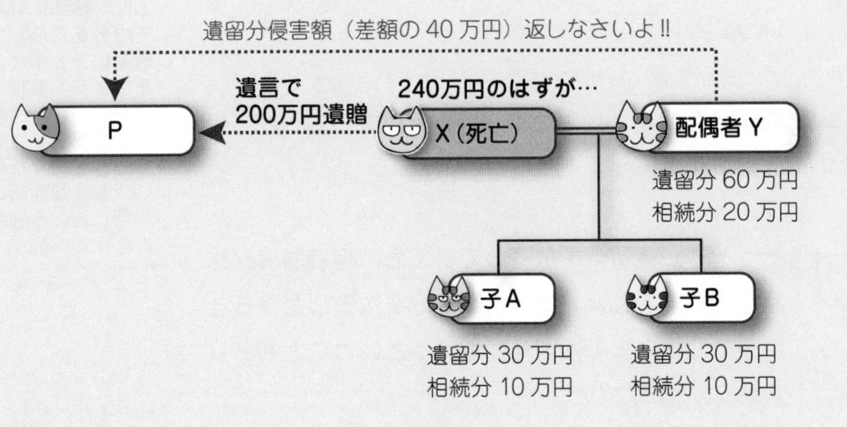

▶遺留分侵害額請求権の期間の制限（1048条）

遺留分侵害額の請求権は、遺留分権利者が、相続の開始及び遺留分を侵害する贈与または遺贈があったことを知った時から1年間行使しないときは、時効によって消滅する。相続開始の時から10年を経過したときも、同様とする。

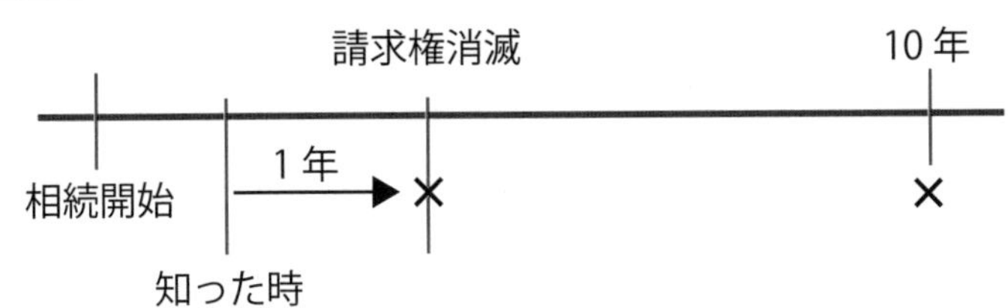

▶遺留分の放棄（1049条）

① 相続の開始前における遺留分の放棄は、家庭裁判所の許可を受けたときに限り、その効力を生ずる。

② 共同相続人の１人のした遺留分の放棄は、他の各共同相続人の遺留分に影響を及ぼさない。

遺留分の放棄というのは、将来発生するかもしれない遺留分侵害額の請求合戦には参加しませんよ、ということ。

遺留分を放棄しただけで、相続を放棄したわけじゃないですよね。

そうそう。遺留分を放棄していても、相続財産があれば相続できるよ。あと、遺留分を放棄したからといって、他の人の遺留分が増えるということもありません。念のため。

ちなみに!!

遺留分の放棄があると、被相続人は、その分を安心して遺贈にまわすことができる。被相続人が強引に「遺留分の放棄」をさせることを防ぐために「家庭裁判所の許可」という制度になっている。

ひとこと

不要なポストが生み出す働かないおっさんが多い会社。おっさんといっしょに沈む運命。

Part 3

権利関係 -11

不動産登記法を学習します。登記のしくみとして、まず表題部に表示登記、権利部の甲区には所有権に関する事項、乙区には抵当権や賃借権など所有権以外の権利が登記されます。実際に登記事項証明書を入手してじっくり眺めてみることをおすすめします。また、登記を申請する際の共同申請の原則や仮登記のしくみなども取り上げていきます。

Section 1

不動産登記法

★★★

1 不動産登記のしくみ

概要

不動産登記の目的は、不動産に関する権利関係を登記簿に公示し、国民の権利の保全を図り、不動産取引の安全と円滑に資することにあります。不動産登記は大きく「表示の登記」と「権利の登記」に分けることができます。「表示の登記」は表題部に、「権利の登記」は甲区・乙区からなる権利部に登記されています。

〔1〕登記所及び登記記録（6条〜14条）

▶**登記所**

スッキリ条文

① 登記の事務は、不動産の所在地を管轄する登記所がつかさどる。

② 不動産が2以上の登記所の管轄区域にまたがる場合は、法務大臣または法務局もしくは地方法務局の長が、登記所を指定する。

※登記所には、登記記録のほか「地図・建物所在図」も備え付けられている。

▶登記（不動産の登記事項は電子データ化され、磁気ディスクに保存されている）

登記は、登記官が登記簿（登記記録が記録される帳簿であって、磁気ディスクをもって調製される）に登記事項を記録することによって行う。

▶登記記録（磁気ディスクに記録されている電磁的記録という）

登記記録は、表題部及び権利部に区分して作成される。

表題部	登記記録のうち、表示に関する登記が記録される部分をいう。不動産の物理的状況が記録される。
権利部	登記記録のうち、権利に関する登記が記録される部分をいう。甲区と乙区があり、甲区には所有権に関する事項が、乙区には所有権以外の権利に関する事項が登記される。

登記記録は一筆（一区画）の土地ごとに、一戸の建物ごとに作成されています。

「一不動産一登記記録の原則」といったりもします。でも、この登記記録（磁気ディスクに記録されているデータ）を直接見ることはできないんですよね。

なので、不動産の登記記録を記載した「登記事項証明書（P.651）」という書面が用意されてまぁーす。

登記所には地図・建物所在図も備え付けられている。登記記録とは異なり、「1つ」または「2つ以上」の土地・建物ごとに作成されている。

▶権利部に登記することができる権利は次のとおり（3条）

甲区	①所有権
乙区	②地上権、③永小作権、④地役権、⑤先取特権、⑥質権、⑦抵当権、⑧賃借権、⑨配偶者居住権　⑩採石権（さいせきけん）

※同一の不動産について登記した権利の順位は、法令に別段の定めがある場合（例：先取特権の場合など）を除き、登記の前後による。

	表題部	権利部	
建物	表示に関する登記	**甲区** 所有権に関する登記	**乙区** 所有権以外の権利に関する登記
土地	表示に関する登記	**甲区** 所有権に関する登記	**乙区** 所有権以外の権利に関する登記

〔2〕表示に関する登記 (28条)

表示に関する登記は、登記官が、職権ですることができる。

そもそも「表示に関する登記」がないと、なにもはじまらない。表題部の「表示に関する登記」を見て「あ、そうそう、この不動産」となるわけだしね。

なので、不動産の所有者などに「表示に関する登記」の申請義務があったりします。

ちなみに権利部の「権利に関する登記」については、相続により所有権を取得したときは別だけど、申請義務なし。「対抗要件を備えたい人が登記をすればよい」という考え方だね。となると、表題部しかないこともあるので、この場合、その表題部に所有者が記録される。

「表題部所有者」ですね。所有権の登記がない不動産の登記記録の表題部に、所有者として記録されている者のことです。

重要！

「表示に関する登記(表題部)」はあるが「権利に関する登記(甲区・乙区)」がないという場合もある。所有権の登記(甲区)がない不動産については、表題部に所有者の氏名(名称)・住所が記録される。

重要！

所有権の登記名義人について相続の開始があったときは、当該相続により所有権を取得した者は、自己のために相続の開始があったことを知り、かつ、当該所有権を取得したことを知った日から3年以内に、所有権の移転の登記を申請しなければならない。

〔3〕土地の表示に関する登記（表題部）の登記事項（34条）

サクッと

① 土地の所在する市、区、郡、町、村及び字
② 地番
③ 地目※
④ 地積
⑤ 登記原因及びその日付
⑥ 登記の年月日
⑦ 所有権の登記がない不動産については、所有者の氏名または名称及び住所並びに所有者が２人以上であるときはその所有者ごとの持分（表題部所有者）
⑧ 不動産を識別するために必要な事項（不動産番号）など

※「地目」には宅地をはじめ、田、畑、学校用地、鉄道用地、塩田、池沼、山林、原野、墓地、公衆用道路、公園、雑種地など23種あり。

見本

例示

東京都南区門前津町１丁目10－3　全部事項証明書（土地）

表　題　部（土地の表示）			調製	平成3年10月24日	不動産番号	0111000696…
地図番号	余白		筆界特定	余白		
所　在	南区門前津町一丁目					
①地番	②地目	③地積　㎡		原因及びその日付〔登記の日付〕		
10番3	宅地	165	20	10番から分筆　〔平成10年○月○日〕		

▶申請義務がある場合（36条、37条、42条）

① 新たに生じた土地または表題登記がない土地の所有権を取得した者は、その所有権の取得の日から１ヶ月以内に、表題登記を申請しなければならない。
② 地目または地積について変更があったときは、表題部所有者または所有権の登記名義人は、その変更があった日から１ヶ月以内に、当該地目または地積に関する変更の登記※を申請しなければならない。
③ 土地が滅失したときは、表題部所有者または所有権の登記名義人は、その滅失の日から１ヶ月以内に、当該土地の滅失の登記※を申請しなければならない。

※変更の登記：登記事項に変更があった場合にその登記事項を変更する登記。
※滅失の登記：滅失の登記の申請により登記記録は閉鎖となる。

〔4〕建物の表示に関する登記（表題部）の登記事項（44条）

① 建物の所在する市、区、郡、町、村、字及び土地の地番
② 家屋番号（一個の建物ごとに付されている）
③ 建物の種類、構造及び床面積
④ 建物の名称があるときは、その名称
⑤ 登記原因及びその日付
⑥ 登記の年月日
⑦ 所有権の登記がない不動産については、所有者の氏名または名称及び住所並びに所有者が２人以上であるときはその所有者ごとの持分（表題部所有者）
⑧ 不動産を識別するために必要な事項（不動産番号）など

百葉県浦高市銭浜６－１－25　　　全部事項証明書（建物）

表　題　部 （主である建物の表示）	調製	平成15年7月14日	不動産番号	0643005030721
所在図番号	余白			
所　在	浦高市銭浜６番地１		余白	
家屋番号	６番１の25		余白	
①種類	②構造	③床面積　㎡	原因及びその日付〔登記の日付〕	
スプライトマウンテン	鉄骨造陸屋根鋼板葺 地下１階付３階建	１階　5880 63 ２階　3885 73 ３階　551 54 地下１階　475 53	平成４年７月30日　新築	
余白	余白	余白	管轄転属により登記 平成15年７月14日	
所有者	浦高市銭浜１番地１　株式会社　ツルリンタルランド			

▶申請義務がある場合（47条、51条、57条）

① 新築した建物または表題登記がない建物の所有権を取得した者は、その所有権の取得の日から１ヶ月以内に、表題登記を申請しなければならない。
② 建物の所在する市、区、郡、町、村、字及び土地の地番、建物の種類、構造及び床面積、建物の名称があるときはその名称について変更があったときは、表題部所有者または所有権の登記名義人は、当該変更があった日から１ヶ月以内に、当該登記事項に関する変更の登記を申請しなければならない。
③ 建物が滅失したときは、表題部所有者または所有権の登記名義人は、その滅失の日から１ヶ月以内に、当該建物の滅失の登記を申請しなければならない。

〔5〕権利に関する登記（4条）

▶権利の順位

同一の不動産について登記した権利の順位は、原則として登記の前後による。
① 同一の区（甲区または乙区）での登記の順位は、順位番号による。
② 別の区にした登記の順位は、受付番号による。

たとえば、「所有権保存登記（甲区）をしたあとに抵当権設定登記（乙区）をしている」みたいなことは、受付番号をみればわかるようになってるよ。

受付番号は、登記の受付をしたときに付される番号でーす。登記官は、同一の不動産に関し、権利に関する登記の申請が２以上あったときは、これらの登記を受付番号の順序に従ってしなければならない、とされています。

プラスα

登記官は、登記の申請の受付をしたときは、登記番号を付さなければならない。受付番号は、まさに「受け付けた順番」である。

ひとこと

「人間関係」ではなく「仕事本来の価値を高める関係」を築ける能力を向上させよう。

甲区の見本

大田区南馬込二丁目２－２　　　全部事項証明書　（土地）

【権利部（甲区）】（所有権に関する事項）			
順位番号	登記の目的	受付年月日・受付番号	権利者その他の事項
1	所有権移転	平成10年6月9日 第○○号	原因　平成9年6月6日相続 所有者 大田区南馬込二丁目2番2号 夏川藤吉郎
2	所有権移転	平成12年8月1日 第○○号	原因　平成12年8月1日売買 所有者 品川区西海岸一丁目１番９号 三田マリア
付記１号	２番登記名義人表示変更	平成13年9月10日 第○○号	原因　平成13年9月10日住所移転 住所　大田区南馬込二丁目2番2号

※下線のあるものは抹消事項であることを示す。

・順位番号１を見ると、夏川藤吉郎が相続で手に入れた土地だということがわかる。

・そして現在の所有者は『三田マリア』（順位番号２）で、現在の住所は『大田区南馬込二丁目２番２号』（順位番号２の付記登記）。

・以前は『品川区の西海岸一丁目１番９号』に住んでいたみたいだ。

乙区の見本

大田区南馬込二丁目２－２　　　　全部事項証明書　（土地）

【権利部（乙区）】（所有権以外に関する事項）

順位番号	登記の目的	受付年月日・受付番号	権利者その他の事項
1	抵当権設定	平成12年8月1日 第〇〇号	原因　平成12年8月1日金銭消費貸借同日設定 債権額 金1,000万円 利　息 年3.5% 損害金　年14.5% 債務者　大田区南馬込二丁目２－２ 三田マリア 抵当権者　港区新橋１丁目５番 汐留信用金庫
2	１番抵当権抹消	平成15年6月4日 第〇〇号	原因　平成15年6月4日弁済
3	抵当権設定	平成15年12月2日 第〇〇号	原因　平成15年12月2日金銭消費貸借同日設定 債権額　金3,000万円 利　息　年6.5% 損害金　年19.5% 債務者　大田区南馬込二丁目２－２ 三田マリア 抵当権者 足立区北千住８丁目５番 浦霧商事株式会社

※下線のあるものは抹消事項であることを示す。

・「順位番号１」を見ると、抵当権設定が登記され、『三田マリア』が汐留信用金庫から1,000万円を借りていたことがわかる。

・「順位番号２」で、弁済によりその登記が抹消され、その後、抵当権を設定して浦霧商事から3,000万円を借りていることが確認できる。

〔6〕登記事項証明書の交付（119条）

① 何人（なんぴと）も、登記官に対し、手数料を納付して、登記記録に記録されている事項の全部または一部を証明した書面（以下「登記事項証明書」という）の交付を請求することができる。
② 何人も、登記官に対し、手数料を納付して、登記記録に記録されている事項の概要を記載した書面の交付を請求することができる。

みなさんもせっかくですから、登記事項証明書の交付請求をしてみましょー!!　利害関係の有無にかかわらず、どこの誰の不動産でも請求できるよ。

「へー、こんなにおカネを借りているんだぁー」みたいなことも、乙区を見れば、もちろんわかります。

プラスα

登記事項証明書の交付手数料は、1件につき600円。収入印紙で納付する。登記所で直接請求するほか、郵便で交付申請して郵送してもらう方法（1通あたり600円＋郵送費）や、オンラインでの交付申請（登記所で受け取りだと1通あたり480円、郵送で受け取りだと500円）もある。

ひとこと

受験仲間がいるといい。バンドワゴン効果。乗り遅れまいとついていく。そして合格。

★★★

2　登記の申請をしてみよう!!

登記の申請は、当事者の申請または官庁・公署の嘱託（例：税務署の差押登記）により行われます。たとえば売買による「所有権移転登記の申請」は、まさに当事者の申請によるのが原則です。なお、権利に関する登記ではなく「表示に関する登記」については、登記官の職権により登記できます。

〔1〕代理権の不消滅（17条）

登記の申請をする者の委任による代理人の権限は、本人が死亡しても消滅しない。

民法では、任意代理・法定代理ともに本人が死亡すれば代理権消滅となるんだけど、登記の申請については例外です。

本人死亡で代理権消滅となると、果たして遺族や相続人らが登記申請をスムーズに運べるかという心配がありますからね。

本人が法人である場合、法人が合併により消滅しても代理権は消滅しない。

〔2〕申請方法（18条）

スッキリ条文

登記の申請は以下の方法による。

①オンライン申請	電子情報処理組織（例：インターネット）を使用する方法。
②書面申請	書面（申請情報を記録した磁気ディスクを含む）を登記所に提出する方法。実際に登記所に出頭して提出する場合のほか、郵送でもよい。

〔3〕共同申請（60条）

権利に関する登記の申請は、法令に別段の定めがある場合を除き、登記権利者及び登記義務者が共同してしなければならない。

権利に関する登記ではなく表示に関する登記だったら単独申請となる。

登記権利者とか登記義務者というのが出てきましたね。

下の例で整理しておきましょう。

例	売買の場合 ➡ 売主が登記義務者で、買主が登記権利者。 抵当権の設定の場合 ➡ 抵当権者（債権者）が登記権利者で、抵当権設定者（抵当不動産の所有者）が登記義務者となる。 ※この場合、物上保証人（自分がおカネを借りたわけじゃないんだけど、自分の不動産を担保として差し出した人）がいれば彼が登記義務者となる。必ずしも債務者が登記義務者となるワケではないことに注意。

共同申請の例外となるものがいくつかあります。以下、まとめておきます。

①登記手続きをすべきことを命ずる確定判決による登記（63条）

　当事者の一方が登記の申請に協力しない場合、他方は相手方に訴えを提起することができ、『登記手続きをすべきことを命ずる確定判決』を得たときは、他方が単独で登記を申請することができる。

この“判決”なんだけど、「登記すべきことを命ずる確定判決（給付判決）」でないとダメで、判決は判決でも、たとえば「所有権を確認する確定判決（確認判決）」では単独申請できない。ちなみに【給付判決】とは「○○せよ」と命じる判決で、【確認判決】とは「誰それには所有権がある」と確認する判決。所有権で争いがある場合などだと、こちらでケリをつける。

②相続または法人の合併による権利の移転の登記（63条）

　「相続」となると、登記義務者（被相続人）はあの世なもんでねぇ〜。イタコでも呼んできましょうか。なお、相続関係を証明する情報を登記原因証明情報として提供することが必要となりますが。

③所有権の保存登記（74条）

「所有権の保存登記」とは、所有権の登記のない不動産について、はじめてする所有権の登記。たとえば建物が完成したときなど。以後、この登記をもとに所有権の移転登記などがなされていく。

④登記名義人の氏名・名称または住所についての「変更の登記」または「更正の登記」（64条）

「登記名義人」とは、登記記録の権利部（甲区・乙区）に、所有者等として記録されている者をいう。氏名などに変更があった場合に行うのが「変更の登記」。「更正の登記」とは、そもそも住所が誤記だったというような場合（登記事項に錯誤または遺漏があった場合）にそれを訂正する登記。いずれにせよ、本人以外の他人に影響を及ぼすこともないだろうから、登記名義人が単独で申請することができる。ちなみに“付記登記”＊でね。

＊付記登記とは

登記名義人の氏名の変更などについては、元々の、たとえば「所有権の移転登記（主登記という）」の一部を修正するものなので、付記登記というカタチで行われる。主登記に付記されたものというニュアンス。

〔4〕登記識別情報の通知（21条）

登記官は、その登記をすることによって申請人自らが登記名義人となる場合において、当該登記を完了したときは、速やかに、当該申請人に対し、当該登記に係る登記識別情報を通知しなければならない。ただし、当該申請人があらかじめ登記識別情報の通知を希望しない旨の申出をした場合は、この限りでない。

登記識別情報通知書

次の登記識別情報について、下記のとおり通知します。

不動産の表示
東京都渋谷区南渋谷３丁目８番の土地

不動産番号	１９０７２１６９
受付年月日受付番号	平成 18 年３月３日受付第○○○○号 （順位番号　○番）
登記の目的	所有権移転
登記名義人の住所、氏名または名称	東京都渋谷区南渋谷３丁目８番１号 吹雪　玲於奈

記

３Ｐ５Ｇ８Ｌ４Ｊ２Ｂ９Ｐ

（※この上に目隠しシール添付）

平成 18 年３月３日
東京法務局○○○○出張所　　登記官　　山田真総竜　印

登記識別情報とは、一種のパスワード。暗号かな。

「3P 5G 8L 4J 2B 9P」がそれですね。

そうそう。前回の登記申請が完了したときに登記所が登記名義人になった人に対し通知するもので、10数桁の英数字がランダムに羅列されてるね。

登記識別情報を失念（通知書を紛失）したとしても、再発行（再通知）はされないそうです。

登記識別情報は、たとえば登記名義人が売主となって所有権移転登記を申請するときに、その登記名義人がちゃんと「この登記をしている」ということを確認するための符号。登記名義人を識別するためのもの。

〔5〕登記識別情報の提供（22条~24条）

登記権利者及び登記義務者が共同して権利に関する登記の申請をするなどの場合、申請人は、申請情報と併せて登記義務者の登記識別情報を提供しなければならない。

▶事前通知等

① 登記官は、申請人が申請をする場合において、登記識別情報を提供することができないときは、登記義務者に対し、当該申請があった旨及び当該申請の内容が真実であると思料するときは、法務省令で定める期間内（通知を発送した日から２週間以内）にその旨の申出をすべき旨を通知しなければならない。この場合において、登記官は、当該期間内にあっては、当該申出がない限り、当該申請に係る登記をすることができない。【事前通知制度】

② 登記の申請が登記の申請の代理を業とすることができる代理人（弁護士、司法書士、土地家屋調査士）によってされた場合であって、登記官が当該代理人から当該申請人が登記義務者であることを確認するために必要な情報の提供を受け、かつ、その内容を相当と認めるときは、事前通知を行わなくてもよい。【本人確認情報提供制度】

登記識別情報を提供できないときは、登記所から売主などの登記義務者に「登記申請しましたよね」という通知をして問い合わせる。「はい、まちがいありません」という回答で登記申請は受理。

登記する前に通知するので「事前通知制度」です。

事前通知制度は煩雑でもあることから、本人確認情報提供制度も用意されました。

司法書士のセンセーらが「本人に間違いない」ということであればオッケー。手続きを進めます。

★★★

3 仮登記とは

登記には仮登記というものもあります。何らかの理由で本登記ができないときの、仮の登記です。仮登記には対抗力は認められませんが、登記の順位を保全する効力はあります。仮登記の下に余白があり、後に本登記をする際に利用されます。仮登記をした時点にさかのぼって登記の効力が生じます。

〔1〕仮登記ができる場合（105条、106条）

① 登記できる権利について保存等があった場合において、当該保存等に係る登記の申請をするために登記所に対し提供しなければならない情報などを提供することができないとき。

② 登記できる権利の設定、移転、変更または消滅に関して請求権（始期付きまたは停止条件付きのものその他将来確定することが見込まれるものを含む）を保全しようとするとき。

まさに仮登記。①は、実体上すでに所有権は移転しているんだけど添付書類などがそろわないときとかで、②は、売買の予約・停止条件付き売買契約などをしたときだね。書類や条件が整ったら、仮登記を本登記に切り替えることになる。

そうなったら、仮登記の時点にさかのぼって本登記をしたことになります。「仮登記に基づいて本登記をした場合は、本登記の順位は、仮登記の順位による」です。

〔2〕仮登記の申請方法（107条、108条）

① 原則として、登記義務者と登記権利者の共同申請で行う。
② 仮登記義務者の承諾があるときは、仮登記権利者が単独で申請できる。
③ 裁判所の「仮登記を命ずる処分」があるときも仮登記権利者が単独で申請できる。

〔3〕仮登記に基づく本登記（109条）

① 所有権に関する仮登記に基づく本登記は、登記上の利害関係を有する第三者がある場合には、当該第三者の承諾がある場合に限り、申請することができる。
② 登記官は、上記の申請に基づいて登記をするときは、職権で、第三者の権利に関する登記（仮登記より後順位の所有権移転登記）を抹消しなければならない。

所有権に関する仮登記をしたあとであっても、第三者へ所有権を移転することはできるけど、仮登記が本登記となった時点で、後順位の所有権は消滅するよ。

そういったこともありますので、所有権に関する仮登記を本登記にするためには、利害関係人の承諾が必要となります。

ここがポイント!!
仮登記がある物件は買わない方がよい。

〔4〕仮登記の抹消（110条）

① 仮登記の抹消は、仮登記の登記名義人が単独で申請することができる。
② 仮登記の登記名義人の承諾があれば、登記上の利害関係人も申請できる。

甲区の見本

例示

大田区南馬込二丁目２－２　　全部事項証明書　（土地）

権利部（甲区）（所有権に関する事項）			
順位番号	登記の目的	受付年月日・受付番号	権利者その他の事項
1	所有権移転	平成10年6月9日 第○○号	原因　平成9年6月6日相続 所有者　大田区南馬込二丁目2番2号 夏川藤吉郎
2	所有権移転	平成12年8月1日 第○○号	原因　平成12年8月1日売買 所有者　品川区西海岸一丁目1番9号 三田マリア
付記1号	2番登記名義人 表示変更	平成13年8月9日 第○○号	原因　平成13年9月10日住所移転 住所　大田区南馬込二丁目2番2号
3	所有権移転 請求権仮登記	平成16年4月19日 第○○号	原因　平成16年4月19日代物弁済予約 債権者　横浜市南区夏川3丁目1番地 拘束産業株式会社
	所有権移転	平成18年6月30日 第○○号	原因　平成18年6月30日代物弁済 所有者　横浜市南区夏川3丁目1番地 拘束産業株式会社
4	所有権移転	平成17年8月8日 第○○号	原因　平成17年8月8日売買 所有者　品川区港南9丁目2番2号 南風　あん
5	4番所有権抹消		3番仮登記の本登記により平成18年6月30日登記

※下線のあるものは抹消事項であることを示す。

- 「順位番号２」の「三田マリア」は住所を大田区南馬込二丁目２番２号に移したあと、拘束産業株式会社との間で代物弁済の予約をしている。
- 「順位番号３」で「代物弁済の予約」が仮登記されている。
- 「三田マリア」は「拘束産業株式会社」から融資を受け、弁済ができなくなったらこの土地で代物弁済するという取引をしたものと思われる。
- この仮登記がついたまま、「三田マリア」は「南風あん」に売却した模様。
- ところが「三田マリア」は「拘束産業株式会社」に弁済できなかったらしく、代物弁済が実行された。「順位番号３」の仮登記が本登記になった。
- 仮登記が本登記になった結果、「順位番号４」の「南風あん」の所有権移転登記は抹消された。

章末おまけ（いろんな登記）

所有権移転関係の登記

＊所有権移転の原因

一般的な登記原因	売買、贈与、交換、相続、遺贈など
特殊な登記原因	譲渡担保、代物弁済、信託、時効取得など

①売買による所有権移転登記

権利部（甲区）（所有権に関する事項）			
順位番号	登記の目的	受付年月日・受付番号	権利者その他の事項
2	所有権移転	平成10年8月10日 第555号	原因　平成10年8月10日売買 所有者 墨田区鳩町二丁目2番2号 元野黙亜美
3	所有権移転	平成15年8月20日 第397号	原因　平成15年8月20日売買 所有者 新宿区南新宿八丁目1番7号 道二家成太郎

②譲渡担保による所有権移転登記

権利部（甲区）（所有権に関する事項）			
順位番号	登記の目的	受付年月日・受付番号	権利者その他の事項
2	所有権移転	平成10年8月10日 第555号	原因 平成10年8月10日売買 所有者 墨田区鳩町二丁目2番2号 元野黙亜美
3	所有権移転	平成15年8月20日 第397号	原因　平成15年8月20日譲渡担保 所有者 新宿区南新宿八丁目1番7号 株式会社　堕天使

元野黙亜美が株式会社堕天使に対して借金や売掛金がある場合、フツーは抵当権や根抵当権の設定登記を行う。がしかし、ここでは譲渡担保を設定している。譲渡担保とは、借金などの債務の担保として不動産の所有権を元野黙亜美から株式会社堕天使に移転しておき、債務の返済があったときは所有権を元野黙亜美に戻し、返済ができないときは不動産の所有権が株式会社堕天使に確定的に移転するというもの。

③代物弁済による所有権移転登記

権利部（甲区）（所有権に関する事項）			
順位番号	登記の目的	受付年月日・受付番号	権利者その他の事項
2	所有権移転	平成10年8月10日 第555号	原因　平成10年8月10日売買 所有者 墨田区鳩町二丁目2番2号 元野黙亜美
3	所有権移転	平成15年8月20日 第397号	原因　平成15年8月20日代物弁済 所有者 新宿区南新宿八丁目1番7号 株式会社　堕天使

元野黙亜美が株式会社堕天使に対して借金があったんだけど弁済できなかったため、株式会社堕天使の承諾を得て、借金の返済に代えて不動産の所有権を移転した。つまり代物弁済したんだということがわかる。

④信託による所有権移転登記

権利部（甲区）（所有権に関する事項）			
順位番号	登記の目的	受付年月日・受付番号	権利者その他の事項
2	所有権移転	平成10年8月10日 第555号	原因　平成10年8月10日売買 所有者 墨田区鳩町二丁目2番2号 元野黙亜美
3	所有権移転	平成15年8月20日 第397号	原因　平成14年8月20日信託 受託者 港区南海岸六丁目1番7号 X信託会社
	信託		信託原簿第2号

信託とはどんなものかというと、まず、不動産を所有している元野黙亜美（委託者）が、土地の有効活用のためにX信託会社（受託者）と信託契約を結び、不動産を信託という形でX信託会社に預ける（所有権移転）。そしてその不動産をX信託会社が賃貸などで運用し、その賃料の一部を委託者の元野黙亜美か第三者（両者を受益者ともいう）に与える。なお、信託契約の内容は信託原簿という帳簿に記載されていて、法務局で保管されている。誰が受益者なのかは登記簿を見ただけではわからないけど、信託原簿を見ると受益者の住所・氏名がわかったりする。

＊信託の登記の申請方法等

①信託の登記の申請は、当該信託に係る権利の保存、設定、移転または変更の登記の申請と同時にしなければならない。
②信託の登記は、受託者が単独で申請することができる。
③受益者または委託者は、受託者に代わって信託の登記を申請することができる。

⑤一般的な相続による所有権移転登記

権利部（甲区）（所有権に関する事項）			
順位番号	登記の目的	受付年月日・受付番号	権利者その他の事項
2	所有権移転	平成10年8月10日 第555号	原因　平成10年8月10日売買 所有者 墨田区鳩町二丁目2番2号 元野黙亜美
3	所有権移転	平成15年8月20日 第397号	原因　平成15年8月20日相続 所有者 墨田区鳩町二丁目2番2号 元野黙万次

⑥時効取得があった場合の所有権移転登記

権利部（甲区）（所有権に関する事項）			
順位番号	登記の目的	受付年月日・受付番号	権利者その他の事項
2	所有権移転	平成10年8月10日 第555号	原因　平成10年8月10日売買 所有者 墨田区鳩町二丁目2番2号 元野黙亜美
3	所有権移転	平成15年7月20日 第397号	原因　平成15年8月20日相続 所有者 墨田区鳩町二丁目2番2号 元野黙万次
4	所有権移転	平成30年11月20日 第3105号	原因　平成27年5月20日時効取得 所有者 目黒区西目黒5丁目6番3号 輝玉照子

輝玉照子が、元野黙万次の不動産を時効によって取得したということがわかる。

紛争が発生している場合の登記

①差押登記

権利部（甲区）（所有権に関する事項）			
順位番号	登記の目的	受付年月日・受付番号	権利者その他の事項
2	所有権移転	平成10年8月10日 第555号	原因　平成10年8月10日売買 所有者 墨田区鳩町二丁目2番2号 元野黙亜美
3	差押	平成20年8月20日 第397号	原因　平成20年8月16日 東京地方裁判所競売開始決定 申立人 港区新橋1丁目5番 潮留信用金庫

登記簿に「差押」という登記がされている場合、競売手続きが開始されており、近い将来に競売され、競落人に所有権が移る可能性が高い。

②仮差押登記・仮処分禁止登記

債権者が強制執行（差押）をするには、あらかじめ判決などを得なければならないが、判決などを得るためには相当の時間が必要だったりもする。そのため、強制執行を行う前に債務者が執行の対象となる財産を処分してしまうことも考えられる。そんな事態を防ぐために民事保全法という法律があって、「仮差押命令」と「仮処分命令」という制度がある。

権利部（甲区）（所有権に関する事項）			
順位番号	登記の目的	受付年月日・受付番号	権利者その他の事項
2	所有権移転	平成10年8月10日 第555号	原因　平成10年8月10日売買 所有者 墨田区鳩町二丁目2番2号 元野黙亜美
3	仮差押	平成25年8月20日 第397号	原因　平成15年8月14日 東京地方裁判所　仮差押命令 債権者 新宿区南新宿八丁目1番7号 株式会社　堕天使

仮差押命令は、金銭の支払いを目的とする債権について強制執行することができなくなるおそれがあるとき、または強制執行をするのに著しい困難を生ずるおそれがあるときに発令される。

権利部（甲区）（所有権に関する事項）			
順位番号	登記の目的	受付年月日・受付番号	権利者その他の事項
2	所有権移転	平成10年8月10日 第555号	原因　平成10年8月10日売買 所有者 墨田区鳩町二丁目2番2号 元野黙亜美
3	処分禁止 仮処分	平成25年8月20日 第397号	原因　平成15年8月14日 東京地方裁判所仮処分命令 債権者 港区南六本木九丁目5番5号 株式会社　絵空事

仮処分命令には、たとえば建物の買主（株式会社絵空事）が売主（元野黙亜美）に対する当該建物の明渡請求権を保全するために行う、当該建物の現状変更禁止の仮処分や占有移転禁止の仮処分などがある。

他人の土地を使用する権利を設定する場合の登記（土地）

①普通借地権（借地権が賃借権の場合）

権利部（乙区）（所有権以外の権利に関する事項）			
順位番号	登記の目的	交付年月日・受付番号	権利者その他の事項
1	賃借権設定	平成24年8月10日 第777号	原因　平成24年8月10日設定 目的　建物所有 借賃　1月　○○円 支払期　毎月末 存続期間30年 特約　譲渡・転貸ができる 賃借権者 杉並区御影2丁目9－3 月賀出太郎

②一般定期借地権（借地権が賃借権の場合）

権利部（乙区）（所有権以外の権利に関する事項）			
順位番号	登記の目的	受付年月日・受付番号	権利者その他の事項
1	賃借権設定	平成 24 年 8 月 10 日 第 777 号	原因　平成 24 年 8 月 10 日設定 目的　建物所有 借賃　1 月　○○円 支払期　毎月末 存続期間 50 年 特約　譲渡・転貸ができる 借地借家法第 22 条の特約 賃借権者 杉並区御影 2 丁目 9 − 3 月賀出太郎

③地役権の登記　「承役地」の登記簿

権利部（乙区）（所有権以外の権利に関する事項）			
順位番号	登記の目的	受付年月日・受付番号	権利者その他の事項
1	地役権設定	平成 24 年 8 月 10 日 第 777 号	原因　平成 24 年 8 月 10 日設定 目的　通行 範囲　南側 10 メートル 要役地　世田谷区乳谷 3 − 3 地役権図面 第 2 号

土地の全部に地役権を設定した場合には、「範囲全部」と記載されるそうである。土地の一部に地役権が設定された場合には、その範囲を特定するために、法務局に地役権図面というのが備えられている。なお、当たり前かもしれないけど、要役地に所有権の登記がないときは、承役地に地役権の設定の登記をすることができない。

④地役権の登記　「要役地」の登記簿

権利部（乙区）（所有権以外の権利に関する事項）			
順位番号	登記の目的	受付年月日・受付番号	権利者その他の事項
1	要役地地役権	余　白	承役地 世田谷区乳谷 3 − 2 目的　通行 範囲　南側 10 メートル 平成 24 年 8 月 10 日登記

「3：10：60：27」の法則って知ってる？

我々が世の中で経験する出来事の裏には、いろんな法則が潜んでいるようだ。

そのひとつとして、この人間社会、不思議なことに、この「3：10：60：27」の割合で分類できちゃうという「法則」があるそうだ。

たとえばね、不況という経済状況のなかでも絶好調に利益を上げている会社が3％。まぁまぁいいじゃんが10%、とりあえず凡庸な60%、まったくダメな27%。

ためしに100人の友だちがいたとして、メチャ疲れて人生がイヤになったとき、そんなときだからこそ話をしたい友だちって、たぶん3人＋10人。今日はカンベンっていうのが27人。

「へー、なるほどなぁ～」とえらく納得したのでありました。

これを受験勉強している1ヶ月間（30日）に置き換えてみると「絶好調。じぶんってすごい」と思えるのって、たったの1日。

「まぁまぁ、やれたかな」が2～3日。

「なんだかなー、まぁこんなもんかなー」が20日。

「心が折れた、ダメだ自分」が7日くらい。

そっかー。7日はダメなんだ。ダメでいいんだ。

そう思うと、なんだか楽になれる。

なのでみなさん、あまり深く考えず、無我の境地で楽に行こう。

だいじょうぶ。明日はきっとホームランだ。

Part 3

権利関係 -12

建物の区分所有等に関する法律（区分所有法）を学習します。専有部分は区分所有権、その他の共用部分は共有となる分譲マンション。だれがマンションを管理するのか、災害があったときの復旧など戸建て住宅とは異なる概念をもって対処していかざるを得ません。また老朽化によるマンション建替え問題なども、現実的な話になりつつあります。

1 Section 建物の区分所有等に関する法律

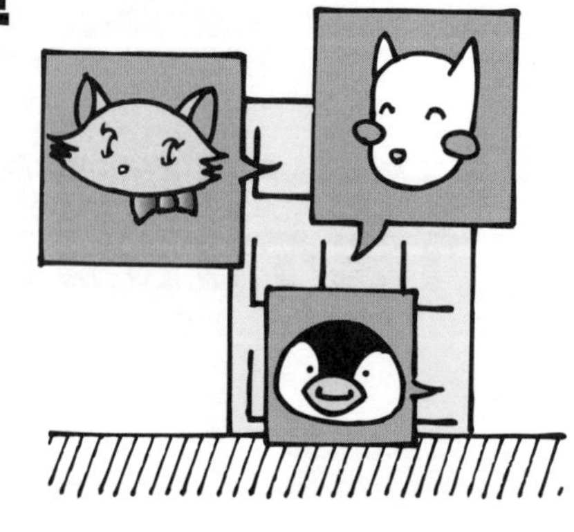

★★★

1 区分所有と、マンションの敷地

概要

建物の区分所有等に関する法律（区分所有法）は昭和 37 年、高度経済成長にともなう都市部への人口急増を背景に制定されました。当時のコンクリート集合住宅は公団や公社の「賃貸住宅」。しかしそのような公的な住宅供給だけでは間に合わず、区分所有権という概念の導入に踏み切りました。以来、民間事業者の「分譲型の集合住宅」の供給が活発化しました。

〔1〕区分所有建物（区分所有権）（1条）

一棟の建物に構造上区分された数個の部分で独立して住居、店舗、事務所または倉庫その他建物としての用途に供することができるものがあるときは、その各部分（専有部分）は、この法律の定めるところにより、それぞれ所有権（区分所有権）の目的とすることができる。

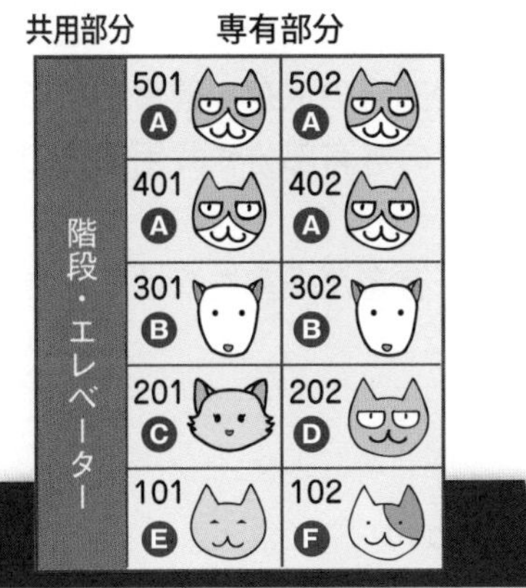

専有部分を目的とする
所有権：**区分所有権**

：区分所有者（6名）

重 要！
専有部分とするには①構造上の独立性（壁で仕切られている）と②利用上の独立性（他を通らずに自由に出入りできる）を兼ね備えていなければならない。

いわゆるマンションの部屋のことを「専有部分」というよ。その専有部分の区分所有権をもっている人が「区分所有者」となる。

区分所有法上、建物の用途はなんでもいいみたいですね。なので、「住居専用の分譲マンション」としたいというのであれば、規約で定めておかないと。

で、区分所有建物には自分の所有物である専有部分と、みんなで共同して使う「共用部分」というのがあるんだよね。

▶**共用部分**

法定共用部分	数個の専有部分に通ずる廊下または階段室その他構造上区分所有者の全員またはその一部の共用に供されるべき部分。登記をする必要はない（制度上、登記できない）。
規約共用部分	本来は専有部分となるべき部分及び附属の建物は規約で共用部分（例：集会場）とすることができる。専有部分の表題部に「規約共用部分」である旨を登記しておかないと、共用部分であることを第三者に対抗できない。

※建物の附属物（例：専有部分以外の電気の配線、水道の配管など）や、規約により共用部分とされた附属の建物（例：敷地内のトランクルームなど）も共用部分（登記が対抗要件）となる。

▶**区分所有者と相隣関係**

① 区分所有者は、専有部分や共用部分の保存・改良をするため必要な範囲内において、他の区分所有者の専有部分や共用部分の使用を請求することができる。

② この場合において、他の区分所有者が損害を受けたときは、その償金を支払わなければならない。

〔2〕共用部分の取扱い（11条～20条）

▶**共用部分の共有関係（規約で別段の定めもできる）**

① 共用部分は、区分所有者の共有となる。

② 各共有者の持分は、専有部分の床面積※（内側線で計測）の割合による。

③ 各共有者は、その持分に応じて共用部分の負担（例：維持管理費）をし、共用部分から生じる利益（例：屋上に設置した広告塔の賃料）を収取する。

※専有部分の床面積

壁その他の区画の内側線で囲まれた部分の水平投影面積による。

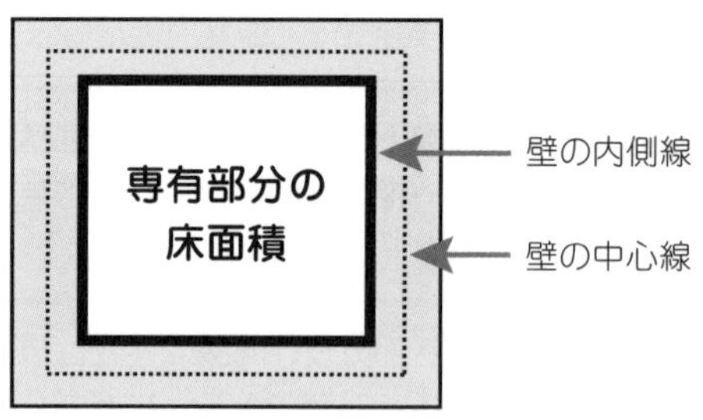

※「専有部分の床面積」の割合は、「敷地利用権の共有割合」や集会での「議決権の割合」にも用いる。

おなじマンション内で1LDKの人と3LDKの人がいたら、3LDKの人のほうが共用部分の共有持分が多いというわけだね。その分、費用負担も多くなりますけど。

規約で、床面積の測定は中心線からにするとか、床面積の大小じゃなくて価格で持分割合を定めるとか、思い切って平等の持分にするとか。別に定めてもいいんですね。

プラスα

共用部分は、管理者（部外者も就任可）の所有となる場合を除き、区分所有者以外の者を所有者と定めることができない。

重 要！

一部共用部分（例：高層階専用のエレベーター）は、これを共用すべき区分所有者（一部区分所有者）の共有となる。

▶共用部分の使用・共用部分の持分の処分

① 共有者の持分は、その有する専有部分の処分に従う。
② 共有者は、原則として専有部分と分離して持分を処分することができない。
③ 各共有者は、共用部分をその用法に従って使用することができる。

民法上は、持分の処分は自由だったけど、区分所有ともなるとそうもいかない。

専有部分の売却（所有権の移転登記）をすると、共有持分もいっしょに売却ですね（共有持分の移転登記は不要）。

あと使用方法なんだけど「用法に従う」だよ。民法の「持分に応じた使用」じゃないからね。

持分に応じての使用制限だと「あなたのエレベーター使用は週2回まで」とか、変なふうになっちゃいますもんね（笑）。

プラスα

規約で共有持分の割合を変更するなど、形式的な分離処分（一部割合の付け替え）は可能。

ひとこと

試験に合格して、最初に自分を喜ばせてあげよう。幸せが伝播していく。伝道師だ。

▶建物の設置または保存上の瑕疵

建物の設置または保存に瑕疵があることにより他人に損害を生じたときは、その瑕疵は、共用部分の設置または保存にあるものと推定する。

たとえば、派手な水漏れ事故があった場合、その原因が特定の専有部分にあると証明できないときは、区分所有者全員が共同して損害賠償の責任を負うことになるよ。

「マンションの外壁がはがれて落下」なんていうときもそうですよね。

プラスα

「設置の瑕疵」とは建設当初からの瑕疵。「保存の瑕疵」とはその後の維持管理において生じた瑕疵。両者をわける意味はあまりないといわれている。

▶債権の回収（先取特権）（7条）

① 区分所有者は、共用部分など（規約や集会の決議に基づく債権も含む）について他の区分所有者に債権を有する場合（管理費用などを立替払いしている場合など）は、その債権について、債務者の区分所有権及び建物に備え付けた動産の上に先取特権を有する。

② この債権は、債務者たる区分所有者の特定承継人（例：中古でマンションを買った人）に対しても行うことができる。

区分所有者が払うべき月々の管理費や修繕積立金などを、他の区分所有者が立て替えていたら、回収することはもちろんできるけど、先取特権も認められているんだね。差し押さえて換金。

中古でマンションを買う場合、要注意ですね。前のオーナーの金銭トラブルのとばっちりを受ける場合ありですっ!!

重 要!

「特定承継人に対しても行うことができる」ということだから、中古マンションを購入する際、前の所有者の債務を調査しておく必要がある。

▶共用部分の管理及び変更

共用部分の管理や変更については、次の段取りにて行います。

要チェック

行為		原則	規約による別段の定め	特別の影響を受ける者の承諾
管理	保存行為	単独でできる	○	不要
	利用改良	区分所有者及び議決権の過半数の集会の決議による	○	要
変更	軽微変更			
	重大変更	区分所有者及び議決権の各４分の３以上の決議による	区分所有者の定数を過半数にまで減ずることができる	要

＊共用部分の損害保険契約をすることは、共用部分の管理に関する事項（保存行為以外の管理行為）となる。各過半数の決議が必要。

要チェック

保存行為	破損した窓ガラスの修繕などの、現状を維持する行為。
利用改良	共用部分の一部の賃貸、階段に夜間灯の設置など。
軽微変更	共用部分の変更行為のうち、その形状または効用に著しい変更を伴わないもの（例：大規模修繕）をいう。費用の額は問わない。
重大変更	共用部分の変更行為のうち、軽微変更以外のもの（「形状または効用に著しい変更を伴わないもの」を除く）をいう。

変更行為は２パターンあって、たとえば階段を取り壊してエレベーターの設置なんていう場合は重大変更。特別決議事項（区分所有者の頭数と、議決権の各４分の３以上の賛成）です。

ちなみに、いわゆるマンションの大規模修繕に多額の費用がかかろうと「軽微変更」なんですね。

重要！

重大変更の決議について、規約で過半数まで減ずることができるのは「定数」であり、議決権のほうは減ずることができないことに注意。

〔3〕マンションの敷地。敷地利用権（22条）

当たり前だけど、分譲マンションにも敷地が必要だよね。で、専有部分を所有するための建物の敷地に関する権利を「敷地利用権」といってます。

敷地利用権なんですけど、所有権のほか借地権もありですよね。敷地利用権が定期借地権のマンションっていうのも最近よくみかけたり。

で、この敷地利用権の割合は、規約に別段の定めがなければ、専有部分の床面積割合（共用部分の持分割合）となるよ。

ちなみに!!

敷地利用権は、所有権や借地権（土地賃借権）のほか、使用借権（使用貸借契約に基づく土地利用権）も考えられるが、実際、使用借権が敷地利用権になっているケースはほとんどないといわれている。

▶分離処分の禁止

原　則	区分所有者は、専有部分と敷地利用権を分離して処分することができない。
例　外	規約で別段の定めがあるときは、分離処分できる。

民法では、土地と建物は独立した不動産だから、それぞれ処分できるけど、区分所有建物でそんなことをするとワケがわかんなくなるから、分離処分の禁止。

専有部分を売却すれば、敷地利用権もついてくる。そんな感じですね。

ちなみに!!

専有部分と敷地利用権の分離処分が禁止されている場合で、区分所有者が①専有部分（敷地利用権）を放棄、②相続人なしに死亡した場合、敷地利用権は専有部分とともに国庫に帰属する。

★★★

2 「管理組合」と「規約」と「集会」

区分所有建物や敷地などの管理は、区分所有者全員で構成する管理組合で行います。なお、区分所有者はその意思にかかわらず、当然に組合員となります（任意加入ではありません）。また、管理組合には管理者を置くことができ、実際にマンションの管理の執行を委ねています。

〔1〕管理組合と管理者（3条、25条〜29条）

区分所有者は、全員で、建物や敷地、附属施設の管理を行うための団体を構成し、この法律の定めるところにより、集会を開き、規約を定め、及び管理者を置くことができる。

▶管理者の選任と解任（規約で別段の定めをすることができる）

スッキリ条文

① 区分所有者は、規約に別段の定めがない限り、集会の決議によって、管理者を選任し、または解任することができる。
② 管理者に不正な行為その他その職務を行うに適しない事情があるときは、各区分所有者は、その解任を裁判所に請求することができる。

理念としては「区分所有建物の管理は区分所有者の全員で」ということなんだけど、ムリだから（笑）、管理者（役員とか理事と呼ばれる）を置いて、ある程度のことをやってもらおうと。なのでこんな規定も。

① 管理者は、共用部分や敷地、附属設備を保存し、集会の決議を実行し、規約で定めた行為をする権限を有し、義務を負う。
② 管理者は、職務に関し、区分所有者を代理する。
③ 管理者が職務の権限内において第三者との間でした行為につき、区分所有者が任ずべき割合（例：支払い）は、規約で別段の定めがない限り、共用部分の持分の割合と同一の割合とする。

念のためですけど、管理者は、いわゆるマンションの管理人とか管理員のことではありません。まちがえちゃったりして（笑）。でもしょせんは素人だったりするので、管理者としての責任なんて果たせるのかしら。

管理者は区分所有者以外の者からも選任できる。また、規約に別段の定めがあるときは、共用部分を所有すること（管理のための所有という意味合い）もできる。

▶**管理組合の法人化**（47条）

管理組合のうち、次の要件を満たしたものは、法人となることができる。なお、管理組合法人には理事と幹事を置かなければならない（兼任不可）。
① 集会の決議（区分所有者及び議決権の各４分の３以上）で、法人となる旨、名称・事務所を定めること。
② 主たる事務所所在地において登記すること。

管理組合を法人化するにあたり、区分所有者の員数（組合員数）はとくに問われないよ。

法人化すれば、管理者の個人名義ではなく法人名義で契約したり登記したりすることができるようになります。

▶一部共用部分の管理について

一部共用部分は一部区分所有者での共有なんだけど、管理については以下のような方法にて。一部共用部分の外壁が建物全体の美観に影響する、なんていう場合は全員の管理だけどね。

次の②のパターンがややこしい（笑）。一部区分所有者の意思を尊重しましょうということですね。

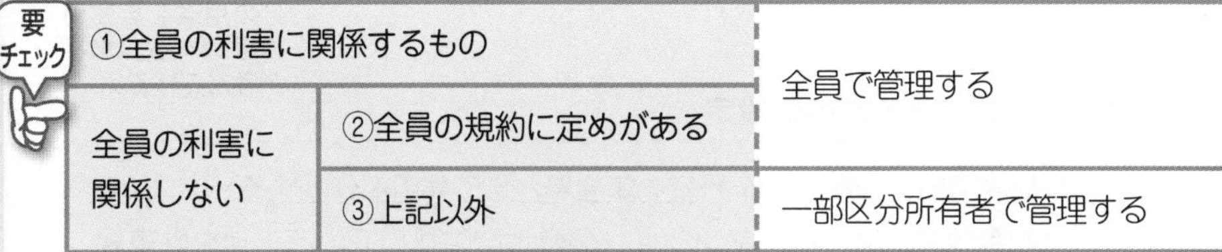

<table>
<tr><td colspan="2">①全員の利害に関係するもの</td><td rowspan="2">全員で管理する</td></tr>
<tr><td rowspan="2">全員の利害に関係しない</td><td>②全員の規約に定めがある</td></tr>
<tr><td>③上記以外</td><td>一部区分所有者で管理する</td></tr>
</table>

※②の場合、一部区分所有者の「４分の１を超える者」か「議決権４分の１を超える者」が反対したときは、全員の規約に定めることができない。

〔2〕規約の設定・変更・廃止（30条～32条）

建物や敷地などの管理・使用に関する区分所有者相互間の事項は、区分所有法で定めるもののほか、規約で定めることができる。

規約は書面または電磁的記録により作成しなければならない。

① 規約の設定、変更または廃止は、区分所有者及び議決権の各４分の３以上の多数による集会の決議によってする。
② 規約の設定、変更または廃止が一部の区分所有者の権利に特別の影響を及ぼすべきときは、その承諾を得なければならない。

とにもかくにも、マンション暮らしに多大な影響を与えるのがマンションの管理規約。もろもろを考慮して、区分所有者間の利害の衡平がはかられるように定めなければならぬ。

用途は住居専用に限るとか、ペットの飼育についての規制とか。そういう規約があるんだったら、それを守んなきゃいけません。

規約の変更などが「一部の区分所有者の権利に特別の影響を及ぼすべきとき」の例として、「専有部分の用途について定めがないため一部の区分所有者が事務所として利用していたが、規約変更で専有部分の用途を居住用に限定する」などが考えられる。

規約は集会の決議で設定すべきなんだけど、最初に専有部分を全部所有する者（例：新築マンションの分譲業者）は、公正証書により、次の４つの内容に限り、先行して規約化しておくことができる。

▶公正証書による規約の設定

①規約共用部分（例：101 号室を集会場として共用部分とする）
②規約敷地の定め（例：マンションの敷地に隣接している土地を駐車場用地として敷地化し、一体として管理する）
③専有部分と敷地利用権の分離処分を可能とする定め
④敷地利用権の共有持分の割合

〔３〕集会の招集・決議（34条～46条）

集会においては、あらかじめ通知した事項についてのみ決議することができる。ただし、特別決議を除いて規約で別段の定めもできる。

次に集会。マンション暮らしともなると、なにかと住民同士で話し合って決めなきゃいけないことが多い。そんな決めごとをする場が、集会。

集会のことを「総会」ともいいまーす。

①　集会は、管理者が招集する。
②　管理者は、少なくとも毎年１回集会を招集しなければならない。
③　区分所有者の５分の１以上で議決権の５分の１以上を有するものは、管理者に対し、会議の目的たる事項を示して、集会の招集を請求することができる。ただし、この定数は、規約で減ずることができる。

④　管理者がないときは、区分所有者の５分の１以上で議決権の５分の１以上を有するものは、集会を招集することができる。ただし、この定数は、規約で減ずることができる。

その他もろもろ、集会の招集に関する手続きを、以下にまとめておきます。

▶招集の通知

①　集会の招集の通知は、会日より少なくとも１週間前に、会議の目的たる事項を示して、各区分所有者に発しなければならない。ただし、この期間は、規約で伸縮することができる。
②　専有部分が数人の共有に属するときは、議決権を行使すべき者（共有者間で定めていないときは、共有者の１人）に通知すればよい。
③　建物内に住所を有する区分所有者または通知を受けるべき場所を管理者に通知していない区分所有者に対する通知は、規約に特別の定めがあるときは、建物内の見やすい場所に掲示してすることができる。

集会の招集者は、「いつどこで集会をやりますよ」ということのほか、「会議の目的たる事項」を通知しなければならない。あと、「会議の目的たる事項」が次のような場合は、「議案の要領」の通知も必要となる。

集会は、区分所有者全員の同意があるときは、招集の手続を経ないで開くことができる。

▶議案の要領が必要となる場合

①共用部分の重大変更　②規約の設定・変更・廃止
③大規模滅失の場合の復旧　④建替え　など

これらはマンション暮らしに重大な影響がありますもんね。「議案の要領（おおまかな全体像がわかるような内容）」を読んできてもらってから、討議に入ると。

なお、建替え決議を会議の目的とする集会の場合は、以下の方法にて。事前の「説明会の開催」も必要です。

① 建替え決議を会議の目的とする場合の招集通知は、１週間前ではなくて「少なくとも２ヶ月前」に発しなければならない。この通知期間は規約で伸長することはできるが、短縮はできない。

② 建替え決議を会議の目的とする集会の場合、集会の会日より少なくとも１ヶ月前までに、区分所有者に対し説明会を開催しなければならない。

③ 説明会の開催の通知は、説明会の開催日よりも少なくとも１週間前までに発しなければならない（規約で期間を伸長することはできる）。

それではいよいよ、集会での決議。原則は過半数での決議です。決議に反対した区分所有者といえども、区分所有者として留まる限り、その決議に従わねばならぬ。

専有部分が数人の共有に属するときは、共有者は、議決権を行使すべき者１人を定めなければならない。

ご夫婦で専有部分を共有しているような場合は、どちらか１人、議決権を行使する人を決めてくださいね。

▶**議決権**

① 各区分所有者の議決権は、規約に別段の定めがない限り、専有部分の床面積割合（共有部分の持分割合）による。

② 議決権は、書面で、または代理人（例：委任状により判断を託す）によって行使することができる。

③ 区分所有者は、「規約」または集会の決議（区分所有者及び議決権の各過半数）により、書面に代えて、電磁的方法によって議決権を行使することができる。

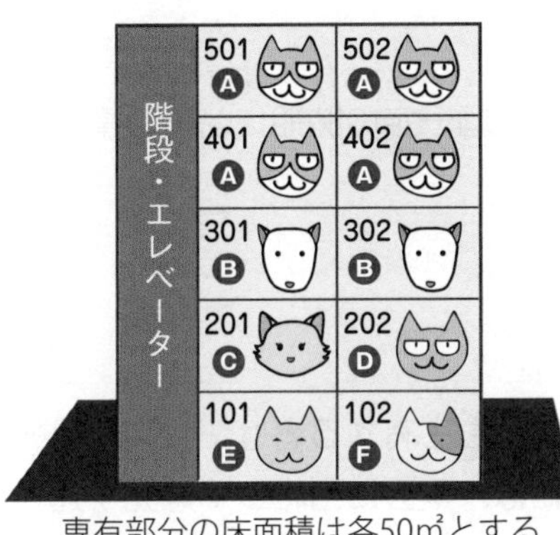

・区分所有者（6名）

・議決権

A $\frac{200}{500}$

B $\frac{100}{500}$

C～F $\frac{50}{500}$

専有部分の床面積は各50㎡とする

▶決議要件

集会の議事は、区分所有法や規約に別段の定めがない限り、区分所有者及び議決権の各過半数で決する（普通決議）。

特別決議事項

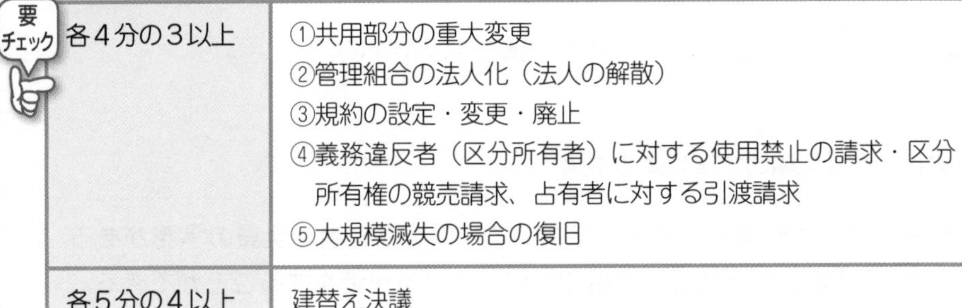

各４分の３以上	①共用部分の重大変更 ②管理組合の法人化（法人の解散） ③規約の設定・変更・廃止 ④義務違反者（区分所有者）に対する使用禁止の請求・区分所有権の競売請求、占有者に対する引渡請求 ⑤大規模滅失の場合の復旧
各５分の４以上	建替え決議

▶議長・議事録

① 集会においては、原則として管理者または集会を招集した区分所有者の１人が議長となる。

② 議長は、議事録を作成しなければならず、その議事録には議長及び集会に出席した区分所有者の２人が署名しなければならない。

③ 議事録は管理者が保管し、利害関係人からの請求があったときは、正当な理由がある場合を除いて、閲覧を拒んではならない。

④ 議事録の保管場所は、建物内の見やすい場所に掲示しなければならない。

▶事務の報告

管理者は、集会において、毎年１回一定の時期に、その事務に関する報告をしなければならない。

▶占有者の意見陳述権

区分所有者の承諾を得て専有部分を占有する者は、会議の目的たる事項につき利害関係を有する場合には、集会に出席して意見を述べることができる。

専有部分の賃借人などの占有者も、いちおう、マンション内の住民なので、集会で意見を述べることはできるよ。

でも区分所有者じゃないので、議決権はないです。

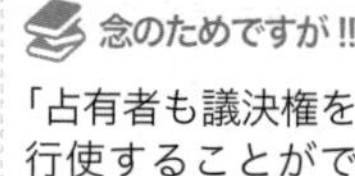

念のためですが!!

「占有者も議決権を行使することができる」で「×」とするヒッカケが多い。

▶書面または電磁的方法による決議

集会において決議すべき場合において、区分所有者の全員の承諾があるときは、「書面」または「電磁的方法」による決議をすることができる。

区分所有者全員が「いいんじゃない（承諾）」としているのであれば、実際に会場を使用する集会を開催せずに、「書面」または「電磁的方法」により賛否を集めて、普通決議や特別決議を行えるよ。

大規模な分譲マンションだと、集会の開催場所の確保もたいへんですしね。

念のためですが!!

区分所有者の１人でも「会場での集会」を主張して反対する者がいれば、この方法による決議をすることはできない。

▶**書面または電磁的方法による全員の合意**

集会において決議すべき場合において、区分所有者の全員の「書面」または「電磁的方法」による合意があったときは、「書面」または「電磁的方法」による決議があったものとみなす。

念のためですが!!

こちらは「決議」ではなくて「合意」。決議ではないため「多数決で決める」というニュアンスではなく、全員一致の意思表示。

こっちのパターンは、全員の合意。ベタな方法ですが、区分所有者全員を訪問して、書面による合意をもらう（署名してもらう）など。いかなる意味でも集会は開催しないよ。

分譲マンションの規約を成立させたいときに、分譲会社さんがこの方法を使っていますね。分譲の際に「この規約案でいいです」としてサイン（合意）をもらう。最終的には全員の合意となるので規約成立。集会は開きません。

〔4〕規約と集会の共通事項（33条、42条）

▶**保管と閲覧**

① 管理者（管理者がいないときは、一定の区分所有者など）は、「規約」「集会の議事録」を保管しなければならない。
② 保管場所は、建物内の見やすい場所に掲示しなければならない。
③ 「規約」と「集会の議事録」を保管するものは、利害関係人の請求があったときは、正当な理由がある場合を除いて、これらの閲覧を拒んではならない。

▶**「規約」と「集会の決議」の効力**

① 「規約」と「集会の決議」の効力は、区分所有者の特定承継人に対しても、効力を生じる。
② 占有者は、建物や敷地、附属施設の使用方法につき、区分所有者が規約または集会の決議に基づいて負う義務と同一の義務を負う。

新しくマンションの住民になったみなさんも、規約や集会の決議は守ってねということ。

そりゃそうですよね（笑）。

特定承継人とは専有部分の購入者など。占有者は、建物の使用方法などについてのみ、区分所有者と同様の義務を負う。

★★★

3 義務違反者に対する措置

区分所有者や専有部分の占有者（例：賃借人）は、建物の保存に有害な行為その他建物の管理または使用に関し区分所有者の共同の利益に反する行為をしてはなりません。この「共同の利益に反する行為」をしている者を「義務違反者」といいます。

＊共同の利益に反する行為の例

外壁に穴を開けた。廊下や階段などに私物を置いている。猛獣を飼育する。違法駐車を繰り返す。住居専用マンションなのに事務所や店舗として使用。騒音・振動・悪臭。著しい管理費や修繕積立金の滞納。

〔1〕共同の利益に反する行為の停止等の請求（57条）

① 区分所有者または占有者（専有部分の賃借人など）が建物の管理または使用に関して共同の利益に反する行為をした場合またはその行為をするおそれがある場合には、他の区分所有者の全員または管理組合法人は、区分所有者の共同の利益のため、その行為を停止し、その行為の結果を除去し、またはその行為を予防するため必要な措置を執ることを請求することができる。

② ①の規定に基づき訴訟を提起するには、集会の決議によらなければならない。

とりあえず、訴訟を提起することなく「やめてね」とお願いしてみる。

「行為の停止等の請求」の訴訟の提起は普通決議（各過半数）による。

そういう穏便な方法ではむずかしい案件の場合は、訴訟を提起ですね。勝訴判決に基づき、強制執行とか。「行為を停止しなかったら、金○○万円を支払え」とか。

〔2〕使用禁止の請求（58条）

スッキリ条文

① 区分所有者の義務違反の程度が著しいため、共同生活上の障害が著しく、〔1〕の行為の停止等の請求によってはその障害を除去して共用部分の利用の確保その他の区分所有者の共同生活の維持を図ることが困難であるときは、他の区分所有者の全員または管理組合法人は、集会の決議に基づき、訴えをもって、相当の期間の当該行為に係る区分所有者による専有部分の使用の禁止を請求することができる。
② ①の決議は、区分所有者及び議決権の各４分の３以上の多数でする。
③ ①の決議をするには、あらかじめ、当該区分所有者に対し、弁明する機会を与えなければならない。

行為の停止等の勝訴判決があっても功を奏さなかった場合は、裁判所に使用禁止命令を出してもらう。特別決議をしてから訴訟だね。

占有者に対しては、この使用禁止は用意されてません。家賃を払いながらの使用禁止っていうのも、変ですからね。

〔3〕区分所有権の競売の請求（59条）

① 区分所有者の義務違反の程度が著しいため、共同生活上の障害が著しく、他の方法によってはその障害を除去して共用部分の利用の確保その他の区分所有者の共同生活の維持を図ることが困難であるときは、他の区分所有者の全員または管理組合法人は、集会の決議に基づき、訴えをもって、当該行為に係る区分所有者の区分所有権及び敷地利用権の競売を請求することができる。

② ①の決議は、区分所有者及び議決権の各４分の３以上の多数でする。

③ ①の決議をするには、あらかじめ、当該区分所有者に対し、弁明する機会を与えなければならない。

最終手段として、ヤツをマンションから追い出そう。

使用禁止とおなじく、特別決議をしてから訴訟ですね。

〔4〕占有者に対する引渡し請求（60条）

① 占有者の義務違反の程度が著しいため、共同生活上の障害が著しく、他の方法によってはその障害を除去して共用部分の利用の確保その他の区分所有者の共同生活の維持を図ることが困難であるときは、区分所有者の全員または管理組合法人は、集会の決議に基づき、訴えをもって、当該行為に係る占有者が占有する専有部分の使用または収益を目的とする契約の解除及びその専有部分の引渡しを請求することができる。

② ①の決議は、区分所有者及び議決権の各４分の３以上の多数でする。

③ ①の規定による判決に基づき専有部分の引渡しを受けた者は、遅滞なく、その専有部分を占有する権原を有する者にこれを引き渡さなければならない。

占有者に対しては、〔1〕行為の停止請求と、この〔4〕引渡請求の2つ。賃貸借契約などの解除と、専有部分の引渡し。つまり、追い出し。

プラスα

この決議をする場合でも、その占有者に対し、弁明する機会を与えなければならない。

これもやっぱり特別決議をしてから訴訟ですね。

★★★

4 復旧と建替え

区分所有建物が地震などで滅失した場合、区分所有権と敷地利用権を処分（売却など）しない限り、①そのまま放置、②復旧、③建替えのいずれかを選択することになります。「復旧」の段取りとして、「小規模滅失での復旧」と「大規模滅失の復旧」があります。

〔1〕建物の一部が滅失した場合の復旧等（61条）

▶小規模滅失の場合

建物の価格の2分の1以下に相当する部分が滅失したときは、各区分所有者は、滅失した共用部分及び自己の専有部分を復旧することができる。ただし、共用部分については、復旧の工事に着手するまでに共用部分を復旧する旨の決議や、建替え決議があったときは、この限りでない。

小規模滅失の場合、とりあえず「各自で復旧してね」というスタンス。規約で「各自で復旧せず、集会の決議による」というふうにしておいてもいいです。

ここがポイント!!

規約があれば、規約が優先する。

共用部分を復旧した区分所有者は、他の区分所有者に復旧に要した金額の償還を請求できます。持分割合に応じて。

▶大規模滅失の場合

① 建物の価格の２分の１を超える部分が滅失したときは、集会において、区分所有者及び議決権の各４分の３以上の多数で、滅失した共用部分を復旧する旨の決議をすることができる。

② ①の決議があった場合において、その決議の日から２週間を経過したときは、その決議に賛成した区分所有者（決議賛成者）以外の区分所有者は、決議賛成者の全部または一部に対し、建物及びその敷地に関する権利を時価で買い取るべきことを請求することができる。

建物の価格が、滅失前は20億円だったのに、滅失後は７億円になったというような場合だね。小規模滅失の場合とは異なり、各自での勝手な単独復旧は認められない。

決議賛成者全員の合意により買取指定者（ゼネコンなど）が指定されているときは、買取指定者に買取請求権を行使する。

復旧するとしてどれくらい費用がかかるのかしら。復旧に反対の人は買取請求権を行使して、区分所有関係から離脱ですね。

▶大規模滅失の場合で復旧決議がない場合

建物の一部が大規模滅失した日から６ヶ月以内に復旧の決議も建替えの決議もないときは、各区分所有者は、他の区分所有者に対し、建物及びその敷地に関する権利を時価で買い取るべきことを請求することができる。

〔2〕建替え決議（62条、63条）

集会においては、区分所有者及び議決権の各５分の４以上の多数で、建物を取り壊し、かつ、新たに建物を建築する旨の決議（建替え決議）をすることができる。

果たしてできるのでしょうか、マンションの建替え。まぁそんな建替え決議の際には、次の事項を定めることとされてます。

建替え決議については、規約で別段の定めをすることができない。

① 新たに建築する建物（再建建物）の設計の概要
② 建物の取壊し及び再建建物の建築に要する費用の概算額
③ 費用の分担に関する事項
④ 再建建物の区分所有権の帰属に関する事項

建替え決議をする集会招集は「少なくとも２ヶ月前」に発しなければならない。集会の会日の１ヶ月前までに「説明会の開催」も必要。

建替えに参加しない、５分の１に満たない人たちはどうなるのでしょうか !!

こうなります。以下、売渡請求権の段取りです。

▶売渡請求権

①　建替え決議があったときは、集会を招集した者は、遅滞なく、建替え決議に賛成しなかった区分所有者に対し、建替え決議の内容により建替えに参加するか否かを回答すべき旨を書面で催告しなければならない。
②　催告を受けた区分所有者は、２ヶ月以内に回答しなければならない。回答がない場合は、建替えに参加しない旨を回答したものとみなす。
③　②の期間が経過したときは、建替え決議に賛成した各区分所有者や、これらの者の全員の合意により指定された「買受指定者」は、②の期間の満了の日から２ヶ月以内に、建替えに参加しない旨を回答した区分所有者に対し、区分所有権及び敷地利用権を時価で売り渡すべきことを請求することができる。

建替えに参加する区分所有者サイドから、建替えに参加しない区分所有者に対しての「売渡請求権」。はやい話が、「不参加者を追い出そうぜ」ということ。

不参加者からの「買取請求権」ではないんですね。不参加者がいると建替えができないので、「売渡請求権」により排除されます。

売渡請求権を行使（意思表示が相手方に到達）すれば、売買契約は成立となる。相手方の承諾などは不要。

参考

【登記編】区分所有建物の登記ってどうなっているの？

▶不動産登記法上の定義

> 区分建物とは、一棟の建物の構造上区分された部分で独立して住居、店舗、事務所または倉庫その他建物としての用途に供することができるものであって、建物の区分所有等に関する法律に規定する専有部分であるもの（規約共用部分とされたものを含む）をいう。

〔1〕区分建物の登記記録の編成

> 表題部：一棟の建物の表題部・区分建物の表題部
> 権利部：甲区・乙区

マンション（区分所有建物）の表題部は、一棟の建物の全体を表示した「一棟の建物の表題部」と、各区分所有建物を表示した「専有部分の建物の表示」の２つから構成されているんだ。

「一棟の建物の表題部」での床面積は、壁の中心線から計算した面積。一方、「専有部分の建物の表示」での床面積は、例の「壁の内側線から計算した面積」となっているんですね。ややこしい〜。

『一棟の建物の表題部』の見本

東京○○区○○町二丁目 21 － 13　　　　全部事項証明書（建物）

専有部分の家屋番号	21-13-101 ～ 21-13-108　21-13-201 ～ 21-13-208　21-13-301 ～ 21-13-308 21-13-401 ～ 21-13-408　21-13-501 ～ 21-13-508　21-13-601 ～ 21-13-608

表題部（一棟の建物の表示）		調製　平成○年○月○日	所在図番号	
所在	○○区○○町二丁目 21 番地 13			
建物の名称	ハッピーマンション			

①構造	②床面積 ㎡		原因及びその日付〔登記の日付〕
鉄筋コンクリート造陸屋根 6 階建	1 階	500.57	〔平成 10 年○月○日〕
	2 階	500.00	
	3 階	500.00	
	4 階	400.00	
	5 階	400.00	
	6 階	400.00	

表題部（敷地権の目的である土地の表示）				
①土地の符号	②所在及び地番	③地目	④地積 ㎡	登記の日付
1	○○区○○町二丁目 21 番地 13	宅地	700.00	平成 10 年○月○日

「一棟の建物の表題部」というだけあって、そもそも「どんなマンションなんだ？」というのがわかるようになっている。で、『敷地権の目的たる土地の表示』で、どこの土地に建っているのかということもわかる。

「敷地権」とあるので、この土地だけを単独で買うことはできない、という扱いなんですね。

ひとこと

平均値ではない。自分のモノサシと社会のモノサシ。2つの基準を準備して人生に挑む。

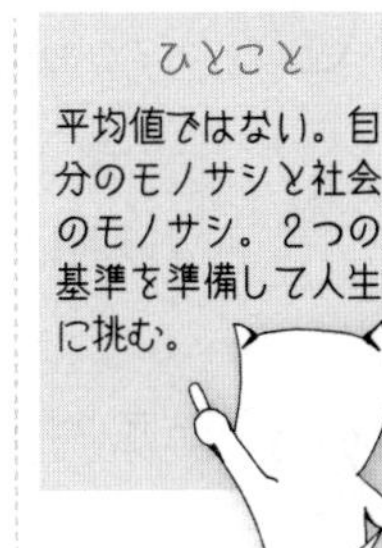

『区分建物の表題部』の見本

全部事項証明書（建物）

表題部（専有部分の建物の表示）			不動産番号
家屋番号	○○区○○町二丁目 21 番地 13-501		
建物の名称	501 号室		
①種類	②構造	③床面積㎡	原因及びその日付 〔登記の日付〕
居宅	鉄筋コンクリート造 1 階建て	5 階部分　60 00	平成 10 年○月○日新築 〔平成 10 年○月○日〕
表題部（敷地権の表示）			
①土地の符号	②敷地権の種類	③敷地権の割合	原因及びその日付 〔登記の日付〕
1	所有権	192456 分の 6000	平成 10 年○月○日敷地権 〔平成 10 年○月○日〕

ハッピーマンション 501 号室の表題部。建物の表題部なんだけど、『敷地権の表示』として、501 号室にはどのくらいの割合で土地所有権（敷地権）がついているかがわかるようになっている。

〔2〕規約共用部分の登記

専有部分となりうる部分を規約により共用部分とした場合、当該共用部分となった区分建物の表題部には、共用部分である旨の登記がなされる。

表題部を見れば、この部屋（専有部分）が共用部分になっているのかどうかがわかる。どこに書いてあるかというと【原因及び日付欄】。そこに「平成○年○月○日規約設定　共用部分」と登記される。で、この登記がなければ規約共用部分であることを第三者に対抗することができない。

法定共用部分（エレベーターとか廊下とか、だれがどうみても共用部分だろ、というヤツ）は登記できません、というか登記システムがないんですか⁉　へぇ～。

〔3〕区分建物についての建物の表題登記の申請方法

① 区分建物が属する一棟の建物が新築された場合における当該区分建物についての表題登記の申請は、当該新築された一棟の建物に属する他の区分建物についての表題登記の申請と併せてしなければならない。
② 上記の場合において、当該区分建物の所有者は、他の区分建物の所有者に代わって、当該他の区分建物についての表題登記を申請することができる。

「一棟のマンション単位で、一括して区分建物の登記をしてくださいね」という趣旨。各区分建物（専有部分）単位でバラバラと申請されても、ちょっとねぇ～。処理が困りますでしょ。なので通常は分譲業者らがまとめて行ってます。

〔4〕区分建物の所有権保存登記

区分建物については、表題部所有者から所有権を取得した者も、所有権の保存登記を申請することができる。この場合において、当該建物が敷地権付き区分建物であるときは、当該敷地権の登記名義人の承諾を得なければならない。

本来、「所有権の保存登記は表題部所有者でないとできません」ということなんだけど、これをこのまま分譲マンションに当てはめると、表題登記は分譲業者の一括申請だから、表題所有者は分譲業者に。となると、その専有部分ではじめてとなる甲区の所有権保存登記の登記名義人は、その分譲業者となる。

新築マンション（専有部分）を買った一般消費者は、「えぇ～、所有権の移転登記になっちゃうのぉぉ～」と、まぁ、ある意味かわいそうなことになるから、こんな規定があるんですね～。

【登記編】マンションの土地の登記はどうなっているか？

▶敷地権の登記

敷地権とは、区分所有法に規定する敷地利用権（登記されたものに限る）であって、専有部分と分離して処分できないものをいう。

早い話、マンションっていうヤツは、「建物と土地が一体化している」というワケなんだから、敷地権が表示された区分所有建物については、土地には登記しないで、すべて建物の登記のほうで処理することになった。なので、土地の登記記録には、敷地権が所有権だったら甲区に、借地権（地上権、賃借権）などだったら乙区に、「区分所有建物の敷地になっています。土地だけの処分はできません」という意味合いで『敷地権』と記録されて、おわり。

「誰と誰が共有しているのか」とか「各自の持分はどうなっているか」というような細かいことは記録されないんですね。その土地の上に立っている区分所有建物の表題部を見よ、ということになるのかぁ〜。ちょっと乱暴かも!?

マンションが建っている土地（甲区）の見本

権利部（甲区）（所有権に関する事項）			
順位番号	登記の目的	交付年月日・受付番号	権利者その他の事項
1	所有権保存	平成○年○月○日 第○○号	所有者 大田区南馬込二丁目2番2号 株式会社　パイナップル
2	所有権移転	平成○年○月○日 第○○号	原因　平成○年○月○日売買 所有者 品川区西海岸一丁目 株式会社　サーフ不動産
3	所有権敷地権	余白	建物の表示 ○○区○○町二丁目21番地13 1棟の建物番号 ハッピーマンション 平成10年○月○日登記

Part

4

地価公示・不動産鑑定評価・税

まず「地価公示法・不動産鑑定評価」を学習します。毎年3月下旬に公表される地価公示。その意味するところと公表までの段取りや不動産鑑定評価の方法。税については、不動産取引のどのような場面でどのような税金が登場するか、まずはその辺りをチェックしてみてください。

1 Section 地価公示法と不動産鑑定評価

ところでこの土地いくらなの？
価格に目安があると取引しやすい。

★★★

1 地価公示法（地価公示制度）のしくみ

概要

果たして土地に適正な価格などあるのでしょうか。相場があってないような土地の価格。さまざまな思惑に左右され、一般の人が適正な価格を判別するのは困難です。そこで地価公示法に基づく地価公示制度があります。売り手にも買い手にもかたよらない客観的な市場価値を正常価格として、毎年1回、3月下旬に公示しています。

〔1〕地価公示法の目的（1条、1条の2）

スッキリ条文

地価公示法は、都市及びその周辺の地域等において、標準地を選定し、その正常な価格を公示することによって、一般の土地の取引価格に対して指標を与え、及び公共の利益となる事業の用に供する土地に対する適正な補償金の額の算定等に資し、もって適正な地価の形成に寄与することを目的とする。

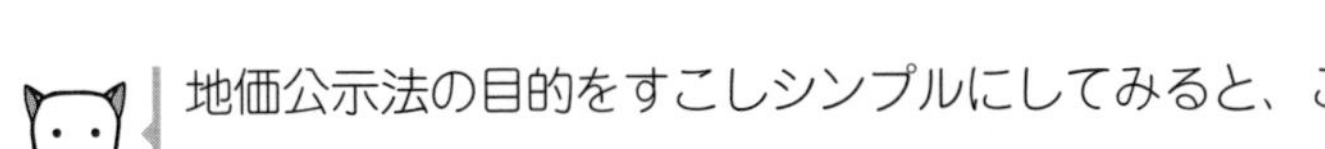

地価公示法の目的をすこしシンプルにしてみると、こんな感じかな。

適正な地価の形成に寄与するために
　①一般の土地の取引価格に対して指標を与える。
　②公共事業用の土地に対する適正な補償金の算定に資する。

そのための公示価格だよ、ということなんですね。なので「土地の取引を行う者の責務」としてこんな規定もあります。

都市及びその周辺の地域等において、土地の取引を行う者は、取引の対象土地に類似する利用価値を有すると認められる標準地について公示された価格を指標として取引を行うよう努めなければならない。

「取引を行うよう努めなければならない」というオチにご注意を。我々が土地取引をする際、公示価格を指標（目安）としてね、というニュアンス。

「公示された価格により取引を行わなければならない」と試験で出てたら×ですね。

そうそう。でね、公示価格を「規準」としなければならない場合や、考慮しなければならない場合もありまして。以下の３パターンです。

①不動産鑑定士は、公示区域内の土地について鑑定評価を行う場合において、当該土地の正常な価格を求めるときは、公示価格を規準としなければならない。
②土地収用法などによって土地を収用することができる事業を行う者は、公示区域内の土地を当該事業の用に共するため取得する場合において、当該土地の取得価格を定めるときは、公示価格を規準としなければならない。
③土地収用法の規定により、公示区域内の土地について相当な価格を算定するときは、公示価格を規準として算定した当該土地の価格を考慮しなければならない。

〔2〕地価の公示の手続き（2条～11条）

以下、地価公示の段取りです。試験でもよく出てくるよー。

「土地鑑定委員会」が登場しまーす。国土交通省に置かれる委員会でーす。

重要！
標準地は土地鑑定委員会が選定。都道府県知事などではない。

重要！
借地権などが設定されている土地でも標準地として選定できる。

①標準地の選定

土地鑑定委員会が、公示区域内から標準地を選定する。

公示区域	都市計画区域その他の土地取引が相当程度見込まれるものとして国土交通省令で定める区域（国土利用計画法の規定により指定された規制区域を除く）。都市計画区域内に限らない。
標準地	自然的及び社会的条件からみて類似の利用価値を有すると認められる地域において、土地の利用状況、環境等が通常と認められる一団の土地について、土地鑑定委員会が選定する。

②標準地の鑑定評価

標準地について、毎年１回、２人以上の不動産鑑定士が鑑定評価をする。

▶鑑定評価の基準

不動産鑑定士は、標準地の鑑定評価を行うにあたっては、以下の３つの価格を勘案してこれを行わなければならない。

①近傍類地の取引価格から算定される推定の価格	取引事例比較法
②近傍類地の地代等から算定される推定の価格	収益還元法
③同等の効用を有する土地の造成に要する推定の費用の額	原価法

①は取引事例比較法で、相場的な価格を。②は収益還元法で、地代から逆算した価格を。③は原価法で、まさに原価。

重要！

鑑定評価をするにあたり、この３つの手法を併用する。

この鑑定評価の基準は、不動産鑑定評価のところでも登場しまーす。標準地の鑑定評価を行った不動産鑑定士は、土地鑑定委員会に対し、鑑定評価額などの事項を記載した鑑定評価書を提出しなければなりません。

③正常な価格の判定

土地鑑定委員会が、鑑定評価の結果を審査し、必要な調整を行って、一定の基準日（1月1日）における標準地の単位面積当たり（1㎡あたり）の正常な価格を判定し、これを公示する。

▶正常な価格とは

①土地について、自由な取引が行われるとした場合におけるその取引において通常成立すると認められる価格。

②土地に建物等がある場合や地上権などの権利が存する場合には、これらがないものとして通常成立すると認められる価格（更地価格）。

④正常な価格の公示

土地鑑定委員会は、標準地の単位面積（1㎡）当たりの正常な価格を判定したときは、すみやかに、次の事項を官報で公示しなければならない。

①　標準地の所在の郡、市、区、町村、字、地番。

②　標準地の単位面積（1㎡）当たりの価格、価格判定の基準日。

③　標準地の地積、形状。

④　「標準地」と「その周辺の土地」の利用の現況　など。

プラスα

標準地のほか「その周辺の土地」の利用の現況も公示事項であることに注意。

⑤図書の送付

土地鑑定委員会は、正常な価格を公示したときは、すみやかに、関係市町村の長に対して、次の図書を送付しなければならない。

① 公示した事項のうち、当該市町村が属する都道府県に存する標準地に係る部分を記載した書面。
② 当該標準地の所在を表示する図面。

念のためですが！

図書の送付は土地鑑定委員会が行う。送付先は市町村長。都道府県知事ではない。

⑥図書の閲覧

関係市町村の長は、上記⑤の図書を当該市町村の事務所において一般の閲覧に供しなければならない。

プラスα

利害関係の有無を問わず、誰でも閲覧できる。

★★☆

2 不動産の鑑定評価

不動産を鑑定評価するために、不動産鑑定評価基準というものがあります。かんたんに、不動産鑑定評価基準を見ておきましょう。

〔1〕不動産の鑑定評価によって求める価格

不動産の鑑定評価によって求める価格は、原則として正常価格なんだけど、ほかにもあるよー。

プラスα

市場性を有するか有しないかで、整理しておこう。

文化財の指定を受けた建造物や宗教建築物は、特殊価格。そんなキーワードだけでも拾っておきましょう。

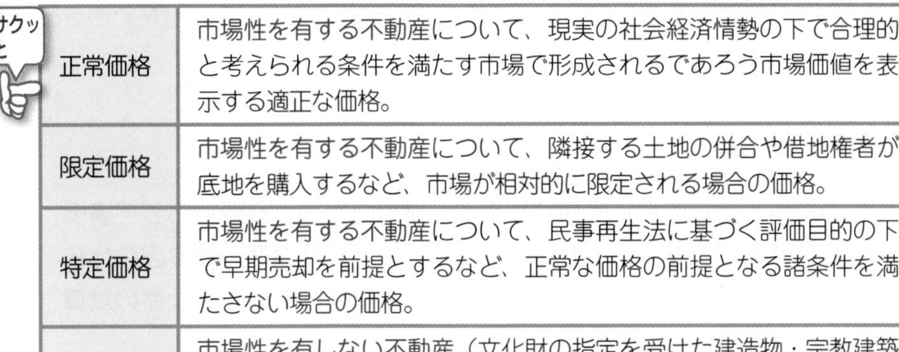

正常価格	市場性を有する不動産について、現実の社会経済情勢の下で合理的と考えられる条件を満たす市場で形成されるであろう市場価値を表示する適正な価格。
限定価格	市場性を有する不動産について、隣接する土地の併合や借地権者が底地を購入するなど、市場が相対的に限定される場合の価格。
特定価格	市場性を有する不動産について、民事再生法に基づく評価目的の下で早期売却を前提とするなど、正常な価格の前提となる諸条件を満たさない場合の価格。
特殊価格	市場性を有しない不動産（文化財の指定を受けた建造物・宗教建築物など）について、その利用状況等を前提とした価格。

〔2〕価格を求める鑑定評価の手法

不動産の価格を求める鑑定評価の基本的な手法は、原価法、取引事例比較法、収益還元法に大別されるよ。

鑑定評価をする場合、このうちのどれか１つじゃなくて、複数の鑑定評価の手法を適用すべきとされてまーす。

重要！
対象不動産の実情などで複数の鑑定評価の手法の適用が困難な場合でも、「その考え方をできるだけ参酌するよう努めるべきである」とされている。

①原価法

価格時点における対象不動産の再調達原価を求め、この再調達原価について減価修正を行って対象不動産の試算価格（積算価格）を求める手法。

建物だったら、いま建てたらいくらになるか（再調達原価）を求め、そこから古くなっている分を引く（減価修正）をすると。

対象不動産が「建物」や「建物と敷地」という場合で、再調達原価の把握や減価修正を行うことができるときに有効ですよね。でも土地のみの場合だと、どうなんでしょうか。

プラスα
減価修正を行う場合の「減価額」を求める方法として「耐用年数に基づく方法」と「観察減価法」があり、原則として、この２つを併用する。

対象不動産が土地のみでも、再調達原価を適切に求めることができるときはこの手法を適用することができるよ。

②取引事例比較法

多数の取引事例を収集して適切な事例の選択を行い、必要に応じて事情補正及び時点修正を行い、かつ、地域要因の比較及び個別的要因の比較を行って求められた価格を比較考量し、これによって対象不動産の試算価格（比準価格）を求める手法。

似たような不動産の取引事例を集めて検討する。取引価格のリサーチだね。

取引事例は、原則として近隣地域または同一需給圏内の類似地域に存する不動産に係るもののうちから選択する。

相場っていうのかしら。必要に応じて事情補正や時点修正ですね。

そうそう、なので取引事例は、次の要件をぜんぶ備えていなければならないとされているよ。

①取引事例が正常なものである（例：投機的取引ではない）と認められること。
②時点修正をすることが可能であること。
③地域要因の比較及び個別的要因の比較が可能なものであること。

③収益還元法

対象不動産が将来生み出すであろうと期待される純収益の現在価値の総和を求めることにより対象不動産の試算価格（収益価格）を求める手法。

その不動産を賃貸で運用したら、将来にわたってどれくらい収益をあげられるのかという観点から、その物件の価格を算定しようというワケだね。

なんか、いまどきな方法っていう感じですね。とくに賃貸用不動産とか、賃貸以外の事業用不動産の価格を求める際には特にいいですよね。

まさに収益物件だからね。でもね、「自用の住宅地といえども賃貸を想定することにより適用すべき」とのこと。

あと「市場における土地の取引価格の上昇が著しいときは、その価格と収益価格との乖離が増大するので、そんな先走りがちな取引価格に対する有力な検証手段として、収益還元法を活用すべきである」とのこと。たしかに!!

プラスα

収益還元法により収益価格を求めるには、「直接還元法」と「DCF法（Discounted Cash Flow 法）」の2つの方法がある。

■収益還元法（収益価格）の考え方

収益価格＝純利益（年間収益ー諸経費）÷還元利回り

例：年間収益（例：家賃）が100万円、
諸経費20万円、還元利回り5％の場合
1,600万円＝（100万円ー20万円）÷5％
※還元利回りを何％にするかで収益価格が変わる。

参考 利回りとは

利回りとは、物件価格に対して得られる年間の利益が何％になるかをあらわした数値をいう。「表面利回り」と「実質利回り」の２つがある。収益物件の購入を促す際のネタとなる。

■表面利回り

広告でよく使われる。単に年間家賃収入（想定）を物件価格で割ったもの。経費や税金などを含めずに計算しているので、いい感じの％になる。

■実質利回り

年間家賃収入から賃貸管理委託手数料や税金などの必要経費を差し引いた年間粗利益を物件価格で割ったもの。表面利回りよりも現実的な数字となるが、空室率や突発的な修繕費を含めずに計算したりしている。

ひとこと

１万時間かければ誰でも一流と呼ばれるプロになれる。グラッドウェルの法則。続けてみよう。

Section 2

不動産取引の際に登場する税金

1 試験で出てくる税金

概要

不動産に関する税からの出題は毎年２問で、地方税から１問、国税から１問です。どういう税金が、不動産取引のどの場面に登場してくるのか、課税主体（誰が税金を課すのか）や納税義務者（誰が税金を支払うのか）などを、まずはざっと把握しておきましょう。

▶不動産取引の際にからんでくる税

要チェック

①不動産取得税	不動産を取得したら	都道府県税
②固定資産税	不動産を所有していれば	市町村税
③登録免許税	所有権などの登記をしたとき	国　税
④印紙税	不動産売買契約書などを作ったとき	
⑤贈与税	不動産購入資金の贈与を受けたとき	
⑥所得税（譲渡所得）	不動産を売却して儲けが出たら	

★★★

2　不動産取得税（都道府県税）

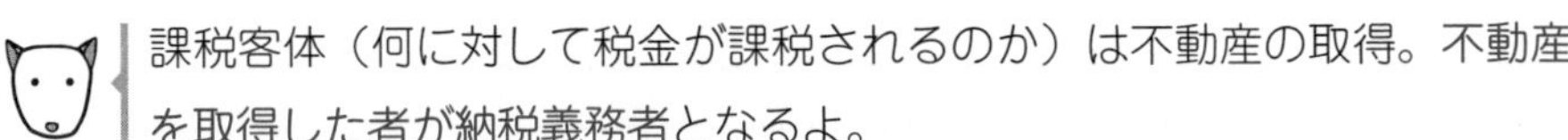

概要

土地や家屋を購入したり、家屋を増改築するなどして不動産を「取得」した場合、有償・無償、登記の有無にかかわらず、不動産取得税が課税されます。

課税客体（何に対して税金が課税されるのか）は不動産の取得。不動産を取得した者が納税義務者となるよ。

不動産を所有している間はずっと課税される固定資産税とちがって、取得のときだけに課税されるから、「不動産取得税」なんですね !!

〔1〕不動産取得税の基本的なしくみ

課税主体	不動産が所在する都道府県

納税義務者	不動産の取得者
土地や家屋を売買、贈与、相続人以外への遺贈、交換、建築（新築、増築、改築）などによる取得。有償・無償、登記の有無は問わない。	

新築だけでなく増改築も含むよ。増築の場合は増築部分が、改築の場合は改築による価値増加分が課税対象となる。

プラスα

不動産を取得した者が住んでいる都道府県ではないことに注意。

▶不動産の取得とみなされる場合

①家屋が新築されたときは、最初の使用または譲渡が行われた日に家屋の取得があったものとみなされる。
②家屋が新築された日から6ヶ月を経過しても最初の使用または譲渡がない場合は、新築後6ヶ月を経過した日に家屋の取得があったものとみなされる。

※宅建業者が分譲する新築住宅については、特例で「6ヶ月」が「1年」となる。

非課税	①国や地方公共団体などが不動産を取得する場合 ②相続（相続人に対しての遺贈を含む）、法人の合併による不動産の取得 ③共有物分割による不動産の取得（分割前の持分を超えない場合）など

課税標準	不動産の価格
実際の取引価格ではなく、固定資産課税台帳の登録価格（固定資産税評価額）を使う。	

※課税標準とは税額を算出する際の元となるもの（金額）。「課税標準×税率＝税額」と計算する。
※固定資産課税台帳は、市町村に所在する固定資産の状況及び価格を明らかにするために備えられる。

税　　率	4％
住宅または土地を取得した場合は3％となる。	

納付方法	普通徴収
課税主体が税額を計算して、納税義務者に納税通知書（納付書）を送付。	

免 税 点	課税標準額が以下の場合には、不動産取得税は課税されない

⬇

土　　地	10万円未満	
建　　物	新築・増改築	一戸につき23万円未満
	購入など	一戸につき12万円未満

〔2〕課税標準の特例

一定の住宅や宅地を取得した場合、不動産取得税の負担が軽減されているよ。方法としては課税標準の特例。

課税標準額から一定額を控除しまーす。結果、税額も安くなりまーす。住宅にも宅地にも適用ありでーす。

重 要！
課税標準の特例は住宅の場合のみ。住宅以外の家屋の取得には適用なし。

①新築住宅の場合

<table>
<tr><td colspan="2">課税標準額から一戸につき 1,200 万円が控除される。
➔（課税標準額－1,200 万円）×３％＝不動産取得税</td></tr>
<tr><td>要　件</td><td>①自己居住用または貸家用であること。
②床面積が 50㎡（賃貸住宅の場合は 40㎡）以上 240㎡以下であること。
注：取得者が個人である場合のほか、法人が取得した場合も適用あり。</td></tr>
</table>

②中古（既存）住宅の場合

<table>
<tr><td colspan="2">課税標準額から新築された当時の控除額が控除される。
➔（課税標準額－新築時の控除額※）×３％＝不動産取得税</td></tr>
<tr><td>要　件</td><td>①自己居住用であること（賃貸住宅は適用不可・対象外）。
②床面積が 50㎡以上 240㎡以下であること。
③「昭和 57 年１月１日以降に新築されたこと」または「新耐震基準に適合していること」（いずれか）。
注：取得者が個人である場合のみ。法人が取得した場合は対象外。</td></tr>
</table>

※新築時の控除額の例

昭和 60 年７月１日～平成元年３月 31 日 ➔ 450 万円
平成元年４月１日～平成９年３月 31 日 ➔ 1,000 万円
平成９年４月１日以降 ➔ 1,200 万円

③宅建業者（買取再販業者）の特例

宅建業者が中古住宅を取得し、住宅性能の一定の向上を図るための改修工事を行った後、住宅を個人の自己居住用住宅として譲渡する場合、宅建業者に課される不動産取得税について、上記②の中古（既存）住宅の場合の課税標準の特例が適用される。

④宅地を取得した場合

課税標準額が２分の１に引き下げられる。
➔ 課税標準額×２分の１×３％＝不動産取得税

3 固定資産税（市町村税）

マンションなどの不動産を所有したら、所有している限り、固定資産税が課税されます。１月１日時点での所有者に課税です。

固定資産税は、１月１日の所有者に対して、その年度分（４月～３月）での課税となるよ。

１月２日以降にマンションを買ったなんていう場合は、その年（年度）の固定資産税はなしですね。来年度からの納税となります。

ちなみに!!

東京都の特別区（23区）にあっては、都が課税。

〔1〕固定資産税の基本的なしくみ

課税主体	不動産が所在する市町村

納税義務者	賦課期日（1月1日）現在、固定資産課税台帳に所有者として登録されている者
以下の場合は、所有者以外の者が納税義務者となる。 ①質権が設定されている土地 ➔ 質権者 ② 100 年より永い存続期間の地上権が設定されている土地 ➔ 地上権者 ③所有者が賦課期日前に死亡 ➔ 賦課期日において現に所有している者 ④災害などにより所有者が不明の場合 ➔ 賦課期日における使用者	

※共有の場合は各共有者が連帯して納付する義務を負う。ただし、区分所有の場合は、持分で按分計算。

非課税	所有者が国や地方公共団体等などであるとき、など

課税標準	賦課期日（1月1日）現在、固定資産課税台帳に登録されている価格（固定資産税評価額）

※固定資産税評価額の評価替え（見直し）は、３年ごとに行われる。

税率	標準税率は 1.4%
各市町村は条例で、標準税率と異なる税率を定めることができる。	

納付方法	普通徴収
納期は原則として年４回。４月、７月、12 月、２月において市町村の条例で定める。特別な事情があるときは、これと異なる納期を定めることができる。	

※固定資産税の納税通知書は、遅くとも、納期限の 10 日前までに納税者に交付しなければならない。

免税点	課税標準額が以下の場合には、固定資産税は課税されない

⬇

土　地	30万円未満
建　物	20万円未満
財政上その他特別の事情がある場合には、免税点に満たないものについても、条例により課税することができる。	

〔2〕課税標準の特例

一定の住宅用地については、課税標準の特例があるよー。

思い切って、課税標準額を6分の1にしちゃいまーす。結果、固定資産税がメチャ安です。

①小規模住宅用地（200㎡以下の住宅用地）

課税標準額＝固定資産税評価額×6分の1

重要！

住宅が建っていない「更地」だと、この特例は受けられない。

②それ以外（200㎡超の住宅用地）

200㎡までの課税標準額＝固定資産税評価額×6分の1

＋

200㎡超の部分の課税標準額＝固定資産税評価額×3分の1

※つまり300㎡の住宅用地だったら、「200㎡」と「100㎡」に分けて計算する。

〔3〕税額減額の特例

新築住宅については、税額の減額（軽減 ）がありまーす。

住宅については、課税標準の特例ではなく、「税額の減額」となる。

課税標準額× 1.4％（標準税率）で算出された固定資産税額を減額しまーす。

固定資産税評価額× 1.4％＝固定資産税 ← これを2分の1

一定の要件に該当する新築住宅については、新築後、３年度間または５年度間（耐火・準耐火構造の中高層住宅の場合）、120㎡までの部分についての税額が２分の１に軽減される。

要　件	床面積が 50㎡以上 280㎡以下 賃貸マンション・アパートの場合は 40㎡以上 280㎡以下

※別荘は適用除外。税額の減額はない。

〔4〕固定資産の価格について

▶価格の決定

① 固定資産の評価は、総務大臣が定めた「固定資産評価基準」に基づいて、市町村の固定資産評価員が行う。

② 市町村長は、その評価に基づいて、３月 31 日までに固定資産の価格等を決定しなければならない。

▶固定資産課税台帳の閲覧請求・不服審査の申出

① 納税義務者は、必要に応じて、市町村長に対して、その者の固定資産に関する事項等が記載されている部分またはその写しの閲覧を請求できる。

② 固定資産税の納税者は、固定資産課税台帳に登録された価格（評価額）に不服がある場合、一定の期間内に書面をもって、固定資産評価審査委員会に審査の申出をすることができる。

▶「土地価格等縦覧帳簿・家屋価格等縦覧帳簿」の縦覧

市町村長は、毎年3月31日までに所在や価格等を記載した「土地価格等縦覧帳簿・家屋価格等縦覧帳簿」を作成し、納税者の縦覧に供しなければならない。

縦覧期間

①4月1日～20日までの間 ②最初の納期限の日	①②のいずれか 遅い日までの期間

帳簿の縦覧制度は、納税者が、その価格（評価額）が適正であるか、他の土地・家屋と比較できる制度。他人の固定資産税に関する事項も縦覧できる。

★★★

4 登録免許税（国税）

登録免許税は、不動産について所有権の保存登記や移転登記、抵当権設定登記などを受けるときに課税されます。

権利の対抗要件を備えるのにもおカネがいる（笑）。

課税主体	国

納税義務者	登記を受ける者
登記を受ける者が2以上あるときは、これらの者が連帯して納付する義務を負う。	

例	不動産売買での所有権移転登記。売主（登記義務者）と買主（登記権利者）が共同して登記申請することになるため、連帯して登録免許税の納付義務を負うことになる。

非課税	・国や地方公共団体等が自己のために受ける登記 ・建物の新築、増築の表示登記（土地の分筆、合筆、建物の合併などによる表示の変更登記は除く）など

権利の登記じゃなくて、不動産の「表示の登記」については非課税でーす。

課税標準	不動産の価額、債権額（抵当権設定登記の場合）、不動産の個数
「不動産の価額」は、実際の取引価格ではなく、固定資産税評価額を使う。	

納付方法	現金納付（登記申請書に領収証書を貼付） 納期限は登記を受ける時
・納税地は不動産の所在地を管轄する登記所。 ・税額が3万円以下である場合には、収入印紙を登記申請書に貼り付けて納付することができる。 ・算出された税額が 1,000 円未満の場合、税額は 1,000 円となる。	

〔1〕登録免許税の税率

登録免許税の税率。住宅の場合は軽減税率があるよー。

一定の住宅で、個人が登記を受ける場合に適用されまーす。

▶税率

<table>
<tr><th rowspan="3">登記原因</th><th rowspan="3">課税標準</th><th colspan="3">税　率</th></tr>
<tr><th rowspan="2">本　則</th><th colspan="2">軽減措置</th></tr>
<tr><th>土　地</th><th>住宅用家屋</th></tr>
<tr><td>所有権保存登記</td><td>不動産の価額</td><td>$\frac{4}{1000}$</td><td>－</td><td>$\frac{1.5}{1000}$ ※1</td></tr>
<tr><td>所有権移転（売買）</td><td>不動産の価額</td><td>$\frac{20}{1000}$</td><td>$\frac{15}{1000}$</td><td>$\frac{3}{1000}$ ※1</td></tr>
<tr><td>所有権移転
（相続・法人の合併）</td><td>不動産の価額</td><td>$\frac{4}{1000}$</td><td>－</td><td>－</td></tr>
<tr><td>所有権移転（贈与）</td><td>不動産の価額</td><td>$\frac{20}{1000}$</td><td>－</td><td>－</td></tr>
<tr><td>抵当権設定登記</td><td>債権の金額</td><td>$\frac{4}{1000}$</td><td>－</td><td>$\frac{1}{1000}$ ※2</td></tr>
<tr><td>地上権・賃借権の
設定登記</td><td>不動産の価額</td><td>$\frac{10}{1000}$</td><td>－</td><td>－</td></tr>
<tr><td>登記の抹消</td><td>不動産の個数</td><td colspan="3">1個につき1,000円</td></tr>
</table>

※1　住宅用家屋の軽減税率の適用対象

（1）適用要件

①自己の居住用　②新築または取得後1年以内に登記　③床面積が50㎡以上

(2) 中古住宅の場合（所有権移転登記の税率の軽減）

耐火建築物は新築後 25 年以内、耐火建築物以外は新築後 20 年以内。
（平成 17 年 4 月 1 日以降に取得したもので、一定の耐震基準に適合するものについては、築年数は問わない。）

※2　抵当権設定登記の軽減税率

新築住宅または既存住宅を取得し、自己の居住用に供した場合で、住宅取得資金の貸付に係る債権の担保として、新築（または取得後）1 年以内に登記する場合に軽減税率の適用あり。

★★★

5　印紙税（国税）

印紙税は、不動産の売買契約書などの課税文書を作成したときに課税されます。

契約書に印紙を貼らなきゃいけないときがあるでしょ。それが印紙税。印紙を買って貼る。印紙を買うことで、国に税金をおさめたことになる。

契約書に印紙を貼らなかった場合、契約は無効とかにはなりませんけど、いわゆる脱税でーす（笑）。

〔1〕印紙税の基本的なしくみ

課税主体	国

納税義務者	課税文書の作成者
2以上の者が共同して文書を作成したときは、これらの者が連帯して納付する義務を負う。	

非課税	・国、地方公共団体等が作成する文書 ・記載金額が1万円未満の契約書 ・記載された受取額が5万円未満の受取書（領収書） ・営業に関しない受取書
民間と国等が取引をして2通の契約書を作った場合は、 ① 民間が保管する契約書は非課税（国等が作成したもの） ② 国等が保管する契約書は課税（民間が作成したもの） という扱いになる。	

納付方法	印紙を貼付して消印をする
消印は、課税文書の作成者のほか、代理人や使用人（従業員）の印章・署名で行うことができる。	

〔2〕課税文書に該当するもの

契約書

①不動産の譲渡に関する契約書　例：土地の売買契約書、交換契約書など
②地上権または土地の賃借権の設定・譲渡に関する契約書
　例：借地権設定契約書など
③消費貸借に関する契約書　例：金銭消費貸借契約書など
④請負に関する契約書　例：建築工事請負契約書など

▶留意点その１

・同一内容の契約書を２通以上作成した場合は、各契約書に印紙を貼付しなければならない。
　例 土地売買契約書を３通（正本・副本・媒介業者保管）作成した場合、それぞれに印紙を貼付。
・契約金額が１万円未満の契約書は非課税。
・一時的に作成する仮契約書（後日、正式な契約書を作成）であっても、課税文書となる。

▶留意点その２：課税文書とならないもの

①土地以外の賃借権の設定・譲渡に関する契約書
　例 建物賃貸借契約書
②抵当権、永小作権、地役権、質権の設定・譲渡に関する契約書
　例 抵当権設定契約書
③委任に関する契約書
　例 媒介契約書、委任状
④使用貸借に関する契約書

受取書

金銭等の受取証書（領収書）

▶留意点

・記載された金額が５万円未満の受取書は非課税
・営業に関しない受取書も非課税
　例 個人が自宅を売却した際の、売買代金記載の領収書

〔3〕課税文書と課税標準

売買契約書	売買代金（消費税は含まない。以下おなじ）	
交換契約書	双方の金額が記載	高いほう
	交換差金のみ記載	交換差金
土地の賃貸借契約書	権利金（後日返還されないもの） ・権利金の授受がない場合は課税なし。地代や借賃、敷金は関係なし。	
贈与契約書	記載金額のない契約書として、印紙税額は一律 200 円となる	
変更契約書	増額するとき	増額部分を記載金額として課税
	減額するとき	記載金額のない契約書として 200 円の印紙税が課税

※土地売買契約書と建築請負契約書が 1 つの契約書となっているときは、金額の高いほう。

■印紙税額（契約金額による定額）

契約金額の記載のある契約書（1 万円未満は非課税）		
1 万円超 10 万円以下	200 円	
10 万円を超え 50 万円以下	400 円	（200 円）
50 万円超 100 万円以下	1,000 円	（500 円）
100 万円超 500 万円以下	2,000 円	（1,000 円）
500 万円超 1,000 万円以下	10,000 円	（5,000 円）
1,000 万円超 5,000 万円以下	15,000 円	（10,000 円）
5,000 万円超 1 億円以下	45,000 円	（30,000 円）
1 億円超 5 億円以下	80,000 円	（60,000 円）
5 億円超 10 億円以下	180,000 円	（160,000 円）
10 億円超 50 億円以下	360,000 円	（320,000 円）
50 億円超	540,000 円	（480,000 円）
契約金額の記載のない契約書	200 円	

※不動産の譲渡に関する契約書については、平成 26 年 4 月 1 日以後に作成されるものについては税額につき軽減措置（上記表の「（　）」内）があります。

〔4〕過怠税

印紙を貼らなかった場合	納付しなかった印紙税額＋その２倍（合計３倍）
納税しなかったことを自ら申告した場合	１割増の過怠税（1.1 倍）
貼った印紙に消印しなかった場合	印紙の額面金額分の過怠税

※過怠税が課される場合でも、契約は無効などにはならない。

★★★

6 贈与税（国税）

直系尊属から住宅取得資金の贈与を受けた場合でも贈与税が課税されますが、贈与税の特例として軽減されています。

個人が個人から贈与を受けた場合、贈与税がとられるよ。

課税主体は国で、納税義務者は受贈者となりまーす。

〔1〕贈与税の課税方式

贈与税の課税方式には「暦年課税」と「相続時精算課税」の２つがあり、受贈者は贈与者ごとに、どちらかの課税方法を選択することができる。

■暦年課税

1年間（1月1日～12月31日）に贈与を受けた財産の合計額から基礎控除額110万円を差し引いた残額に、一定の税率（10%～55%）と控除額（10万円～400万円）にて贈与税額を計算。

➔(贈与額ー基礎控除110万円)×税率ー控除額＝贈与税額

■相続時精算課税

贈与を受けた時に贈与財産に対する贈与税をまず支払う。そして贈与者が亡くなったときに、「贈与財産」と「相続財産」とを合計した金額を基に相続税額を計算し、すでに支払った贈与税額を控除する。

➔(贈与額ー特別控除2,500万円)×20%(一律)＝贈与税額

要件	贈与者	60歳以上の父母・祖父母
	受贈者	贈与者の推定相続人である18歳以上の子及び孫（子が亡くなっているとき）

※一度この相続時精算課税を選択すると、同じ贈与者からの贈与について「暦年課税」へ変更することはできない。

〔2〕贈与税の特例

①配偶者からの贈与の特例

婚姻期間が20年以上の夫婦で居住用不動産の贈与・居住用不動産を取得するための資金の贈与があった場合、贈与税の特例（控除）がある。

➔控除額:基礎控除(110万円控除)+2,000万円

②住宅取得資金の贈与を受けた場合の非課税

■暦年課税と併用する場合

父母や祖父母などの直系尊属（年齢制限はない）からの贈与により、住宅取得資金を取得した場合において、一定の要件を満たすときは、非課税限度額の金額（1,000万円）について、贈与税が非課税となる。

➔（贈与額－非課税限度額 1,000 万円－基礎控除 110 万円）×税率＝贈与税額

・受贈者の要件

・1月1日において 18 歳以上の子及び孫で、合計所得金額が 2,000 万円以下。
・贈与の翌年3月 15 日までに住宅の新築や取得をすること。
・3月 15 日までにその住宅に居住しているか、居住が確実であること。

・住宅の要件

・日本国内にあり、住宅の床面積が 50㎡以上 240㎡以下（所得が 1,000 万円以下であれば 40㎡以上）。
・昭和 57 年以降に建築されていて、新耐震基準に適合していること。
・床面積の2分の1以上が居住用であること　など。

■相続時精算課税と併用する場合

住宅取得資金の贈与については、贈与者が 60 歳未満でも、相続時精算課税（特別控除 2,500 万円）を選択することができる。

➔（贈与額－非課税限度額 1,000 万円－特別控除 2,500 万円）× 20％（一律）＝贈与税額

・受贈者の要件

・1月1日において 18 歳以上の子及び孫。
・受贈者の合計所得金額要件はない。
・贈与の翌年3月 15 日までに住宅の新築や取得をすること。
・3月 15 日までにその住宅に居住しているか、居住が確実であること。

・住宅の要件

・日本国内にあり、住宅の床面積が 50㎡以上（上限なし。所得が 1,000 万円以下であれば 40㎡以上）。
・昭和 57 年以降に建築されていて、新耐震基準に適合していること。
・床面積の2分の1以上が居住用であること　など。

★★★

7 所得税・譲渡所得（国税）

不動産を譲渡して儲けが出た場合、その儲け（譲渡所得）に対して所得税が課税されます。

所得税は、個人の所得に対してかかる税金で、１年間（１月１日～12月31日）に得たすべての所得から必要経費などの所得控除を差し引いた残りの金額に税率を適用して算出するよ。

所得税では所得を以下の10種類に分類して、それぞれ必要経費の範囲や所得の計算方法が定められていますけど、宅建試験で出てくるのは、このうちの「⑧譲渡所得」でーす。

▶所得の分類

①利子所得　②配当所得　③不動産所得　④事業所得　⑤給与所得
⑥退職所得　⑦山林所得　⑧譲渡所得　⑨一時所得　⑩雑所得

〔１〕譲渡所得のしくみ

土地や建物の譲渡をして儲け（譲渡所得）が出たら、その儲けに対して所得税が課税されるよ。で、譲渡所得なんだけど、他の所得（例：給与所得）とは分離して計算します。分離課税という。

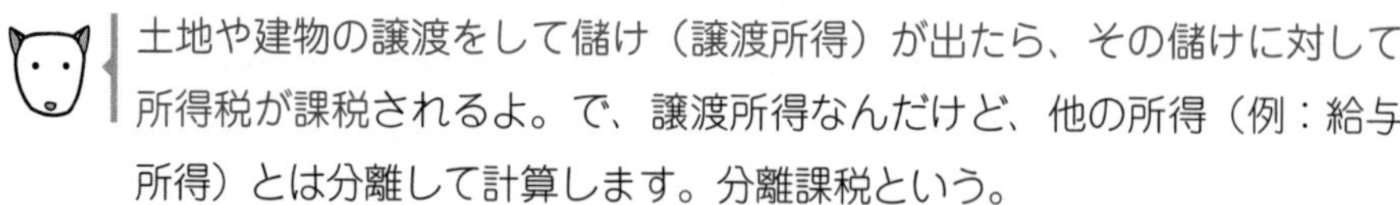

不動産を譲渡した年の１月１日時点で、所有期間が５年を超えていれば「長期譲渡所得」、５年以下だったら「短期譲渡所得」に区分されて、税率が変わってきまーす。

譲渡所得金額×税率＝所得税

▶所有期間と税率

所有期間	税　　率
短期譲渡所得の場合	30％（さらに住民税が9％）
長期譲渡所得の場合	15％（さらに住民税が5％）

譲渡した日の時点ではなく、1月1日の時点にさかのぼって、所有期間を計算する。

▶譲渡所得金額（課税標準）の計算方法

譲渡所得金額 ＝ 収入金額 －（取得費＋譲渡費用） － 特別控除
（ここを譲渡所得という）

- 取得費※：不動産の購入代金、登記費用、宅地造成費用など。
- 譲渡費用：売却する際の仲介手数料、売買契約書に貼った印紙代など。
- 特別控除：実際に費用としてお金が出て行ったわけではなく、国の政策で儲けを減らし、税金をオマケするためのもの。

※取得費が不明な場合、「収入金額の５％」とすることができる。

▶特別控除

特別控除は６種類あるけど、主なものは次のとおり。

ちなみに、「居住用財産」を「収用」のために譲渡した場合、特別控除は5,000万円が限度でーす。

▶主な特別控除

収用交換等の場合	5,000 万円を控除できる（長期・短期ともにオッケー）
居住用財産を譲渡した場合	3,000 万円を控除できる（長期・短期ともにオッケー）

〔2〕居住用財産を譲渡した場合の特例

① 3,000 万円特別控除と軽減税率

居住用財産を譲渡した場合、所有期間にかかわらず 3,000 万円の特別控除が受けられるよね。マイホームを売った儲けが 3,000 万円以内だったら、3,000 万円をドド～ンと控除しちゃえば、所得税はなし。

▶ 3,000 万円特別控除の主な適用要件

①居住用財産の譲渡であること。
- 現に居住している家屋及び敷地の譲渡
- 過去に居住していた家屋及び敷地で、居住の用に供しなくなった日から３年を経過する年の 12 月 31 日（年末）までに譲渡されたもの

②配偶者や直系血族、同族会社などへの譲渡ではないこと。
③前年、前々年に 3,000 万円特別控除の適用を受けていないこと。
④居住用財産の買換えの特例を受けていないこと。

3,000 万円特別控除で控除したあと、所有期間が 10 年を超える場合だったら、軽減税率（10%・15%）の特例の適用も受けられまーす。

▶所有期間が 10 年を超える場合の軽減税率

3,000 万円特別控除後	軽 減 税 率
6,000 万円以下の部分	10%
6,000 万円超の部分	15%

②居住用財産の買換えの特例

所有期間が10年を超える居住用財産を譲渡して、別の居住用財産に買い換える場合は、譲渡益に対する課税の繰り延べ（買換えの特例）を受けることができるよー。

いま住んでいる家を売却した時点での儲け（例：4,000万円）には課税しないから、そのおカネで新しい家を買ってくださいねという発想ですね。

ちなみに、この「居住用財産の買換えの特例」と、さきほどの「居住用財産を譲渡した場合の3,000万円特別控除＋軽減税率」は選択適用となります。

適用要件はおなじなので、要件的にどっちも選べる場合、どっちかにしてくださいねー。

買換えでおつり（もうけ）があったとしても、3,000万円特別控除は適用できない。通常の譲渡所得として処理。

▶譲渡資産（譲渡した居住用財産）の要件

対　　象	いままで住んでいた家とその敷地。 居住用でなくなった場合は3年以内
居住期間	10年以上
所有期間	譲渡した年の1月1日で10年を超えるもの
譲渡対価	譲渡対価の額が1億円以下

▶買換資産（新たに取得した居住用財産）の要件

取得時期	譲渡資産を譲渡した年の前年、譲渡した年、その翌年の年末までに取得。
居住の時期	買換資産を取得した日から譲渡した年の翌年の12月31日までに居住の用に供すること。またはその見込みであること。
面積要件	建物　床面積50㎡以上 土地　面積が500㎡以下
中古要件	建築後25年以内（または新耐震基準に適合しているもの）。

▶その他の適用要件

- 配偶者や直系血族、同族会社などへの譲渡ではないこと。
- 譲渡した年、前年、前々年に3,000万円特別控除の適用・軽減税率の特例の適用を受けていないこと。

〔3〕居住用財産を譲渡して譲渡損失があった場合

売った年の1月1日現在で所有期間が5年超の居住用財産を譲渡して、譲渡損失が生じた場合は、譲渡損失の金額を他の所得と損益通算できるよ。

たとえばマンションを売って損した場合、その損を給与所得と通算したり、赤字が大きすぎてその年では引ききれなかったら、翌年から3年間にわたって繰り越せます。

重要！

合計所得金額が3,000万円を超える年がある場合、その年は適用できない。

いずれにせよ、全体の所得を低くすることができるから、所得税が安くなりますよ、ということ。

★★★

8 住宅借入金等特別税額控除（住宅ローン控除）

住宅ローンで住宅の新築、購入、増改築等をしたときは、住宅ローンの年末残高に一定の率をかけた金額が、所得税から控除されます。

たとえばサラリーマン（給与所得者）が住宅ローンを組んでマイホームを買ったとしよう。この場合、彼の給与所得の所得税から一定額が控除される。

一定期間、所得税が安くなるんですねー。

ただし、控除を受ける年の合計所得金額が 2,000 万円以下などの条件があるよ。

▶主な適用要件

- 国内において、一定の要件を満たす居住用家屋の新築・購入・増改築等をしたこと。
- 償還期間が 10 年以上の住宅ローン（借入先が金融機関等）であること。
- 住宅を取得した日から６ヶ月以内に居住し、引き続き居住していること。
- 控除を受ける年の合計所得金額が 2,000 万円以下であること。
- 住宅の床面積が 50㎡以上（40㎡以上となる場合あり）で、２分の１以上が居住用であること。
- 中古住宅の場合、築年数にかかわらず昭和 57 年以降に建築されていて、新耐震基準に適合していること。

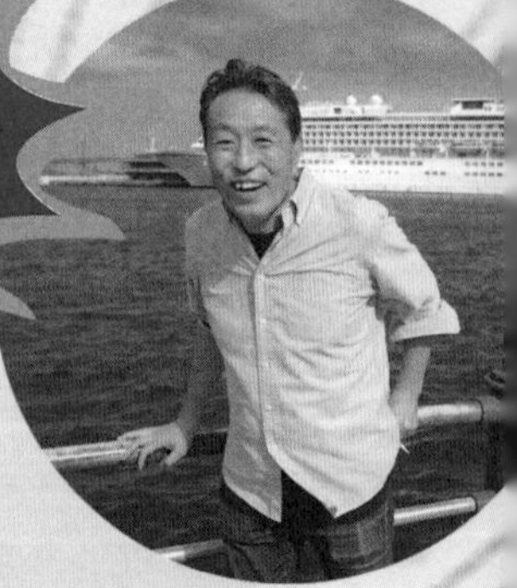

あともう少しだ。

がんばれ自分!!!

尊敬するアントニオ猪木氏の言葉を贈ろう。

(試合に) 出る前に負けることを考える

バカいるかよ!

1・2・3

ダーッ!!

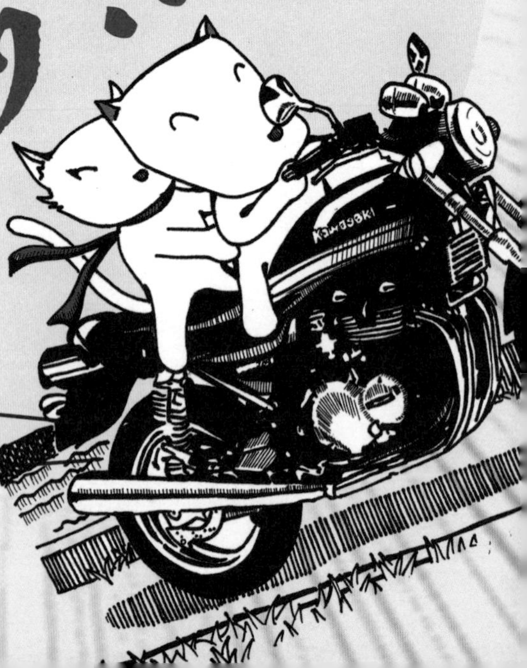

Part 5

免除科目

問 46 〜問 50 はいわゆる「免除科目」ですが、ふつうに勉強していれば、ほぼ得点できると思います。ラインアップは問 46：住宅金融支援機構、問 47：景品表示法、問 48：統計等、問 49：土地の形質等、問 50：建物の構造等です。問 46・問 47 は過去問と同趣旨での繰り返し出題だし、問 49・問 50 は出題内容をネットで画像検索してみればわかります。

1 Section 景品表示法

インチキ不動産を見破れ。
表示基準に従わないと
不当表示となるよ。

★★★

1 一般消費者の利益を保護する景品表示法

概要

景品表示法とは「不当景品類及び不当表示防止法」の略で、不当な景品類の提供や表示を禁止しています。その具体的な内容は、不動産業界では「不動産の表示に関する公正競争規約」「不動産業における景品類の提供の制限に関する公正競争規約」で定められています。

〔1〕景品表示法と自主規制ルール

景品表示法では「商品や役務の品質や取引条件など、実際のものよりも著しく優良であるかのような表示をしてはならない」というようなことは定めているんだけど、具体的な内容は定められていないんだよね。

 プラスα

不当景品類の提供や不当表示があった場合、景品表示法上、内閣総理大臣から措置命令（違反行為の差し止め、訂正広告、その他の措置を行うこと）を受ける。違反行為がすでになくなっているときも措置命令は可能。

具体的な内容は、各業界の規約で定めましょう、ということですね。不動産業界では以下の２つの規約がありまーす。

★★★

2　不動産の表示に関する公正競争規約

この公正競争規約には、不動産の取引について行う販売広告などの表示に関する基準などが定められています。この規約に違反した表示は、不当表示となります。

不動産の広告（表示）に関する規制は、以下のものがあるよ。

読んでいて、けっこう楽しいです。

〔1〕広告の開始時期の制限

事業者は、宅地の造成または建物の建築に関する工事の完了前においては、宅建業法の規定と同様に、建築確認や開発許可などの処分があった後でなければ、宅地建物の内容や取引条件などに関する広告表示をしてはならない。

〔2〕特定事項の明示義務。必ず表示せねばならぬ!!

事業者は、一般消費者が通常予期することができない物件の形質や環境などに関する事項または相手方に著しく不利な取引条件などがある場合は、見やすい場所に、見やすい大きさ、見やすい色彩の文字により、分かりやすい表現で明瞭に表示しなければならない。

以下は、ヤバい不動産の例（笑）。

そりゃ安いはずです。「不動産に掘り出し物なし」ですね!!

①市街化調整区域に所在する土地

「市街化調整区域。宅地の造成及び建物の建築はできません。」と16ポイント以上の文字で明示すること。

※なお、新聞・雑誌広告における文字の大きさについては、16ポイント以上でなくてもよい。

②建築基準法第42条に規定する道路に2メートル以上接していない土地

「再建築不可」または「建築不可」と明示すること。

③建築基準法第42条第2項の規定により道路とみなされる部分（セットバックを要する部分）を含む土地

その旨を表示し、セットバックを要する部分の面積がおおむね10%以上である場合は、あわせてその面積を明示すること。

④土地取引において、土地上に古家、廃屋等が存在するとき

その旨を明示すること。

⑤沼沢地、湿原または泥炭地等

その旨を明示すること。

⑥土地の全部または一部が高圧電線路下にあるとき

その旨及びそのおおむねの面積を明示すること。

※建物その他の工作物の建築が禁止されているときは、あわせてその旨を明示すること。

⑦傾斜地を含む土地であって、傾斜地の割合が土地面積のおおむね 30%以上を占める場合（マンション及び別荘地等を除く）

その旨及びその面積を明示すること。

※なお、傾斜地の割合が 30%以上を占めるか否かにかかわらず、傾斜地を含むことにより、当該土地の有効な利用が著しく阻害される場合（マンションを除く）は、その旨及び傾斜地の割合または面積を明示すること。

⑧著しい不整形画地、区画の地盤面が２段以上に分かれている等の著しく特異な地勢の土地

その旨を明示すること。

⑨道路法の規定による道路区域または都市計画法の都市計画施設の区域

その旨を明示すること。

⑩建築工事に着手した後に、同工事を相当の期間にわたり中断していた新築住宅または新築分譲マンション

建築工事に着手した時期及び中断していた期間を明示すること。

⑪建築条件付土地の取引

取引の対象が土地である旨・建築条件の内容・条件が成就しなかったときの措置の内容を明示して表示すること。

⑫路地状部分のみで道路に接する土地

その路地状部分の面積が当該土地面積のおおむね 30%以上を占めるときは、路地状部分を含む旨及び路地状部分の割合または面積を明示すること。

〔3〕物件の内容・取引条件等についての表示基準

こんどは、交通の利便性や写真などについての表示基準。主なものを掲載しておきます。とにかく、こういう基準で表示せよ！！

そうじゃないと不当表示でーす。

①取引態様

取引態様は、「売主」、「貸主」、「代理」または「媒介（仲介）」の別をこれらの用語を用いて表示すること。

②交通の利便性

（1）新設予定の鉄道などの駅等やバスの停留所は、当該路線の運行主体が公表したものに限り、その新設予定時期を明示して表示することができる。

（2）電車、バス等の交通機関の所要時間は、次の基準により表示すること。
・乗換えを要するときは、その旨を明示すること。
・特急、急行等の種別を明示すること。
・通勤時の所要時間が平常時の所要時間を著しく超えるときは、通勤時の所要時間を明示すること、など。

③徒歩による所要時間

徒歩による所要時間は、道路距離80mにつき1分間を要するものとして算出した数値を表示すること。この場合において、1分未満の端数が生じたときは、1分として算出すること。

④面積

（1）面積は、メートル法により表示すること。この場合において1㎡未満の数値は、切り捨てて表示することができる。

（2）建物の面積（マンションにあっては、専有面積）は、延べ面積を表示し、これに車庫、地下室等の面積を含むときは、その旨及びその面積を表示すること。

（3）住宅の居室等の広さを畳数で表示する場合においては、畳1枚当たりの広さは1.62㎡以上の広さがあるという意味で用いること。

（4）私道負担が含まれている土地にあっては、私道負担部分の面積を表示すること。

⑤物件の形質

（1）採光及び換気のための窓その他の開口部の面積の当該室の床面積に対する割合が建築基準法の規定に適合していないため、同法において居室と認められない納戸その他の部分については、その旨を「納戸」等と表示すること。

（2）地目は、登記簿に記載されているものを表示すること。この場合において、現況の地目と異なるときは、現況の地目を併記すること。

（3）建物をリフォームまたは改築（以下「リフォーム等」という）したことを表示する場合は、そのリフォーム等の内容及び時期を明示すること。

⑥写真・絵図

（1）宅地または建物の写真は、取引するものの写真を用いて表示すること。

（2）取引しようとする建物が建築工事の完了前であるなどで、その建物の写真を用いることができない場合は、次のものに限り、他の建物の写真を用いることができる。この場合においては、当該写真が他の建物のものである旨を写真に接する位置に明示すること。

①取引しようとする建物と規模、形質及び外観が同一の他の建物の外観写真。この場合において、門塀、植栽、庭等が異なる場合は、その旨を明示すること。

②建物の内部写真であって、写真に写される部分の規模、形質等が同一のもの。

（3）宅地または建物の見取図、完成図または完成予想図は、その旨を明示して用い、当該物件の周囲の状況について表示するときは、現況に反する表示をしないこと。

⑦生活関連施設

「学校、病院、官公署などの公共･公益施設」や「デパート、スーパーマーケット、商店等の商業施設」は、現に利用できるものを物件までの道路距離または徒歩所要時間を明示して表示すること。

※スーパーマーケットなどの商業施設については、工事中である等その施設が将来確実に利用できると認められるものにあっては、その整備予定時期を明示して表示できる。

⑧価格・賃料

（1）土地の価格については、1区画当たりの価格を表示すること。

（2）すべての区画の価格を表示することが困難であるときは、分譲宅地の価格については、1区画当たりの最低価格、最高価格、最多価格帯、その価格帯に属する販売区画数を表示すること。
※販売区画数が10未満であるときは、最多価格帯の表示を省略することができる。

（3）住宅（マンションにあっては、住戸）の価格については、1戸当たりの価格を表示すること。

（4）すべての住戸の価格を示すことが困難であるときは、新築分譲住宅及び新築分譲マンションの価格については、1戸当たりの最低価格、最高価格、最多価格帯、その価格帯に属する住宅または住戸の戸数を表示すること。
※販売戸数が10戸未満であるときは、最多価格帯の表示を省略することができる。

（5）賃貸される住宅（マンションまたはアパートにあっては、住戸）の賃料については、1ヶ月当たりの賃料を表示すること。ただし、新築賃貸マンション・新築賃貸アパートの賃料について、すべての住戸の賃料を表示することが困難である場合は、1住戸当たりの最低賃料、最高賃料を表示すること。

（6）管理費・共益費・修繕積立金については、1戸当たりの月額を表示すること。ただし、住戸により金額が異なる場合において、そのすべての住宅の管理費・共益費・修繕積立金を示すことが困難であるときは、最低額、最高額のみで表示することができる。

⑨住宅ローン

住宅ローンについては、次の事項を明示して表示すること。
①金融機関の名称・商号または都市銀行、地方銀行、信用金庫等の種類
②提携ローンまたは紹介ローンの別
③融資限度額
④借入金の利率及び利息を徴する方式（固定金利型、変動金利型などの種別）または返済例

〔4〕特定用語の使用基準

こんどはね、「この言葉はこういう意味で使ってね」ということです !!

未使用でも建築後１年以上だったら「新築」は使えませーん !!

要チェック

新　築	建築後１年未満であって、居住の用に供されたことがないもの。
新発売	新たに造成された宅地または新築の住宅について、一般消費者に対し、初めて購入の申込みの勧誘を行うこと。 ※購入の申込みを受けるに際して一定の期間を設ける場合においては、その期間内における勧誘をいう。
ダイニング・キッチン（DK）	台所と食堂の機能が１室に併存している部屋をいい、住宅の居室（寝室）数に応じ、その用途に従って使用するために必要な広さ、形状及び機能を有するもの。
リビング・ダイニング・キッチン（LDK）	居間と台所と食堂の機能が１室に併存する部屋をいい、住宅の居室（寝室）数に応じ、その用途に従って使用するために必要な広さ、形状及び機能を有するもの。

〔5〕不当な二重価格表示の禁止

事業者は、物件の価格や賃料などについての二重価格表示をする場合においては、事実に相違する広告表示、実際のものや競争事業者に係るものよりも有利であると誤認されるおそれのある広告表示をしてはならない。

※二重価格表示とは、実売価格に、これよりも高い価格（比較対象価格）を併記するなどして、実売価格に比較対象価格を付すことをいう。

〔6〕おとり広告の禁止

事業者は、次の広告表示（おとり広告）をしてはならない。

出たぁ〜、究極の不当表示ですねー（笑）。

①物件が存在しないため、実際には取引することができない物件に関する表示
②物件は存在するが、実際には取引の対象となり得ない物件に関する表示
③物件は存在するが、実際には取引する意思がない物件に関する表示

★★★

3 不動産業における景品類の提供の制限に関する公正競争規約

不動産取引に関連して不当な景品類を提供する行為も禁止されています。「不動産の表示に関する公正競争規約」とおなじく、不動産業における不当な顧客の誘引を防止し、一般消費者による自主的かつ合理的な選択及び事業者間の公正な競争を確保することを目的としています。

〔1〕景品類の提供の制限

やっぱりね、過剰なオマケでお客を釣らないように!!

事業者（不動産業者）は、次の額を超える景品類の提供はできませーん。

▶懸賞により提供する場合（例：抽選で◯◯名様に !!）

取引価格の 20 倍または 10 万円のいずれか低い額。

※提供できる景品類の総額は、懸賞に係る取引予定総額の 100 分の２以内とする。

▶懸賞によらないで提供する場合（例：もれなくプレゼント !!）

取引価額の 10 分の１または 100 万円のいずれか低い額。

ひとこと

ゆっくりでも休み休みでも「やり続ける」こと。ペースは自分次第でOK。根拠は自分。

2
Section

住宅金融支援機構

機構と民間金融機関が提携。
長期固定金利住宅ローンの
フラット 35。

★★★

1 住宅金融支援機構の業務（13条）

住宅金融支援機構は、従来の住宅金融公庫の業務を承継する形で、平成 19 年４月１日に設立された独立行政法人です。機構の主な業務は、住宅ローン債権の「証券化支援業務」です。

そのむかし、といっても平成 18 年くらいまでなんだけど、住宅金融公庫っていうのがあって、一般国民向けに長期間・低金利の住宅ローンを直接融資していたんだよね。

かつては「住宅金融公庫で借りられるだけ借りて、足りない分はほかの金融機関で」というようなことでした。

そんな時代もありましたが、その後、民間の金融機関の住宅ローンを後押し（支援）していこうという流れになりました。

住宅金融公庫の時代とは異なり、原則として、住宅資金の直接融資は行いませーん。かなり限定された形での直接融資となってまーす。

〔1〕証券化支援業務

銀行、保険会社、農業共同組合、信用金庫、信用組合などの民間金融機関が融資した住宅ローン債権を機構が買い取って証券化し、それを市場に売り出すという業務。これがメイン業務といってもいいかも。

住宅の建設・購入に伴う土地や借地権の取得に必要な資金のほか、住宅の購入に付随する改良資金の貸付債権も含む。

プラスα
新築だけでなく、中古住宅の購入のための貸付債権も証券化支援業務の対象になる。

この証券化支援業務には「買取型」と「保証型」の2つがあります。

買取型	一般の金融機関が融資した住宅ローン債権を買い取り、証券化して、一般投資家に売る。 ※住宅ローン債権を買い取り、信託した上で、それを担保とする債権（MBS）を発行する。
保証型	一般の金融機関が貸し付けた住宅ローン（金融機関が証券化する）に機構が保証をつける。 ※機構が、住宅ローン利用者が返済不能となった場合に保険金を支払う「住宅融資保険」の引き受けを行う。その保険が付いた住宅ローンを担保として発行された債権等について、元利金の支払いを保証する。

一般の金融機関にしてみれば、「機構が債権を買い取ってくれる」「証券化して売っぱらったローンが返済不能となっても機構が保険でどうにかしてくれる」となりゃ、安心してバンバン住宅資金を貸しまくるよね。まさに「住宅金融」の支援（笑）。

長期固定金利型の住宅ローンが、買取（保証）の対象となる。変動金利や短期の住宅ローンは対象外。

一般投資家も、機構がバックについているからと安心して、証券をバンバン買う（笑）。

こうしてかき集めたカネで、機構はまた債権をバンバン買う。

かくして、住宅ローンは花ざかりとなっていくんですね !!

▶「フラット 35」について

証券化支援業務の活用例として、機構と民間の金融機関が提携して実現した長期固定金利型の住宅ローンの名称。フラット 35 の主な特徴は以下のとおり。

・全期間固定金利が適用。
・新築、中古のいずれでも利用可。
・融資金利や融資手数料は、金融機関によって異なる。
・保証人や保証料は不要。

〔2〕融資保険業務

住宅融資保険法による保険を行うこと。民間の金融機関の住宅ローンが返済不能となったなどの場合、機構が金融機関に保険金を支払う制度。

〔3〕情報提供業務

住宅の建設や購入、改良や移転をしようとする者や住宅の建築等に関する事業をしようとする者に対して、必要な資金の調達・良質な住宅の設計などに関する情報の提供、相談その他の援助を行う。

〔4〕直接融資業務

民間の融資が困難だと思われる場合には、機構が民間の金融機関に代わって資金が必要な人に直接融資をするよ。

ということで、直接融資の範囲は限定されてまーす。

▶直接融資業務（対象）

要チェック

災害復興	災害復興建築物の建設・購入または被災建築物の補修に必要な資金の貸付け
災害予防	災害予防代替建築物の建設・購入、災害予防移転建築物の移転に必要な資金、災害予防関連工事に必要な資金や地震に対する安全性の向上を主たる目的とする住宅の改良に必要な資金の貸付け
合理的土地利用	合理的土地利用建築物の建設（例：密集地解消のための建替え）や購入に必要な資金の貸付け
マンション修繕	マンションの共用部分の改良に必要な資金の貸付け
子育て世帯・高齢者世帯向け賃貸	子どもを育成する家庭・高齢者の家庭（単身の世帯を含む）に適した良好な居住性能及び居住環境を有する賃貸住宅などの建設に必要な資金または当該賃貸住宅の改良に必要な資金の貸付け
高齢者世帯向け	「高齢者の家庭に適した良好な居住性能及び居住環境を有する住宅への改良に必要な資金」または「高齢者向け優良賃貸住宅」とすることを主たる目的とする人の居住の用に供したことのある住宅の購入に必要な資金の貸付け
財形住宅融資その他	海外社会資本事業への我が国事業者の参入の促進に関する法律の規定による調査、研究及び情報の提供
	「阪神・淡路大震災に対処するための特別の財政援助及び助成に関する法律 」「東日本大震災に対処するための特別の財政援助及び助成に関する法律」「福島復興再生特別措置法」規定による貸付け
	勤労者財産形成促進法の規定による貸付け（いわゆる財形融資。財形住宅貸付業務）など
住宅確保要配慮者向け賃貸住宅	「住宅確保要配慮者に対する賃貸住宅の供給の促進に関する法律」の規定による、登録住宅（住宅確保要配慮者向けの賃貸住宅）の改良に必要な資金の貸付け ※「住宅確保要配慮者」とは、低額所得者、被災者、高齢者、障害者、子どもを養育している者などで、住宅の確保に特に配慮を要する者をいう。

〔5〕家賃債務保証保険契約

機構は、家賃債務保証事業者との間で、家賃保証事業者が登録住宅に入居する住宅確保要配慮者の家賃債務を保証する場合に、その保証の保険を引き受けることができる。

〔6〕団体信用生命保険業務

融資を受けた者とあらかじめ契約を締結して、その者が死亡したときに支払われる生命保険を債務の弁済に充てる業務。

〔7〕業務の委託・貸付条件の変更

業務の委託	機構は、業務（情報の提供業務は除く）の一部を次の者に委託することができる。 ①一定の金融機関 ②一定の債権回収会社 ③地方公共団体その他政令で定める法人
貸付条件の変更	機構が定める一定の事由により、元利金の支払が著しく困難となった場合においては、貸付けの条件の変更または延滞元利金の支払方法の変更をすることができる。

ひとこと

焦らない。なによりも楽しもう。一寸先は光。だいじょうぶ。明日はきっといい天気だよ。

3 Section 宅地建物の統計等 土地・建物の形質等

〔1〕「宅地建物の統計等」について

例年、本試験の【問 48】で「宅地建物の統計等」に関する問題が1問出題されます。宅建業の現状や地価公示、土地の取引件数など、まさに宅地建物の取引に関する諸状況を聞いてきます。

主に出題の根拠となっているのは、毎年6月ごろから国土交通省などで公表される各種の統計数値です。各種情報が出そろった時点で、特製レジュメを作っています。

★追加資料のお知らせ★
統計資料などが出そろいましたタイミングで、直前対策として、この分野についての特製レジュメをご用意いたします。2025 年8月中旬を予定しております。時期が来ましたら、本書の Web サイトの特典ページ内(P.751 参照)でご案内いたします。どうぞご活用ください。

お時間がありましたら、以下のWebサイトもチェックしてみてください。けっこうおもしろいです。

① 地価公示価格の推移、土地利用関連、各種白書
「土地総合情報システム」
② 建築着工統計や新築住宅着工数など
建築・住宅関係統計データ（国土交通省）
③ 宅地建物取引業者数の推移、不動産業界の状況
国土交通白書（国土交通省webサイト→「統計情報」）
④ 不動産業界の売上・経常利益など
法人企業統計調査（財務総合政策研究所）

〔2〕「土地・建物の形質等」ってなに？

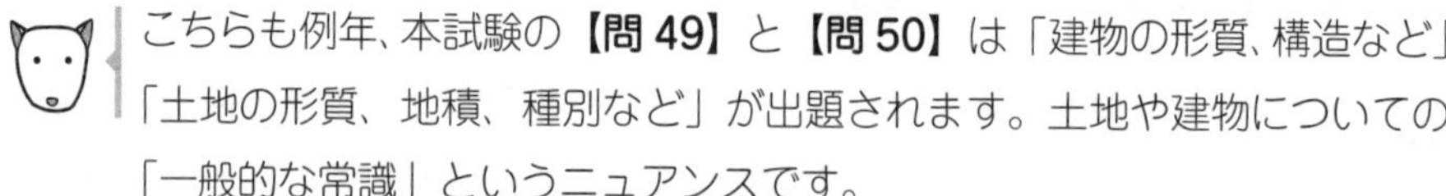

こちらも例年、本試験の**【問49】**と**【問50】**は「建物の形質、構造など」「土地の形質、地積、種別など」が出題されます。土地や建物についての「一般的な常識」というニュアンスです。

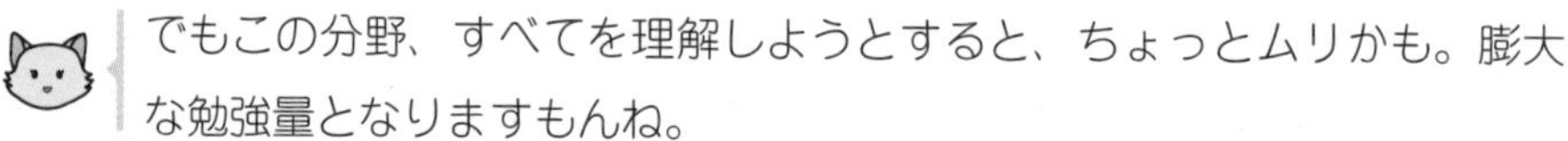

でもこの分野、すべてを理解しようとすると、ちょっとムリかも。膨大な勉強量となりますもんね。

なので、勉強方法として、とりあえず過去に出題された内容をチェックしておくというのがいちばん手軽でいいと思います。イメージがつきにくい用語については、インターネットで画像検索をしてみてください。

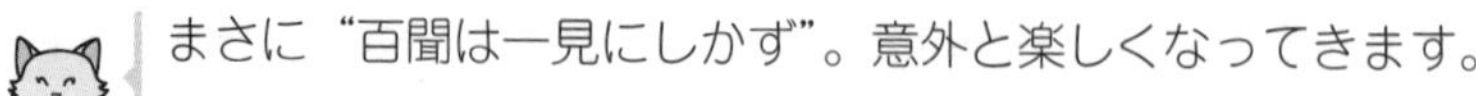

まさに“百聞は一見にしかず”。意外と楽しくなってきます。

出題頻度リスト

出題回数をもとにランク付けした出題頻度リストです。復習と直前期の学習に活用してください。

出題頻度➔ ★★★ 毎年のように出題されている項目！

出題頻度→ ★★ ここも頻出！ 落としちゃダメ！

出題頻度→ ★ 基本のキ！ 時間があれば

宅建業法

法令上の制限

権利関係・地価公示・税・免許科目

著者のプロフィール

宅建ダイナマイト合格スクール

「おーさわ校長」こと大澤茂雄を中心としたエンタメ系宅建受験講座を運営する団体。2004（平成16）年に結成。「自主規制や同調圧力が強い大手専門予備校では味わえない講座を提供していく」ことを目途とし、「個が発信し個が選択する新しい時代」に対応すべく、各講師の個性を全面的に出しての、なかばヤケクソ気味な講座展開が売り。当初は宅建ダイナマイト受験倶楽部と名乗っていたが、2012（平成24）年に宅建ダイナマイト合格スクールに名称変更。
https://t-dyna.com

音声講義担当

大澤茂雄（おおさわ しげお）

1986（昭和61）年、日本大学法学部卒業。1987（昭和62）年に宅建試験に合格。1989（平成元）年に大手資格専門学校にて宅建士講座を担当。講師歴は30年を超える。

動画講義担当

鳥海耕二（とりうみ こうじ）

1972年生まれ。大原法律専門学校の本部に所属し、20年以上宅建講師として登壇、また講座本部管理職として企画運営を経験した後、独立。現在は、「宅建鳥海オンライン」「スタケン 宅建講座」などでのオンライン講座や、自身のYouTubeチャンネル「講師 鳥海耕二 toriumi kouji」にて、宅建に関する講座や情報発信を行っている。

STAFF

編　集	大西強司（とりい書房有限会社）
	瀧坂　亮
制作協力	檜木　萌
制　作	レパミ企画　西新宿デザインオフィス　むくデザイン
イラスト	中島裕加
校　正	板倉隆将
編集長	片元　諭

本書のご感想をぜひお寄せください

https://book.impress.co.jp/books/1124101066

読者登録サービス CLUB IMPRESS

アンケート回答者の中から、抽選で**図書カード（1,000円分）**などを毎月プレゼント。
当選者の発表は賞品の発送をもって代えさせていただきます。
※プレゼントの賞品は変更になる場合があります。

■商品に関する問い合わせ先

このたびは弊社商品をご購入いただきありがとうございます。本書の内容などに関するお問い合わせは、下記のURLまたは二次元バーコードにある問い合わせフォームからお送りください。

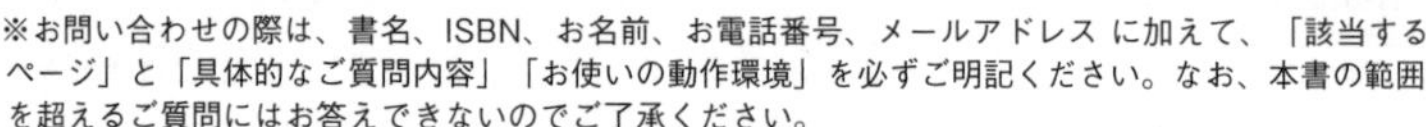

https://book.impress.co.jp/info/

上記フォームがご利用いただけない場合のメールでの問い合わせ先
info@impress.co.jp

※お問い合わせの際は、書名、ISBN、お名前、お電話番号、メールアドレス に加えて、「該当するページ」と「具体的なご質問内容」「お使いの動作環境」を必ずご明記ください。なお、本書の範囲を超えるご質問にはお答えできないのでご了承ください。

●電話やFAXでのご質問には対応しておりません。また、封書でのお問い合わせは回答までに日数をいただく場合があります。あらかじめご了承ください。
●インプレスブックスの本書情報ページ https://book.impress.co.jp/books/1124101066 では、本書のサポート情報や正誤表・訂正情報などを提供しています。あわせてご確認ください。
●本書の奥付に記載されている初版発行日から1年が経過した場合、もしくは本書で紹介している製品やサービスについて提供会社によるサポートが終了した場合はご質問にお答えできない場合があります。

■落丁・乱丁本などの問い合わせ先

FAX　03-6837-5023
service@impress.co.jp
※古書店で購入された商品はお取り替えできません。

2025年版 合格しようぜ！宅建士 基本テキスト 動画&音声講義付き

2024年 10月21日 初版発行

著　者　宅建ダイナマイト合格スクール
発行人　高橋隆志
編集人　藤井貴志
発行所　株式会社インプレス
〒101-0051　東京都千代田区神田神保町一丁目105番地
ホームページ　https://book.impress.co.jp/

印刷所　日経印刷株式会社

ISBN978-4-295-02036-3　C2032

Printed in Japan